Guia Conciso de Autores Brasileiros

BRAZILIAN AUTHORS CONCISE GUIDE

Guia Conciso de Autores Brasileiros

BRAZILIAN AUTHORS CONCISE GUIDE

| *Alberto Pucheu Caio Meira*

MINISTÉRIO DA CULTURA
Fundação BIBLIOTECA NACIONAL
Departamento Nacional do Livro

Imprensa Oficial SP

Rio de Janeiro | 2002

FUNDAÇÃO BIBLIOTECA NACIONAL - FBN *(National Library Foundation)*

Departamento Nacional do Livro - DNL *(National Book Office)*

endereço | *address* rua da Imprensa 16 / 11º andar Centro Rio de Janeiro RJ 20030-120 Brasil

telefones | *telephones* (00 55 21) 2544-8597 2544-8669 2544-8514 2220-0390

fax (00 55 21) 2220-1009

homepage www.bn.br

e-mail dnl@bn.br

IMPRENSA OFICIAL DO ESTADO

endereço | *address* rua da Mooca 1.921 Mooca São Paulo SP 03103-902 Brasil

telefone | *telephone* (11) 6099-9800

fax (11) 6692-3503

homepage www.imprensaoficial.com.br

e-mail divulgacaoeditoriais@imprensaoficial.com.br

sac 0800-123 401

GUIA CONCISO DE AUTORES BRASILEIROS *(Brazilian Authors Concise Guide)*

de | *by* Alberto Pucheu Caio Meira

Pesquisa sobre Editoras | *Research on Publishing Houses* Angela Maria P. da Silva Luiz Fernando Sampaio Victor Moraes

Revisão | *Proofreading* Denise Teixeira Vianna José Bernardino Cotta

Versão Inglesa | *English Version* Ernesto Lima Veras Mariézer da Silveira e Sá

Projeto Gráfico | *Graphic Design* David Cury

Diagramação | *Diagramming* Maurício Reguffe

Guia conciso de autores brasileiros = Brazilian authors concise guide / [organizado por] Alberto Pucheu, Caio Meira. — Rio de Janeiro : Fundação Biblioteca Nacional, Dep. Nacional do Livro, São Paulo: Imprensa Oficial do Estado, 2002. 410 p. ; 27,94 cm.

ISBN 85-333-0180-4 (Fundação Biblioteca Nacional)
ISBN 85-7060-123-9 (Imprensa Oficial do Estado)

1. Literatura brasileira — Biobibliografia. 2. Escritores brasileiros — Indicadores. 3. Editores e edição — Brasil — Indicadores. I. Pucheu, Alberto, 1966- . II. Meira, Caio, 1966- . III. Biblioteca Nacional (Brasil). Departamento Nacional do Livro. IV. Título: Brazilian authors concise guide.

CDD-016.B869

Sumário | *Table of Contents*

Apresentação | *Introduction*

Com o *Guia Conciso de Autores Brasileiros*, oferecemos ao mundo editorial, e particularmente aos editores estrangeiros em dificuldade com a língua portuguesa, informações sobre escritores brasileiros de inquestionável prestígio. Trata-se de uma publicação que busca ser continuamente ampliada, com o acréscimo de nomes significativos às letras nacionais. Este *Quem é Quem* da literatura brasileira visa à apresentação de nossos autores aos editores estrangeiros em visita a feiras internacionais — daí a presente edição português/inglês.

Em resposta ao convite da Fundação Biblioteca Nacional, diretores de bibliotecas públicas, críticos e professores indicaram autores para formação de uma biblioteca básica de literatura brasileira, totalizando, inicialmente, 182 nomes, agora reunidos neste *Guia*.

As we bring out the Brazilian Authors Concise Guide *we offer to the publishing community, particularly those foreign publishers who may encounter difficulties with the Portuguese language, information about Brazilian writers of unquestionable renown. This catalog of Brazilian authors is meant to be continuously enlarged by the addition of meaningful names from the Brazilian literature. This* Who's Who *in the Brazilian literature seeks to introduce our authors to those foreign publishers attending the international fairs. For this reason, we provide this Portuguese/English version.*

In response to a request by the National Library Foundation, public libraries principals, critics, and teachers pointed at the writers to be included in a Brazilian literature basic library, totaling the 182 names compiled in this Guide.

Acreditamos que, pela alta qualidade dos fragmentos e verbetes de cada um dos escritores e respectivas versões para o inglês, este *Guia Conciso de Autores Brasileiros* há de se tornar, muito em breve, uma fonte de consulta e referência indispensável aos que trabalham com livros e com escritores brasileiros.

Em grandes mostras internacionais de livros, tais como a Frankfurt Bookfair, a Feria Internacional del Libro de Espanha (LIBER), o Salon du Livre de Paris e a Feria Internacional del Libro de Guadalajara (FIL), este *Guia* será de valor inestimável a editores brasileiros que estão apresentando títulos publicados, como também a editores estrangeiros prestes a selecionar livros para tradução e publicação. Muito embora algumas feiras funcionem como exposição e venda de títulos avulsos para um público pagante, o que verdadeiramente motiva a visita ou a representação de casas editoriais locais e estrangeiras é a oportunidade de compra e venda de direitos de tradução e publicação em seus respectivos países. Não raro, tais operações são intermediadas por agentes literários de autores ou de editoras que os representam.

Ainda são poucos os editores brasileiros que negociam em nome de seus autores. Nos últimos anos, a Fundação Biblioteca Nacional, através do Departamento Nacional do Livro, promove a literatura brasileira com o Programa de Bolsas de Tradução do Autor Brasileiro para Outros Idiomas, chegando a auspiciosos resultados. Em nove anos, 133 títulos de autores brasileiros foram traduzidos em países da Europa e quatro em países da

We believed that, by the high quality of the fragments and entries dedicated to each of the writers and corresponding translations into English, this Brazilian Authors Concise Guide *will very soon become a consultation source and an indispensable reference book to those working with books and with Brazilian writers.*

In major international book fairs such as the Frankfurt Bookfair, the Feria Internacional del Libro de Espanha (LIBER), the Salon du Livre de Paris, the Feria Internacional del Libro de Guadalajara (FIL), this guide will be of inestimable value not only for Brazilian publishers who are presenting published titles but also for foreign publishers willing to choose books for translation and publication. Even though some of such fairs are open to the reading public as a showcase and a retail outlet for the titles presented, a major motivation for publishers in book fairs is the opportunity of concrete businesses, such as the translation and publication in their respective countries. Operations are often materialized through the intermediation of Literary Agents who legally represent the authors or their respective publishers.

A few Brazilian publishers take upon themselves the intermediation of their authors. Over the last years, the National Library Foundation, through Departamento Nacional do Livro (National Book Office), has promoted the Brazilian literature through the Translation of Brazilian Authors to Foreign Languages Sponsorship Program, achieving encouraging results. In nine years, 133 titles by Brazilian authors were translated

América Latina, contando com o apoio irrestrito do referido Programa de Bolsas da Fundação Biblioteca Nacional. Contudo, as compras feitas por editores baseiam-se nas informações de especialistas em mercado de livros — os chamados *scouts*. São esses informantes que indicam os títulos de sucesso e antecipam aos editores o potencial de venda de uma obra. Lamentavelmente, nossos autores ainda não contam com o mesmo apoio logístico.

O lançamento do *Guia Conciso de Autores Brasileiros* quer suprir essa lacuna. Nele incluímos verbetes sobre os escritores, bibliografias, citações da crítica especializada, fragmentos de obras e endereços eletrônicos para contato com os autores ou com seus representantes. Além disso, o *Guia* traz os endereços completos das principais editoras associadas ao Sindicato Nacional dos Editores e de agentes literários de que temos conhecimento, ora representando autores brasileiros. Esperamos também que, em futuro próximo, este catálogo alcance ampla circulação no mundo literário. Recomendamos ainda àqueles interessados na produção editorial brasileira uma visita às páginas da Fundação Biblioteca Nacional >www.bn.br<, do Sindicato Nacional dos Editores de Livros >www.snel.org.br< e da Câmara Brasileira de Livros >www.cbl.org.br< na rede mundial de computadores.

in European countries, and four in Latin-American countries; all supported by the National Library Foundation Translation Sponsorship Program. However, the purchasing process by publishers starts with the information provided by book market specialists — the so-called scouts. These indicate the best-seller titles, show beforehand to the publishers the opportunities and the potential of a literary work in the market. Unfortunately, our authors cannot rely on such a logistic support yet.

The launching of this Brazilian Authors Concise Guide *aims at bridging this gap. It includes entries about the Brazilian writers, bibliographies, specialized critic quotations, excerpts from works and electronic addresses for contact with the authors themselves or their agents. Besides, this* Guide *includes the addresses of all major publishers affiliated to the Publishers National Union and a number of Literary Agents, presently representing Brazilian authors. We are also hopeful that this catalog will in the near future achieve the widest circulation in the literary world. We likewise recommend whoever is interested in the Brazilian editorial production to visit the following web pages: National Library Foundation >www.bn.br<, Publishers National Union >www.snel.org.br<, Brazilian Book Chamber >www.cbl.org.br< on the computers worldwide net.*

prof. **Elmer Côrrea Barbosa**

diretor do Departamento Nacional do Livro da Fundação Biblioteca Nacional

| *director of the National Book Office of Brazil's National Library Foundation*

Autores Brasileiros | *Brazilian Authors*

ABGAR RENAULT

Como em toda boa escrita, duas forças se harmonizam na obra de ABGAR RENAULT: a da renovação lingüística e a da tradição, a moderna e a clássica. Nesse entrelaçamento, um poderoso pensamento lírico acolhe a sensibilidade para, através da sabedoria que lhe é peculiar, dar voz às trágicas questões humanas suscitadas pela morte, pelo efêmero, pelo tempo em constante movimento incontrolável. Essa poesia de cunho metafísico, desprendendo forte intimidade com o ser do mundo que, em vez de respostas, oferece apenas interrogações, transita dos sonetos às elegias. Nos primeiros, com chaves de ouro e rimas ricas, raras e surpreendentes, a perfeição de um laboratório técnico; nas outras, longas, os versos de amplo fôlego se assemelham ao ritmo do falar natural, absorvendo as enumerações caóticas que tentam responder à multiplicidade do mundo. Seja nos sonetos ou nas elegias, a mesma intensidade viva e reflexiva, as mesmas nuanças de um mestre das palavras oriundo de uma geração mineira de amigos que, além dele, deu ao Brasil Carlos Drummond de Andrade, Murilo Mendes e Henriqueta Lisboa, entre outros.

Crítica

CONCILIANDO OS OPOSTOS

"Este corte vertical e sincrônico na poesia brasileira, de Gregório a Drummond, passa, agora, obrigatoriamente por um livro que redimensiona e consagra, na sua originalidade, a indagação permanente sobre a história vivida da poesia e sobre a poesia vivida na história da experiência pessoal de outro poeta. Refiro-me a Abgar Renault. Ele não está entre Gregório de Matos e Carlos Drummond de Andrade. Abgar Renault situa-se no centro daquela indagação, com a independência de quem refaz a substância do poema, na sua vivência e na visão que tem de si mesmo e do mundo. Esse refazer, fazendo-se de novo, se mede pela sua ambigüidade própria e, sobretudo, pela peculiar conciliação de opostos que perpassa e perdura em todos os níveis de sua linguagem." (Mário Chamie, "Obra Poética")

Obras

A Lápide sob a Lua (1968)
Sonetos Antigos (1968)
Poemas Ingleses de Guerra (1970)
Sofotulafai (1972)
A outra Face da Lua (1983)
Obra Poética (1990)
Reflexões Efêmeras (1994)
Poesia, Tradução e Versão (1994)
Abgar Renault (1996)

Contato

Textos protegidos — em caso de interesse para publicação, fazer contato com o Departamento Nacional do Livro da FBN

Fragmento

Filho Morto

Vejo o corpo morto da tua mocidade
dormindo sem sono a sua construção de ossos e músculos.
Estás ferido, e dóis, deves doer, e nem te queixas e não choras,
e nunca dirás o que sentiste
quando sobre a tua frágil cabeça de menino e deus
a vida desabou.

Estás imóvel, frio e sozinho, com os teus olhos sem olhar,
a tua palavra muda, os teus dentes sem riso;
mas nós conversamos, comemos, dormimos,
o nosso corpo exige abrigo contra o frio,
e usamos pesadas lãs.

Olho o azul infenso, o ouro falso do sol,
ouço perto os pássaros da vida a encher o claro céu de cores,
e penso na roxidão das tuas unhas
e na tristeza das tuas roupas derradeiras.
Estou aqui o mesmo entre imagens, luzes, relógios, cravos, pessoas,
mas tu não é mais tu; és apenas o teu corpo indiferente,
a tua boca que não ri, os teus pés que não caminham,
as tuas mãos que não oferecem,
e insone para sempre dormirás.

ABGAR RENAULT

As in all good text, two forces harmonize in ABGAR RENAULT's work: that of linguistic renewal and that of tradition, both the modern and the classic. In this intertwinement, a powerful lyrical thinking harbors sensibility to, through its peculiar wisdom, voice the tragic human issues raised by death, by the ephemeral, by time in its endless uncontrollable movement. This metaphysical poetry, exuding a strong intimacy with the world's being that, in lieu of answers, offers only interrogations, transits from sonnets to elegiacs. In the former, golden keys and rich rhymes, rare and unexpected, the perfection of a technical laboratory; in the latter, very long ones, the long-breath verses resemble the rhythm of natural speaking, absorbing the chaotic enumerations that try to respond to the multiplicity of the world. Either in the sonnets or in the elegiacs, the same living and reflexive intensity, the same nuances of a word master who was the offspring of a generation of friends from Minas Gerais that, besides himself, produced such names as Carlos Drummond de Andrade, Murilo Mendes, and Henriqueta Lisboa, among others.

Review

RECONCILING THE OPPOSITES

"This vertical and synchronous cut in Brazilian poetry, from Gregório to Drummond, goes now compulsorily through a book that reshapes and consecrates, in its originality, the permanent inquiry about the living history of poetry and about the poetry lived in the history of another poet's personal experience. I'm speaking of Abgar Renault. He is not placed between Gregório de Matos and Carlos Drummond de Andrade. Abgar Renault seats in the center of that inquiry, with the independence of one who reshapes the poem substance, both in his own existence and in the view he has of himself and the world. This reshaping, implying in a renovation, is measured by its own ambiguity and, above all, by the peculiar conciliation of opposites that pervades and remains in all levels of his language." (Mário Chamie, "Obra Poética")

Excerpt

Filho Morto (Dead Son)

I see the dead body of your youth
sleeplessly sleeping your construction of bones and muscles.
You are wounded, and it hurts, it surely hurts, but you neither complain
[nor cry,
and you will never say what you felt
when on your fragile head of boy and god
life tumbled.

You are motionless, cold and lonely, with your sightless eyes,
your mute word, your smileless teeth;
but we talk, eat, sleep,
our body asks for shelter against the cold,
and we wear heavy wools.

I see the exasperating blue, the false gold of the sun,
I hear the life birds nearby as they fill the clear sky with colors,
and I think of your purple nails
and the sadness that comes from your last clothes.
I am here and I am the same in the middle of images, lights, clocks,
[carnations, people,
but you are not you any more; you are only your indifferent body,
your mouth without a smile, your feet without a walk,
your hands without an offer,
and sleepless you will sleep forever.

Works

A Lápide sob a Lua (1968)
Sonetos Antigos (1968)
Poemas Ingleses de Guerra (1970)
Sofotulafai (1972)
A outra Face da Lua (1983)
Obra Poética (1990)
Reflexões Efêmeras (1994)
Poesia, Tradução e Versão (1994)
Abgar Renault (1996)

Contact

Protected texts — in case of interest for publication, get in contact with National Book Office (DNL) of the Biblioteca Nacional Foundation (FBN)

ADÉLIA PRADO

"Para mim, a definição mais perfeita de poesia é: a revelação do real. Ela é uma abertura do real. Ela revela aquilo que a gente não sabe. Isso é que é poesia para mim. Ela me tira da cegueira. Um poema verdadeiro tem esse poder, tanto que você abre um manuscrito de mil anos e a coisa está lá, fresquinha, não tem um grão de enve-lhecimento. Para mim, experiência religiosa e experiência poética são uma coisa só. Isto porque a experiência que um poeta tem diante de uma árvore, por exemplo, que depois vai virar poema, é tão reveladora do real, do ser daquela árvore, que ela me remete necessariamente à fundação daquele ser. A experiência se revela em palavra. A palavra é a carne da experiência. O nome tem que ser a coisa. A linguagem por excelência desse júbilo é poética. Uma oração verdadeira está ungida de mistério, portanto de beleza — portanto de poesia. Poeta não tem função neste sentido de 'utilidade' — ele vai ali, tem a experiência e tal. Eu acho que a poesia é um fenômeno da natureza, igual a tempestade, rio, montanha."

(Frases de ADÉLIA PRADO, tiradas da entrevista dos Cadernos de Cultura Brasileira, no número dedicado à poeta, e reordenadas)

Crítica

A SURPREENDENTE REVELAÇÃO DA POESIA
"A linguagem da poetisa de Divinópolis agrada porque surge desnudada de sofisticações forçadas e brota do contato familiar e direto com as suas coisas. No desnudamento da rotina da vida mineira a autora aproveita experiências de todos os pesos e medidas: a sua poesia desfaz hierarquias e firma a realidade sob o critério de valor do seu próprio realismo. A palavra poética surge como a revelação surpreendente desta experiência: a poesia é também uma manifestação da natureza viva, como tudo, aliás, na sua poesia." (Nádia Gotlieb, "Grande Poesia")

FOGO DIVINO
"Adélia é lírica, bíblica, existencial, faz poesia como faz bom tempo: esta é a lei, não dos homens, mas de Deus. Adélia é fogo, fogo de Deus em Divinópolis." (Carlos Drummond de Andrade, "De Animais, Santo e Gente")

Obras

Bagagem (1976)
O Coração Disparado (1978)
Solte os Cachorros (1979)
Cacos para um Vitral (1980)
Terra de Santa Cruz (1981)
Os Componentes da Banda (1984)
O Pelicano (1987)
A Faca no Peito (1988)
O Homem da Mão Seca (1994)
Poesia Reunida (1999)
Oráculos de Maio (1999)
Manuscritos de Felipa (1999)

Contato

sac@novafronteira.com.br

Fragmento

Grande Desejo

Não sou matrona, mãe dos Gracos, Cornélia,
sou é mulher do povo, mãe de filhos, Adélia.
Faço comida e como.
Aos domingos bato o osso no prato pra chamar o cachorro
e atiro os restos.
Quando dói, grito ai,
quando é bom, fico bruta,
as sensibilidades sem governo.
Mas tenho meus prantos,
claridades atrás do meu estômago humilde
e fortíssima voz pra cânticos de festa.
Quando escrever o livro com o meu nome
e o nome que eu vou pôr nele, vou com ele a uma igreja,
a uma lápide, a um descampado,
para chorar, chorar, e chorar,
requintada e esquisita como uma dama.

ADÉLIA PRADO

"For me, the most perfect definition of poetry is: the unveiling of reality. Poetry is an opening to reality. It lays bare that which we don't know. That is what poetry means to me. It releases me from blindness. A true poem has this power, when you open a thousand year-old manuscript, you find everything is there, brand-new, not even the smallest wrinkle from aging. For me, religious experience and poetic experience are one and the same thing. This is so because the experience a poet has in front of a tree, for instance, which will later become a poem, tells so much of the reality, of the very existence of that tree, that it eventually recalls the creation of that being. Experience materializes as words. Word is the flesh of experience. The name has to be the thing. The language par excellence of such a joy is a poetic language. A true prayer is anointed with mystery; with beauty, therefore — with poetry, therefore. A poet has no function in this sense of "usefulness" — he/she merely is there, has the experience and that is all. I think poetry is a phenomenon of nature, just like the storm, the river, the mountain."

[Sentences by ADÉLIA PRADO, selected from an interview published in "Cadernos de Cultura Brasileira" (Brazilian Culture Notebooks) in the issue about this poetess, and reorganized]

Review

THE AMAZING REVELATION OF POETRY

"The language used by the poetess from Divinópolis pleases because it appears bare of affected sophistication and springs from a direct and family contact. In the process of laying bare the Minas Gerais routine life, the author makes use of experiences of all kinds: her poetry unravels hierarchies and braces reality under the value gauge of her own realism. The poetic word appears as the amazing revelation of this experience: poetry is also a manifestation of living nature, just like everything else, in fact, in her poetry." (Nádia Gotlieb, "Grande Poesia")

DIVINE FIRE

"Adélia is lyrical, biblical, existential; she produces poetry just like nature produces a beautiful day: this is the law, not men's law, but God's law. Adélia is fire, God fire in Divinópolis." (Carlos Drummond de Andrade, "De Animais, Santo e Gente")

Excerpt

Grande Desejo (Great Desire)

I am not a matron, mother of Gracos, Cornélia,
I am the woman in the street, mother of children, Adélia.
I cook food and I eat.
On Sundays, I strike the bone on the plate to call the dog
and I throw the leftovers.
When it hurts, I scream oh,
when it is good, I get rude,
sensibilities out of control.
But I have my weeping,
clarities behind my humble stomach
and the strongest voice for party songs.
When I write a book with my name
and the name I will write on it, I'll take it to a church,
to a tombstone, to a desert,
to cry, to cry, and to cry,
refined and eccentric like a lady.

Works

Bagagem (1976)
O Coração Disparado (1978)
Solte os Cachorros (1979)
Cacos para um Vitral (1980)
Terra de Santa Cruz (1981)
Os Componentes da Banda (1984)
O Pelicano (1987)
A Faca no Peito (1988)
O Homem da Mão Seca (1994)
Poesia Reunida (1999)
Oráculos de Maio (1999)
Manuscritos de Felipa (1999)

Contact

sac@novafronteira.com.br

ADOLFO CAMINHA

Se, em 1888, Júlio Ribeiro escandaliza o público com um livro tido por obsceno, antes disso, em 1885, ADOLFO CAMINHA inaugura no Brasil a ficção que tem no homossexualismo o tema central, e que, por isso, foi atacado e banido da lembrança crítica por muito tempo. No mesmo *O Bom-Crioulo*, na periferia da questão mencionada, surgem outras, como a masturbação em locais públicos, a desobediência e a ebriedade, três atitudes punidas com chibatadas pela Marinha da época, ambiente em que se passa o respectivo romance realista. Buscando desmoralizar a instituição das forças navais, da qual havia participado, e conhecendo-a, portanto, como poucos, o autor denuncia com afinco inúmeros preconceitos hipócritas. Em outros de seus livros, como *A Normalista*, por exemplo, surgem diversos temas polêmicos considerados interditos pela ordem social e política reinante: o incesto e o adultério, entre os demais. O ousado ficcionista passa a ganhar considerável relevância quando as minorias partem para reivindicar publicamente a legitimidade de suas diferenças. Um romancista, portanto, para a atualidade.

Crítica

O GRANDE ESCÂNDALO
"A publicação de *O Bom-Crioulo*, em 1895, no pleno Naturalismo tardio, constitui-se num dos maiores escândalos que a literatura brasileira até então conhecera. Houve até mesmo ameaça de processo. O motivo — hoje relativamente banal — era o tema dominante do romance, tema esse então abordado pela primeira vez em nossa ficção: as relações amorosas entre dois homens ou, mais especificamente, entre dois marinheiros: Amaro, um negro apelidado do bom crioulo, e Aleixo, um belo grumete louro."
(Letícia Malard, "Amaro, o Mau Bom-Crioulo")

O DEMOLIDOR DO ESTABELECIDO
"Caminha é acima de tudo um mal-adaptado ao cinismo e à hipocrisia, por isso consegue ser tão fiel aos conflitos humanos. Ao longo da vida, o autor não se cansou de ferir as normas." (Francisco Carlos Teixeira da Silva, "Adolfo Caminha: um Mundo Dividido")

Obras

Judite e Lágrimas de um Crente (1887)
A Normalista (1893)
No País dos Yankees (1894)
O Bom-Crioulo (1895)
Cartas Literárias (1895)
Tentação (1896)
Trechos Escolhidos (1960)

Copyright

Obras em domínio público
— textos livres para publicação

Fragmento

O Bom-Crioulo

E, como da outra vez, Bom-Crioulo emudeceu profundamente sob os golpes da chibata. Apanhou calado, retorcendo-se a cada golpe na dor imensa que o cortava de alto a baixo, como se todo ele fosse uma grande chaga aberta, viva e cruenta... Morria-lhe na garganta um grunhido estertoroso e imperceptível, cheio de angústia, comprimido e seco; dilatavam-se os músculos da face em contrações galvânicas; o sangue, convulsionado, rugia dentro, nas artérias, no coração, no íntimo da sua natureza física, palpitante, caudaloso, numa pletora descomunal!

Ele sofria tudo com aquele orgulho selvagem de animal ferido, que se não pode vingar porque está preso, e que morre sem um gemido, com o olhar aceso em cólera impotente!

ADOLFO CAMINHA

If Júlio Ribeiro, in 1888, shocked the readers with a book taken as obscene, ADOLFO CAMINHA led off in Brazil, prior to that, in 1885, the fiction featuring homosexuality as leading theme. As a result, he was attacked and banished from the critic's memory for a long time. In the same *O Bom-Crioulo (The Good Nigger)*, in the periphery of the issue referred to above, other issues come up, such as masturbation in public places, disobedience, and drunkenness, three attitudes that used then to be punished with whipping by the navy — which happens to be the setting where this realistic novel takes place. In an attempt to ridicule the naval forces, the author, who had been in the Navy and knew it from inside, eagerly bares a number of hypocritical prejudices. In other books, for example, *A Normalista (The Normal School Student)*, for instance, he deals with themes regarded as banned by the social and political order in force: incest and adultery, among the others. The daring fictionist won considerable relevance when the minorities started to openly demand the legitimacy of their differences. He is, therefore, a novelist for the present times.

Review

THE BIG SCANDAL

"The publication of *O Bom-Crioulo (The Good Nigger)*, in 1895, in the full late naturalism, was one of the biggest scandals the Brazilian literature ever saw. Even a lawsuit was about to be filed. The reason — relatively mundane today — was the novel leading theme. That was the first time such a theme had been dealt with in our fiction: the loving affair between two men or, more specifically, between two sailors: Amaro, a black man nicknamed the Good Nigger, and Aleixo, a handsome blonde seaman." (Letícia Malard, "Amaro, O Mau Bom-Crioulo")

THE EARTHSHAKER

"Caminha is, above all, a misfit in cynicism and hypocrisy. This is why he amanages to be so faithful to human conflicts. In the course of his life, the author never gave in imperiling basic attitudes." (Francisco Carlos Teixeira da Silva, "Adolfo Caminha: Um Mundo Dividido")

Excerpt

O Bom-Crioulo (The Good Nigger)

And, just like it had happened before, the Good-Nigger was deeply silent under the beating of the whip. He was mute as he was flogged, contorting at each blow under the excruciating pain that split him from head to toe, as if his entire body were an open wound, live and relentless... a stertorous and imperceptible grunt died in his throat, anguished, oppressed, and dry; the muscles in his face expanded in galvanic contractions; his churned blood roared inside the arteries, in the heart, in the innermost of his physical nature, throbbing, torrential, in a colossal plethora!

He would suffer the pain with that wild pride of a wounded animal, which cannot avenge because is constrained, and dies without a groan, with the glance lit by impotent wrath!

Works

Judite e Lágrimas de um Crente (1887)
A Normalista (1893)
No País dos Yankees (1894)
O Bom-Crioulo (1895)
Cartas Literárias (1895)
Tentação (1896)
Trechos Escolhidos (1960)

Copyright

Works in public domain
— texts available for publication

ADONIAS FILHO

Desde o descobrimento até os dias de hoje, a Bahia vem desempenhando um papel fundamental na história da literatura brasileira, sendo berço de inúmeros escritores de grande relevância e ambiência de muitas narrativas e poemas do país. Ao lado do companheiro Jorge Amado, junto ao qual atravessa um lastro significativo de sua vida criativa, ADONIAS FILHO é um de seus representantes mais ilustres. Esse escritor, que nasceu em 1915 e foi diretor da Biblioteca Nacional, utiliza os temas característicos do regionalismo baiano, apropriando-se da natureza selvagem de diversos lugares do estado para investigar o ser humano em seu isolamento primevo. A partir desse contexto, o romancista e contista investiga o drama existencial de suas personagens num combate constante com os mistérios do amor, do instinto, do destino e da morte, questões que verdadeiramente lhe interessam. Se há em suas obras um forte colorido afro-baiano, com a presença das divindades mitológicas negras, ele favorece a conquista da universalidade das temáticas escolhidas. O autor também escreveu ensaios sobre a ficção brasileira.

Crítica

UMA OBRA PERFEITA
"*Corpo vivo*, romance movimentado e comovente, é só na superfície um romance de ação, resplandecente e excitante de resto, sendo, todavia, substancialmente, uma obra da maior perfeição, que transmite uma visão própria do mundo e transcende a esfera da teoria, para demonstrar, em exemplos, uma forma de existência. É uma obra que, sem contestação possível, ingressa na literatura mundial." (Gunter Lorenz, *Die Welt*)

GRANDE FORÇA TRÁGICA E POÉTICA
"Um dos romancistas brasileiros mais avançados na renovação da prosa narrativa, Adonias Filho consegue [...] interessante concentração de diversos objetivos que vêm atraindo a atenção da novelística de nosso tempo: a intenção social, a abolição da descrição linear, a análise psicológica e o enfoque múltiplo das situações. Adonias Filho consegue a integração destes elementos e a inclusão de todos eles em uma história de grande força trágica e poética." (Pilar Garcez Bedato, *Cuadernos Hispano Americanos*)

Obras

Os Servos da Morte (1946)
Memórias de Lázaro (1952)
Jornal de um Escritor (1954)
Corpo Vivo (1962)
O Bloqueio Cultural (1964)
O Forte (1979)
Léguas da Promissão (1968)
Luanda Beira Bahia (1971)
As Velhas (1977)
O Largo do Palma (1981)
Noites sem Madrugada (1983)
O Homem de Branco (1987)

Contato

record@record.com.br

Fragmento

Luanda Beira Bahia

Ela, avó, me chama de puta. Sei, porém, que meu corpo pertence a Deus. E como posso ser puta se meu corpo pertence a Deus? É claro, é claro, quando a mãe morreu, o pai já preso, ela pensou que eu iria pedir-lhe esmola. Me viu, então, na fartura. Comprei a sepultura da mãe, contratei advogado para o pai, aluguei este sótão. Que podia pensar? De onde vinha o dinheiro? Me perguntou um dia: "De onde, Conceição do Carmo, de onde vem tanto dinheiro?" Fitava-me como se eu fosse um bicho nojento, talvez sentisse raiva, não sei. Levantou o braço para me bater e gritou:
— Marafona, Conceição do Carmo, você é uma rameira ordinária!
Gritei mais alto, me fazendo bruta, assim:
— Não me toques com suas mãos imundas!
Não tinha, porém, como deixar de freqüentar-lhe a espelunca, no Mercado. Aquilo fazia parte do contrato: ir todos os dias ao almoço para, com os marinheiros, ver se descobria alguma coisa. O contrato, o meu contrato, eu conto.

ADONIAS FILHO

Since the early days after the Discovery, Bahia has played a fundamental role in the history of Brazilian literature. It was the birthplace for many writers of renown and has been the setting for a great many narratives and poems. Together with his fellow-townsman, Jorge Amado, with whom he shared a significant length of his creative life, ADONIAS FILHO is one of the most distinguished Bahia representatives. This writer, born in 1915 and former director of the National Library, uses themes that are characteristic of the Bahia regionalism, taking advantage of the wild nature in the large area of the state to investigate the human being in their primeval isolation. Building on this context, the novelist and storyteller investigates the existential drama of his characters while immersed in an endless struggle with the mysteries of love, instinct, fate and death; the issues he is truly interested in. While it is true that a strong Afro-Bahian color pervades his work, especially the presence of African mythological deities, he also favors a significant universality in the themes he deals with. He also wrote a number of essays on the Brazilian fiction.

Review

A PERFECT WORK

'*Corpo Vivo (Living Body)*, a lively and touching novel, is a thriller only on the surface. The rest of it is splendid and exciting. In substance, nevertheless, it is a perfect work that conveys its own world view and goes beyond the sphere of theory to demonstrate, by examples, a form of existence. Beyond any possible controversy, this book incorporates into universal literature. (Gunter Lorenz, *Die Welt*)

A GREAT TRAGIC AND POETIC STRENGTH

"Being one of the Brazilian novelists who went furthest in the renewal of narrative prose, Adonias Filho achieves [...] an interesting concentration of a number of the objectives that have been drawing the attention of today's literature: social intention, abolition of linear description, psychological analyses, and multiple approach of situations. Adonias Filho manages to integrate these elements and include all of them in a story of great tragic and poetic strength." (Pilar Garcez Bedato, *Cuadernos Hispano Americanos*)

Excerpt

Luanda Beira Bahia

My grandma uses to call me a whore. I know, however, that my body belongs to God. And how can I be a whore if my body belongs to God? Of course, of course, when mother died, and father was already in jail, she thought I would ask her for alms. She saw me, then, in abundance. I bought a tomb for my mother, hired a lawyer for my father, rented this attic. What could she think? Where did the money come from? She asked me one day. 'Where from, Conceição do Carmo, where is all this money coming from?' She looked at me as if I were a disgusting animal. She could be angry, I don't know. She raised her arm to deliver me a blow and shouted:

— You hussy. Conceição do Carmo, you are a vulgar slut!

I shouted louder, making myself rude, like this:

— Don't touch me with your filthy hand!

However, I had to keep on visiting her garish honky-tonky at the Market. That was part of the contract: to go there everyday at lunch time to see if I could extract something from the sailors. The contract, my contract, I'll tell you.

Works

Os Servos da Morte (1946)
Memórias de Lázaro (1952)
Jornal de um Escritor (1954)
Corpo Vivo (1962)
O Bloqueio Cultural (1964)
O Forte (1979)
Léguas da Promissão (1968)
Luanda Beira Bahia (1971)
As Velhas (1977)
O Largo do Palma (1981)
Noites sem Madrugada (1983)
O Homem de Branco (1987)

Contact

record@record.com.br

AFFONSO ÁVILA

A obra de AFFONSO ÁVILA começa numa época em que se podia fazer jornalismo literário no Brasil, quando escrever para jornal estava impregnado de tanto artesanato e engenho quanto a escrita poética propriamente dita. A partir de uma intensa atividade como ensaísta, jornalista, pesquisador e principalmente como poeta, podemos encontrar em seus escritos boa parte dos acontecimentos literários brasileiros das últimas décadas, em particular no que se refere aos escritores mineiros. Apesar disso, não se trata de um regionalista, no sentido restritivo da palavra, pois ao lado do forte mineirismo inerente à sua poética há também um universalismo original e inventivo. Sua poesia é inquieta e pessoal, estando sempre em busca da imagem que exprima o mundo em que vive, e pode-se dizer que se mantém relativamente independente dos movimentos que a cercam. Como pesquisador, interessa-se principalmente pelo Barroco, chegando mesmo a fundar a revista *Barroco*, publicada pela UFMG.

Crítica

CLÁSSICO MINEIRO

"Um dos últimos representantes da geração clássica de intelectuais mineiros de extração humanística e autodidata, o nome de Affonso Ávila adquiriu o peso simbólico de uma grife de expressão nacional, que o faz se ombrear com os mais expressivos herdeiros do Modernismo brasileiro e representar um marco referencial das vanguardas que deixaram sua presença na cultura brasileira ao longo das últimas décadas." (Régis Gonçalves, *O Tempo*)

COMPROMISSO POÉTICO

"Há quase meio século se louva em Minas Gerais o poder da criação de Affonso Ávila. Fora de Minas, os meios culturais ecoam por esse tempo igual louvor, em especial entre os que amam a poesia, têm apreço pelo Barroco e dão atenção aos registros literários. [...] Affonso Ávila é um desses homens de inteligência em permanente compromisso com a vida à sua volta, atuante no meio em que circula, atento ao fenômeno importante que acaba de surgir e ao que existiu remotamente." (Carmo Chagas, *O Estado de S. Paulo*)

Obras

O Açude e Sonetos de Descoberta (1953)
Carta ao Solo (1961)
Resíduos Seiscentistas em Minas (1967)
Código de Minas & Poesia Anterior (1969)
O Poeta e a Consciência Crítica (1969)
O Lúdico e as Projeções do Barroco (1971)
Código Nacional de Trânsito (1972)
Cantaria Barroca (1975)
O Modernismo [coord. e org.] (1975)
Discurso de Difamação do Poeta (1978)
Delírios dos Cinquent'anos (1984)
Catas de Aluvião: do Pensar e do Ser em Minas (2000)

Contato

editora@editoraperspectiva.com.br

Fragmento

Não é mágoa descrente de outras luzes
tampouco a destra férrea do cansaço.
Apenas não te enlevas, não te iludes
És o rio de súbito estagnado

Deformas-te. Descerra o cílio cardo
sobre o teu sono o pânico em que ruges.
Olho tens, não farol, pois cego e falho
nem roteiro qualquer já repercutes.

Do Letes aprofundas-te no amnésico,
em vão desfolhas teu colar feérico
de esquivas contas, ninfas de outro fasto

Contra o mural verticaliza o corvo
o prenúncio do limbo onde estás morto
sob os grilhões de um deus forjado em asco.

AFFONSO ÁVILA

AFFONSO ÁVILA's work begins at a time when it was still possible to produce literary journalism in Brazil, when writing for a newspaper was so impregnated of craft and ingenuity as the poetical writing itself. Taking from his intense activity as an essayist, journalist, researcher, and especially as a poet, we can find in his texts a good deal of the literary events in Brazil over the last decades, especially regarding Minas Gerais' writers. Notwithstanding, he is not a regionalist in the strict sense of the word because together with the strong Minas Gerais style inherent to his poetical work, we also find an original and inventive universalism. His poetry is unquiet and personal, always in the search for the image that would express the world he lives in, and one could say he keeps relatively independent from the surrounding movements. As a researcher, he is chiefly interested in the Baroque; he even launched the magazine *Barroco*, published by UFMG.

Review

A MINAS GERAIS CLASSIC

"One of the latest representatives of the Minas Gerais' classic generation of self-teaching and humanistic intellectuals, Affonso Ávila's name acquired the symbolic weight of a national renown *griffe*, which places him abreast with the most expressive heirs of Brazilian modernism and makes him to be a referential mark in the vanguards that inscribed their presence in the Brazilian culture over the last decades." (Régis Gonçalves, *O Tempo*)

POETIC COMMITMENT

"Affonso Ávila's resourcefulness has been praised in Minas Gerais for nearly half a century. Out of Minas Gerais, similar praise has been echoed in the cultural milieu just as long, especially among those who love poetry, value the Baroque, and are attentive to the literary registers. [...] Affonso Ávila is one of those men whose intelligence is permanently committed to the surrounding life, highly active in their ambiance, attentive to the important phenomenon that has just appeared as well as that from the past." (Carmo Chagas, *O Estado de S. Paulo*)

Excerpt

This is not a cynical sorrow sneering at other lights
neither the inflexible dextral of fatigue.
Just refrain from being enraptured, from deceiving yourself
You're a river suddenly stagnated

You disfigure yourself. Your thorny eyelash opens up
over your sleep the panic you howl in.
An eye, you're blest with, not a lighthouse, because it's blind and defective
and no route can it echo any more.

From Lethe you plunge yourself into oblivion,
in vain you defoliate your magical necklace
made of elusive beads:, nymphs of another splendor

Against the wall plumbs the crow
a sign of the limbo where you rest dead
under the chains of a god in loathing wrought.

Works

O Açude e Sonetos de Descoberta (1953)
Carta ao Solo (1961)
Resíduos Seiscentistas em Minas (1967)
Código de Minas & Poesia Anterior (1969)
O Poeta e a Consciência Crítica (1969)
O Lúdico e as Projeções do Barroco (1971)
Código Nacional de Trânsito (1972)
Cantaria Barroca (1975)
O Modernismo [coord. e org.] (1975)
Discurso de Difamação do Poeta (1978)
Delírios dos Cinquent'anos (1984)
Catas de Aluvião: do Pensar e do Ser em Minas (2000)

Contact

editora@editoraperspectiva.com.br

AFFONSO ROMANO DE SANT'ANNA

Existem poetas da indignação, poetas da renovação, poetas do amor, poetas do tempo presente, poetas da cultura, poetas da língua. Poucos conseguem, porém, assumir mais de uma dessas facetas da escrita, isto é, conciliar a raiva decorrente dos atentados ao humano, a honestidade intelectual envolvida no ato de escrever, a necessidade de ser original, a conexão com a diversidade e a desordem dos movimentos sociais e culturais, o sentimento de fusão com o cotidiano e com o estranhamento das palavras, a responsabilidade histórica de se identificar os caminhos trilhados pelo Homem e, sobretudo, a pungência exigida pela paixão, que é o grande elemento desnorteador por excelência. AFFONSO ROMANO DE SANT'ANNA imbui-se dessa tarefa, a de ser um escritor completo, como ensaísta, como prosador, como jornalista e primordialmente como poeta: indignado, renovador, amoroso, culto. Sua escrita, perenemente permeada pela tensão entre o escrever e o viver, quer ser herança: tanto a que o poeta herdou dos grandes autores brasileiros quanto a que ele vai deixar para as gerações futuras.

Crítica

O POETA E O TEMPO
"Com Affonso Romano de Sant'Anna, recoloca-se a poesia brasileira na grande criação intelectual, fruto da cultura literária, vivência pessoal, integração profunda no fluxo da civilização. O valor catalítico dessa poesia, como de toda grande poesia, é o Tempo, com maiúscula, ou seja, a percepção contraditória da permanência e da efemeridade, o sentimento de urgência que a domina, a temática da Morte (que é o outro nome do Tempo), cada vez mais insistente, cada vez mais real." (Wilson Martins, *O Globo*)

PAIXÃO PELO REAL
"Através da utilização apaixonada da linguagem, ele se distingue de um horizonte poético engessado por racionalismos, hermetismos e estéticas de brioches. Para Affonso Romano, o que conta é o ser na sua versão imperfeita e carnal, encontrado neste então, único tempo real da existência." (Miguel Sanches Neto, *Gazeta do Povo*)

Obras

Canto e Palavra (1965)
Drummond, o Gauche no Tempo (1972)
Análise Estrutural de Romances Brasileiros (1973)
Poesia sobre Poesia (1975)
A Grande Fala do Índio Guarani Perdido na História e outras Derrotas (1978)
Que País É Este? E outros Poemas (1980)
O Canibalismo Amoroso (1984)
A Catedral de Colônia (1987)
A Poesia Possível (poesia reunida) (1987)
O Lado Esquerdo do meu Peito (1992)
Intervalo Amoroso e outros Poemas Escolhidos (1997)
A Grande Fala e Catedral de Colônia (1998)
Textamentos (1999) — entre outras

Contato

santanna@novanet.com.br

Fragmento

O Poeta e a Bala (Fragmento I)

*Pessoas carregam afrontas, remorsos,
outros, dívidas, projetos.
Conheço um poeta que carrega na cabeça
Uma bala viva.*

*Bala nada metafísica,
não metáfora-espelho,
bala mesmo, explosiva,
no estopim do cerebelo.*

*Meteu-a lá um ladrão afoito
num de repente furtivo; meteu-a
lá, por nada, por hábito agressivo
num estúpido estampido.*

*Colocou-a não como se coloca
um livro na estante,
um verso no poema,
na próclise o pronome,
atirou-a como se, no homem, engatilhasse
a bala de um sobrenome.*

*Atirou-a como a granada
que se recusa a explodir
e fica, não no ar parada,
mas no corpo agasalhada*

AFFONSO ROMANO DE SANT'ANNA

There are poets for indignation, poets for renewal, poets for love, poets for the present times, poets for culture, and poets for the language. A few manage, however, to embody more than one of those facets of writing, that is, to conciliate the rage arising from the attacks to what is human, the intellectual honesty involved in the act of writing, the need to be original, the connection with diversity, and the disorder of social and cultural movements, the feeling of union with the quotidian and stranging of words, the historical responsibility to identify the roads trodden by Man and, above all, the pungency demanded by passion, which is the most confusing element of all. AFFONSO ROMANO DE SANT'ANNA undertakes this task; i.e., to be a complete writer, as an essayist, as a prose writer, as a journalist and, primarily as a poet: indignant, renovating, loving, erudite. His writing, eternally permeated by the tension between writing and living, wants to be a legacy: both of that which the poet inherited from the great Brazilian authors and of that which he will hand down to future generations.

Review

THE POET AND THE TIME

"Afforso Romano de Sant'Anna brings the Brazilian poetry back to the leading of intellectual production, as a result of the literary culture, personal experience, and ceep integration with the flow of civilization. The catalytic value of his poetry, as much as all great poetry, is Time, with capital letter, that is, the contradictory perception of permanence and transitoriness, the dominant feeling of urgency, Death as the theme (which is another name for Time), more and more insistent, more and more real." (Wilson Martins, *O Globo*)

PASSION FOR WHAT IS REAL

"Through the passionate use of language, he differs from a poetic horizon that is plastered by reasoning, by constraints and by brioches aesthetics. To Affonso Romano, the most important is the being in its imperfect and worldly version, found in this unique real time of existence." (Miguel Sanches Neto, *Gazeta do Povo*)

Excerpt

O Poeta e a Bala (Fragmento I) [The Poet and the Bullet (Fragment I)]

Some people carry insults, regrets,
others carry their debts, projects.
I know a poet who carries in his head
A living bullet.

Not a metaphysical bullet,
not a metaphor-mirror,
but a real, explosive bullet,
in the cerebellum fuse.

A bold thief put it there
in a sudden, stealthy moment; he put it
there, for nothing, because of an aggressive habit
in a stupid bang.

He put it there not like
a book is put on the shelf,
a verse in a poem,
a pronoun in the proclisis,
he shot it as if, in the man,
the bullet were a surname.

He shot it like a grenade
that refuses to explode
and keeps not still in the air,
but in the body sheltered

Works

Canto e Palavra (1965)
Drummond, o Gauche no Tempo (1972)
Análise Estrutural de Romances Brasileiros (1973)
Poesia sobre Poesia (1975)
A Grande Fala do Índio Guarani Perdido na História e outras Derrotas (1978)
Que País É Este? E outros Poemas (1980)
O Canibalismo Amoroso (1984)
A Catedral de Colônia (1987)
A Poesia Possível (poesia reunida) (1987)
O Lado Esquerdo do meu Peito (1992)
Intervalo Amoroso e outros Poemas Escolhidos (1997)
A Grande Fala e Catedral de Colônia (1998)
Textamentos (1999) — among others

Contact

santanna@novanet.com.br

AFRÂNIO COUTINHO

A década de 50 é indiscutivelmente o período de maior desenvolvimento da crítica literária no Brasil. Até então, não havia distinção alguma de que critérios permitiriam separar uma resenha de uma crítica literária, e com muita freqüência o crítico/resenhista, comentando os recentes lançamentos editoriais, imbuía-se de pendores poéticos nas colunas e nos rodapés dos jornais, espaço e circunstância a que estava confinada a discussão literária. Os ensaios de AFRÂNIO COUTINHO iniciam uma militância em prol da renovação da crítica literária brasileira. Propagador das novas idéias do *new criticism* norte-americano e do movimento formalista eslavo, ele propõe uma completa reformulação da atividade crítica, que deixa de ser o mero comentário de livros isolados e se torna uma disciplina de aspirações científicas e metodológicas, dispensando a improvisação e o amadorismo reinantes. Apesar de ser inicialmente contestada, a obra de Afrânio Coutinho representa um verdadeiro marco no pensamento crítico brasileiro, introduzindo uma nova compreensão da literatura.

Crítica

RENOVAÇÃO DA CRÍTICA

"Com o neomodernismo e a campanha de renovação crítica empreendida por Afrânio Coutinho e de tanta repercussão nas novas gerações, emergiu o estudo do texto, a expressão verbal, a forma, como sendo o objeto capital da função crítica. [...]. Daí o nome de crítica formalista que podemos dar a esse tipo mais recente da crítica literária entre nós, que marca uma tendência decidida no sentido do abandono do amadorismo crítico, por uma prática profissional, mais cuidada, dessa atividade." (Tristão de Athayde, "A Crítica Literária no Brasil")

MÉTODO E CIÊNCIA PARA A CRÍTICA

"O espírito da universidade começava a comandar os estudos literários no Brasil. Afrânio Coutinho foi o principal servidor dessa causa: a de reformulação crítica, da renovação metodológica. Ele mostrou, com intransigência [...], todo um sistema de idéias novas, que se opunha radicalmente àquela entidade inconseqüente e amorfa que era a crítica nas mãos dos nossos críticos de então." (Eduardo Portella, "Crítica Literária: Brasileira e Totalizante")

Obras

Por uma Crítica Estética (1953)
Da Crítica e da Nova Crítica (1957)
Euclides, Capistrano e Araripe (1965)
Conceito de Literatura Brasileira (1960)
Antologia Brasileira de Literatura (1965)
A Tradição Afortunada (1968)
Crítica e Críticos (1969)
Caminhos do Pensamento Crítico (1974)
O Erotismo na Literatura (1979)
O Processo de Descolonização Literária (1983)
Crítica e Teoria Literária (1984)
Do Barroco (1984)
Enciclopédia da Literatura Brasileira (1990)

Contato

gracacg@bn.br

Fragmento

A Crítica Literária no Brasil

Ao atingir, assim, os últimos anos de 50, a crítica brasileira encontra-se dividida em três grupos. De um lado, os reacionários e saudosistas, que efetuavam o seu trabalho e construíram fama sobre um tipo de crítica opiniática e impressionista, de comentário irresponsável e superficial de divagação subjetiva, sem cânones e rigor metodológico, sob a forma de militância dos rodapés de jornais, e que não se conformam com perder a situação; o grupo conservador que se realiza dentro dos ramos tradicionais da biografia crítica, da crítica sociológica e psicológica; por último, os que buscam um novo rumo para a atividade crítica, na base de um rigorismo conceitual e metodológico, de um conceito da autonomia do fenômeno literário e da possibilidade da sua abordagem por uma crítica estética visando mais aos seus elementos intrínsecos, estruturais, isto é, à obra em si mesma, e não às circunstâncias externas que a condicionaram. A geração empenhada neste último movimento está levando a cabo uma completa renovação dos estudos literários e uma revisão crítica da literatura brasileira à luz de novos critérios de caráter estético.

AFRÂNIO COUTINHO

The literary critic in Brazil indisputably reached its highest development in the 1950's. Until then, there was no criteria to draw a dividing line between write-up and literary critic. Very often, as the critic/columnist commented on recent releases, he was dipped into poetic raptures in the newspapers columns and footnotes, the spaces and circumstances to which the literary discussion was confined. AFRÂNIO COUTINHO's essays trigged a militancy on behalf of a renewal in the Brazilian literary critic. Advocating the new ideas supported by the North American *new criticism* and by the Slavic formalistic movement, he proposed a complete reformulation for the critic activity, which becomes then a discipline with scientific and methodological aspirations instead of a mere account about individual books, thereby doing away with improvisation and amateurishness. Although being initially opposed, Afrânio Coutinho's work represents a true mark in the Brazilian critical thinking, and puts forward a new understanding of literature.

Review

RENEWED CRITIC

"After the neo-modernism and the renewed critical campaign undertaken by Afrânio Coutinho, which produced a significant after-effect in the new generations, the study of the text, the verbal expression, the form, emerged as the critic function's capital object. [...]. This justifies the name *formalistic critic* given to the more recent type of literary critic as it marks a resolute tendency towards getting rid of amateurishness in critic, replacing it by a more careful professional practice of such activity." (Tristão de Athayde, "A Crítica Literária no Brasil")

METHOD AND SCIENCE FOR THE CRITIC

"The University spirit was beginning to steer the literary studies in Brazil. Afrânio Coutinho was the main advocate of this cause: namely the critic reformulation, the methodological renewal. He intransigently [...] showed a whole array of new ideas, radically opposed to that inconsequent and amorphous entity — the critic — controlled by the critics." (Eduardo Portella, "Crítica Literária: Brasileira e Totalizante")

Excerpt

A Crítica Literária no Brasil (Literary Critic in Brazil)

As the late 50's approached, the Brazilian critic was divided in three groups. On the one side, the reactionaries and die-hardists, who would carry on their task and built a reputation based on a type of critic based on opinion, and the impressionists, full of irresponsible and superficial subjective comments based on digression, without any canons or methodological rigidity, under the form of a newspaper footnotes militancy, and refusing to accept losing control of the situation; the conservative group who finds gratification in the traditional branches of critical biography, of sociological and psychological critic; finally, those who search new directions for the critic activity, on the basis of a conceptual and methodological rigorism, of a concept of autonomy for the literary phenomenon and the possibility of an approach to it through an aesthetic critic targeting more their intrinsic, structural elements, that is, to the very work, and not to the external circumstances that have conditioned it. The generation engaged in this latter movement is carrying out a thorough renewal of all literary studies and a critical revision of the Brazilian literature at the light of new aesthetic criteria.

Works

Por uma Crítica Estética (1953)
Da Crítica e da Nova Crítica (1957)
Euclides, Capistrano e Araripe (1965)
Conceito de Literatura Brasileira (1960)
Antologia Brasileira de Literatura (1965)
A Tradição Afortunada (1968)
Crítica e Críticos (1969)
Caminhos do Pensamento Crítico (1974)
O Erotismo na Literatura (1979)
O Processo de Descolonização Literária (1983)
Crítica e Teoria Literária (1984)
Do Barroco (1984)
Enciclopédia da Literatura Brasileira (1990)

Contact

gracacg@bn.br

ALCEU AMOROSO LIMA

Conquistado pela idéia de renovação literária, ALCEU AMOROSO LIMA se distinguiu, a princípio, com o pseudônimo de Tristão de Ataíde, como defensor e intérprete do movimento modernista de 22. Após converter-se ao catolicismo, em 1928, e publicar no ano seguinte *Adeus à Disponibilidade*, alargou ao máximo possível o espectro de seus interesses, tornando-se por várias décadas o mais influente pensador católico em atuação no país. Da crítica literária, à qual dera contribuição valiosa ao propor a primazia da estética na abordagem dos textos, passou à crítica de idéias e ao debate político, escrevendo também sobre filosofia, educação, economia, sociologia, psicologia e religião. Ativo até 1963 como professor universitário, perpetuou-se como educador pela palavra escrita. Na última fase da ditadura militar implantada em 1964, foi uma das vozes mais progressistas e enérgicas a se erguer nos principais jornais brasileiros pela volta à normalidade democrática.

Crítica

A PALAVRA QUE TEM QUE SERVIR
"Tristão de Ataíde me parece em muito melhores condições para exercer o posto de líder do catolicismo social brasileiro. É incontestavelmente a intelectualidade leiga mais poderosa, mais enriquecida e enérgica do catolicismo nacional. Sem ser um estilista, a prosa dele cada vez se torna mais clara, mais por assim dizer necessária e essencial... Se percebe nele um homem para o qual a palavra tem que servir." (Mário de Andrade, "Tristão de Ataíde")

A RESISTÊNCIA DEMOCRÁTICA
"Até o limiar dos anos 90, quando faleceu, o grande escritor foi o herói da resistência democrática, fazendo tenaz oposição ao regime instaurado pela força... Foi sempre o mesmo homem tranqüilo, um varão sorridente e um ancião que se renovava." (Francisco de Assis Barbosa, "Intelectuais na Encruzilhada")

Obras

Afonso Arinos (1922)
Estudos (cinco séries,1927-33)
Adeus à Disponibilidade (1929)
Introdução à Economia Moderna (1930)
O Espírito e o Mundo (1936)
Contribuição à História do Modernismo (1939)
Três Ensaios sobre Machado de Assis (1941)
A Igreja e o Novo Mundo (1943)
Meditação sobre o Mundo Interior (1954)
Introdução à Literatura Brasileira (1956)
A Vida Sobrenatural e o Mundo Moderno (1956)
Revolução, Reação ou Reforma (1964)
Memórias Improvisadas (1973)

Fragmento

Estudos Literários

Ora procura a arte a expressão da realidade, ora um refúgio contra ela. Serão essas, talvez, a despeito das doutrinas divergentes, categorias irredutíveis. Pode o artista reagir contra a vida e encontrar nessa reação os motivos de beleza, como pode a ela submeter-se, buscando na realidade o padrão supremo da arte. Mas esta, afinal, é sempre uma ficção e só há nela de verdadeiramente admirável o que é humano. Mais bela do que a obra de arte é a obra do artista, esse esforço obscuro da criatura imperfeita por uma realidade transcendente, a "ascensão" de Plotino.

Contato

Textos protegidos — em caso de interesse para publicação, fazer contato com o Departamento Nacional do Livro da FBN

ALCEU AMOROSO LIMA

Fascinated by the idea of a literary renovation, ALCEU AMOROSO LIMA distinguished himself, at first, and under the pseudonym of Tristão de Ataíde, as advocate and interpreter of the 1922 modernist movement. After his conversion to Catholicism in 1928, and the publication of *Adeus à Disponibilidade (Good-bye to Availability)* in the following year, he widened up the range of his interests, becoming the most influential Catholic thinker in activity in the country for several decades. From literary critic, to which he gave a valuable contribution by suggesting the primacy of aesthetics in the analysis of a text approach, he moved to the critic of ideas and political debates. He also wrote about philosophy, education, economy, sociology, psychology and religion. He worked as a university lecturer until 1963, but became immortal as an educator through the written word. During the last stage of the military dictatorship implanted in 1964, he was one of the most progressive and energetic voices rising from the main Brazilian newspapers supporting the restoration of democracy.

Review

THE WORD MUST BE AT SERVICE

"Tristão de Ataíde seems to be in a much better position to play the role of a leader in the Brazilian Social Catholicism. Inarguably, he is the most powerful, enriched, and active laic intellectuality in the National Catholicism. Although he is not a stylist, his prose becomes clearer and clearer, and even more necessary and essential... He reveals himself as a man to whom the word has to be at service. (Mário de Andrade, "Tristão de Ataíde")

THE DEMOCRATIC RESISTANCE

"Until the threshold of the 1990's, when he passed away, the great writer was the hero of the democratic resistance, furnishing tenacious opposition to the regimen established by force... He was always the same poised man: a smiling gentleman, and an elderly man who rejuvenated himself. (Francisco de Assis Barbosa, "Intelectuais na Encruzilhada")

Excerpt

Estudos Literários (Literary Studies)

Sometimes art seeks an expression of reality, sometimes a shelter from it. Perhaps these will be, despite all diverging doctrines, irreducible categories. An artist may either react against life, and find in this reaction the reasons of beauty, or submit himself to it, seeking in fact the supreme pattern of art. However, this is, after all, always fiction, and the only truly admirable thing in it is the humane dimension. More beautiful than the work of art is the artist's work, this obscure effort of the imperfect creature to reach a transcendent reality, Plotinu's "ascension".

Works

Afonso Arinos (1922)
Estudos (cinco séries, 1927-33)
Adeus à Disponibilidade (1929)
Introdução à Economia Moderna (1930)
O Espírito e o Mundo (1936)
Contribuição à História do Modernismo (1939)
Três Ensaios sobre Machado de Assis (1941)
A Igreja e o Novo Mundo (1943)
Meditação sobre o Mundo Interior (1954)
Introdução à Literatura Brasileira (1956)
A Vida Sobrenatural e o Mundo Moderno (1956)
Revolução, Reação ou Reforma (1964)
Memórias Improvisadas (1973)

Contact

Protected texts — in case of interest for publication, get in contact with National Book Office (DNL) of the Biblioteca Nacional Foundation (FBN)

ALEXEI BUENO

A poesia metafísica no Brasil de hoje não está morta, tampouco se volta para um tempo perdido ou para uma altura inalcançável. O culto à metáfora elaborada, à complexidade conceitual e à exploração das potencialidades da abstração imagética ainda tem um representante nos dias atuais: ALEXEI BUENO. Assim como na tradição metafísica, há na obra desse poeta (além de ensaísta e crítico de literatura) uma inquietação onipresente entre a carnalidade e o espiritual, dualidade nunca resolvida e subjacente em todas as angústias que disparam seus poemas. Trata-se de uma poesia que se pretende contemporânea, isto é, relativa ao Homem presente e suas aflições terrenas, não apresentando nenhum tipo de escapismo, seja ele utópico ou histórico. O que não significa uma renegação da tradição: para Alexei Bueno, a arte, a grande arte, é sempre universal e a-histórica. Dos gregos à moderna poesia brasileira, importa-lhe mais, tanto na condição de crítico quanto na de poeta, a densidade e a elevação alcançadas por autores e suas obras, fatores que estabelecem a verdadeira habitação do poético.

Crítica

OUTRA FACE DA MODERNIDADE
"Se há no Brasil de hoje uma tradição estéril da objetividade, Alexei a contraria por se impor como um lírico vigoroso, que não se intimida diante dos excessos emocionais e expressionais. Sua poesia, como conseqüência, passa, para os mais desavisados, como romântica ou simbolista, embora seja inquestionavelmente moderna — para reconhecer isso é preciso lembrar que a modernidade não tem uma única face, tal como tentam nos convencer os discípulos míopes das vanguardas." (Miguel Sanches Neto, *Jornal da Tarde*)

A FORÇA DA LÍRICA
"Alexei Bueno desenvolve imagens de alta potência lírica, abrindo janelas que clareiam e atenuam a tensão do discurso [...]. Como a visão do frontispício de algum templo que nos oferece a altura rejuvenescedora das mais antigas verdades, *A Juventude dos Deuses* é dotado da força da verdadeira poesia, 'e a radiosa juventude dos deuses, essa que deve existir, essa que forçosamente segue algum caminho', decerto habita o poema, seu monumento de fogo e tempo." (Weydson Barros Leal, *Poesia Sempre*)

Obras

As Escadas da Torre (1984)
Poemas Gregos (1985)
Poesias (1987)
Nuctemeron (1988)
A Decomposição de J. S. Bach e outros Poemas (1989)
Magnificat (1990)
A Chama Inextinguível (1992)
Lucernário (1993)
A Via Estreita (1995)
A Juventude dos Deuses (1996)
Quinze Poemas Mediterrâneos (1996)
Entusiasmo (1997)
Em sonho (1999)

Fragmento

Ode I (Fragmento)

Caminhando na noite, mais centrado que um poço, sem saber até quando
Agora, quando as multidões já não são um espelho infiel,
Como nos fica claro que tudo nos dá as costas,
O vácuo noturno, como um hausto estrelado, nos dá as costas,
O espaço entre as casas, o corredor que o acaso ergueu para nós
Em sobrevivência e pedra,
Nos dá as costas,
Os habitantes presentes, os habitantes extintos, os futuros que não
[lançaram um vagido
Nos dão as costas,
E nós mesmos, nós mesmos deixamos a cada segundo,
Nós mesmos, o ouvido esquecido no último estalar dos pés nas lajes,
Nos damos as costas.

Contato

sac@novafronteira.com.br

ALEXEI BUENO

Metaphysical poetry in today's Brazil is not dead, neither turns to a lost time or to an unreachable height. The cult of elaborated metaphors, of conceptual complexities, and of exploring the imagistic abstraction potentialities still has a representative in the current days: ALEXEI BUENO. Just like in the metaphysical tradition, the work by this poet (essayist and literature critic) includes an inquietude that is omnipresent between carnality and the spiritual, a never resolved duality and underlying to all the anguishes that trigger his poems. His poetry is meant to be contemporary, that is, pertaining to the present day's Man and his worldly distresses, providing no type of escapism, either utopian nor historical. This does not mean, however, an abjuration of tradition: for Alexei Bueno, art, the great art, is always universal and non-historical. Since the Greeks up to the modern Brazilian poetry, he is most concerned, both as a critic and as a poet, with the density and the elevation achieved by the authors and their works, factors that establish the true poetry's abode.

Review

THE OTHER FACE OF MODERNITY

"If it is true that there is in today's Brazil an objectivity's sterile tradition, Alexei contradicts this notion by imposing himself as a vigorous lyric poet who is never intimidated before the emotional and expressional excesses. His poetry, as a result, sounds as romantic or symbolist to unaware readers, although it is unmistakably modern — to recognize this, one has to remember that modernity does not one single face, as the vanguards short-sighted disciples try to convince us."
(Miguel Sanches Neto, *Jornal da Tarde*)

THE POWER OF LYRIC

"Alexei Bueno develops images of high lyrical power, opening windows that light up and attenuate the discourse tension [...]. Just like the view of the frontispiece of a temple offering us the height capable to rejuvenate the ancient truths, *A Juventude dos Deuses (Gods' Youth)* is endowed with the power of true poetry, 'and the radiant youth of the gods, that which must exist, that which unavoidably follows some road', surely dwells in the poem, its fire and time monument."
(Weydson Barros Leal, *Poesia Sempre*)

Excerpt

Ode I (Fragment)

Roaming in the night, more centered than a well, without knowing
[until when
Now, when the crowds are no longer an unfaithful mirror,
How clearly we realize everything gives us a cold shoulder,
The voidness of the night, like a starry sniff, gives us a cold shoulder,
The space between the houses, the corridor fortune built for us
In survival and stone,
Gives us a cold shoulder,
The present inhabitants, the extinct inhabitants, the future ones that
[won't utter a wail
give us a cold shoulder,
And we ourselves, we let at every second,
Ourselves down, the ear abandoned at the last snapping of the feet
[on the flagstones,
we give ourselves a cold shoulder.

Works

As Escadas da Torre (1984)
Poemas Gregos (1985)
Poesias (1987)
Nuctemeron (1988)
A Decomposição de J. S. Bach e outros Poemas (1989)
Magnificat (1990)
A Chama Inextinguível (1992)
Lucernário (1993)
A Via Estreita (1995)
A Juventude dos Deuses (1996)
Quinze Poemas Mediterrâneos (1996)
Entusiasmo (1997)
Em sonho (1999)

Contact

sac@novafronteira.com.br

ALFREDO BOSI

Para ALFREDO BOSI, a atividade literária, assim como toda obra de arte, ultrapassa toda especificidade individual e se torna um instrumento de enorme importância para a formação e a caracterização da cultura de um povo. Professor catedrático, ensaísta e historiador literário, Alfredo Bosi é em primeiro lugar um fino analista da sociedade brasileira. Seus ensaios e livros — entre os quais há clássicos consagrados do pensamento crítico, como *História Concisa da Literatura Brasileira* não se limitam ao exame do alcance literário propriamente dito a que chega uma obra, embora também sejam ilustres nesse sentido; seu objetivo é também e principalmente ressaltar o papel cumprido por essa obra dentro de suas determinações culturais, históricas e sociais. Essa abordagem culturalista quer situar obra literária dentro do seu tempo, sujeita, como no caso dos autores contemporâneos, a um ultramodernismo que visa transformar todo objeto em mercadoria descartável. Assim, o papel da obra de arte moderna (ou pós-moderna) também é o de apresentar resistência a esse consumismo devorador.

Crítica

CRÍTICA DA CULTURA

"Quebrando essa notória escassez de (re)visões do conceito genérico de cultura, o crítico literário e ensaísta Alfredo Bosi voltou no tratamento do assunto em seu livro *Dialética da Colonização*. Partindo da necessidade de separar o enfoque da cultura brasileira em face das culturas brasileiras do 'singular para o plural', o autor dedicou densas considerações sobre a conjuntura cultural nas universidades e fora delas; e sobre as implicações da indústria cultural em nosso país, entre outros aspectos." (Aziz Nacib Ab-Sáber, *O Estado de S. Paulo*)

ABORDAGEM CULTURALISTA

"É preciso frisar que, na sua abordagem culturalista do fato literário, acentuando a modulação política, Alfredo Bosi não relega a segundo plano a especificidade literária. Este enfoque múltiplo do nosso patrimônio cultural faz da *História Concisa da Literatura Brasileira* um livro indispensável." (Franklin de Oliveira, orelha à "História Concisa da Literatura Brasileira")

Obras

O Pré-Modernismo (1966)
História Concisa da Literatura Brasileira (1970)
O Conto Brasileiro Contemporâneo (1975)
A Palavra e a Vida (1976)
O Ser e o Tempo na Poesia (1977)
Araripe Jr. — Teoria, Crítica e História (1978)
Reflexões sobre a Arte (1985)
Cultura Brasileira, Temas e Situações (1987)
Graciliano Ramos (1987)
Céu, Inferno: Ensaios de Crítica Literária e Ideológica (1988)
Dialética da Colonização (1992)
O Enigma do Olhar (1999)

Contato

editores@companhiadasletras.com.br

Fragmento

Dialética da Colonização

Estamos acostumados a falar em cultura brasileira, assim, no singular, como se existisse uma unidade prévia que aglutinasse todas as manifestações materiais e espirituais do povo brasileiro. Mas é claro que uma tal uniformidade parece não existir em sociedade moderna alguma e, menos ainda, em uma sociedade de classes. Talvez se possa falar em cultura bororo ou cultura nhambiquara, tendo por frente a vida material e simbólica desses grupos antes de sofrerem a invasão e aculturação do branco. Mas depois, e na medida em que há frações no interior desse grupo, a cultura tende também a rachar-se, a criar tensões, a perder sua primitiva fisionomia que, aí menos para nós, parecia homogênea.

ALFREDO BOSI

FOR ALFREDO BOSI, the literary activity, just like all work of art, goes beyond any individual specificity and becomes a critical instrument in the formation and characterization of a people's culture. A professor, essayist and literary historian, Alfredo Bosi is, before anything else, a fine analyst of the Brazilian society. His essays and books — which include a number of consecrated critical thought classics like *História Concisa da Literatura Brasileira (A Concise History of the Brazilian Literature)* — are not restricted to appraising the achievement of a literary work, although they are also highly notable in this regard; the purpose is also, and even especially, to highlight the role played by this work within their cultural, historical and social determinations. This culturalist approach essays to fit literary work within its time, subject, as in the case of contemporary authors, to an ultramodernism that seeks to change every object into disposable merchandise. Thus, the role of a modern work of art (or post-modern) will also be to offer resistance to such a devouring consumerism.

Review

CRITIC OF CULTURE

"Breaking off with this glaring shortage of (re)visions of a generic concept of culture, literary critic and essayist Alfredo Bosi took back the treatment of this subject in his book *Dialectics of Colonization*. Starting from the need to dissociate the focus of the Brazilian culture in face of the 'singular-to-plural' Brazilian cultures, the author dedicated ponderous considerations on the cultural conjuncture within the universities and out of them; as well as about the implications of the cultural industry in our country, among other aspects." (Aziz Nacib Ab Sáber, *O Estado de S. Paulo*)

A CULTURALIST APPROACH

"It is necessary to stress that, in his culturalist approach of the literary fact, highlighting the political modulation, Alfredo Bosi does not consign the literary specificity to an inferior standing. This multifaceted focus on our cultural heritage makes *'História Concisa da Literatura Brasileira' (A Concise History of the Brazilian Literature)* an indispensable book." (Franklin de Oliveira, flap in "História Concisa da Literatura Brasileira")

Excerpt

Dialética da Colonização (Dialectics of Colonization)

We got used to speaking about the Brazilian culture, just like this, in the singular, as if a previous unity agglutinating all the material and spiritual manifestations of the Brazilian people existed. But it is obvious that such uniformity seems not to exist in any modern society, let alone in a society of classes. It may be possible to speak of a bororo culture or a nhambiquara culture as reflecting the material and symbolic life of those groups prior to the invasion and acculturation by the white man. But then, and inasmuch as fractions exist in the core of the group, the culture also tends to split, to create tensions, to lose its primitive physiognomy that, to a lesser degree in our case, seemed to be homogeneous.

Works

O Pré-Modernismo (1966)
História Concisa da Literatura Brasileira (1970)
O Conto Brasileiro Contemporâneo (1975)
A Palavra e a Vida (1976)
O Ser e o Tempo na Poesia (1977)
Araripe Jr. — Teoria, Crítica e História (1978)
Reflexões sobre a Arte (1985)
Cultura Brasileira, Temas e Situações (1987)
Graciliano Ramos (1987)
Céu, Inferno: Ensaios de Crítica Literária e Ideológica (1988)
Dialética da Colonização (1992)
O Enigma do Olhar (1999)

Contact

editores@companhiadasletras.com.br

ALPHONSUS DE GUIMARAENS

Numa época determinada filosoficamente pelo Positivismo, cuja expressão literária se manifestou no Parnasianismo e em movimentos afins, emerge a reviravolta simbolista, com uma força de transformação que, privilegiando as inquietações recalcadas pela corrente filosófica mencionada, mudará os rumos de toda poesia moderna: daí, a eclosão do inconsciente, do mistério, da transcendência e de uma escrita calcada mais na sugestão do que na afirmativa. Como um dos dois principais destaques do movimento (ao lado apenas de Cruz e Sousa), surge um dos poetas de maior harmonia e coesão qualitativa, conhecedor como poucos da língua portuguesa. Ele cria a peculiaridade de um estilo até então inexistente no país: um simbolismo de forte inclinação católica. Com versos de acentuada musicalidade, ALPHONSUS DE GUIMARAENS se torna, assim, um dos mais importantes poetas místicos da língua portuguesa. Espiritualmente diverso de Cruz e Sousa, o poeta mineiro da cidade de Mariana elabora uma poesia serena, equilibrada e de uma religiosa aceitação dos reveses da vida.

Crítica

A SURPREENDENTE RESSONÂNCIA DE UMA OBRA
"E é esta elaboração artística altamente qualificada que explicará a permanência de Alphonsus de Guimaraens. E mais do que permanência, este prolongamento de Alphonsus na admiração dos nossos maiores poetas." (Eduardo Portella, "O Universo Poético de Alphonsus de Guimaraens")

O EQUILÍBRIO DE UM MÍSTICO
"Raramente se tem visto nesta terra de exuberância, quer na configuração geográfica, quer nas manifestações espirituais do nativo, uma obra equilibrada como a do grande místico de Minas Gerais." (Henriqueta Lisboa, "A Poesia de Alphonsus de Guimaraens")

Obras

Dona Mística (1899)
Câmara Ardente (1899)
Centenário das Dores de Nossa Senhora (1899)
Kiriale (1902)
Mendigo (1920)
Pauvre Lyre (1921)
Pastoral aos Crentes do Amor e da Morte (1923)
Nova Primavera (1938)
Escada de Jacó (1938)
Púlvis (1938)
Poesias (1955)
Salmos da Noite (1960)
Poesia Completa (2001)

Copyright

Obras em domínio público
— textos livres para publicação

Fragmento

Ismália

Quando Ismália enlouqueceu,
Pôs-se na torre a sonhar...
Viu uma lua no céu,
Viu outra lua no mar.

No sonho em que se perdeu,
Banhou-se toda em luar...
Queria subir ao céu,
Queria descer ao mar...
E, no desvario seu,
Na torre pôs-se a cantar... Estava perto do céu,
Estava longe do mar...

E como um anjo pendeu
As asas para voar...
Queria a lua do céu,
Queria a lua do mar...
As asas que Deus lhe deu
Ruflaram de par em par...
Sua alma subiu ao céu,
Seu corpo desceu ao mar...

ALPHONSUS DE GUIMARAENS

It was in a time philosophically regulated by Positivism, whose literary expression came out through Parnassianism and similar movements, that Symbolism emerged, bringing along a transforming force that, by privileging the inquietudes repressed by the above mentioned philosophical current, would change the directions of every modern poetry: thereby, the outburst of the unconscious, mystery, transcendence, and a writing based on suggestion rather than on affirmation. As one out of the two main prominences of the movement (comparable only to Cruz e Sousa), there appears a poet whose work shows the most harmony and qualitative cohesion, an expert on the Portuguese language to be compared to just a few. This poet created a peculiarity of style that to then did not exist in the country: a strongly Catholic-tending symbolism. Writing verses of intense musicality, ALPHONSUS DE GUIMARAENS becomes, thus, one of the most important mystic poets in the Portuguese language. Spiritually different from Cruz e Sousa, this Minas Gerais poet from Mariana creates a calm, balanced poetry, full of a religious acceptance of the setbacks of life.

Review

THE AMAZING RESONANCE OF A WORK

"And precisely this highly qualified artistic painstaking will explain the permanence of Alphonsus de Guimaraens. And more than permanence, this prolongation of Alphonsus in the admiration by our major poets." (Eduardo Portella, "O Universo Poético de Alphonsus de Guimaraens")

THE EQUILIBRIUM OF A MYSTIC

"Very rarely has this exuberant land seen, either in the geographical configuration or in the spiritual manifestations of the countryman, such a balanced work as that by the great mystic from Minas Gerais." (Henriqueta Lisboa, "A Poesia de Alphonsus de Guimaraens")

Excerpt

Ismália

When Ismália went out of her mind,
She started dreaming up there in the tower...
She saw a moon in the sky,
She saw another moon in the sea.

In her vanished dreams,
She bathed her entire self in the moonlight...
She wished to arise up to the sky,
She wished to go down to the sea...
And, in her ravings,
She started singing up there in the tower... close she was to the sky,
far she was from the sea...

And just like an angel she stretched out
Her wings to fly...
She was longing for the moon in the sky,
She was longing for the moon in the sea...
The wings God had given her
Fluttered together...
Her soul arose up to the sky,
Her body went down to the sea...

Works

Dona Mística (1899)
Câmara Ardente (1899)
Centenário das Dores de Nossa Senhora (1899)
Kiriale (1902)
Mendigo (1920)
Pauvre Lyre (1921)
Pastoral aos Crentes do Amor e da Morte (1923)
Nova Primavera (1938)
Escada de Jacó (1938)
Púlvis (1938)
Poesias (1955)
Salmos da Noite (1960)
Poesia Completa (2001)

Copyright

Works in public domain
— texts available for publication

ALUÍSIO AZEVEDO

Em uma parte da literatura, a linguagem aciona seus mecanismos para criar um mundo verossímil, como se quisesse aproximar-se o máximo possível da intensidade do real manifesto. Nesses casos, em geral, o enredo é conseguido por um entrecruzamento de personagens e a descrição é fundamental para a construção do romance, que deixa em suas páginas uma impressão de verdade. Poucos escritores conseguiram uma vivificação tão grande das sensações, de todo um grupo social e do ambiente narrado, quanto ALUÍSIO AZEVEDO, sobretudo em *O Cortiço*, onde demonstra imensa capacidade de abordar o coletivo em sua forma mais efervescente, passional e desconcertante. Tratando do problema social urbano com suas contradições econômicas, raciais e éticas, interessa-lhe flagrar a engrenagem conflituosa entre o colonizador e o povo mestiço; assim como também motiva esse reformador anticlerical o abrasileiramento dos lusitanos, *toldando-se nos vapores da cachaça e chafurdando-se na mulataria nacional*, os dramas íntimos, a hipocrisia do poder e do sacerdócio, o comércio, os festejos populares, o preconceito, a atração inter-racial etc.

Crítica

O ASSALTO DO LIVRE PENSAMENTO
"Aluísio Azevedo, influenciado sobretudo por Zola e por Eça de Queirós, é um dos representantes, no Brasil, do anticlericalismo e do ateísmo agressivo, do assalto do 'livre pensamento' — uma atitude intelectual da 'geração do materialismo', a geração das reformas sociais, políticas e econômicas (questão religiosa, questão militar, abolição, república)." (Dirce Côrtes Riedel, "Introdução")

UM DOS MAIORES ROMANCISTAS
"Ganhou, porém, o Brasil um dos seus maiores romancistas de qualquer época. Um romancista que precisamente nesta história de *O Mulato* atingiu um dos momentos mais belos, emocionantes e altos de sua carreira de escritor." (Fernando Góes, "Aluísio Azevedo e *O Mulato*")

Obras

Os Doidos (1879)
Uma Lágrima de Mulher (1879)
O Mulato (1881)
Casa de Pensão (1884)
O Caboclo (1886)
Memórias de um Condenado (1886)
O Homem (1887)
O Cortiço (1890)
Um Caso de Adultério (1891)
Em Flagrante (1891)
Livro de uma Sogra (1895)
Pegados (1897)
Obras Completas (1961)

Fragmento

O Cortiço

Eram cinco horas da manhã e o cortiço acordava, abrindo, não os olhos, mas a sua infinidade de portas e janelas alinhadas.

Um acordar alegre e farto de quem dormiu de uma assentada sete horas de chumbo. Como que se sentiam ainda na indolência de neblina as derradeiras notas da última guitarra da noite antecedente, dissolvendo-se à luz loura e tenra da aurora, que nem um suspiro de saudade perdido em terra alheia.

Copyright

ALUÍSIO AZEVEDO

Somewhere in literature, the language works its mechanisms to create a verisimilar world, as if wanting to come as near as possible the intensity of manifest reality. In such cases, the plot is usually contrived by intercrossing the characters; and description is fundamental in the building of the novel, since it imprints on the pages an impression of truth. Very few writers managed to achieve such a strong vivification of sensations in relation to the social group and the environment described as ALUÍSIO AZEVEDO, especially in *O Cortiço (The Flophouse)*, where he shows his immense capacity to approach the collective in its most effervescent, passionate, and disconcerting facet. Dealing with the urban social problem including its economical, ethnic, and ethical contradictions, he is most interested in snapshooting the conflicting gear between the settlers and the mestizo people. Likewise, this anticlerical reformer is prompted by the Brazilianization of the Portuguese *getting stupefied in the white rum steams and bemiring themselves in the national bunch of mulattos*, the personal dramas, the hypocrisy of the power and the priesthood, the trade, the popular feasts, the discrimination, the interracial attraction etc.

Review

THE FREE-THINKING ASSAULT

"Aluísio Azevedo, influenced above all by Zola and Eça de Queirós, represents, in Brazil, the anticlericalism and fiery atheism, the 'free-thinking' assault — an intellectual attitude peculiar to the 'materialism generation,' the generation marked by social, political and economical reforms (religious issue, military issue, abolition, republic)." (Dirce Côrtes Riedel, "Introdução")

ONE OF THE GREATEST NOVELISTS

"Brazil was then endowed with one of its greatest novelists of all times. Precisely in this *O Mulato (Mulatto)*'s story, the novelist reached one of the most beautiful, touching and sublime moments of his career as a writer." (Fernando Góes, "Aluísio Azevedo e *O Mulato*")

Excerpt

O Cortiço (The Flophouse)

It was five in the morning and the flophouse was just waking up, opening not its eyes, but its many doors and aligned windows.

That was the cheerful and bountiful wake-up of one who had slept like a log for seven hours all at once. One could still somehow feel in the indolence of the dew the final notes of the last guitar of the night, fading away in the yellowish and soft dawning light, like a longing sigh lost in a foreign land.

Works

Os Doidos (1879)
Uma Lágrima de Mulher (1879)
O Mulato (1881)
Casa de Pensão (1884)
O Caboclo (1886)
Memórias de um Condenado (1886)
O Homem (1887)
O Cortiço (1890)
Um Caso de Adultério (1891)
Em Flagrante (1891)
Livro de uma Sogra (1895)
Pegados (1897)
Obras Completas (1961)

Copyright

Works in public domain
— texts available for publication

ÁLVARES DE AZEVEDO

Influenciada por Byron e Musset, a segunda geração do Romantismo acabou por representar sentimentos de melancolia, delírio, desespero, exasperação do sentimento, desregramento de vida, loucura, desgostos, ceticismo etc. Participando de tal momento histórico, ÁLVARES DE AZEVEDO não escapou a tal excitação nervosa. Com uma grande diferença, entretanto: precocemente, lutando contra a influência portuguesa na formação da poesia brasileira, ele conseguiu antecipar características fundamentais do Modernismo, como, por exemplo, o privilégio do cotidiano, a ruptura da primazia do poético sobre o prosaico, a dissonância, a dilaceração do eu lírico, a desordem... Essas conquistas, nele, estavam baseadas em um projeto de pensamento, surpreendentemente paralelo ao de Nietzsche (e não posterior ao do filósofo alemão), que visava *dissipar o mundo visionário e platônico*. Isso significa dizer que o poeta flagrou uma crise histórica de toda idealização ou transcendência mística, levando a poesia em direção ao que há de mais próximo: a vida terrena. Como ele disse: *O poeta acorda na terra. Demais, o poeta é o homem.*

Crítica

O PRENÚNCIO DO MODERNISMO
"Muito da originalidade e vitalidade de Álvares de Azevedo deriva da valorização poética do cotidiano, da tematização do homem enquanto consciência dramatizada por dicotomias, da concepção e prática do discurso como lugar de embate entre registros emotivo-estéticos dissonantes, do uso de matizado e refinado humor." (Marlene de Castro Correia, "A Poesia de Álvares de Azevedo: o Drama na Cena do Cotidiano")

A CRÍTICA DO SUBLIME
"Consciente de que a transcendência total é limitada ou impossível, Álvares de Azevedo submete à crítica mais feroz as duas criações mais sublimes da poética romântica, a mulher e o próprio poeta. Afirma que ambos estão dependentes de uma visão materialista da existência. Uma sociedade organizada à base de trocas econômicas, reflete o poeta, rebaixa a mulher e humilha a arte." (Wellington de Almeida Santos, "Álvares de Azevedo e a Ironia Romântica")

Obras

Lira dos Vinte Anos (1853)
Obras (1855)
A Noite na Taverna (1878)
Macário (1885)
O Conde Lopo (1886)
O Poema do Frade (1890)
Obras Completas (1942)
Poesias Completas (1943)

Fragmento

Idéias Íntimas

Reina a desordem pela sala antiga,
Desce a teia de aranha às bambinelas
À estante pulvurenta. A roupa, os livros
Sobre as cadeiras poucas se confundem.
Marca a folha do Faust *um colarinho*
E Alfredo de Musset encobre às vezes
De Guerreiro, ou Valasco, um texto obscuro.
Como outrora do mundo os elementos
Pela treva jogando cambalhotas,
Meu quarto, mundo em caos, espera um Fiat!

Copyright

ÁLVARES DE AZEVEDO

Influenced by Byron and Musset, the second generation of romanticism ended up representing such feelings as melancholy, delirium, despair, exasperation of the feelings, disorder of life, madness, loathing, skepticism, etc. As part of such a historical moment, ÁLVARES DE AZEVEDO was no exception in this nervous excitement. However, there was a huge difference: he managed to precociously anticipate fundamental characteristics of modernism, while struggling against the Portuguese influence on the formation of the Brazilian poetry; for instance, the privilege of the daily, the rupture with the primacy of the poetic over the prosaic, the dissonance, the laceration of the lyrical self, the disorder... Such conquests were based on a thinking project which was surprisingly parallel to that of Nietzsche (and not subsequent to that of the German philosopher), who tried to *dissipate the visionary and platonic world*. That means to say that the poet caught a historical crisis of all idealization or mystic transcendence, thereby taking poetry towards that which is the nearest: the mundane life. As he said: *The poet wakes up on earth. Moreover, the poet is the man.*

Review

THE ANTICIPATION OF MODERNISM

"Most of Álvares de Azevedo's originality and vitality flows from the poetic valorization of daily life, from using man as theme in the form of a conscience dramatized by dichotomies, from the conception and practice of speech as the place for the clash between dissonant emotional-aesthetic registrations, from the use of a variegated and refined humor." (Marlene de Castro Correia, "A Poesia de Álvares de Azevedo: O Drama na Cena do Cotidiano")

THE CRITIC OF THE SUBLIME

"Conscious that total transcendence is either limited or impossible, Álvares de Azevedo submits to the most ferocious critic the two most sublime creations of the romantic poetry, the woman and the poet himself. He asserts that both are dependent on a materialistic view of existence. According to the poet, any society organized on the basis of economical trade-off lowers the woman and debases art." (Wellington de Almeida Santos, "Álvares de Azevedo e A Ironia Romântica")

Excerpt

Idéias Íntimas (Intimate Ideas)

Disorder reigns in the ancient room,
The spider's web comes down the drapery
To the dusty shelf. The clothes, the books
On the chairs, a few of them get mixed up.
Faust's *leaf is marked by a collar*
And Alfredo de Musset sometimes hides
An obscure text by Guerreiro, or Valasco.
Just like formerly the elements of the world
Playing somersaults in the dark,
My bedroom, world in chaos, waits for a Fiat!

Works

Lira dos Vinte Anos (1853)
Obras (1855)
A Noite na Taverna (1878)
Macário (1885)
O Conde Lopo (1886)
O Poema do Frade (1890)
Obras Completas (1942)
Poesias Completas (1943)

Copyright

Works in public domain
— texts available for publication

ÁLVARO MOREYRA

Diz-se que o Rio de Janeiro é uma cidade que envelhece contrariamente aos homens, ou seja, quanto mais os anos passam, mais jovem ela fica. Diz-se também, assim como se canta por todo país e pelo mundo, que ela é a *Cidade Maravilhosa*. O que poucas pessoas sabem é que tal epíteto carinhoso, assim como a definição de que a urbe tem o *tempo contado às avessas*, é de ÁLVARO MOREYRA, um poeta, cronista, dramaturgo e jornalista para quem viver era misturar; por isso, a vida sempre lhe pareceu um coquetel em pleno chacoalhar de sua feitura. Seu humor irresistível dizia ter havido no mundo um único escândalo: a criação do próprio mundo. Fazendo parte da segunda geração modernista, que nos legou alguns dos melhores escritores do país, o autor criou uma prosa fragmentária, paradoxal e labiríntica, com parágrafos independentes que se separam, mas também se mesclam, aos anteriores. O primeiro movimento para a renovação do teatro brasileiro, o *Teatro de Brinquedo,* é de sua autoria. Inúmeras pessoas já testemunharam: sua escrita sempre surpreende quem dela se aproxima.

Crítica

UMA OBRA MUTANTE

"Permeável às transformações ocorridas na cultura e na sociedade, a obra de Álvaro Moreyra é, por esta razão, mutável, sinalizando a atenção do autor aos fenômenos de seu tempo. A renovação constante por que passou, todavia, não se reduziu à mera reprodução de propostas culturais. Pelo contrário, ela foi geradora de modificações e marcou época, deixando seu principal legado na escrita e na memória de alguns de nossos principais cronistas e poetas." (Regina Zilberman, "A Escolha da Modernidade")

O HUMOR DE UM HOMEM MODESTO

"Álvaro Moreyra tem uma singeleza quase infantil. Rijos padecimentos não lhe deitaram amargor na alma: conservou neles estranha doçura. Oculta as dores com sorrisos, conta-nos anedotas: parece recear transmitir-nos a sua mágoa. Somos bichos complexos, o ofício nos torna vaidosos. E causa-nos espanto vê-lo tão sincero e modesto." (Graciliano Ramos, "Linhas Tortas")

Obras

Degenerada (1909)
Casa Desmoronada (1909)
Elogio da Bruma (1910)
Legenda da Luz e da Vida (1911)
Um Sorriso para Tudo (1915)
O Outro Lado da Vida (1921)
A Cidade Mulher (1923)
Cocaína (1924)
Adão, Eva e Outros Membros da Família (1929)
Circo... (1929)
O Brasil Continua... (1933)
As Amargas, não... (1954)
Havia uma Oliveira no Jardim (1958)

Contato

avm@valeriamoreyra.com.br

Fragmento

A Cidade Mulher

Os maus exemplos são espalhados precisamente pelas pessoas sérias. O que elas dizem, o que elas fazem, a gravidade das suas atitudes, a veemência das suas opiniões, tudo que constitui o modo e a razão de existir dos "homens de caráter" , das "senhoras impolutas", tudo isso desperta a mania da contradição, muito espalhada entre os mortais. Se há vícios neste mundo, a culpa é dos que se manifestam contra eles. Se não escrevessem nos jornais coisas alarmantes sobre a cocaína, se a polícia não perseguisse os vendedores da poudre folle, *pensam que a cidade estaria cheia, tal qual está, de cocainômanos?... Não estava. Eu, por exemplo, até aos vinte anos, não fumei. Mas, num inverno, adoeci da garganta e o médico a quem fui procurar, proibiu-me o fumo... Desandei a fumar, desde aí. E não tenho motivos de queixa... Também não me arrependo de pensar ao invés de numerosos moralistas... A moral comum parece-se muito com os provérbios... Ai de quem se fia nos provérbios. [...] Os cretinos são insuportáveis às segundas-feiras...*

ÁLVARO MOREYRA

It has been said that Rio de Janeiro is a city that ages contrarily to men, in other words, much as the years pass by, it gets younger and younger. It has also been said, as well as sung all over the country and around world, that it is the *Wonderful City*. What very few people know is that such an affectionate epithet, as well as the definition that the city has its *age counted reversely*, was launched by ÁLVARO MOREYRA, a poet, columnist, playwright, and journalist who believed that living means mixing; for this reason, life always appeared to him a cocktail on the shaking. His irresistible humor used to say that one single scandal had happened in the whole world: the creation of the very world. As part of the second modernist generation, which gave us some of the best writers in the country, the author created a fragmentary, paradoxical, and labyrinthine prose, using independent paragraphs that depart from, as well as they mix with, the previous ones. He was the author of the first movement renew the Brazilian theater, the so-called *Toy Theater*. A great many people already testified: his text always amazes those who approaches it.

Review

A MUTATING WORK

"Permeable to the transformations occurred both in the culture and in the society, Álvaro Moreyra's work is, for this reason, mutative, signaling the adhesion by the author to the phenomena of his time. The constant renewal he went through, however, was not restricted to the mere reproduction of cultural proposals. Much on the contrary, it gave rising to changes and constituted a landmark. The most significant legacy is found both in the texts and in the memoirs of some of our major columnists and poets." (Regina Zilberman, "A Escolha da Modernidade")

THE HUMOR OF A MODEST MAN

"Álvaro Moreyra has an almost infantile simplicity. Harsh sufferings did not arouse bitterness upon his soul: but rather preserved as exquisite sweetness. He hides the pains under smiles, he tells us anecdotes: he seems to be afraid of conveying his sorrows. We are complex bugs, our occupation makes us vain. And it renders us amazed to see how sincere and mild he can be." (Graciliano Ramos, "Linhas Tortas")

Excerpt

A Cidade Mulher (The Female City)

Bad examples are disseminated precisely by the serious people. What they say, what they do, the severity of their attitudes, the vehemence of their opinions, everything that constitutes the how and the why for "men of character" or "sinless ladies" to exist, all this helps to bring about the habit of contradiction, which is wildly dispersed among humans. If vices exist in this world, only those flaring up against them are to blame. If nobody had ever written alarming things in the newspapers about cocaine, if the police had never chased the poudre folle *traffickers, do you believe the city would be packed, as it is now, with cocaine addicts?... Believe me, it wouldn't. Look at me, for instance. Up to the age of twenty years, I had never smoked. But then, I got a sore throat during a winter and the doctor banned tobacco forever from my life... I started smoking heavily since there. And I have no reasons to complain... I don't regret either thinking differently from many moralists... Ordinary moral is like Proverbs... I feel pity for those who rely on proverbs. [...] Deadpans are intolerable on Mondays...*

Works

Degenerada (1909)
Casa Desmoronada (1909)
Elogio da Bruma (1910)
Legenda da Luz e da Vida (1911)
Um Sorriso para Tudo (1915)
O Outro Lado da Vida (1921)
A Cidade Mulher (1923)
Cocaína (1924)
Adão, Eva e Outros Membros da Família (1929)
Circo... (1929)
O Brasil Continua... (1933)
As Amargas, não... (1954)
Havia uma Oliveira no Jardim (1958)

Contact

avm@valeriamoreyra.com.br

ANA CRISTINA CÉSAR

Entre os autores que se costuma classificar, acertadamente ou não, como pertencentes à geração dita marginal da poesia, ANA CRISTINA CÉSAR é a que possui uma escrita mais pessoal, isto é, menos influenciada por obras, vanguardas ou movimentos anteriores. Seus poemas, quase sempre na primeira pessoa do singular, estabelecem um tipo de discurso de si, um diálogo com a própria experiência do mundo e com uma necessidade resoluta da escrita. Sua poética é uma navegação pela imensa variedade de objetos do mundo, que podem ser ela própria, pessoas, livros, lugares, cartas, uma dor indefinida ou até mesmo uma pequena coceira. Nesse universo, nada é mais certo do que nada, nada tem privilégio ou é *a priori* descartado. O eu que discursa em Ana Cristina César, longe de ser um ego, é um eu fragmentado, incompleto, característico e quase que anunciador de uma das mais fortes vertentes da contemporaneidade. Por isso mesmo, a morte precoce da autora só reforça esse inacabamento que, de fato, já faz parte do cerne de sua escrita, desde o seu início.

Crítica

OBJETOS DE POESIA
"Ficou difícil ler Ana sem prestar atenção ao tanto que ela preservou sua poesia. Manteve uma distância sadia daquela gordura salobra que os marginais praticavam e foi buscar diálogo nas quase conversas, diletantes e confessionais, de Sylvia Plath. Sua poesia é a pretensa e difícil tarefa da escolha de objetos humanos [...] e de confissões à queima-roupa." (Manoel Ricardo de Lima, *O Povo, Caderno Vida & Arte*)

INVOCAÇÃO DE UNIVERSOS
"Sua poesia mostra como [...] entrar num universo em que se encontram muitos outros universos. Para isso Ana invoca o Outro para você. Chama poetas, músicos, filmes, outras línguas, entre muitas outras linguagens que atravessam o texto de uma senhora pensadora de seu tempo." (Regina S. Cunha Lima, "Ana Cristina César: Poeta Planetária")

Obras

Cenas de Abril (1979)
Correspondência Completa (1979)
Literatura não É Documento (1980)
Luvas de Pelica (1980)
A teus Pés (1982)
Inéditos e Dispersos (1982)
Escritos da Inglaterra (1988)
Escritos no Rio (1993)
Correspondência Incompleta (1999)

Fragmento

As horas fundamentais já nos visitaram. São apenas álcoois que nos lembram a repetição infinita destes ladrilhos de banheiro, o descanso na privada nos confins do restaurante, Sinatra na culatra, e duas colegas falando sem parar de suas mães. Quero ficar aqui, as calças baixas, esquecendo a metástase nos ossos, a voz pastosa da cantora, última inspiração do câmera (filósofo da linguagem), os poemas poloneses, o fio do xixi escorrendo lentamente nesta hora em que me esqueço à toa de olho nos sapatos brancos.

Contato

brasilienseedit@uol.com.br

ANA CRISTINA CÉSAR

Among those authors usually classified, whether wisely or not, as belonging to the so-called poetry's marginal generation, ANA CRISTINA CÉSAR possesses the most personal writing, that is, the least influenced by previous works, vanguards, or movements. Her poems, almost always in the first person, establish a type of speech to the self, a dialogue with her own world experience and with a decisive need of writing. Her poetical work provides a navigation over the immense variety of world objects, which may be herself, people, books, places, letters, an indefinite pain, or even an insignificant itching. In this universe, nothing is more righteous than anything, nothing is privileged or is discarded beforehand. The self discoursing through Ana Cristina Cesar, far from being an ego, is rather a fragmented, incomplete self, which is characteristic and somehow the announcer of one of the strongest contemporary streams. For this reason, her premature death only reinforces this incompleteness that, in fact, is already part of the core of her writing from the beginning.

Review

OBJECTS OF POETRY

"It became difficult to read Ana without paying attention to how carefully she preserved her poetry. She kept a healthy distance from that brackish fat the marginal poets used to preserve, and she went further to bring dialogues from Sylvia Plath's hobbyist and confessional near conversations. Her poetry is the pretentious and difficult task of choosing from human objects [...] and from confessions at close range." (Manoel Ricardo de Lima, *O Povo, Caderno Vida & Arte*)

INVOCATION OF UNIVERSES

"Her poetical work shows how [...] to enter a universe in which to find many other universes. For this purpose Ana invokes the Other for you. She calls poets, musicians, films, other languages, among many other languages that cross the text of a lady who thinks of her time." (Regina S. Cunha Lima, "Ana Cristina César: Poeta Planetária")

Excerpt

The fundamental hours have already visited us. They are just alcohols reminding us of the endless repetition of such bathroom tiles, the rest on the toilet at the farthest end of a restaurant, Sinatra in the breech, and two friends prating about their mothers. I want to be here, low pants, forgetting about the bone metastasis, the pasty voice of a singer, the last inspiration of a cameraman (philosopher of the language), Polish poems, the pee running down slowly at this very time when I randomly forget about everything as I look at the white shoes.

Works

Cenas de Abril (1979)
Correspondência Completa (1979)
Literatura não É Documento (1980)
Luvas de Pelica (1980)
A teus Pés (1982)
Inéditos e Dispersos (1982)
Escritos da Inglaterra (1988)
Escritos no Rio (1993)
Correspondência Incompleta (1999)

Contact

brasilienseedit@uol.com.br

ANA MIRANDA

Quando ANA MIRANDA publicou seus dois primeiros livros, de poemas, ela era inteiramente desconhecida do grande público. É raro à poesia dar fama a seus autores. O sucesso repentino da escritora veio com o terceiro título, que, se não de poesia, é um romance histórico ambientado no século XVII, tendo por tema um dos principais poetas que o Brasil já teve, Gregório de Matos. Com vendagem extraordinária (ficou 54 semanas na lista dos mais vendidos), ele foi traduzido para mais de 20 países. Além dele, *A Última Quimera* aborda a vida de outro dos melhores poetas brasileiros, dessa vez possibilitando à autora uma reconstrução do fim do século XIX e do início do seguinte. Paradoxalmente, foi a poesia que lhe deu fama, ainda que por outro viés. Ana Miranda é considerada a renovadora do romance histórico brasileiro justamente por buscar, na opacidade ambígua do passado, aquilo que, nos documentos e arquivos, lhes é lacunar: os elementos poéticos, psicológicos e dramáticos, em poucas palavras, o sentimento vivo do passado. Ultimamente, ela tem-se aventurado por criativas ficções distintas do romance histórico.

Crítica

EM BUSCA DO INALCANÇÁVEL

"A trama do novo livro de Ana Miranda é, antes de mais nada, o drama da linguagem de quem narra buscando na selva dos signos a trilha de rotas e enredos alternativos. O desejo de algo que lhe escapa e foge torna-se a meta a ser atingida, algo que não consegue nunca alcançar e só se apreende, de passagem, na urgência de narrar." (Wander Melo Miranda, *O Estado de S. Paulo*)

Obras

Anjos e Demônios (1978)
Celebrações do Outro (1983)
Boca do Inferno (1989)
O Retrato do Rei (1991)
Sem Pecado (1993)
A Última Quimera (1995)
Desmundo (1996)
Amrik (1997)
Clarice (1999)
Noturnos (1999)

Contato

editores@companhiadasletras.com.br

Fragmento

Boca do Inferno

Sem dúvida o fato de ser um poeta brasileiro fazia com que Gregório de Matos se sentisse um idiota. Vivia afastado da metrópole e perdia-se em divagações bastante confusas sobre si mesmo. Achava que nada mais tinha a perder depois que voltara para sua terra, viúvo e solitário. Rimar Jesus com cus, Deus com ateus, igreja com inveja, jesuíta com alcovita, juiz com infeliz, poeta com pateta, Santo Antônio com demônio, letra com punheta ou história com chicória, tanto fazia. Tinha os mesmos sentimentos para escrever sobre a mulata, o amor, o muleiro, o caralho, o papagaio, o governador, el-rei ou Deus.

ANA MIRANDA

When ANA MIRANDA got her first two poetry books published, she was entirely unknown to the readers. Poetry very seldom takes authors up to pinnacle. Miranda's sudden success came with her third book, which, if not of poetry, was a historical novel set in the 17th century portraying one of the most important Brazilian poets, Gregório de Matos. An extraordinary best-seller (54 weeks in the best-sellers list), the book was translated in more than twenty countries. Alongside with this, *The Last Chimera* approaches the life of another major Brazilian poet, this time allowing the author to revisit late 19th century and early 20th. Paradoxically, poetry brought fame on her, although from a different perspective. Ana Miranda is regarded as the renewer of Brazilian historical novels exactly because she tries to find in the ambiguous opacity of the past, that thing which is missing in the documents and files: the components of poetry, psychology, and vividness, in brief, the lively feeling of the past. She has lately ventured into imaginative fiction novels that are far from the historical novel.

Review

IN SEARCH OF THE UNREACHABLE

"Ana Miranda new book's plot, before anything else, the language drama of a narrator who, in the middle of a jungle of signs, is trying to find the trail of alternative routes and plots. The yearning of something that escapes and flees becomes the goal to be reached, something that will never be reached and can only be tenuously touched in the urgency of narrating." (Wander Melo Miranda, *O Estado de S. Paulo*)

Excerpt

Boca do Inferno (Gateway to Hell)

The fact of being a Brazilian poet would doubtlessly make Gregório de Matos to feel himself like an idiot. He was living far from the mother city and would get lost in very confused digressions about himself. A lonely widower, he believed nothing remained of his own that could be lost when he returned to his home country. Rhyming Jesus with assholes, God with atheists, church with envy, Jesuit with intrigues, judge with unhappy, poet with fool, Saint Antonio with demon, letter with masturbation, or history with chicory (*) *was not an issue to be given a second thought. He would have just the same emotion to write on any other subject, either a mulatto girl, love, a muleteer, his prick, a parrot, the governor, the king, or God.*

(*) **Translator's note**: the rhymes above are only possible in Portuguese

Works

Anjos e Demônios (1978)
Celebrações do Outro (1983)
Boca do Inferno (1989)
O Retrato do Rei (1991)
Sem Pecado (1993)
A Última Quimera (1995)
Desmundo (1996)
Amrik (1997)
Clarice (1999)
Noturnos (1999)

Contact

editores@companhiadasletras.com.br

ANDRADE MURICI

Crítico de música e de literatura, ANDRADE MURICI pôde dar, nas duas áreas, contribuições invulgares. Foi dos primeiros a aceitar as inovações de Villa-Lôbos e a apontar nas composições desse mestre os traços nos quais mais se espelhava toda a alma de um povo. Aluno dos poetas simbolistas Emiliano Perneta e Dario Veloso, quando estudante em Curitiba, sua terra natal, conservou-se sempre interessado no movimento do qual eles participaram. Desse interesse resultou seu monumental *Panorama do Movimento Simbolista Brasileiro*, a obra mais completa até hoje surgida sobre o assunto. No Rio de Janeiro, onde se radicou ainda jovem, Murici participou, com Cecília Meireles, Adelino Magalhães, Tasso da Silveira e outros, do grupo da revista *Festa*, em torno da qual se congregou uma expressiva vertente do Modernismo brasileiro, marcada por um lirismo mais subjetivo, mais espiritualista e menos polêmico que o da vanguarda atuante em 1922.

Crítica

CONEXÕES SUBTERRÂNEAS

"Andrade Murici, em seu retrospecto do Simbolismo brasileiro, sublinhou as conexões que o fizeram subterraneamente indispensável à revolução de 22, defendendo a tese de que 'o Modernismo, apesar de ter tentado uma ruptura radical com a tradição, carregou em seu interior tendências e atitudes espirituais que poderíamos denominar de simbolistas'. Ao mapeá-las, Murici se reporta, entre outros, a um grupo de escritores — Adelino Magalhães, Lúcio Cardoso, Cornélio Pena — nos quais essas tendências se mostram a seu ver com mais ênfase, devido à 'prosa de contorno subjetivo, intimista', que por eles foi empregada." (Leonardo Fróes, "Símbolos, Poema em Prosa e Literatura Intimista")

Obras

Sonata Pagã (1913)
Emiliano Perneta (1919)
O Suave Convívio (1922)
A Festa Inquieta (1926)
Caminho de Música (1ª série, 1946; 2ª série, 1951)
Panorama do Movimento Simbolista Brasileiro (1952)
Partida para a Europa (1957)
Villa-Lôbos, uma Interpretação (1961)

Fragmento

Panorama do Movimento Simbolista Brasileiro

Os simbolistas são acusados de se terem abstraído dos interesses coletivos, da vida social. Teriam apenas "sonhado", termo que não disfarça a idéia de "evasão". As respectivas biografias demonstram o contrário, com raras exceções. Quase todos se empenharam apaixonadamente nas campanhas pela Abolição e pela República. Quase todos eram anticlericais e maçons. Essas as preocupações dominantes da época. E foram participantes decididos. O destino da pátria, da raça, da sociedade, encontrou neles observadores, reformadores e apóstolos. Vemo-los fundar clubes e jornais políticos, discursar em praça pública e escrever.

Contato

Textos protegidos — em caso de interesse para publicação, fazer contato com o Departamento Nacional do Livro da FBN

ANDRADE MURICI

As a critic of music and literature, ANDRADE MURICI was able to give remarkable contributions in both areas. He was one of the first to accept Villa-Lobos' innovations and to point out in the compositions by the master the features where the soul of a whole people reflected most. As a student in Curitiba, his birthplace, he studied with symbolist poets Emiliano Perneta and Dario Veloso, showing a keen interest in the movement they represented. This interest resulted in his monumental *Panorama do Movimento Simbolista Brasileiro (Overview of Brazilian Symbolist Movement)*, the most comprehensive work on this subject ever written. In Rio de Janeiro, where he settled while still young, Murici became part of the group publishing the magazine *Festa (Party)*, together with Cecília Meireles, Adelino Magalhães, Tasso da Silveira and others. This magazine gathered an expressive vein of the Brazilian modernism, marked by a more subjective, more spiritualist and less controversial lyricism if compared with that of the active 1922 vanguard.

Review

UNDERGROUND CONNECTIONS

"In his retrospect of Brazilian Symbolism, Andrade Murici underlined the connections that made him indispensable in the undergrounds of the 1922 revolution, supporting the thesis that 'despite having tried a radical rupture with tradition, Modernism carried core tendencies and spiritual attitudes that could be called symbolist.' On mapping them out, Murici refers, among others, to a group of writers — Adelino Magalhães, Lúcio Cardoso, and Cornélio Pena — he believed would unequivocally show such tendencies in view of the 'subjective, intimist prose' they produced." (Leonardo Fróes, "Símbolos, Poema em Prosa e Literatura Intimista")

Excerpt

Panorama do Movimento Simbolista Brasileiro (Overview of Brazilian Symbolist Movement)

Symbolists are accused of having withdrawn from the collective interests, from social life. They would have just "dreamed," a word that does not disguise the idea of "avoidance". The respective biographies show the contrary, with rare exceptions. Almost all of them fought passionately in the campaign for the Abolition and for the Republic. Almost all of them were anticlerical and Freemasons. These were the prevailing concerns at the time. Besides, they were resolute participants. The destiny of the country, the race and the society found observers, reformers, and apostles in them. We see them starting clubs and political newspapers, delivering speeches on soapboxes, and writing.

Works

Sonata Pagã (1913)
Emiliano Perneta (1919)
O Suave Convívio (1922)
A Festa Inquieta (1926)
Caminho de Música (1ª série, 1946; 2ª série, 1951)
Panorama do Movimento Simbolista Brasileiro (1952)
Partida para a Europa (1957)
Villa-Lôbos, uma Interpretação (1961)

Contact

Protected texts — in case of interest for publication, get in contact with National Book Office (DNL) of the Biblioteca Nacional Foundation (FBN)

ANÍBAL MACHADO

Poucos escritores se embrenharam por tantas e diversas áreas da criação quanto esse mineiro pertencente ao grupo modernista de seu estado, do qual faziam parte Drummond, Emílio Moura, Abgar Renault, Ciro dos Anjos e Pedro Nava. Com muitos de seus textos traduzidos para outras línguas e adaptados para o cinema, como *A Morte da Porta-Estandarte* e *Viagem aos Seios de Duília*, ANÍBAL MACHADO foi um contista exemplar. Além de contos, escreveu romances, peças teatrais, ensaios cinematográficos e poemas. Aproveitando a fragmentação do mundo contemporâneo e, até mesmo, elementos experimentais do futurismo e do dadaísmo, seus escritos, buscando novo espaço de respiração literária, se caracterizam pela mistura dos gêneros. Como se tudo isso não fosse suficiente, ao se mudar para o Rio de Janeiro, ele ajudou a criar importantes grupos teatrais, como O Tablado, Os Comediantes, Teatro Experimental do Negro e Teatro Popular Brasileiro. Em Ipanema, sua casa proporcionou freqüentes reuniões entre escritores de todo o mundo, tornando-se, por um bom tempo, o centro da vida literária carioca.

Crítica

UMA PRECOCE ESTÉTICA DO FRAGMENTO
"Muito antes que isto se tornasse moda a partir de Barthes ou dessa nebulosa teórica chamada 'pós-modernidade', Aníbal Machado exercitava (talvez por preguiça, talvez por temperamento) a estética do fragmento, alheio às compartimentações dos gêneros literários." (Affonso Romano de Sant'Anna, "O Poeta Aníbal Machado")

UM POEMA-HOMENAGEM DO GRANDE AMIGO
"E assim nos deixou nosso amigo Aníbal M. Machado: com a gentileza do costume, / dos próximos se despedindo sereno, aos distantes mandando lembranças. / Recebeu a morte como recebia os amigos, os viajantes, os perseguidos políticos na casa branca da Visconde de Pirajá." (Carlos Drummond de Andrade, "O Irmão de João Ternura")

Obras

O Cinema e sua Influência na Vida Moderna (1941)
Vida Feliz (1944)
ABC das Catástrofes (1951)
Goeldi (1955)
Poemas em Prosa (1955)
Cadernos de João (1957)
Histórias Reunidas (1959)
João Ternura (1965)
A Morte da Porta-Estandarte e outras Histórias (1965)
Balões Cativos (1965)

Contato

joeditor@unisys.com.br

Fragmento

Viagem aos Seios de Duília

Mais do que nunca, sentiu José Maria naquela noite a solidão da casa. Não tinha amigos, não tinha mulher nem amante. E já lera todos os jornais. Havia o telefone, é verdade. Mas ninguém chamava. Lembrava-se que certa vez, há uns quinze anos, aquela fria coisa, pendurada e morta, se aquecera à voz de uma mulher desconhecida. A máquina, que apenas servia para recados ao armazém e informações do ministério, transformara-se então em instrumento de música: adquirira alma, cantava quase. De repente, sem motivo, a voz emudecera. E o aparelho voltou a ser na parede do corredor a aranha de metal, sempre calada. O sussurro da vida, o sangue de suas paixões passavam longe do telefone de Zé Maria...

ANÍBAL MACHADO

Very few writers ventured so many and diverse areas of creation as this writer from Minas Gerais belonging to the modernist movement in his state, together with Drummond, Emílio Moura, Abgar Renault, Ciro dos Anjos, and Pedro Nava. Many of his texts were translated into many languages and dramatized for the cinema, for example, the *A Morte da Porta-Estandarte (The Death of a Standard-bearer)* and *Viagem aos Seios de Duília (A Trip to Duília's Breast)*. ANÍBAL MACHADO was an exemplary short-story writer. Besides short stories, he also wrote novels, plays, cinematographic essays, and poems. Taking advantage of the contemporary world fragmentation and even of futurism and Dadaism experimental elements, his texts, looking for new literary breathing spaces, are characterized by the mixture of styles. In addition to all that has been said, after moving to Rio de Janeiro he helped in the creation of important drama groups, such as *O Tablado (The Stage)*, *Os Comediantes (The Comedians)*, *Teatro Experimental do Negro (Experimental Theater for the Black Man)*, and *Teatro Popular Brasileiro (Brazilian Popular Theater)*. A number of meetings gathering writers from all over the world were held in his Ipanema house, which became, for quite a while, the Carioca literary life headquarters.

Review

A PRECOCIOUS FRAGMENT AESTHETICS

"Long before becoming a fashion after Barthes, or this theoretical nebula called 'post-modernity', Aníbal Machado was practicing (maybe laziness, maybe temperament) the fragment aesthetics indifferent to the compartmentalization of literary styles." (Affonso Romano de Sant'Anna, "O Poeta Aníbal Machado")

A HOMAGE POEM BY A GREAT FRIEND

"So our friend Aníbal M. Machado departed: kindly as usual, / peacefully bidding farewell to those near him, and sending his regards to those far away. / He welcomed death just like he used to welcome his friends, the travelers, or the political refugees at the Visconde de Pirajá white house." (Carlos Drummond de Andrade, "O Irmão de João Ternura")

Excerpt

Viagem aos Seios de Duília (A Trip to Duília's Breast)

More than ever, José Maria felt the solitude of the house that night. He had no friends, no wife, no lover. Besides, he had already read all the newspapers. He had the telephone, that was true. But nobody would call. He remembered one occasion, some fifteen years ago, when through that cold thing, hung and dead, he felt the warmth of a woman's voice. The gadget that used to be good for nothing except delivering his messages to the grocery store and information from the Ministry, had then become a music instrument: he acquired a soul, and almost sang. Suddenly, without any reason, the voice disappeared. And the apparatus was again in the corridor wall the same metal spider, always silent. The whisper of life, the blood of his passions, passed far from Zé Maria's telephone...

Works

O Cinema e sua Influência na Vida Moderna (1941)
Vida Feliz (1944)
ABC das Catástrofes (1951)
Goeldi (1955)
Poemas em Prosa (1955)
Cadernos de João (1957)
Histórias Reunidas (1959)
João Ternura (1965)
A Morte da Porta-Estandarte e outras Histórias (1965)
Balões Cativos (1965)

Contact

joeditor@unisys.com.br

ANTÔNIO CALLADO

Os anos 60 foram de grande agitação para o Brasil: por um lado, o governo militar impôs a ditadura ao país, com terríveis conseqüências à liberdade dos cidadãos; por outro, houve uma forte efervescência de intelectuais e artistas que se rebelaram contra o regime. Nessa época de crise e temor, ANTÔNIO CALLADO fez aparecer o livro que talvez tenha sido o romance sociopolítico mais engajado ideologicamente dessa década e da seguinte: *Quarup*. Nele, trata-se de, diante da perplexidade do momento, revelar uma identidade nacional constitutiva do próprio povo, contrapondo-a ao sistema imperante. Essa é, aliás, a tônica de boa parte de seus livros, na qual camponeses, índios e revolucionários, em busca de uma reforma que faça o país alcançar um desenvolvimento social favorável à maioria enfraquecida, sustentam uma oposição radical ao corpo burocrático, policial, empresarial etc. Nas palavras do próprio ficcionista: *Eu quero um Brasil brasileiro de verdade, liderando o mundo, um Brasil nosso, mulato.* [...] *Precisamos de mulatas em nossos selos, em nossos monumentos públicos, nas notas de dinheiro.*

Crítica

EXATA NUDEZ ESSENCIAL
"Mas esse autor está sempre disposto a refazer as experiências dos grandes narradores que acrescentaram novos recursos à técnica de narrar. Seu processo de descrever acompanha uma lição de Flaubert dada a Maupassant, e da qual Conrad gostava de se recordar: a da apreciação do objeto pelo realce exclusivo de seus detalhes mais significativos. Não escrever somando, mas eliminando, depurando, despojando o real de suas roupagens até que ele atinja uma exata nudez essencial." (Franklin de Oliveira, "A Fantasia Exata")

A DIVERSIDADE ENRIQUECEDORA
"[...] como se pretendesse fazer um levantamento documental do Brasil, sempre localiza Antônio Callado as suas obras — sejam elas teatro ou romance — em regiões típicas: o sertão nordestino, a floresta amazônica, as cidades coloniais mineiras [...]. Essa diversidade de ambientes dá à sua literatura um caráter variado, colorido, exótico — que talvez represente mais uma das razões de seu êxito popular." (Renard Perez, "Escritores Brasileiros Contemporâneos")

Obras

Esqueleto na Lagoa Verde (1953)
Assunção de Salviano (1954)
A Madona de Cedro (1957)
Quarup (1967)
Bar Dom Juan (1971)
Reflexos do Baile (1976)
A Expedição Montaigne (1982)
Sempreviva (1984)
Entre Deus e a Vasilha (1985)
Concerto Carioca (1985)
Memórias de Aldenham House (1989)
O Homem Cordial e outras Histórias (1994)
Crônica de Fim de Milênio (1997)

Contato

sac@novafronteira.com.br

Fragmento

Quarup

— Mas vou lhe dizer uma coisa — disse Levindo. — Juro que prefiro uma guerra externa ao auxílio externo. Tenho vontade de vomitar quando o Nordeste recebe caixas de comida e de remédios. Eu dizia ainda ontem ao Januário. Se houver uma outra seca e vierem víveres de fora palavra que eu enveneno o que puder.
— Em vez de veneno pegue em armas, então — disse Leslie.
— Me ajude, Padre Nando — disse Levindo. — O que eu quero dizer ao Leslie é que precisamos criar dentro do brasileiro a ajuda ao Brasil. Temos de fabricar os mitos. O pai de Francisca, por exemplo, quer que a gente vá passar a lua-de-mel à beira do Sena, do Tibre, do Danúbio, sei lá. Eu já disse a ele que eu e Francisca vamos passar a lua-de-mel à beira do Xingu.
— Você se interessa pelos índios? — disse Nando.
— Não — disse Levindo —, não me interesso pelo índio assim feito você, isto não. Nada de missões e parques indígenas. Só nos países onde os homens vivem direito é que jardins zoológicos podem funcionar. O índio por enquanto que se defenda.

ANTÔNIO CALLADO

The 1960's were very turbulent for Brazil: on the one hand, the military government imposed a dictatorship to the country, with awful consequences for the citizens' liberty; on the other hand, there were a strong effervescence of intellectuals and artists rebelling against the regime. During that time of crisis and fear, ANTÔNIO CALLADO brought forth the book that may have been the most ideologically engaged sociopolitical novel of that decade and the decade to follow: Quarup. In this book, and in view of the perplexity of the moment, the author undertakes to reveal the national identity that constitutes the very people's soul, contraposing it to the prevailing system. This is, in fact, the tone in a significant portion of his work, where farmers, indians, and revolutionaries, striving for a reform that would enable the country to reach a social development favorable to the destitute, sustain a radical opposition to the bureaucratic, police, business body etc. As the fictionist said: *I want a truly Brazilian Brazil, leading the world, a Brazil that belongs to us, mulatto. [...] We needed mulattos on our stamps, in our public monuments, on our currency bills.*

Review

THE EXACT ESSENTIAL NAKEDNESS

"But this author is always willing to redo the experiences of those great narrators who added new resources to the narrating technique. His description process follows the lesson taught by Flaubert to Maupassant, which Conrad liked remembering: the lesson of appreciating the object by highlighting exclusively its most significant details. Not to add as you write, but rather eliminate, purify, strip reality of any clothes, until you reach an exact essential nakedness." (Franklin de Oliveira, "A Fantasia Exata")

THE ENRICHING DIVERSITY

"Another noteworthy point refers to the scenario: as if intending to provide a document survey on Brazil, Antônio Callado always sets his works — either drama or novel — on typical regions: the Northeastern backlands, the Amazonian forest, the Minas Gerais colonial cities — by using, evidently, region-specific issues. [...] This diversity of environments gives his literature a varied, colorful, exotic character — which is maybe another reason for his popular success." (Renard Perez, "Escritores Brasileiros Contemporâneos")

Excerpt

Quarup

'But I'll tell you one thing', Levindo said. 'I'd rather face an external war than receive external aid. I have no stomach for seeing the Northeast receiving boxes of food and medicine. Yesterday I was just telling Januário. If another drought befalls and they send provisions from abroad, I swear I'll poison what I can.'

'Instead of poison, take up the gun', Leslie said.

'Help me, Father Nando', said Levindo. 'I want to make Leslie understand that we need to generate the help to Brazil inside the Brazilian. We have to create myths. Francisca's father, for instance, wants us to have our honeymoon over the Seine, the Tibre, the Danube, I don't know. I told him Francisca and I are going to have our honeymoon over the Xingu.'

'Do you have any interest for the Indians?', Nando asked.

'No', Levindo said. 'I am not so interested in the Indians as you are, surely not. I'm not concerned with missions and indigenous reservations. Only in those countries where people live with dignity zoos can work. The Indian has to take care of themselves for the time being.'

Works

Esqueleto na Lagoa Verde (1953)
Assunção de Salviano (1954)
A Madona de Cedro (1957)
Quarup (1967)
Bar Dom Juan (1971)
Reflexos do Baile (1976)
A Expedição Montaigne (1982)
Sempreviva (1984)
Entre Deus e a Vasilha (1985)
Concerto Carioca (1985)
Memórias de Aldenham House (1989)
O Homem Cordial e outras Histórias (1994)
Crônica de Fim de Milênio (1997)

Contact

sac@novafronteira.com.br

ANTONIO CANDIDO

Com a concessão do Prêmio Camões ao professor e crítico literário ANTONIO CANDIDO, em 1998, apenas se confirma o que a maior parte dos estudiosos de literatura já sabia: trata-se da maior figura da crítica e da pesquisa em literatura do século XX no Brasil. Sua obra, respeitada até mesmo pelos que discordam de suas análises, constitui-se como um marco para a compreensão não somente da literatura, mas do próprio pensamento brasileiro. Possuidor de uma leitura dotada de extrema sensibilidade e de uma argúcia capaz de identificar entre a multidão de produções literárias aquelas que vão tornar-se as mais fundamentais para a cultura brasileira, como nos casos de Clarice Lispector e de Guimarães Rosa, Antonio Candido há muito vem formando várias gerações de críticos literários e professores que ainda hoje aplicam em seus estudos as lições aprendidas com o mestre. Inaugurando uma crítica sociológica moderna no Brasil, suas análises sabem dar prioridade ao texto, iluminando-o em suas múltiplas faces, sem submetê-lo a ideologias prévias ou reduzi-lo a teorias e contextos.

Crítica

A CRÍTICA EXEMPLAR
"Dentre as qualidades que fazem de Antonio Candido um crítico modelar, eu destacaria as seguintes: o amor à literatura, que o faz valorizar o texto mais do que o contexto, o objeto mais do que o método; a enunciação delicada de suas avaliações, que nunca se apresentam como juízos de verdade, definitivos e indiscutíveis; o reconhecimento de valores estéticos independentes de valores éticos e políticos." (Leyla Perrone-Moisés, *Folha de S. Paulo*)

A CRÍTICA DEMOCRÁTICA
"Com relação a sua obra, pode-se dizer o que ele mesmo escreveu a propósito *de Raízes do Brasil*. Ele mostrou como o estudo do passado, longe de ser uma simples operação saudosista, pode abrir caminho para os grandes movimentos democráticos integrais, ou seja, aqueles que contam com a iniciativa do povo trabalhador e não remetem apenas ao papel de massa de manobra, como é de costume." (Alain Touraine, *Folha de S. Paulo*)

Obras

Introdução ao Método Crítico de Sílvio Romero (1945)
Ficção e Confissão (1956)
Formação da Literatura Brasileira (1959)
Vários Escritos (1960)
A Personagem de Ficção (1963)
Tese e Antítese (1964)
Literatura e Sociedade (1965)
Radicais de Ocasião (1978)
Quatro Esperas (1990)
Brigada Ligeira e outros Escritos (1992)
O Discurso e a Cidade (1993)
O Estudo Analítico do Poema (1999)
A Educação pela Noite e outros Ensaios (2000)

Contato

editora@editoraperspectiva.com.br

Fragmento

Literatura e Sociedade

Se encararmos os fatores presentes em bloco na estrutura social, nos valores e nas técnicas de comunicação, veremos logo a necessidade de particularizar o seu campo de atuação. Tomemos os três elementos fundamentais da comunicação artística — autor, obra, público — e vejamos sucessivamente como a sociedade define a posição e o papel do artista; como a obra depende dos recursos técnicos para incorporar os valores propostos; como se configuram os públicos. Tudo isso interessa na medida em que esclarecer a produção artística, e embora nos ocupemos aqui principalmente com um dos sentidos da relação (sociedade → arte), faremos as referências necessárias para que se perceba a importância do outro (arte → sociedade). Com efeito, a atividade do artista estimula a diferença dos grupos; a criação das sobras modifica os recursos de comunicação expressiva; as obras organizam e delimitam o público. Vendo os problemas sob essa perspectiva, percebe-se o movimento dialético que engloba a arte e a sociedade num vasto sistema solidário de influências recíprocas.

ANTONIO CANDIDO

The "Camões" prize awarding to professor and literary critic ANTONIO CANDIDO, in 1998, confirmed what was already known by the great majority of literature researchers: he is the 20th century's most prominent literature critic and research personality in Brazil. His work, respected even by those who dissent from his analyses, is regarded as a landmark in the understanding not only of literature, but also of Brazilian thinking. Endowed with an extremely sensitive and subtle reading skill that enables him to spot in the multitude of literary works those which will become the most fundamental for the Brazilian culture, as in the cases of Clarice Lispector and Guimarães Rosa, Antonio Candido has been for a long time educating several generations of literary critics and professors who still today apply in their researches the lessons learned from the master. Initiating a modern sociological critic in Brazil, his analyses place priority on the text, highlighting its multiple facets, without submitting it to previous ideologies or reducing it to theories and contexts.

Review

THE EXEMPLARY CRITIC

"Among the qualities that make Antonio Candido to be an exemplary critic, I would highlight the following ones: the love for literature, which makes him value the text more than the context, the object more than the method; the delicate enunciation of his evaluations, which are never presented as truth judgments, definitive and unquestionable; the recognition of aesthetic values nondependent on ethical and political values."
(Leyla Perrone-Moisés, *Folha de S. Paulo*)

THE DEMOCRATIC CRITIC

"Regarding his entire work, what he himself wrote about 'Raízes do Brasil' ('Roots of Brazil') holds true. He showed how studying the past, far from being mere die-hardism, may pave the way for great integral democratic movements, in other words, those who rely on the initiative of the hard-working people, and do not restrict to the role of a mere maneuver mass, as usual."
(Alain Touraine, *Folha de S. Paulo*)

Excerpt

Literatura e Sociedade (Literature and Society)

If we face the present factors altogether within the social structure, in the values and in the communication techniques, we will soon realize the need to particularize its field of operation. Let us take the three fundamental elements in artistic communication — author, work, readers — then let us see how society defines the artist's position and role; how the work will depend on technical resources to incorporate the proposed values; how readers are configured. All these aspects are of interest inasmuch as they explain the artistic production. Although here we are mainly concerned with one of the directions in the relationship (society → art), we will make the necessary references so that the importance of the other direction may be understood (art → society). As a matter of fact, the artist's activity will stimulate the difference between the groups; the creation of final works will modify the expressive communication resources; the works will organize and delimit the readers. When we analyze the problems under this perspective, we realize the dialetic movement comprising art and society in a broad solidary system of mutual influences.

Works

Introdução ao Método Crítico de Sílvio Romero (1945)
Ficção e Confissão (1956)
Formação da Literatura Brasileira (1959)
Vários Escritos (1960)
A Personagem de Ficção (1963)
Tese e Antítese (1964)
Literatura e Sociedade (1965)
Radicais de Ocasião (1978)
Quatro Esperas (1990)
Brigada Ligeira e outros Escritos (1992)
O Discurso e a Cidade (1993)
O Estudo Analítico do Poema (1999)
A Educação pela Noite e outros Ensaios (2000)

Contact

editora@editoraperspectiva.com.br

ANTÔNIO DE ALCÂNTARA MACHADO

A literatura urbana foi inaugurada no Rio de Janeiro, mas São Paulo também teve, e continua tendo, importantes representantes, entre os quais se destaca, logo após o movimento modernista e o incorporando, ANTÔNIO DE ALCÂNTARA MACHADO. Com uma prosa experimental fortemente calcada na oralidade brasileira e numa economia telegráfica, ele retrata a vida simples e difícil dos imigrantes italianos que passaram a constituir um novo componente do povo nacional: são proletários, comerciantes, costureiras, barbeiros, jogadores de futebol etc., todos membros característicos de uma nova cidade (e de um novo país) em plena formação e desenvolvimento. Buscando uma união entre literatura erudita e espírito popular, o ficcionista soube antecipar um dos aspectos que se tornaria fundamental no desenvolvimento do mundo chamado "pós-moderno". Se editou inúmeras revistas ligadas ao movimento antropofágico, dele, ele soube se diferenciar, criando um estilo único que deu voz a questões nunca antes abordadas. Nascer no primeiro ano de um século movimentado e renovador como o XX deve ter suas implicações!

Crítica

A INOVAÇÃO DETERMINANTE

"O minuto de vida é fixado nos contos de *Brás, Bexiga e Barra Funda* por uma técnica de síntese que parece haver recrutado seus recursos na caricatura, no jornalismo e no cinema. Da primeira vem a economia de traços com que o caráter de cada personagem é esboçado; do segundo, a fatualidade do enfoque e a direitura do modo de narrar; do último, a montagem da efabulação em curtos blocos ou tomadas descontínuos. A técnica narrativa de Alcântara Machado deixaria inclusive uma marca indelével no conto brasileiro, rastreável desde Marques Rebelo até Dalton Trevisan." (José Paulo Paes, "Um Seqüestro do Divino")

EXCEPCIONAL

"É realmente um excepcional escritor esse que nos dá, à maneira dos antigos cronistas, um tratado do Brasil, mas do Brasil novo e diferencial que se processa nas terras paulistas. [...] Vivendo numa cidade moderna, trêmula e estuante de vibrações contínuas de recomposição, descobriu a gente nova que alvorecia, semente de futuros grandes e incertos." (João Ribeiro, "Os Modernos")

Obras

Pathé-Baby (1926)
Brás, Bexiga e Barra Funda (1927)
Laranja da China (1928)
Mana Maria (1936)
Cavaquinho e Saxofone (1940)
Novelas Paulistanas (1961)
Obras (1983)
Pressão Afetiva & Aquecimento Intelectual: Cartas de A. A. M. a Prudente de Morais Neto (1997)

Contato

joeditor@unisys.com.br

Fragmento

Brás, Bexiga e Barra Funda

Saiu do Grupo e foi para a oficina mecânica do cunhado. Fumando Bentevi e cantando a Caraboo. Mas sobretudo com muita malandrice. Entrou para o Juvenil Flor de Prata F. C. (fundado para matar o Juvenil Flor de Ouro F. C.). Reserva do primeiro quadro. Foi expulso por falta de pagamento. Esperou na esquina o tesoureiro. O tesoureiro não apareceu. Estreou as calças compridas no casamento da irmã mais moça (sem contar a Joaninha). Amou a Josefina. Apanhou do primo da Josefina. Jurou vingança. Ajudou a empastelar o Fanfulla que falou mal do Brasil. Teve ambições. Por exemplo: artista do Circo Queirolo. Quase morreu afogado no Tietê.

E fez vinte anos no dia chuvoso em que a Tina (namorada do Lingüiça) casou com um chofer de praça na polícia.

Então brigou com o cunhado. E passou a ser cobrador da Companhia Autoviação Gabrielle d'Annunzio. De farda amarela e polainas vermelhas. Sua linha: Praça do Patriarca — Lapa. Arranjou logo uma pequena. No fim da Rua das Palmeiras. Ela vinha à janela ver o Aristodemo passar. O Evaristo era quem avisava por camaradagem tocando o cláxon do ônibus verde. Aristodemo ficava olhando para trás até o Largo das Perdizes. E não queria mesmo outra vida.

ANTÔNIO DE ALCÂNTARA MACHADO

The urban literature originated in Rio de Janeiro, but São Paulo also had, and still has, important representatives. ANTÔNIO DE ALCÂNTARA MACHADO stands out among them. He appeared soon after the modernist movement and incorporated it. With his experimental prose strongly built on the Brazilian orality and making use of a telegraphic thrift, he relates the simple and difficult life of Italian immigrants who eventually became a new component in the national people: they were proletarians, merchants, dressmakers, barbers, soccer players, etc. All characteristic members of a new city (and a new country) at the height of its formation and development. Trying to merge erudite literature and the popular spirit, the fictionist managed to anticipate one of the aspects that would become fundamental in the development of the so-called "post-modern world". If it is true that he published a number of magazines connected to the anthropophagic movement, of him, he knew how to distinguish himself by creating an unique style that gave expression to issues never approached before. Being born in the first year of a bustling and innovative century like the 20th century must surely carry not a few implications!

Review

THE DECISIVE INNOVATION

"Every minute of life in the short stories comprising *Brás, Bexiga e Barra Funda* determined by a technique of synthesis that seems to have recruited resources from the caricature, the newspaper, and the movies. From the first, the economy of features to describe each character's personality; from the second, the factuality of focus and the directness in the narrative; from the latter, the assembling of story in short or discontinuous blocks. Alcântara Machado's narrative technique left an indelible mark in the Brazilian storytelling, which is traceable from Marques Rebelo to Dalton Trevisan."

(José Paulo Paes, "Um Seqüestro do Divino")

EXCEPTIONAL

"He is indeed an exceptional writer. I'm talking about this one who gives us, just like the old columnists, a treaty about Brazil, but about a new and differential Brazil that is processed in the lands of São Paulo. [...] Living in a city that is at a time modern, trembling, and feverish with continuous vibrations of restoration, he discovered a new people in the rising, seed of a big and uncertain future."

(João Ribeiro, "Os Modernos")

Excerpt

Brás, Bexiga and Barra Funda

He left the Group and headed for his brother-in-law's garage. Smoking Bentevi and singing Caraboo. But cocksure above all. Joined the Juvenil Flor de Prata F.C. (a club founded to do away with the Juvenile Flor de Ouro F.C.). A second-stringer. Was expelled because of default to meet financial obligations. Ambushed the treasurer at the corner. The treasurer didn't show up. He wore his trousers for the first time at his youngest sister's marriage (letting Joaninha off). Loved Josefina. Was beaten up by Josefina's cousin. Promised revenge. Helped thrashing Fanfulla, who spoke badly about Brazil. He had ambitions. For instance: to be an artist at Queirolo Circus. He almost drowned in the Tietê river. He turned twenty on the rainy day when Tina (Linguiça's girlfriend) married a taxi driver at the police station.

Then he fought with his brother-in-law. And became a conductor at Companhia Autoviação Gabrielle d'Annunzio. Wearing yellow uniform and red leggings.

His line: Praça do Patriarca — Lapa. He soon started dating a girl. At the end of the Palmeiras Street. She would come to the window to see Aristodemo pass by. Evaristo would tell his colleague by horning the green bus. Aristodemo would then keep looking back until as far as the Perdizes Square.

And that was all the pleasure he sought in life.

Works

Pathé-Baby (1926)
Brás, Bexiga e Barra Funda (1927)
Laranja da China (1928)
Mana Maria (1936)
Cavaquinho e Saxofone (1940)
Novelas Paulistanas (1961)
Obras (1983)
Pressão Afetiva & Aquecimento Intelectual: Cartas de A. A. M. a Prudente de Morais Neto (1997)

Contact

joeditor@unisys.com.br

ANTÔNIO HOUAISS

Apesar de não viver o suficiente para ver a concretização de seu trabalho de maior vulto — o *Dicionário Houaiss da Língua Portuguesa* —, o acadêmico ANTÔNIO HOUAISS passa para a história como o criador de um dos mais completos dicionários da nossa língua em todos os tempos. Mesmo rejeitando os epítetos de homem-dicionário e de enciclopédia humana, esse filólogo e lexicógrafo é certamente um dos maiores conhecedores dos fundamentos e da formação da língua portuguesa. Mais do que isso, ele considera a língua como um instrumento vivo e em permanente processo de desenvolvimento, aceitando suas manifestações de renovação e de modernização. Seu trabalho é assim devotado a encontrar, entre as tendências aristocratizantes e anarquizantes da língua, uma via democrática que permita sua compreensão, seu estudo e sua evolução. Notabiliza-se também como ensaísta, professor, etimólogo, crítico literário e, principalmente, como tradutor, tendo, nessa área, um outro trabalho digno de distinção: a tradução da monumental obra de James Joyce, o *Ulisses*.

Crítica

A DINÂMICA DA LÍNGUA
"Intelectual dos mais prestigiados no cenário nacional, Houaiss ficou rotulado com um adjetivo que pessoalmente detestava: 'enciclopédico'. Compensava essa fama de tudo saber com uma abertura espiritual que o fazia apreciar o que era espontâneo e desvinculado de regras e preconceitos. [...] Considerava a língua uma expressão vital em permanente processo. Criava e aceitava neologismos, desde que tivessem um significado facilmente percebido. Era, acima de tudo, um antigramático." (Carlos Heitor Cony, *Folha de S. Paulo*)

TRADUÇÃO MONUMENTAL
"A verdade é que Houaiss não só traduziu o *Ulisses* como deu à cultura do Brasil e à cultura de língua portuguesa em geral novos e admiráveis instrumentos para fundamentá-las e ampliá-las." (Antônio Callado, *Folha de S. Paulo*)

Obras

Sugestões para uma Política da Língua (1960)
Crítica Avulsa (1960)
Seis Poetas e um Problema (1960)
Introdução Filológica a Memórias Póstumas de Brás Cubas (1961)
Elementos de Bibliologia (1967)
A Rima na Poesia de Carlos Drummond de Andrade (1968)
Poetas do Modernismo (1972)
Drummond, mais seis Poetas e um Problema (1976)
Estudos Vários sobre Palavras, Livros e Autores (1979)
A Defesa (1979)
A Crise de Nossa Língua (1983)
O que É a Língua (1990)
Dicionário Houaiss da Língua Portuguesa (2001)

Contato

rfeith@objetiva.com.br

Fragmento

Língua e Realidade Social

A realidade social em que se insere a língua portuguesa nas plagas brasílicas é a realidade de um ecúmeno sui generis no continente americano. Marginal, necessariamente, para a cultura conquistadora, tecnologicamente muito mais poderosa, sequiosa de mercancia e mercantilismo, ocidentalmente cobiçosa e cristamente ambígua no querer e fazer, a cultura indígena era das mais atrasadas do mundo (e no continente americano só os extintos patagões rivalizariam com ela nesse particular): os brasílicos vivíamos (primeira pessoa do plural de empatia...), os brasílicos vivíamos em estádios culturais compreendidos entre o meio-fim do paleolítico e o meio-início do neolítico, quer em culturas de coleta, quer em culturas agrícolas semi-sedentárias. Em ambos os casos, exigiam-se extensos territórios para cada nação, que, decorrentemente, era de baixa demografia.

ANTÔNIO HOUAISS

Although he did not live long enough to see the materialization of his paramount work — namely the *Dicionário Houaiss da Língua Portuguesa (Houaiss' Dictionary of the Portuguese Language)* —, Immortal ANTÔNIO HOUAISS enters history as the creator of one of the most comprehensive dictionaries of our language in all times. Even rejecting the epithets of *walking dictionary* and *walking encyclopedia*, this philologist and lexicographer is certainly one of the most prominent experts mastering the foundations and the formation of the Portuguese language. More than that, he would see the language as a permanently-evolving living tool; therefore, he would accept the language renewal and modernization manifestations. He dedicated to find, among the language's aristocrat and anarchical trends, a democratic path that would allow its understanding, study, and evolution. He also became reputable as an essayist, teacher, etymologist, literary critic, and, especially, a translator. As a translator, he produced another noteworthy work: the translation of James Joyce's monumental work, *Ulisses*.

Review

THE DYNAMICS OF THE LANGUAGE

"One of the most prestigious intellectuals in the country, Houaiss was labeled with an adjective that he personally disliked: 'encyclopedic'. He would offset the reputation of encyclopedic man with a spiritual opening that made him appreciate what was spontaneous and disentailed from rules and prejudices. [...] To him, language was a vital expression under a permanent process. He would create and accept neologisms, provided that they had an easily understandable meaning. He was, above all, an anti-grammarian." (Carlos Heitor Cony, *Folha de S. Paulo*)

MONUMENTAL TRANSLATION

"The truth is that Houaiss not only translated 'Ulisses,' but he also provided culture in Brazil and culture in the Portuguese language in general with new and amazing tools to substantiate and enlarge them [...]" (Antônio Callado, *Folha de S. Paulo*)

Excerpt

Língua e Realidade Social (Language and Social Reality)

The social reality for the Portuguese language in the primitive Brazilian locus is the reality of a sui generis universe in the American continent. Necessarily marginal for the conquering culture, which was technologically much more powerful, thirsty of merchandise and mercantilism, occidentally greedy, and Christianly ambiguous both in the wanting and in the doing, the indigenous culture was among the most backward in the world (and in the American continent only the extinct Patagonians would be as backward): the primitive Brazil inhabitants lived in stages of cultural development bracketed between the late Paleolithic and early Neolithic, either picking harvests, or semi-sedentary agricultural cultures. In both cases, large territories would be required for each nation, which was consequently of low demography.

Works

Sugestões para uma Política da Língua (1960)
Crítica Avulsa (1960)
Seis Poetas e um Problema (1960)
Introdução Filológica a Memórias Póstumas de Brás Cubas (1961)
Elementos de Bibliologia (1967)
A Rima na Poesia de Carlos Drummond de Andrade (1968)
Poetas do Modernismo (1972)
Drummond, mais seis Poetas e um Problema (1976)
Estudos Vários sobre Palavras, Livros e Autores (1979)
A Defesa (1979)
A Crise de Nossa Língua (1983)
O que É a Língua (1990)
Dicionário Houaiss da Língua Portuguesa (2001)

Contact

rfeith@objetiva.com.br

ANTÔNIO TORRES

O romancista baiano ANTÔNIO TORRES começa sua trajetória se inserindo numa tradição herdeira do regionalismo, tendo Graciliano Ramos e Jorge Amado, entre outros, como principais precursores no que diz respeito a um ideário ético nacional. De *Um Cão Uivando para a Lua*, publicado em 1972, a *Meu Querido Canibal* (2000), seus principais temas são o desarraigamento do homem e o retorno ao lugar de origem. Relatando as condições subumanas em que vive uma parte da população brasileira, o êxodo dos retirantes para a grande cidade, o conflito entre valores urbanos e rurais, as tensões entre o arcaico e o moderno e, sobretudo, os impasses do mundo contemporâneo, o escritor manifesta as esperanças e os dramas de seu povo. A habilidade com a temática urbana, buscando para ela uma estética apropriada, se revela em títulos como *Um Táxi para Viena d'Áustria*. Com livros traduzidos em mais de 10 países, ele foi condecorado em 1998 pelo governo francês como Chevalier des Arts et des Lettres e recebeu, pelo conjunto de sua obra, o Prêmio Machado de Assis 2000, da Academia Brasileira de Letras.

Crítica

UMA ESCRITA POLÍTICA
"Juntamente com a convicção e o entusiasmo do romance político, Torres herdou as técnicas narrativas dos modernistas europeus, norte-americanos e latinos, além das grandes tradições orais do Brasil."
(Alejandro Morales, *Los Angeles Times*)

TERRA EM TRANSE
"Antônio Torres não traz somente um testemunho suplementar sobre os excluídos do Sertão. Ele se apresenta como o porta-voz de toda uma população que se esforça, obstinadamente, por sobreviver em meio aos ruídos e ao furor de uma terra em transe."
(Gérard Meudal, *Libération*)

Obras

Um Cão Uivando para a Lua (1972)
Os Homens dos Pés Redondos (1973)
Essa Terra (1976)
Carta ao Bispo (1979)
Adeus, Velho (1981)
Balada da Infância Perdida (1986)
Um Táxi para Viena d'Áustria (1991)
O Centro das Nossas Desatenções (1996)
O Cachorro e o Lobo (1997)
O Circo no Brasil (1998)
Meninos, eu Conto (1999)
Meu Querido Canibal (2000)

Fragmento

Um Táxi para Viena d'Áustria

E o pai estava muito orgulhoso: o filho havia tirado nota dez em português e a professora não poupava elogios às suas redações. Para alguma coisa tinha valido ele ter comprado uma estantezinha que encheu de livros, no quarto do menino. Com mais um pouco o miúdo ia tirar de letra Os Lusíadas *e toda a obra de Eça de Queiroz e de Camilo Castello Branco. E este seu pai coruja revelava-lhe um segredo, um sonho: queria voltar à sua terra um dia, com a mulher e o filho, naquele táxi. Era só embarcar todo mundo — ele, mulher, filho e táxi — no porto de Santos e desembarcar em Leixões, no norte de Portugal, de onde rumariam para Bragança, em Trás-os-montes, e de lá, depois de uns vinte e poucos quilômetros por uma estradinha de terra, chegariam a uma aldeia comunitária chamada Rio d'Onor, onde havia nascido, e onde nunca mais havia posto os pés, desde quando saíra de lá, fugindo dos bombardeios da Guerra Civil Espanhola.*

Contato

Marisa Gandelman, *agente literária*
copygan@iis.com.br

ANTÔNIO TORRES

Bahian novelist ANTÔNIO TORRES starts his career path as part of the regionalism tradition, where Graciliano Ramos and Jorge Amado, among others, are the national ethical ethos main precursors. From *Um Cão Uivando para A Lua (A Dog Howling to the Moon)*, published in 1972, to *Meu Querido Canibal (My Dear Cannibal)* (2000), his main themes are the man's detachment and the return to the place of origin. By narrating the subhuman conditions in which a portion of the Brazilian population has to live, the exodus to the big city, the conflict between urban and rural values, the tensions between the archaic and the modern, and, above all, the deadlocks of the contemporary world, the writer voices his people's hopes and dramas. His adroitness with urban themes, trying to give them an appropriate aesthetics, appears in books like *Um Táxi para Viena d'Áustria (A Taxi to Vienna of Austria)*. His books have been translated in more than ten countries and he was awarded a decoration in 1998 by the French government as a *Chevalier des Arts et des Lettres,* and was also awarded the Machado de Assis 2000 Award, for his work achievement, by the Brazilian Literary Academy.

Review

A POLITICAL TEXT

"Along with the conviction and enthusiasm of the political novel, Torres inherited the narrative techniques of European, North American and Latin American modernists along with the great oral traditions of Brazil." (Alejandro Morales, Los Angeles *Times*)

THE EARTH IN TRANCE

"Antônio Torres brings not only a supplemental testimony about the cast out people from the backlands. He appears as the spokesperson for an entire population who makes strenuous efforts to survive amid the noises and the rage of an earth in never-ending trance." (Gérard Meudal, *Libération*)

Excerpt

Um Táxi para Viena d'Áustria (A Taxi to Vienna of Austria)

And the father was very proud: the son had been graded a ten in Portuguese and the teacher didn't save praises to his compositions. For one thing it had been worth his effort to buy the little bookshelf which he packed with books in the boy's room. In no time the little one would be easily reading The Lusíadas *and the entire work of Eça de Queiroz and Camilo Castello Branco. And his doting father would then disclose him a secret, a dream: he had a wish to go back to his homeland one day, with his wife and son, in that taxi. It was only a question of going onboard — himself, wife, son, and the taxi — a ship at the Santos dock and getting off at Leixões, in the Northern Portugal; then they would drive to Bragança, Trás-os-montes, and from there, after a twenty kilometer driving by a dirt road, they would arrive at a community village called Rio d'Onor, where he had been born, and where he had never again put his feet, since he had fled the Spanish Civil war shells.*

Works

Um Cão Uivando para a Lua (1972)
Os Homens dos Pés Redondos (1973)
Essa Terra (1976)
Carta ao Bispo (1979)
Adeus, Velho (1981)
Balada da Infância Perdida (1986)
Um Táxi para Viena d'Áustria (1991)
O Centro das Nossas Desatenções (1996)
O Cachorro e o Lobo (1997)
O Circo no Brasil (1998)
Meninos, eu Conto (1999)
Meu Querido Canibal (2000)

Contact

Marisa Gandelman, *literary agent*
copygan@iis.com.br

ANTÔNIO VIEIRA

Poucas línguas do mundo têm a sorte de contar com um escritor do porte de ANTÔNIO VIEIRA para levá-las, e o povo correspondente, a extremos de pensamentos e maiores amplitudes expressivas possíveis. Nascido em Portugal, ele logo veio para o Brasil, ingressando na Companhia de Jesus, onde estudou para se tornar padre. Pregando para os índios, participando ativamente de inúmeras missões diplomáticas nas cortes européias e assumindo uma posição de grande relevância para a cultura nacional, esse jesuíta sempre defendeu os interesses da colônia. Alguns de seus temas prediletos são as tensões entre o céu e o inferno, o bem e o mal, Deus e o Diabo, a carne e o espírito, a vida e a morte, entre outras. Seus sermões mostram claramente o motivo pelo qual Antônio Vieira é considerado o maior escritor do Barroco de todos os tempos; entre eles, se destacam o *Sermão da Sexagésima*, o *Sermão da Quarta-Feira de Cinzas* e o *Sermão de Santo Antônio*, para citar alguns. Com conhecimento pleno da palavra escrita e oral, ele se liberta da rigidez lógica do cartesianismo e assume uma compreensão da linguagem como criadora do próprio real.

Crítica

A MARAVILHA QUE ARREBATA TODO O MUNDO
"Os seus magníficos Sermões arrebatavam tanto a gente inculta do Brasil como encantavam em Roma o sábio e requintado mundo dos prelados romanos. [...]. Depois de ser confidente dos reis e dos papas, de ter conhecido as grandezas do mundo e as do alto saber, morreu com a pobreza e a simplicidade de um místico, na capital da Baía." (Eça de Queirós, *Almanaque Enciclopédico*)

COM A INTEIRA CONFIANÇA DO REI
"Não quis mandar obrar nada, senão depois de vós irdes, verdes e pesardes cada um dos particulares de negócio tão grande... esta empresa me teria dado grande cuidado, se a não houvera entregue ao vosso juízo, amor e fidelidade." (El-Rei d. João IV, "Carta sobre o Negócio de Nápoles", 1650)

O PARECER DO PAPA SOBRE VIEIRA
"Religionis zelus, sacrarum litterarum scientia, vitae et morum honestas, aliaque laudabilia probitatis et virtutum merita, super quibus apud Nos fide digno commendaris testimonio." (Papa Clemente X, "Breve de 17 de abril de 1675")

Obras

Sermões (1679-1748)
Sermões Completos (1959)
Cartas do Padre Antônio Vieira (1970)

Copyright

Obras em domínio público
— textos livres para publicação

Fragmento

Sermão da Quarta-Feira de Cinzas

Este segundo Memento *é muito mais terrível que o primeiro. Aos vivos disse:* Memento homo quia pulvis es, et in pulverem reverteris: *aos mortos digo com as palavras trocadas, mas com sentido igualmente verdadeiro:* Memento pulvis quia homo es, et in hominem reverteris: *Lembra-te, pó, que és homem, e que em homem te hás de tornar. Os que me ouviram, já sabem que cada um é o que foi, e o que há de ser. Tu que jazes nessa sepultura, sabe-o agora. Eu vivo, tu estás morto: eu falo, tu estás mudo; mas assim como eu, sendo homem, porque fui pó e hei de tornar a ser pó, sou pó, assim tu, sendo pó, porque foste homem e hás de tornar a ser homem, és homem. Morre a águia, morre a Fênix; mas a águia morta não é águia, a Fênix morta é Fênix. E por quê? A águia morta não é águia, porque foi águia, mas não há de tornar a ser águia. A Fênix morta é Fênix, porque foi Fênix e há de tornar a ser Fênix. Assim és tu que jazes nessa sepultura. Morto sim, desfeito em cinzas sim; mas em cinzas como as da Fênix.*

ANTÔNIO VIEIRA

Very few languages in the world are lucky enough to take in a writer with the stature of ANTÔNIO VIEIRA, prominent enough to take them, together with the corresponding people, to the extremes of thoughts and greatest expressive amplitude possible. Born in Portugal, he soon came to Brazil, joining the Society of Jesus, where he took the studies to become a priest. Preaching to the Indians, playing active roles in many diplomatic missions before European courts, and taking up a conspicuous standing for the national culture, this Jesuit always championed the colony interests. Some of his favorite themes include the tensions between Heaven and Hell, the good and the evil, God and the Devil, the flesh and the spirit, life and death, among others. His sermons clearly show the reasons why Antônio Vieira is regarded as the greatest Baroque writer of all times; his sermons include: *Sermão da Sexagésima (the Sermon for the Sixtieth)*, *Sermão da Quarta-feira de Cinzas (the Sermon for Ash Wednesday)*, and *Sermão de Santo Antônio (the Sermon for Saint Anthony's Day)*, to mention just a few. Fully mastering written language and speech skills, he gets rid of the logical rigidity of Cartesianism to undertake an understanding of language as a reality-creating tool.

Review

THE ENRAPTURING WONDER

"His magnificent Sermons would enrapture Brazilian uneducated people just as they would delight in Rome the wise and refined world of Roman prelates. [...]. After being the confident of kings and popes, after having known the greatness of both the world and the highest knowledge, he died as poor and meek as a mystic, at the capital of Bahia." (Eça de Queirós, *Almanaque Enciclopédico*)

UNDER THE KING'S FULL TRUST

"I refrained from ordering any further measures until you go, see, and weigh each one of the particulars of such a big enterprise... this undertaking would have brought me a great deal of concern if I had not entrusted it to your judgement, love, and loyalty." (El-Rei d. João IV, "Carta sobre O Negócio de Nápoles", 1650)

THE POPE'S OPINION ABOUT VIEIRA

"Religionis zelus, sacrarum litterarum scientia, vitae et morum honestas, aliaque laudabilia probitatis et virtutum merita, super quibus apud Nos fide digno commendaris testimonio." (Pope Clemente X, "Breve de 17 de Abril de 1675")

Excerpt

Sermão da Quarta-Feira de Cinzas (The Sermon for Ash Wednesday).

This second Memento *is much more dreadful than the first one. To the living ones he said:* Memento homo quia pulvis es, et in pulverem reverteris: *to the deads I say exchanging the words, but with equally true meaning:* Memento pulvis quia homo es, et in hominem reverteris: *Behold, dust, you are man, and a man you shall become. Those who heeded me already know that every person is what they had been, and what they shall become. You, lying in this grave, know you have just gained knowledge of it. I am alive, whilst you are dead: I can speak, you are mute; but, just as myself, being man, because I was dust and I shall become dust again, am dust, so shall you, being dust, because you were man and you shall become man again, are man. The eagle dies, the Phoenix dies; but the dead eagle is not eagle, the dead Phoenix is Phoenix. And why? The dead eagle is not eagle because it was eagle, but it shall not become eagle again. The dead Phoenix is Phoenix because it was Phoenix and it shall become Phoenix again. So are you, lying in this grave. Dead you are, turned into ashes you are; but ashes similar to the ashes of Phoenix.*

Works

Sermões (1679-1748)
Sermões Completos (1959)
Cartas do Padre Antônio Vieira (1970)

Copyright

Works in public domain
— texts available for publication

ARARIPE JÚNIOR

ARARIPE JÚNIOR, embora tenha escrito obras de ficção e crônicas, notabilizou-se como crítico, formando com Sílvio Romero e José Veríssimo uma trindade teórica, na época em que o Naturalismo e o Positivismo se impunham como norma ao país. Tanto em seus contos, indianistas ou sertanistas, como também e sobretudo em sua vasta obra crítica, é a idéia de nacionalização da literatura brasileira que mais se põe em relevo. A paisagem local, a influência do meio, os temas da história pátria, os personagens extraídos da realidade circundante, as diferenças entre a língua falada em Portugal e a que se modificou no Brasil são pontos que se destacam na orientação nacionalizante que seu enfoque assumiu. Nessa linha ele estudou grandes autores, como Gregório de Matos e José de Alencar, procurando interpretar o Brasil através de sucessivas etapas de sua formação literária.

Crítica

INTUIÇÕES VÁLIDAS
"Oscilante, contraditório, pois que aderira a doutrinas que não se prestavam à crítica sem levar à rigidez metodológica e à simplificação meio ingênua dos fatores da criação literária, Araripe Júnior tem o mérito de algumas intuições ainda hoje válidas (como no tocante a Alencar, Gregório de Matos, o Simbolismo), de observações úteis à historiografia literária, e uma assiduidade à crítica que nenhum do tempo pôde realizar com semelhante volume e constância." (Massaud Moisés, "História da Literatura Brasileira")

NOVOS PROCESSOS
"A análise da obra literária começa, com ele, a desprender-se da simples apologética, a desligar-se do campo biográfico, ao mesmo tempo que se alimenta de novos processos. Se não os aprofundou, de sorte a marcar a sua posição como destacada, Araripe Júnior abriu um caminho cujo começo era difícil." (Nélson Werneck Sodré, "História da Literatura Brasileira")

Obras

Contos Brasileiros (1868)
Carta sobre a Literatura Brasílica (1869)
Jacina, a Marabá (1875)
Luizinha (1878)
O Reino Encantado (1878)
José de Alencar (1882)
Os Guaianás; Quilombo dos Palmares
Xico Melindroso (1882)
Dirceu (1890)
Gregório de Matos (1893)
Função Normal do Terror nas Sociedades Cultas (1891)
Diálogo das Novas Grandezas do Brasil (1909)
Miss Kate (1909)
Obra Crítica (1958-63)

Copyright

Obras em domínio público
— textos livres para publicação

Fragmento

Carta sobre a Literatura Brasílica

Quão longe não estamos ainda de ver eliminado de nossas composições o — superfin garanti — *dos franceses!*
Por ora, meu amigo, são raros os exploradores dessas riquíssimas minas do Novo Mundo, que a tão poucos têm deslumbrado.
O Eldorado, em literatura, a um ou outro tem seduzido até hoje; para ele não aparecem ávidos castelhanos.
A poesia, entretanto, no meu fraco pensar, não pode deixar de ceder, ou mais cedo, ou mais tarde, à influência do clima, do aspecto do país e da índole de seus primitivos habitantes.
Aí é onde existe a verdadeira fonte de inspirações, que não são filhas (deixa assim expressar-me) de uma mera convenção.
Querer o contrário é querer sufocar no berço uma literatura que pode ter, para o futuro, um grandiosíssimo desenvolvimento.

ARARIPE JÚNIOR

Although having written fiction works and feature stories, ARARIPE JÚNIOR built a reputation as a critic. Together with Sílvio Romero and José Veríssimo, they made up a theoretical trinity, at a time when Naturalism and Positivism had imposed as a rule in the country. Both in his indianist or regionalist stories and, especially, in his vast critical work, the idea a Brazilian literature nationalization stands out. The local landscape, the environment influence, the homeland history themes, the characters based on the surrounding reality, the differences between the language spoken in Portugal and the modified Brazilian language are aspects highlighted in his nationalizing orientation. In this line, he researched great authors like Gregório de Matos and José de Alencar, in an attempt to interpret Brazil in the course of his literary formation.

Review

VALID INTUITIONS

"Oscillating and contradictory as a result of adhering to doctrines that would not allow critic without a methodological rigidity and without the somewhat candid simplification of the literary creation factors, Araripe Júnior has the merit of some intuitions that are still valid today (such as in the case of Alencar, Gregório Matos, the Symbolism), of observations useful to the literary historiography, and such a regular perseverance in the critic that no other critic of his time could parallel in volume and constancy." (Massaud Moisés, "História da Literatura Brasileira")

NEW PROCESSES

"With Araripe the literary work analysis starts to become free from the simple apologetic, to divert from the biographical field, whilst feeding on new processes. If it is true that he failed to deepen them in order to mark an outstanding presence, Araripe Júnior opened a path that was very tough to start." (Nélson Werneck Sodré, "História da Literatura Brasileira")

Excerpt

Carta sobre a Literatura Brasílica (A Letter about the Brazilian Literature)

I wonder how far away we are still from seeing the French's — superfin garanti — eliminated from our compositions!
For the time being, my friend, explorers of these New World rich mines, which have dazzled but a few ones, are few and far between. The literature El Dorado has lured very few ones up to now; there are not many avid Castilians in search of it.
Poetry, however, according to my blunt understanding, cannot help but giving in, sooner or later, under the influence of the climate, the country aspect, and the nature of its native inhabitants.
This is where the true source of inspirations dwells, which are not the children (if I'm allowed to say so) of a mere convention.
Expecting the opposite means suffocating in the source a literature that may have, for the future, a phenomenal development.

Works

Contos Brasileiros (1868)
Carta sobre a Literatura Brasílica (1869)
Jacina, a Marabá (1875)
Luizinha (1878)
O Reino Encantado (1878)
José de Alencar (1882)
Os Guaianás; Quilombo dos Palmares
Xico Melindroso (1882)
Dirceu (1890)
Gregório de Matos (1893)
Função Normal do Terror nas Sociedades Cultas (1891)
Diálogo das Novas Grandezas do Brasil (1909)
Miss Kate (1909)
Obra Crítica (1958-63)

Copyright

Works in public domain
— texts available for publication

ARIANO SUASSUNA

A força do arcaico é justamente sua contínua presentificação e, conseqüentemente, sua capacidade de se eternizar. A arte genuinamente popular se baseia nesse pensamento. Para transformar o local em simbólico e universal, ARIANO SUASSUNA, o *decifrador de brasilidades*, como já foi chamado, e um dos principais preservadores da cultura do país, alia os valores mais arraigados de sua região a seu imenso arcabouço erudito e teórico. Com uma escrita que junta, a um só tempo, elementos do Simbolismo, do Barroco e da literatura de cordel, esse ficcionista, poeta, dramaturgo e pensador da cultura, transforma o sertão no palco das questões humanas de qualquer lugar do mundo. Ele foi o criador do Movimento Armorial, que tem como projeto a confluência simultânea de todas as artes populares do Nordeste brasileiro, trabalhando a favor da dignidade humana. *Romance d'A Pedra do Reino* é considerado um dos melhores do país, e a peça *O Auto da Compadecida*, além de encenada diversas vezes por todo o mundo, já recebeu três adaptações cinematográficas.

Crítica

UM CALIBRE FORA EXTRAORDINÁRIO
"É preciso merecer a graça da escrita. Não é qualquer vida que gera obra deste calibre." (Carlos Drummond de Andrade, sobre "A Pedra do Reino")

O ERUDITO ABARCANDO O POPULAR
"Ao proclamar a existência do Movimento Armorial, nos anos 70, Ariano Suassuna assume publicamente seu compromisso com a arte popular e define a arte armorial na sua relação com as literaturas da voz e do povo, fundamento de sua poética." (Idelette Muzart Fonseca dos Santos, "O Decifrador de Brasilidades")

Obras

Uma Mulher Vestida de Sol (1948)
Ode (1955)
Fernando e Isaura (1956)
O Auto da Compadecida (1957)
O Casamento Suspeitoso (1961)
O Santo e a Porca (1964)
A Pena e a Lei (1971)
Romance d'A Pedra do Reino e o Príncipe do Sangue do Vai-e-Volta (1971)
Farsa da Boa Preguiça (1974)
História d'O Rei Degolado nas Caatingas do Sertão: ao Sol da Onça Caetana (1977)
Sonetos com Mote Alheio (1980)
Sonetos de Albano Cervonegro (1985)
A História de Amor de Romeu e Julieta (1997)

Contato

info@agireditora.com.br

Fragmento

A Pedra do Reino

— Vá de novo ao "pai-dos-burros"! "Penetral" é "a parte mais recôndita e interior de um objeto". Mas, na minha Filosofia, essa noção é ampliada, porque além de abranger a quadra do deferido e o rodopelo, o penetral abrange também o faraute, através da subjunção da relápsia! Mas, no momento em que se fala friamente do penetral, tentando capturá-lo em categorias de uma lógica sem gavionice negro-tapuia, ele deixa de ser apreendido! Faça apelo aos gaviônicos restos de sangue Negro e Tapuia que você tem, Quaderna, e entenda que o penetral "é o penetral", que o penetral "é"! O côisico coisica: os cavalos cavalam, as árvores arvoram, os jumentos jumentam, as pedras pedram, os móveis movelam, as cadeiras cadeiram, e o faráutico, machendo e feminando, é que consegue gentere farauticar! É assim que o túdico tudica e que o penetral penetrala — e esta, Quaderna, é a realidade fundamental!

ARIANO SUASSUNA

The force of the archaic lies exactly in its never-ending presentness and, consequently, its ability to last forever. The genuinely popular art builds on this thought. In order to change the local into symbolic and universal, ARIANO SUASSUNA, the *decipherer of Brazilian uniquenesses*, as he has already been described, and one of the major preserver of the Brazilian culture, combines the most deep-rooted values of his region with his huge erudite and theoretical framework. By means of a writing that combines, at one time, elements from the symbolism, the Baroque, and pulp writing, this fictionist, poet, playwright and thinker of the culture, transforms the interior in the stage of the human subjects of any place of the world. He was the initiator of the Armorial movement, whose project is the simultaneous confluence of all Northeast Brazil popular arts, working for the benefit of human dignity. *Romance d'A Pedra do Reino* is regarded as one of the best in the country, and the play *O Auto da Compadecida*, which has already been staged several times all over the world, three times was adapted to movies screen.

Review

AN EXTRAORDINARY CALIBER

"One has to deserve the divine favor of writing. Not any life will be able to generate a work of such a caliber." (Carlos Drummond of Andrade, about "A Pedra do Reino")

THE ERUDITE EMBRACING THE POPULAR

"By proclaiming the Armorial Movement, in the 1970's, Ariano Suassuna openly takes upon himself the commitment towards the popular art and defines the armorial art in his relationship with the voice's and the people's literatures, which are the foundations of his poetry." (Idelette Muzart Fonseca dos Santos, "Decifrador de Brasilidades")

Excerpt

A Pedra do Reino (Stone of the Kingdom)

— Go back to the "dictionary!" "Penetralia" is "the innermost parts and recesses of an object." But in my Philosophy this notion is enlarged because, besides including the quatrain of the object and the whirl, penetralia includes also the faraute, through the subjunction of stubborness! But, if one speaks coolly about penetralia, trying to capture it in the categories of a flirtless black-Tapuya logic, it goes unapprehended! Make an appeal to the dallying remains of Black and Tapuya blood you still have, Quaderna, and understand that penetralia is "the penetralia", that penetralia "is!" The thingamajig thingamajigs; the horses horse, the trees tree, the donkeys donkey, the stones stone, the furniture furnitures, the chairs chair, and the faraute, maling and femaling, is the only one who manages to faraute! It is like this that the everything everythings, and the penetralia penetralias — and this, Quaderna, is the fundamental reality!

Works

Uma Mulher Vestida de Sol (1948)
Ode (1955)
Fernando e Isaura (1956)
O Auto da Compadecida (1957)
O Casamento Suspeitoso (1961)
O Santo e a Porca (1964)
A Pena e a Lei (1971)
Romance d'A Pedra do Reino e o Príncipe do Sangue do Vai-e-Volta (1971)
Farsa da Boa Preguiça (1974)
História d'O Rei Degolado nas Caatingas do Sertão: ao Sol da Onça Caetana (1977)
Sonetos com Mote Alheio (1980)
Sonetos de Albano Cervonegro (1985)
A História de Amor de Romeu e Julieta (1997)

Contact

info@agireditora.com.br

ARMANDO FREITAS FILHO

Com quase 40 anos de vida literária, não se pode dizer que ARMANDO FREITAS FILHO seja uma testemunha passiva do seu tempo. Participante de vanguardas e movimentos, sua poética, entretanto, não se deixa capturar por nenhuma forma predefinida, ainda que tenha e exponha, sem qualquer acanhamento, as marcas de suas vinculações e de suas influências. Afastando-se da moderna e nefasta assepsia da expressão escrita, e mesmo da significação, seu trabalho busca tornar evidente a fragmentação e a incompletude do mundo vivido. Sua experiência poética, de dicção nervosa, apresenta uma forte vinculação com um cotidiano ao mesmo tempo tenso e reflexivo, em eterna procura das convivências possíveis. Há também uma importante presença da metapoética em seus poemas, isto é, escrever nunca está inteiramente isento do próprio ato da escrita, da materialidade, da modalidade, dessa escrita. O que resulta numa poética em que a expressão final, gravada na página, não oculta as asperezas e constrangimentos por que passou o ato criador.

Crítica

POESIA CONTRA A DOMINAÇÃO
"O poeta da pós-vanguarda recusa a linguagem a que o público está mais exposto: as estorinhas do jornalês, a empolgação comercial da propaganda. O livro de Armando Freitas Filho mantém esse corte: seus poemas se escrevem contra a linguagem dominante. Isto é, não organizam suas linhas de modo a constituir uma narrativa, a criar um 'caso'. Não se incorporam ademais à tendência (previamente aceita) do poema intimista, sequioso por fazer revelações. Muito menos recorrem aos registros já mais divulgados da ironia ou mesmo da paródia." (Luís Costa Lima, de uma resenha de "3x4")

DICÇÃO E FRAGMENTAÇÃO
"A dicção de Armando vive mais de espasmos, de contextos abarrocados, de fluxos e dissoluções. Às vezes, ela precisa consumir e consumar o excedente espúrio da forma, a não-beleza, carne-nervo-cárie, o objeto-abjeto, *trouvé* e indigesto, que rola no peg-pag, em meio ao tiroteio semiótico (a massagem dos meios raspando a pele) onde alguma bala lotérica é real." (José Miguel Wisnik, prefácio a "De Cor")

Obras

Palavra (1963)
Dual (1966)
Marca Registrada (1970)
De Corpo Presente (1975)
A Flor da Pele (1978)
A Mão Livre (1979)
Mademoiselle Furta-Cor (1980)
Longa Vida 1979-1981 (1982)
3x4 (1985)
Cabeça de Homem (1991)
Números Anônimos (1994)
Duplo Cego (1997)
Fio Terra (2000)

Contato

sac@novafronteira.com.br

Fragmento

Longa Vida

Mesmo que a vida dure
apenas uma hora
eu como
um pedaço de Plus Vita.
Mesmo que dure
menos
eu bebo
meu copo de Longa Vida.
Mesmo que o coração
possa morrer
em 2000 – CCPL
(cuidado coração parando lentamente)
ou no próximo segundo
dentro do peito
longa
continua a ser — sempre —
a vida
sob telhados
e espaçonaves de Eternit.

ARMANDO FREITAS FILHO

After nearly forty years of a literary life, ARMANDO FREITAS FILHO cannot be regarded as a passive witness of his time. In the leading edge of movements and vanguard groups, Armando Freitas' poetry, nevertheless, does not fall into any predetermined pattern, even though it embeds and reflects, without any shyness, the marks of its bonds and influences. Sidestepping the modern and ill-fated asepsis of written expression, and signification, his work seeks to make evident the perceived world's fragmentation and incompleteness. His poetry, full of an excited verbal style, is strongly tied to a tense, although reflexive quotidian existence, in eternal search for possible acquaintanceships. Armando Freitas' poetry also shows an important token of metapoetry, that is, the act of writing will never be free from the act of writing itself, the materiality, the modality of writing, which results in a poetry where the final expression, printed on the page, does not conceal the acerbities and constraints the creative act has gone through.

Review

POETRY VERSUS DOMINATION

"The post-vanguard poet declines the language to which the public is more exposed: the journalese stories, the commercial enthusiasm of advertising. Armando Freitas Filho's book keeps that cutoff: his poems are written to contrapose the dominant language. That is, the verses are not organized to form a narrative, to make up a 'tale'. Besides, they do not fit into the intimist poem tendency (previously accepted), eager to make revelations. Even less, they make use of the already worn-out compass of irony or even parody." (Luis Costa Lima, "3x4" Review)

DICTION AND FRAGMENTATION

"[...] Armando's verbal style builds more on spasms, detailed contexts, flows and dissolutions. It sometimes needs to consume and consummate the spurious surplus of the form, the non-beauty, flesh-nerve-decay, the abject-object, *trouvé* and indigestable, taking place in the Cash-and-Carry, in the middle of a semiotic skirmish (media massage rubbing the skin), where some lottery-like bullet is for real." (José Miguel Wisnik, foreword to *De Cor*)

Excerpt

Longa Vida (Long-Lived)

Even if life would last
only one hour
I still eat
a piece of Plus Vita bread.
Even if it would last
less
I still drink my glass of Long-lived milk.
Even if the heart
would stop beating
in the year 2000 – WSSH
(Watchout! Slow-Stopping Heart)
or in the next second
within the chest
long
life will still be — always —
under roofs
and Eternit roofing tile spaceships.

Works

Palavra (1963)
Dual (1966)
Marca Registrada (1970)
De Corpo Presente (1975)
A Flor da Pele (1978)
A Mão Livre (1979)
Mademoiselle Furta-Cor (1980)
Longa Vida 1979-1981 (1982)
3x4 (1985)
Cabeça de Homem (1991)
Números Anônimos (1994)
Duplo Cego (1997)
Fio Terra (2000)

Contact

sac@novafronteira.com.br

ARNO WEHLING

O historiador ARNO WEHLING, presidente do Instituto Histórico e Geográfico Brasileiro, tem toda uma vida dedicada à universidade, tanto em atividades docentes quanto em pesquisa aplicada. Crítico da hegemonia no Brasil de uma historiografia francesa, de tendência estruturalista — que privilegia uma explicação sistêmica em detrimento do fato singular —, Wehling procura abrir a História brasileira para outras tradições, tais como a inglesa, a alemã e a ibérica. Para ele, a ciência histórica tem de ser entendida como um amplo movimento intelectual que se propaga por todas as outras áreas do saber, influenciando e sendo influenciada nesse movimento. Suas obras têm duas preocupações principais: a introdução de uma linha de discussão epistemológica acerca da metodologia historiográfica, visando sempre sedimentar o universo conceitual do historiador, e um estudo das etapas de desenvolvimento do período colonial. Entre suas publicações destaca-se *Documentos Históricos do Brasil*, apresentando uma seleção dos documentos que formam a História do Brasil desde o descobrimento.

Crítica

RECONHECIMENTO
"Arno Wehling, [...] recebeu do presidente Fernando Henrique o título de comendador. Há muitos anos, entretanto, seus trabalhos nestas áreas têm sido reconhecidos nacionalmente." (Anderson de Oliveira, *Painel UGF*)

Obras

Os Níveis da Objetividade Histórica (1974)
Capistrano de Abreu, a Fase Cientificista (1976)
Sílvio Romero e a Consciência Modernizadora no Brasil (1979)
Os Beneditinos no Brasil Colonial (1981)
A Administração Portuguesa no Brasil 1777-1808 (1986)
O Escravo ante a Lei Civil e Penal (1989)
O Estado Colonial na Obra de Oliveira Viana (1992)
A Invenção da História: Estudos sobre o Historicismo (1994)
Estado, História e Memória (1994)
Documentos Históricos do Brasil (1999)

Fragmento

Documentos Históricos do Brasil

Elaborar o conhecimento histórico, agora, implica em formular certa pergunta ao passado, não amadorística ou empiricamente, mas com base em fundamentos da teoria e método. Dependendo, pois, dessa abordagem, o historiador seleciona os documentos, fazendo-os "falar" aquilo que podem efetivamente dizer. Nesse sentido, costuma-se afirmar que toda história é construída, não porque a evidência probatória do documento é ignorada, mas porque este é utilizado a partir de uma lógica elaborada pelo historiador.
Assim, conforme o tema em análise, o documento pode ser um manuscrito — um tratado, uma lista de preços, receitas culinárias, textos literários, partituras musicais —, mas também um objeto com determinada carga de significado: uma pintura, uma escultura, um monumento. Ou, dito de outra forma: constitui-se em documento tudo aquilo que caracteriza a existência de traços culturais do passado.

Contato

wehling@gbl.com.br

ARNO WEHLING

Historian ARNO WEHLING, president of Brazilian Historical and Geographical Institute, dedicated his whole life to the university, both as a lecturer and in applied research. By criticizing the hegemony of a French historiography in Brazil, showing a structuralist tendency — which privileges a systemic explanation to the detriment of the individual fact — Wehling tries to open the Brazilian History for other traditions, such as the English, the German, and the Iberian. In his opinion, the historical science has to be understood as a broad intellectual movement spreading over all other areas of knowledge, both influencing and being influenced at a time. His works have two main concerns: the introduction of an epistemological line of discussion about the historiographic methodology, always aiming at the consolidating of the historian's conceptual universe, and a study on the colonial period development stages. Among his books, the *Brazilian Historical Documents* stands out by presenting a collection of those documents composing the Brazilian History since the discovery.

Review

RECOGNITION

"Arno Wehling, [...] was conferred by President Fernando Henrique the title of commander. However, his works in these fields have been nationally recognized for many years." (Anderson de Oliveira, *Painel UGF*)

Excerpt

Documentos Históricos do Brasil (Brazilian Historical Documents)

Elaborating the historical knowledge implies now in asking the past a certain question, not in an amateur or empirical way, but based on foundations of theory and method. Therefore, the historian will then select the documents based on this approach, getting them "to speak" that which they can effectively convey. In this sense, it is usually said that every history is built, not because the proof evidenced by the document is ignored, but rather because the latter is used according to a logic contrived by the historian.

Thus, according to the theme under analysis, the document may be not only a manuscript — a treaty, a price list, culinary recipes, literary texts, musical scores —, but also an object bearing a certain load of meaning: a painting, a sculpture, a monument. In other words, a document is everything that characterizes the existence of past time cultural traces.

Works

Os Níveis da Objetividade Histórica (1974)
Capistrano de Abreu, a Fase Cientificista (1976)
Sílvio Romero e a Consciência Modernizadora no Brasil (1979)
Os Beneditinos no Brasil Colonial (1981)
A Administração Portuguesa no Brasil 1777-1808 (1986)
O Escravo ante a Lei Civil e Penal (1989)
O Estado Colonial na Obra de Oliveira Viana (1992)
A Invenção da História: Estudos sobre o Historicismo (1994)
Estado, História e Memória (1994)
Documentos Históricos do Brasil (1999)

Contact

wehling@gbl.com.br

ARTUR AZEVEDO

Em 1855, ano de nascimento de ARTUR AZEVEDO no Maranhão, o Rio de Janeiro, capital federal e futura cidade de residência do escritor, possuía iluminação a gás, bondes puxados a burros e outras características similares. Era, entretanto, uma urbe em plena transformação; em breve, ela teria bondes elétricos, telefone, gramofone, jogo do bicho, automóvel, cinema, raios X e presenciaria a instauração da República. Em suas peças teatrais, poesias, contos, operetas e matérias jornalísticas, com a singularidade e facilidade de comunicação que lhe eram costumeiras, o autor soube retratar exemplarmente esse período de transição, narrando com humor histórias e casos que se passavam tanto nas ruas quanto nas residências. Se Artur Azevedo foi o único, à época, comparável a Machado de Assis, seus contos introdutores das classes médias na literatura nacional eram ainda mais populares que os do Bruxo do Cosme Velho. Ele misturou diversos gêneros literários criando novas possibilidades, como contos e crônicas dramáticas, teatro em verso e prosa, contos em versos... nos quais sempre defendia valores como a abolição da escravatura.

Crítica

UM AUTOR DE PRIMEIRA GRANDEZA

"Variam os gêneros, sim, varia a maior ou menor importância ligada ao assunto em momento de escrever; mas, apesar disso, apesar das diferentes épocas a que são atribuídos, os contos, o processo comum da frase, a preferência dos assuntos, o capricho da surpresa final, o pensamento humorístico encerrado como moralidade da fábula, adotadas as atenções convenientes ao assunto, ora grave, ora alegre, ora rasgadamente burlesco, constituem, do princípio ao fim do livro, uma demonstração indiscutível de unidade genésica. [...] O que fica fora de dúvida é que os *Contos Possíveis* fazem um livro de primeira ordem, a mais interessante das leituras e um dos mais belos títulos de orgulho da atualidade literária." (Raul Pompéia, "O Farol")

Obras

Carapuças (1872)
Sonetos (1876)
Uma Véspera de Reis (1876)
Jóia (1879)
O Escravocrata (1884)
Almanjarra (1888)
Contos Possíveis (1889)
Contos Fora de Moda (1893)
A Capital Federal (1897)
Contos Efêmeros (1897)
Rimas (1909)
Contos Cariocas (1929)
Teatro (1983)

Copyright

Obras em domínio público
— textos livres para publicação

Fragmento

Histórias Brejeiras

Uma bela tarde em que se achavam ambos sentados no canapé, e o Simplício Gomes, afastado, num canto da sala, folheava um álbum de retratos, o Bandeira levantou-se dizendo:
— Vou-me embora; tenho ainda que dar umas voltas antes da noite.
— Ora, ainda é cedo; fique mais um instantinho, replicou Dudu, sem se levantar do canapé.
— Já lhe disse que tenho que fazer! Peço-lhe que vá desde já se habituando a não contrariar as minhas vontades! Olhe que depois de casado, hei de sair quantas vezes quiser sem dar satisfações a ninguém!
— Bom; não precisa zangar-se...
— Não me zango, mas contrario-me! Não me escravizei; quero casar-me com a senhora, mas não perder a liberdade!
— Faz bem. Adeus. Até quando?
— Até amanhã ou depois.
O Bandeira apertou a mão de Dudu, despediu-se com um gesto do Simplício Gomes, e saiu batendo passos enérgicos, de dono de casa.

ARTUR AZEVEDO

In 1855, the year when ARTUR AZEVEDO was born in Maranhão, the city of Rio de Janeiro, then the federal capital and the writer's future dwelling place, was lit by gas lamps, still had donkey-pulled streetcars, and other similar characteristics. It was, however, a city in full transformation; soon, electric trams would come, and telephone, gramophone, jogo do bicho *(kind of popular gambling game based on animals)*, automobile, movies, x-ray, and the city would eventually witness the instauration of the Republic. In his plays, poetry, stories, operettas, and journalistic texts, all impregnated with his characteristic singularity and communication easiness, the author managed to exemplarily portray that period of transition, humorously relating the stories and cases taking place both in the streets and in the homesteads. If Artur Azevedo was at the time the only writer comparable to Machado de Assis, his stories introducing the middle class into the national literature were still more popular than those by the Wizard of Cosme Velho. He combined several literary styles, thereby creating new possibilities, such as stories and dramatic feature stories, plays written in verse and in prose, stories in verses... in which he would always advocate such values as the abolition of slavery.

Review

AN AUTHOR OF THE FIRST MAGNITUDE

"Literary categories surely vary, just like vary the higher or the lower importance of the subject at the moment of writing; but, notwithstanding that, in spite of the different times they are attributed to, the short stories, the common sentence writing process, the preference for themes, the care with the final surprise, the humorous thought contained the moral taught by the fable, according to the attentions suitable to the subject, some times serious, some times funny, some times openly burlesque, constitute, from the beginning to the end of the book, an unquestionable demonstration of genetic unity. [...] What is beyond doubt is the fact that those "Contos Possíveis" (Possible Stories) make up a book of the first magnitude, one of the most interesting reading and one of the most beautiful titles adding to our today's literary pride." (Raul Pompéia, "O Farol")

Excerpt

Histórias Brejeiras (Mischievous Stories)

On a beautiful afternoon, when the two of them were sitting on the couch, and Simplício Gomes, sitting towards the back of the room, was browsing a book of pictures, Bandeira got to his feet and said:
'I've got to push off; I still have to walk around before the night.'
'But it is still early; why don't you keep in a bit longer?' said Dudu, without getting up from the couch.
'I've already told you I've got things to do! I ask you to start from now to get used to not contradicting me! You'd better understand that after we get married I'll go out as many times as I feel like, and I won't justify anything to anybody!
'Well; no need to get angry...'
'I'm not angry, but rather vexed! I didn't mean to enslave myself; I want to marry you, but not to give up my freedom!'
'You are thoroughly right. Good-bye. When are we seeing again?'
'Tomorrow, or later.'
Bandeira shook hands with Dudu, waved good-bye to Simplício Gomes, and took his leave with energetic steps, like a house master.

Works

Carapuças (1872)
Sonetos (1876)
Uma Véspera de Reis (1876)
Jóia (1879)
O Escravocrata (1884)
Almanjarra (1888)
Contos Possíveis (1889)
Contos Fora de Moda (1893)
A Capital Federal (1897)
Contos Efêmeros (1897)
Rimas (1909)
Contos Cariocas (1929)
Teatro (1983)

Copyright

Works in public domain
— texts available for publication

AUGUSTO DE CAMPOS

No fim dos anos 50, surge o Movimento Concretista, que, herdando o temperamento dos primeiros modernistas brasileiros e das vanguardas européias, se torna um dos momentos de grande transformação do pensamento poético do país. Saudavelmente polêmico, como toda vanguarda, não resta dúvidas de que, com ele, nasce uma renovação da literatura, uma releitura da tradição e uma excelente qualidade de traduções e ensaios divulgadores de inúmeras obras importantes de línguas estrangeiras. Além disso, conseguindo forte visibilidade internacional, seus integrantes levam a poesia brasileira a ocupar o cenário mundial. Através da utilização de novas mídias, videotextos, néon, holografia, laser, animações computadorizadas, eventos multimídia, CDs etc., AUGUSTO DE CAMPOS, um de seus fundadores, é o que, através de uma atualização das possibilidades latentes do movimento, ainda se mantém mais próximo aos seus fundamentos. Com uma poesia fortemente ligada às artes visuais e à música de invenção, tentando *atritar* o verbal e o não-verbal, seu minimalismo aceita o paradoxo de buscar um pensamento cosmológico.

Crítica

IMENSA ORIGINALIDADE
"De todo modo, se você insiste na questão do herdeiro, eu diria que sinto uma extensão do meu trabalho em relação a Augusto de Campos, embora acredite que ele tenha feito, como seus companheiros, uma obra original estupenda." (João Cabral de Melo Neto, "Considerações do Poeta em Vigília" — entrevista)

Obras

O Rei Menos o Reino (1951)
Poetamenos (1953)
Panorama do Finnegans Wake (1962)
Teoria da Poesia Concreta (1965)
Linguaviagem (1967)
Balanço da Bossa (1968)
Viva Vaia (1971)
Revisão de Kilkerry (1971)
Poesia / 1949-1979 (1979)
Expoemas (1985)
Despoesia 1979-1993 (1994)
Poesia É Risco (CD, 1995)
Música de Invenção (1998)

Fragmento

atrocaducapacaustiduplielastifeliferofugahistoriloqualubrimendimultipli
organiperiodiplastipublirapareciprorustisagasimplitenaveloveravivauni
voracidade

city
cité

Contato

editora@editoraperspectiva.com.br

AUGUSTO DE CAMPOS

By late 1950's, the concretist movement appears, which, by inheriting both the first Brazilian modernists' temperament and the European vanguards, becomes the time when the country's poetic thought undergoes big changes. Healthily controversial, like any vanguard, no doubts remain that, along with it, a revival of literature was happening, a rereading of tradition, and high-quality translations and essays conveying countless important foreign languages works. Besides, as the members of this group managed to get significant international presence, they took the Brazilian poetry to the world. By using such new media as teletexts, neon, holography, laser, computerized animations, multimedia events, CD, etc. AUGUSTO DE CAMPOS, one of the founders, is the one who, by updating the latent possibilities in the movement, remains near the fundamentals. Producing a poetry that is strongly linked to the visual arts and the invention music, and trying *to collide* the verbal against the non-verbal, his minimalism accepts the paradox of looking for a cosmological thought.

Review

COLOSSAL ORIGINALITY

"Anyway, if you insist on the heir's issue, I would say that I feel an extension of my work in relation to Augusto de Campos, although it believes he has provided, like his companions, an amazing original work. (João Cabral de Melo Neto, "Considerações do Poeta em Vigília" — interview)

Excerpt

atrocaducapacaustiduplielastifeliferofugahistoriloqualubrimendimultipli
organiperiodiplastipublirapareciprorustisagasimplitenaveloveravivauni
voracidade

city
cité

Works

O Rei Menos o Reino (1951)
Poetamenos (1953)
Panorama do Finnegans Wake (1962)
Teoria da Poesia Concreta (1965)
Linguaviagem (1967)
Balanço da Bossa (1968)
Viva Vaia (1971)
Revisão de Kilkerry (1971)
Poesia / 1949-1979 (1979)
Expoemas (1985)
Despoesia 1979-1993 (1994)
Poesia É Risco (CD, 1995)
Música de Invenção (1998)

Contact

editora@editoraperspectiva.com.br

AUGUSTO DOS ANJOS

Nenhum poeta conseguiu ser, simultaneamente, tão estranho e popular quanto AUGUSTO DOS ANJOS, que, com seu único livro publicado, ocupa um lugar de extrema singularidade na história da poesia brasileira e universal. Enquanto versos como *Eu, filho do carbono e do amoníaco, / Monstro de escuridão e rutilância, / Sofro, desde a epigênesis da infância, / A influência má dos signos do zodíaco* ou *Se a alguém causa ainda pena a tua chaga, / Apedreja essa mão vil que te afaga, / Escarra nessa boca que te beija* ficaram famosos, mais populares ainda se tornaram frases como *Ah! Um urubu pousou na minha sorte!* e *A mão que afaga é a mesma que apedreja*, se transformando em verdadeiros provérbios utilizados por todos. Utilizando-se de um léxico cientificista inesperado, com palavras como *diatomáceas, subraquianos, elefantíasis, cinocéfalos, malacopterígios* e outras do gênero, o poeta de um dos livros mais lidos da poesia brasileira se apoderou, filosófica e autenticamente, do pessimismo de Schopenhauer, do evolucionismo de Spencer e do monismo de Haeckel para criar um universo poético dos mais esdrúxulos e intensos jamais vistos.

Crítica

UM CIENTIFICISTA COM UM ABISMO NA ALMA
"Digo que Augusto dos Anjos foi um grande poeta filosofante, cientificista, sim, mas com um abismo dentro de sua alma que leva o leitor de seus poemas às mais profundas esferas da triste humanidade."
(Ana Miranda, "A Última Quimera")

ESTUPENDA ORIGINALIDADE
"O livro de Augusto dos Anjos é talvez o mais estupendo da literatura brasileira. Trata-se positivamente de um livro único, de que não conheço idêntico em nenhuma literatura [...] Augusto dos Anjos era incontestavelmente um poeta. As idéias de suas poesias claramente o revelam. Mas na maior parte das vezes pode bem dizer-se que todo o seu esforço é o de despoetizar as expressões que emprega."
(Medeiros e Albuquerque, "O Livro mais Estupendo: O *Eu*")

Obras

Eu (1912)
Eu e outras Poesias (1920)
Obra Completa (1995)

Copyright

Obras em domínio público
— textos livres para publicação

Fragmento

Monólogo de uma Sombra

Sou uma Sombra! Venho de outras eras,
Do cosmopolitismo nas moneras...
Polipo de recônditas reentrâncias,
Larva do caos telúrico, procedo
Da escuridão do cósmico segredo,
Da substância de todas as substâncias!

A simbiose das coisas me equilibra.
Em minha ignota mônada, ampla, vibra
A alma dos movimentos rotatórios...
E é de mim que decorrem, simultâneas
A saúde das forças subterrâneas
E a morbidez dos seres ilusórios!

Pairando acima dos mundanos tetos
Não conheço o acidente da Senectus
— Esta universitária sanguessuga
Que produz, sem dispêndio algum de vírus,
O amarelecimento do papirus
E a miséria anatômica da ruga!

AUGUSTO DOS ANJOS

No other poet got to be at one time so eccentric and popular as AUGUSTO DOS ANJOS, who, with his only book published, occupies a unique place in the history of both Brazilian and universal poetry. At the same time as verses like *Myself, the son of carbon and ammonia, / Monster of darkness and scintillation, / Suffer, since the epigenesis of childhood, / the bad influence of the signs of the zodiac* or *If your wound to someone solace still causes, / Pelt this vile hand that caresses you, / Spit onto this mouth that kisses you* became popular, even more popular became sayings like *Oh! A vulture perched on my luck!* and *The caressing hand is the same that pelts stones*, becoming true proverbs of general use. Using an unexpected scientistic lexicon, applying such words as *diatomaceous, subrachidian, elephantiasis, cynocephalous, malacopterigeous,* and similar ones, the poet, author of one of the most read books in the Brazilian poetry, philosophically and genuinely took possession of Schopenhauer's pessimism, the evolutionism of Spencer, and Haeckel's monism to create one of the most bizarre and intense poetic universe ever seen.

Review

A SCIENTISTIC WRITER CARRYING AN ABYSS IN THE SOUL

"I say Augusto dos Anjos was a great philosophist poet, a scientistic, it's true, but carrying an abyss in his soul which takes his readers to the deepest spheres of sad humanity." (Ana Miranda, "A Última Quimera")

ASTOUNDING ORIGINALITY

"Augusto dos Anjos' book is maybe the most astounding book in the Brazilian literature. It is doubtlessly unique, unparalleled in any literature [...] Augusto dos Anjos was unrefutably a poet. The ideas in his poems clearly attest. However, most of the time one is taken to believe that he made a huge effort to despoetize the expressions he uses." (Medeiros e Albuquerque, "O Livro Mais Estupendo: O *Eu*")

Excerpt

Monólogo de uma Sombra (Monologue of a Shadow)

"I am a Shadow! I come from other eras,
From the cosmopolitism in the moneras...
Polyp of hidden reentrances,
Larva in the tellurian chaos, I come
From the darkness in the cosmic secret,
From the substance of all substances!

The symbiosis of all things gives me balance.
In the unknown monad of mine, wide, there vibrates
the soul with spinning movements...
And from me there, simultaneously, result
both the health in the underground forces
And the morbidity in the illusory beings!

Hovering above the worldly roofs,
I ignore the accident of Senectus
—This academical leech
Which produces, without shedding any virus,
Both the yellowness in the papyrus
And the anatomical poverty of a wrinkle!

Works

Eu (1912)
Eu e outras Poesias (1920)
Obra Completa (1995)

Copyright

Works in public domain
— texts available for publication

AUTRAN DOURADO

AUTRAN DOURADO é detentor de diversos prêmios nacionais e internacionais, como os prestigiosos Goethe, da Alemanha, e o Camões, que recebeu em 2000 pelo conjunto de sua obra e o colocou ao lado de escritores como o Prêmio Nobel José Saramago. A Unesco escolheu *Ópera dos Mortos*, um de seus livros mais importantes, para integrar a Coleção de Obras Representativas da Literatura Universal, e *Os Sinos da Agonia* foi adotado para os exames de Agregação das Universidades Francesas. Freqüentemente comparado a William Faulkner, esse escritor, nascido no ano de 1926 em Minas Gerais, é dono de uma elaborada prosa em que predomina uma sólida estrutura arquitetônica aliada a questões existenciais. A liberdade do autor faz com que ele consiga transformar a realidade, e com ela o próprio tempo, em verdadeiros mitos que se renovam incessantemente. Seu último livro, *Gaiola Aberta*, descortina os bastidores do poder político: narrando o momento histórico em que foi secretário de imprensa do então presidente da República Juscelino Kubitschek, para quem, inclusive, escrevia os discursos, ele aborda a relação entre o escritor e o poder.

Crítica

OS MECANISMOS DO DESTINO
"A narrativa primorosamente complicada e intensa da *Ópera dos Mortos*, de Autran Dourado, concatena as implacáveis engrenagens da tragédia, magnificamente decompondo os mecanismos do destino que arrastam e trituram os seres humanos." (Anne Bragance, *Le Monde*)

ENTRE OS MELHORES
"Autran Dourado, como Guimarães Rosa e Clarice Lispector, é considerado no Brasil o melhor representante da *Nova Escola Literária* local, cuja característica principal é a ênfase na renovação lingüística, combinando o uso de provincialismos, tradição literária e técnicas modernas de narração." (Henry Thorau, *Die Zeit*)

Obras

Teia (1947)
Sombras e Exílio (1950)
A Barca dos Homens (1961)
Uma Vida em Segredo (1964)
Ópera dos Mortos (1967)
O Risco do Bordado (1970)
Uma Poética do Romance (1973)
Os Sinos da Agonia (1974)
As Imaginações Pecaminosas (1981)
A Serviço Del-Rei (1984)
Um Artista Aprendiz (1989)
Confissões de Narciso (1997)
A Gaiola Aberta (2000)

Contato

Carmem Balcells, *agente literária*
administracion@ag.balcells.redestb.es

Fragmento

Ópera dos Mortos

O menino Valdemar era muito doentinho, vivia sempre perrengue. Aconteceu um dia caiu de cama, um febrão da gente sentir de longe o calorão, variava, dizia despropósitos, pedia pra mãe ficar bem junto dele, queria ela perto. Os dias passavam e o menino nada de melhorar, não era como das outras vezes. Seu major andava de cara amarrada, de pouca conversa, despachava gente pra cidade, mandou chamar médico. Nem de longe pensava mais em caçada, ele tinha até medo de seu major fazer uma promessa besta qualquer de nunca mais caçar. O menino só falava na sua espingardinha de cano de guarda-chuva. Seu major consultou a mulher com os olhos, ela disse está bem, Lindolfo, faz a vontade do menino, é capaz de ser a última vontade dele, garrou a chorar. Era de partir o coração. Ele foi e fez uma espingardinha bem boa pra ele, com chumbo derretido na ponta de trás, a coronha de madeira lisinha que era mesmo um capricho, levou dias fazendo.

AUTRAN DOURADO

AUTRAN DOURADO has been awarded many national and international prizes, such as the prestigious Goethe, from Germany, and Camões, awarded in 2000 for his work achievement, which placed him abreast with writers like Nobel Prize winner José Saramago. Unesco chose *Ópera dos Mortos (Opera of the Dead)*, one of Autran's most important books, to be part of *Coleção de Obras Representativas da Literatura Universal (Collection of Universal Literature Representative Works)*, and *Os Sinos da Agonia (Agony Bells)* was adopted for the French Universities Aggregation examinations. He is often compared to William Faulkner. Born in 1926 in Minas Gerais, he has produced an elaborated prose in which a solid architectural structure prevails combined with existential issues. Because of his sense of liberty, he manages to transmute reality, and time with it, into true myths that are unceasingly rejuvenating. His latest book, *Gaiola Aberta (Open Cage)*, unveils the backstage of the political power: the book describes the historical moment when Autran was President Juscelino Kubitschek's press secretary, for whom he acted as ghostwriter, and approaches the writer's relationship with the power.

Review

THE MECHANISMS OF FATE

"The exquisitely intricate and intense narrative of Autran Dourado's *Opera of the Dead*, orchestrates the implacable gearings of tragedy, magnificently decomposing the mechanisms of fate responsible for dragging and grinding the human beings." (Anne Bragance, *Le Monde*)

AMONG THE BEST

"Autran Dourado, like Guimarães Rose and Clarice Lispector, is considered in Brazil the best representative of the local *New Literature School* whose major feature is the emphasis on linguistic rennovation, combining the use of provincialisms, literary tradition and modern narration techniques." (Henry Thorau, *Die Zeit*)

Excerpt

Ópera dos Mortos (Opera of the Dead)

As a boy, Valdemar used to be rather sickly, and always infirm. It happened one day that he was bedridden; a raging fever whose heat wave could be felt from far away; he was delirious, said preposterousness, asked his mother to stay near him, he wanted her at his side. The days passed and the boy wouldn't get any better. That was not like the other times. The major walked to-and-fro, scowling at everyone; he sent people to the city for a doctor. The major didn't want to hear about hunting; he was afraid the major could make any stupid promise such as never hunting again. The boy was talking about his little umbrella barrel rifle all the time. The major looked at his wife seeking for guidance, she said: 'that is OK, Lindolfo, do it for the boy, this may easily be his last will.' She burst into tears. That was heartbreaking. He then made the boy a very good rifle, sealing the backside of the barrel with melted lead, a smooth wooden stock actually very neatly done. It took him days in the making.

Works

Teia (1947)
Sombras e Exílio (1950)
A Barca dos Homens (1961)
Uma Vida em Segredo (1964)
Ópera dos Mortos (1967)
O Risco do Bordado (1970)
Uma Poética do Romance (1973)
Os Sinos da Agonia (1974)
As Imaginações Pecaminosas (1981)
A Serviço Del-Rei (1984)
Um Artista Aprendiz (1989)
Confissões de Narciso (1997)
A Gaiola Aberta (2000)

Contact

Carmem Balcells, *literary agent*
administracion@ag.balcells.redestb.es

BASÍLIO DA GAMA

Diversos são os filmes que representam o encontro belicoso entre duas culturas em tudo distintas, sejam elas do passado ou do presente. Mais do que isso, por diversos lugares do mundo, a própria realidade anda traduzindo os conflitos históricos em atuais cenas sombrias. Duzentos anos passados e o poema principal de BASÍLIO DA GAMA, *O Uraguai*, uma aventuresca narrativa em versos, não perde sua contemporaneidade. Nesse conflito entre, de um lado, tropas coloniais e, de outro, os índios aldeados nas Missões, aparece, pela primeira vez, uma incorporação das paisagens e maneiras do mundo americano, com uma visível simpatia pelo índio, indicando um dos principais caminhos que o Romantismo, posteriormente, irá desenvolver. Entre o épico, o político e o lírico, num ambiente de belas paisagens, movimentos de ação e qualidade formal, os acontecimentos históricos são redimensionados pelo viés da invenção, demarcando a primazia do poético. Basílio da Gama, identificando-se com a terra americana e seus habitantes autóctones, foi, assim, o primeiro a entrever um diálogo cultural que será a marca registrada brasileira.

Crítica

QUALIDADES EXTRAORDINÁRIAS
"*O Uraguai*, de José Basílio da Gama, é o moderno poema que mais mérito tem na minha opinião. Cenas naturais mui bem pintadas, de grande e bela execução descritiva: frase pura e sem afetação, versos naturais sem ser prosaicos, e quando sempre sublimes sem ser guindados: não são qualidades comuns. Os brasileiros principalmente lhe devem a melhor coroa de sua poesia, que nele é verdadeiramente nacional e legítima americana."
(Almeida Garrett, "Parnaso Lusitano")

AINDA O PRAZER, DUZENTOS ANOS DEPOIS
"No meio de tanta obra clássica de leitura penosa, *O Uraguai* se distingue pelo prazer que ainda causa, duzentos anos depois de publicado. A sua ação rápida, variada, pondo em cena personagens incisivos ou comoventes, embora sumários, desprende uma sedução que nos envolve pelas formas e os ritmos."
(Antonio Candido, "A Dois Séculos d'*O Uraguai*")

Obras

O Uraguai (1769)
Epitalâmio (1769)
A Liberdade (1773)
Os Campos Elísios (1776)
Relação Abreviada da República (1788)
Lenitivo de Saudade (1788)
Quitúbia (1791)
A Declamação Trágica (1820)
Obras Poéticas (s. d.)

Copyright

Obras em domínio público
— textos livres para publicação

Fragmento

O Uraguai

Um frio susto corre pelas veias
De Caitutu, que deixa os seus no campo;
E a irmã entre as sombras do arvoredo
Busca co'a vista, e treme d'encontrá-la.
Entram enfim na mais remota e interna
Parte do antigo bosque, escuro e negro,
Onde, ao pé duma lapa cavernosa,
Cobre uma rouca fonte, que murmura,
Curva latada de jasmins e rosas.
Este lugar delicioso e triste,
Cansada de viver, tinha escolhido
Para morrer a mísera Lindóia.
Lá reclinada, como que dormia
Na branda relva e nas mimosas flores
Tinha a face na mão e a mão no tronco
Dum fúnebre cipreste, que espalhava
Melancólica sombra. Mais de perto
Descobrem que se enrola no seu corpo
Verde serpente, e lhe passeia e cinge
Pescoço e braços, e lhe lambe o seio.
Fogem de a ver assim sobressaltados
E param cheios de temor ao longe;
E nem se atrevem a chamá-la, e temem
Que desperte assustada e irrite o monstro.

BASÍLIO DA GAMA

A great many films recount the warlike encounter of two diverging cultures, either from the past or in the present. Even more than that, in many places around the world, reality has been translating historical conflicts into currently bellicose affairs. Two hundred years have gone by, and the leading poem by BASÍLIO DA GAMA, *'Uraguay'*, a venturesome narrative in verses, keeps its contemporaneity. The narration of that conflict between, on one side, colonial troops and, on the other side, the Indians settled in the Missions, incorporates, for the first time, both the landscapes and lifestyle in the American world, including a biased preference for the Indian, which was an indication of the main paths the Romanticism would later take. Between the epic, the political, and the lyrical, in a scenario of beautiful landscapes, action and formal quality, the historical events are resized according to the whim of invention, marking off the poetry primacy. Thus, Basílio da Gama, identifying with the American land and its autochthonous inhabitants was the first to glimpse the cultural dialogue that would become the Brazilian mark.

Review

EXTRAORDINARY QUALITIES

"*O Uraguai (Uraguay)*, by José Basílio da Gama, is in my opinion the most laudable modern poem. It admirably depicts natural scenes, providing a great and beautiful description: pure and unostentatious sentences, natural verses without being prosaic, and always sublime without being bedecked: such are not ordinary qualities. The Brazilians will especially owe him the best crown to his poetical work, which is truly national and legitimately American." (Almeida Garret,"Parnaso Lusitano")

STILL PLEASING, TWO HUNDRED YEARS LATER

"Amid so many hard-reading classical work, *O Uraguai (Uraguay)* stands out because of the pleasure it still offers two hundred years after being published. The fast and varied action, featuring incisive or touching characters, although flashing, emit such a seduction that surrounds with form and the rhythm." (Antonio Candido, "A Dois Séculos d'O *Uraguai*)

Excerpt

O Uraguai (Uraguay)

A cold fright flows in the veins
Of Caitutu, who had left his relatives in the field;
And in the shades of the grove he looked for his sister
and he shivered as he saw her.
They entered eventually the most remote and inner
Part of the old forest, dark and black,
Where he saw, at the foot of a cavernous rock,
a hoarsely purling spring covered
by a bent trellis of jasmines and roses.
This delicious and sad place,
Had been chosen for deathplace
by miserable life-drained Lindóia.
She seemed fast asleep lying down there
On the soft grass and among the delicate flowers
Her face was leaning back on the hand and her hand rested
[recumbent on the log
Provided by a funereal cypress, which would spread
A gloomy shadow. Looking from closer
They gained sight of a green snake coiled up round
Her body, slowly sliding as it girded round
Her neck and arms, and licked her breast.
Startled, they fled as they saw her like this
And they halted frightened in the distance;
And they didn't dare to call her, lest
She woke up in a fright to vex the monster.

Works

O Uraguai (1769)
Epitalâmio (1769)
A Liberdade (1773)
Os Campos Elísios (1776)
Relação Abreviada da República (1788)
Lenitivo de Saudade (1788)
Quitúbia (1791)
A Declamação Trágica (1820)
Obras Poéticas (s. d.)

Copyright

Works in public domain
— texts available for publication

BEATRIZ RESENDE

Para alguns estudiosos de literatura, a qualidade de um texto escrito não está na adequação a cânones literários ou a classificações de gênero. Muito ao contrário, por vezes é justamente no ultrapassamento e na equivocação desses limites preestabelecidos que muita obra atinge seus mais altos momentos, quando expõe inquietações legítimas e criadoras do autor em questão. É esse tipo de literatura, que se apresenta à margem da escrita "oficial", que a professora e pesquisadora BEATRIZ RESENDE privilegia em seus ensaios críticos. Nesse sentido, seus estudos acerca do escritor carioca Lima Barreto, e dentro de sua obra, a preferência pelas crônicas, não poderiam ser mais reveladores. Pois a crônica, considerada por muitos como um gênero menor, no limite do "não-literário", sempre expõe a cidade em seu aspecto fragmentar, com freqüência marginal, desordenada por seus vícios e crimes. A cidade — e a literatura — que Beatriz Resende quer mostrar é aquela que se move, que não oculta suas tensões e contradições: cidade e literatura que se oferecem à decifração de quem as atravessa.

Crítica

A CRÔNICA E A CIDADE
"Beatriz Resende já nos havia dado provas, em trabalhos anteriores, da sua capacidade de entender a crônica ou, se preferirem, da sua aptidão para compreender a cidade. [...] Com o tempo, a crônica tem aberto outras frentes. Agora ela se dedica a bloquear o avanço da cidadela sobre a cidade. Se Machado estivesse aqui, não vacilaria em cooptar esse programa altamente prioritário. Beatriz Resende se acha em condições técnicas, e mais do que técnicas, de confirmar essa suposição perfeitamente plausível." (Eduardo Portella, "Caligrafia das Ruas")

TRADUZINDO A CIDADE
"É igualmente digno de elogio o texto de Beatriz Resende [...], que traz o panorama de uma literatura (como a de Benjamin Costallat), produzida no Rio a partir dos anos 20, traduzida em arte." (Sidney Silveira, *O Globo*)

Obras

Lima Barreto, Crítica da Modernidade (1979)
Quase Catálogo 4: A Telenovela no Rio de Janeiro (1991)
Lima Barreto e o Rio de Janeiro em Fragmentos (1993)
O Subterrâneo do Morro do Castelo (1995)
Cronistas do Rio (1995)
Arte Latina: Cultura, Globalização e Identidade Cosmopolitas
[com Heloísa Buarque de Holanda] (2000)

Contato

bresende@centroin.com.br

Fragmento

Cronistas do Rio

Há entre o Rio de Janeiro e a crônica uma tal afinidade que chega a ser difícil fazer a história da cidade sem evocar — desde os primeiros viajantes que adentraram maravilhados a baía — um dos numerosos cronistas que, tendo ou não nascido aqui, dela falaram. Já no Império, com Machado de Assis, a crônica é a companheira, quase diária, do leitor carioca. Com a República, a crônica se faz também crítica e João do Rio e Lima Barreto registram a vida da Capital Federal. Na década de 1920, os cronistas erotizam a imagem da cidade-cenário das melindrosas. O best-seller Benjamin Costallat afirma que a crônica "deve ser enxuta como a mulher magra, mas graciosa no andar ondulante". O modernista Álvaro Moreyra escreve A cidade mulher *e consagra a expressão 'Cidade Maravilhosa'.*

BEATRIZ RESENDE

For some literature specialists, the quality of a written text does not lie in its conformity with literary canons or category classifications. On the contrary, many literary works often reach their apex precisely when, by surpassing or deluding such predetermined limits, expose the author's legitimate and creative inquietudes. It is this kind of literature, outside the confines of "official" writing, that lecturer and researcher BEATRIZ RESENDE privileges in her critic essays. In this sense, her researches about Carioca writer Lima Barreto and her preference for the feature stories he wrote, could not be more axiomatic. Feature stories, regarded by many as a minor category, verging on "non-literary," always lays bare the city in its marginal and often fragmented aspect, jumbled by its vices and crimes. The city — and the literature — that Beatriz Resende wants to disclose is that which moves, which does not hide its tensions and contradictions: city and literature that offer themselves to be deciphered by those who cross them.

Review

THE CITY AND THE FEATURE STORY

"Beatriz Resende had already provided evidences, in previous works, of her capacity to understand the feature story category or, if you prefer, her capability to understand the city. [...] Over the time, feature story opened other fronts. Now it is engaged in blocking the onset of the citadel over the city. If Machado were present, she would not hesitate in coopt this high priority program. Beatriz Resende is in a technical position, and more than technical, to confirm this perfectly plausible supposition." (Eduardo Portella, "Caligrafia das Ruas")

TRANSLATING THE CITY

"Beatriz Resende's text is equally praiseworthy [...], bringing forward the panorama of a literature (such as Benjamin Costallat's) produced in Rio after the 1920's, translated into art." (Sidney Silveira, *O Globo*)

Excerpt

Cronistas do Rio (Feature Story Writers from Rio)

There is such an affinity between Rio de Janeiro and feature stories that writing the history of the city without evoking — starting from the very first travelers who entered the bay in astonishment — one of the many feature story writers who, whether or not a Rio's native, wrote about it is rather impossible. As early as in the Emperor's time, Machado de Assis had made feature story to nearly become the Carioca reader's daily companion. After the advent of the Republic, the feature story becomes rather critical, and João do Rio, together with Lima Barreto, recount what life was like in the Federal Capital. In the 1920's, the feature story writers eroticize the image of the coquettish lady's city-scenery. The Benjamin Costallat's best-seller states that the feature story is to be "slim like a thin woman, but graceful in the swinging way of moving". Modernist Álvaro Moreyra writes 'The woman city' and consecrates the expression 'Wonderful City'.

Works

Lima Barreto, Crítica da Modernidade (1979)
Quase Catálogo 4: A Telenovela no Rio de Janeiro (1991)
Lima Barreto e o Rio de Janeiro em Fragmentos (1993)
O Subterrâneo do Morro do Castelo (1995)
Cronistas do Rio (1995)
Arte Latina: Cultura, Globalização e Identidade Cosmopolitas [com Heloísa Buarque de Holanda] (2000)

Contact

bresende@centroin.com.br

BENEDITO NUNES

Com um percurso devotado ao estudo filosófico e literário, o professor e ensaísta BENEDITO NUNES é hoje uma das raras figuras no Brasil a produzir um pensamento que procure explicitar quais são e como se dão as relações e a literatura — e em particular a poesia — e a filosofia. Estudioso dos pensadores alemães, sobretudo de Kant, Heidegger e Nietzsche, suas análises procuram dar conta dessa região fronteiriça em que a atividade conceitual desequilibra e é ao mesmo tempo desequilibrada pela arte. Não se trata de pensar dois domínios estanques, que se contentem em promover uma relação disciplinar ou mesmo interdisciplinar entre um e outro, mas de se conceber um intenso e originário tecido de entrelaçamento, isto é, que poesia e filosofia estão, desde o princípio, obedecendo a polarizações, provocações e instigações mútuas, o que estaria sempre presente no desenvolvimento de ambos. É nesse sentido que as análises de Benedito Nunes vão sempre procurar essa dimensão poético-filosófica em obras como as de Clarice Lispector ou de Guimarães Rosa.

Crítica

FILÓSOFO E POETA
"Pensando bem, nada de surpreendente nesse balanço que *Crivo de Papel* permite esboçar, no qual felizmente a indeterminação do lugar próprio à 'ciência das ciências' é descartado em prol da liberdade da reflexão, da licença que ainda faz do filósofo um irresponsável privilegiado [...]; podemos nos entregar com prazer à desenvoltura com que Benedito Nunes se dedica ao texto, nos ensinando a descobrir no 'filósofo' um artesão do pensamento e das palavras." (Pedro Paulo Pimenta, *Jornal da Tarde*)

DA FILOSOFIA À LITERATURA
"*Crivo de Papel* reproduz o que há de mais denso e constante na obra de Benedito Nunes. O ponto de partida, seminal, é a filosofia. A outra face do vasto campo de interesse do crítico constitui a literatura. A preocupação mais envolvente de Benedito Nunes é, na filosofia, a obra de Heidegger, da qual tem sido, no Brasil, um dos mais autorizados analistas." (Fábio Lucas, *Folha de S. Paulo*)

Obras

O Mundo de Clarice Lispector (1966)
Poesia de Mário Faustino (1966)
Farias Brito: Trovas Escolhidas (1967)
O Dorso do Tigre (1969)
Leitura de Clarice Lispector (1973)
Oswald Canibal (1978)
O Livro do Seminário (1983)
Passagem para o Poético: Filosofia e Poesia em Heidegger (1986)
O Tempo na Narrativa (1988)
A Paixão Segundo GH / Clarice Lispector (1988)
O Drama da Linguagem: uma Leitura de Clarice Lispector (1989)
O Crivo de Papel (1999)
Hermenêutica e Poesia — O Pensamento Poético (1999)

Contato

Textos protegidos — em caso de interesse para publicação, fazer contato com o Departamento Nacional do Livro da FBN

Fragmento

As Relações entre a Poesia e a Filosofia

Salto da imaginação para além do conceito (Kant já o sabia em sua Crítica do Juízo*), firmado no mesmo fluxo da fala cotidiana, a poesia teria induzido, como boa parteira, o nascimento da filosofia; regeria depois o seu desenvolvimento, estampando-se nas metamorfoses da linguagem ordinária, de que também necessita o discurso filosófico, suscetível de alcançar a individualização de um estilo.* [...] *Nenhuma filosofia vive sem metáfora (vejam-se o rio de Heráclito, a caverna de Platão, o "gênio maligno" de Descartes, o torrão de açúcar de Bergson) etc.; e toda verdade pronunciada, conforme martelou Nietzsche, deixa atrás de si "uma multidão movente de metáforas, de metonímias, de antropomorfismos — em suma, uma soma de relações humanas poética e retoricamente realçadas, transpostas, ornadas..."*

BENEDITO NUNES

Following a path dedicated to philosophical and literary study, teacher and essayist BENEDITO NUNES is today one of the few people in Brazil who produce a kind of thinking trying to make explicit which are the relationships between literature — and especially poetry — and philosophy, and how such relationships operate. A studious investigator of German thinkers, particularly Kant, Heidegger, and Nietzsche, his analyses try to account for that threshold area where the conceptual activity unbalances and is, in turn, unbalanced by art. However, this is not the case of two tight domains sufficing themselves in promoting a disciplinary relationship, or even an interdisciplinary relationship between each other, but rather of conceiving an intense and original tissue that intertwines, that is, where poetry and philosophy are, from the beginning, abiding by mutual polarizations, provocations, and instigations, which would then be always present in the development of both. This is the line of thought according to which Benedito Nunes's analyses will always go in search of that poetical-philosophical dimension in such works as those by Clarice Lispector or Guimarães Rosa.

Review

THE PHILOSOPHER AND THE POET

"As a matter of fact, there is no surprise in this statement of affairs provided by *Crivo de Papel (Paper Sieve)*, in which the indetermination regarding the proper place assigned to the 'science of the sciences' is fortunately discarded in favor of the freedom of reflection, the license that still makes the philosopher to be such an unreliable privileged one [...]; we may then, just as pleasantly, surrender ourselves to the self-confidence with which Benedito Nunes gives himself up to the text, educating us to discover in the 'philosopher' an artisan of thought and words."

(Pedro Paulo Pimenta, *Jornal da Tarde*)

FROM PHILOSOPHY TO LITERATURE

"*Crivo de Papel* reflects that which is ponderous and constant in Benedito Nunes's work. Philosophy is the seminal starting point. Literature is the other side of the critic's wide range of interest. Within philosophy, Benedito Nunes's most enthralling concern is the work of Heidegger, of which he has been, in Brazil, one of the most sanctioned analysts."

(Fábio Lucas, *Folha de S. Paulo*)

Excerpt

As Relações entre a Poesia e a Filosofia (Relationship between Poetry and Philosophy)

A jump from imagination to beyond conceptualization (Kant already knew it in his Critic of Reasoning*), built upon the same daily speech flow, poetry would have induced, just like a good midwife, the birth of philosophy; it would then govern its ulterior development, imprinting itself in the metamorphoses of ordinary language, upon which the philosophical speech is also dependent, whereas susceptible of attaining the individualization of a style. [...] No philosophy may ever live without a metaphor (see Heráclito's river, the cave of Plato, Descartes' "evil genius," Bergson's lump of sugar, etc.); and all pronounced truth, as Nietzsche reiterated, drags behind itself "a multitude of moving metaphors, metonymies, anthropomorphisms — in short, a summation of human relationships poetically and rhetorically enhanced, transposed, adorned..."*

Works

O Mundo de Clarice Lispector (1966)
Poesia de Mário Faustino (1966)
Farias Brito: Trovas Escolhidas (1967)
O Dorso do Tigre (1969)
Leitura de Clarice Lispector (1973)
Oswald Canibal (1978)
O Livro do Seminário (1983)
Passagem para o Poético: Filosofia e Poesia em Heidegger (1986)
O Tempo na Narrativa (1988)
A Paixão Segundo GH / Clarice Lispector (1988)
O Drama da Linguagem: uma Leitura de Clarice Lispector (1989)
O Crivo de Papel (1999)
Hermenêutica e Poesia — O Pensamento Poético (1999)

Contact

Protected texts — in case of interest for publication, get in contact with National Book Office (DNL) of the Biblioteca Nacional Foundation (FBN)

BERNARDO GUIMARÃES

Romancista e poeta da segunda geração romântica, BERNARDO GUIMARÃES nasceu em 1825 e morreu em 1884. Como ficcionista, a capacidade incomum para retratar os costumes regionais o levou à adoção de uma linguagem atravessada por saborosas expressões do interior e, mais do que isso, pelo próprio pitoresco da oralidade provinciana. Assim, uma de suas contribuições mais importantes foi a de minar o excesso declamatório vigente na época em que viveu. Com *Escrava Isaura*, romance de denúncia anti-escravocrata, o escritor se tornou popular até nossos dias. Aventurou-se, também, como José de Alencar, pelo romance histórico, folclórico-lendário, indianista e psicológico, mas, contrariamente àquele, com sua poesia, realizou paródias do indianismo com o intuito de, ridicularizando-o, deixá-lo para trás. Poemas satíricos, obscenos e bestialógicos, filiando-o à corrente satânica do ultra-romantismo, consolidaram o lado boêmio do escritor. Afastando-se de um lirismo açucarado de muitos poetas de então, ele emprega todo um vocabulário de práticas sexuais explícitas que choca a moralidade conservadora reinante.

Crítica

A MELHOR RESPOSTA
"O autor atinge extremos que lhe permitem articular a mais forte e melhor resposta dada à hipocrisia reinante, à permanência dos temas já vazios e à própria languidez de seus pares." (Leonardo Fróes, "Romantismo: uma Estética de Loucos")

COMPARÁVEL APENAS A JOSÉ DE ALENCAR
"A obra vária de Bernardo Guimarães é o segundo grande universo ficcional do Romantismo, o único outro cosmos romanesco de amplitude comparável ao maciço alencariano." (José Guilherme Merquior, "De Anchieta a Euclides")

Obras

Os Cantos da Solidão (1852)
Poesias (1865)
O Ermitão de Muquém (1866)
A Garganta do Inferno (1871)
O Garimpeiro (1872)
O Seminarista (1872)
A Filha do Fazendeiro (1872)
O Índio Afonso (1873)
A Escrava Isaura (1875)
Novas Poesias (1876)
A Ilha Maldita (1879)
Folhas de Outono (1883)

Fragmento

Escrava Isaura

Já bastante lhe pesava andar enganando a sociedade a respeito de sua verdadeira condição; alma sincera e escrupulosa, envergonhava-se consigo mesma de impor às poucas pessoas, que com ela tratavam de perto, um respeito e consideração a que nenhum direito podia ter. Mas, considerando que tal disfarce nenhum grande mal podia resultar à sociedade, conformava-se com sua sorte. Deveria, porém, ela, ou poderia sem inconveniente manter o seu amante na mesma ilusão? Com seu silêncio, conservando-o na ignorância de sua condição de escrava, deveria deixar alimentar-se, crescer profunda e enérgica paixão, que o moço por ela concebera?... não seria isto um vil embuste, uma indignidade, uma traição infame? Não teria ele o direito, ao saber da verdade, de acabrunhá-la de amargas exprobações, de desprezá-la de calcá-la aos pés, de tratá-la enfim como escrava abjeta e vil, que ficaria sendo?

Copyright

BERNARDO GUIMARÃES

A novelist and poet from the Romanticism's second generation, BERNARDO GUIMARÃES was born in 1825 and died in 1884. As a fictionist, his unusual ability to portray the regional customs led him to adopt a language that was full of nice expressions from the back country, and, more than that, marked by the picturesqueness of the provincial orality. Thus, one of his most significant contributions was to undermine the declamatory excess of his time. His antislavery novel called *Escrava Isaura (Slave Isaura)* made him popular until our days. He also ventured, like José de Alencar, into the historical, folkloric-mythical, indianism and psychological novel, but unlike José de Alencar, his poetry produced rather parodies of the indianism with the purpose of letting it behind by ridiculing it. Satirical, obscene, and heinous poems affiliated him with the ultra-romanticism satanic tendency and consolidated the author's bohemian side. Sidestepping the sugary lyricism of so many poets of his time, he makes use of a comprehensive vocabulary of explicit sexual practices that shocks the prevailing conservative morality.

Review

THE BEST ANSWER

"[...] the author reaches extremes which allow him to articulate the strongest and best answer ever given to the prevailing hypocrisy, to the perpetuation of devoid themes, and to the languidness of his fellow poets." (Leonardo Fróes, "Romantismo: Uma Estética de Loucos")

COMPARABLE TO JOSÉ DE ALENCAR

"Bernardo Guimarães's varied work is the second major fictional universe in the Romantic Movement, the only other romantic cosmos with amplitude comparable to the solid work of José de Alencar. (José Guilherme Merquior, "De Anchieta a Euclides")

Excerpt

Escrava Isaura (Slave Isaura)

Deceiving the society in relation to her true condition had already become quite a burden; being a sincere and scrupulous soul, she was ashamed of herself for imposing to the few people with whom she had close relationship a respect and consideration she could have no right of. However, considering that no big evil could result to the society from such veneer, she resigned herself to her fate. However, did she have the right to maintain her lover in the same illusion, or would it be inconvenient? By keeping the secret, and by keeping him in the ignorance about her slave condition, did she have the right to let a deep and lively passion, such as the one nourished by the young man towards her, grow?... wouldn't that be a vile deception, an indignity, an ignoble betrayal? Wouldn't he have the right, in knowing the truth, to humiliate her with bitter accusations, to scorn her, to spurn her, to treat her, finally, as the vile and despicable slave that she would then be?

Works

Os Cantos da Solidão (1852)
Poesias (1865)
O Ermitão de Muquém (1866)
A Garganta do Inferno (1871)
O Garimpeiro (1872)
O Seminarista (1872)
A Filha do Fazendeiro (1872)
O Índio Afonso (1873)
A Escrava Isaura (1875)
Novas Poesias (1876)
A Ilha Maldita (1879)
Folhas de Outono (1883)

Copyright

Works in public domain
— texts available for publication

CAIO PRADO JÚNIOR

Um dos principais representantes do pensamento marxista na filosofia e na teoria política brasileira — e certamente um dos precursores da moderna ciência social no Brasil —, CAIO PRADO JÚNIOR é um pioneiro na utilização dos conceitos marxistas como fator explicativo para a compreensão da nossa história. Em sua obra, que abrange, além da visada histórica e filosófica, aspectos da nossa geografia, sociologia, economia e política, a formação e o desenvolvimento da nacionalidade brasileira são analisados a partir do ponto de vista da herança colonialista e da questão agrária. Seus estudos procuram alcançar uma dinâmica dialética que dê conta das determinações de nosso passado colonial e investigue as perspectivas para um provável futuro dentro do contexto do capitalismo. Ainda que hoje seu pensamento possa parecer datado, sobretudo em virtude da queda do comunismo mundial, o alcance histórico de suas análises ultrapassa qualquer modelização típica do marxismo e apresenta grande validade contemporânea para o entendimento da sociedade brasileira.

Crítica

COMUNISMO DIVERGENTE
"É nessa reação contra o esquematismo que Caio Prado Jr. se revela um autêntico historiador, atento à realidade e capaz de captar a especificidade do caso brasileiro." (Gilson Schwartz, "Caio Prado Júnior, um Mestre na Dialética do Tempo Brasileiro")

HISTORIOGRAFIA BRASILEIRA
"Caio Prado Júnior nos oferece dois excelentes livros sobre o Brasil [...] é, para bem e para mal, um historiador nato. Trata-se de um observador habituado a checar as fontes, a confrontar a relação entre os fatos, a avançar com prudência e, principalmente, atento à vida múltipla dos homens, que confunde os teóricos, sempre caprichosos, mesmo em relação às causas mais profundas e determinadas..." (Fernand Braudel, *Folha de S. Paulo*)

Obras

Evolução Política do Brasil (1933)
Formação do Brasil Contemporâneo (1942)
História Econômica do Brasil (1945)
Dialética do Conhecimento (1952)
Notas Introdutórias à Lógica Dialética (1959)
A Revolução Brasileira (1966)
Estruturalismo e Marxismo (1971)
História do Desenvolvimento (1972)
O que é Filosofia (1981)
A Cidade de São Paulo (1983)

Contato

brasilienseedit@uol.com.br

Fragmento

Formação do Brasil Contemporâneo

Quanto à casa-grande, se é certo que seu núcleo é a família ou antes, a família do senhor, e só ele (da pequena, da minúscula maioria, portanto, e isso se esquece freqüentemente), e se, neste sentido, é um ambiente familiar que cerca o filho-rico da sociedade colonial, exceção, no conjunto, quase única; há que abrir larga margem para restrições se pelo conceito de família não entendermos apenas uma estrutura anterior, mas todo aquele complexo de normas, de "atmosfera" mesmo, que concede à família, nas sociedades da nossa civilização, o grande papel de formador dos indivíduos e de seu caráter. Neste sentido, a casa-grande ficou muito aquém de sua missão. O sistema de vida a que dá lugar, a promiscuidade com escravos, e escravos do mais baixo teor moral, as facilidades que proporciona às relações sexuais irregulares e desbragadas, a indisciplina que nela reina, mal disfarçada por uma hipócrita submissão, puramente formal, ao pai e chefe, tudo isso faz a casa-grande, antes uma escola de vício e desregramento, apanhando a criança desde o berço, que de sua formação moral.

CAIO PRADO JÚNIOR

One of the major representatives of the Marxist thought in Brazilian philosophy and political theory — and certainly one of the precursors of the modern social sciences in Brazil —, CAIO PRADO JÚNIOR is a pioneer in the use of Marxist concepts as an explanatory factor to understand our history. In addition to a historical and philosophical outlook, his work includes such aspects as our geography, sociology, economy and politics. The formation and development of a Brazilian nationality are analyzed based on the colonialist inheritance and the agrarian issues standpoints. His researches try to reach a dialectic dynamics capable to explain the determinations of our colonial past and investigate the perspectives for a probable future within the capitalist context. Although his thought may be regarded today as outdated, especially after the world communism downfall, the historical reach of his analyses goes beyond any typical modeling of Marxism and provides a significant contemporary validity to understand the Brazilian society.

Review

A DIVERGING COMMUNISM

"Caio Prado Jr. distinguishes himself as an authentic historian in his reaction against schematism, attentive to reality and capable to capture the specificity of the Brazilian case." (Gilson Schwartz, "Caio Prado Júnior, um Mestre na Dialética do Tempo Brasileiro")

A BRAZILIAN HISTORIOGRAPHY

"Caio Prado Júnior offers us two excellent books about Brazil [...] he is, for the good and for the evil, a born historian. As an observer, he applies himself to checking the sources, to confronting the relationship between the facts, to moving forward cautiously and, especially, paying attention to men's multiple lives, which usually disconcerts the theorists, who are always zelous, even in relation to the deepest and most determined causes..." (Fernand Braudel, *Folha de S. Paulo*)

Excerpt

Formação do Brasil Contemporâneo (The Formation of Contemporary Brazil)

As for the manor house, if it is true that the family is the core nucleus, or rather, the master's family, and himself alone (therefore, the small, the minute majority, which is frequently overlooked), and if, in this sense, it is a family atmosphere what surrounds the rich-son in the colonial society, nearly the sole exception, in the whole: a broad margin for restrictions has to be opened if we do not understand only a previous structure as the concept of family, but rather the entire complex of rules, the "environment," that confers on the family, especially in our civilization societies, the major role of shaping the individuals and their character. In this sense, the manor house was much below its mission. The life system it gives rise to, including the promiscuity with slaves, and slaves of the lowest moral content, the facility it allows for irregular and indiscriminate sexual relationships, the widespread indiscipline poorly disguised by a hypocritical and purely formal submission to the father and master; all this makes the manor house to be an addiction and unruliness school, taking the child from the cradle, rather than a moral education school.

Works

Evolução Política do Brasil (1933)
Formação do Brasil Contemporâneo (1942)
História Econômica do Brasil (1945)
Dialética do Conhecimento (1952)
Notas Introdutórias à Lógica Dialética (1959)
A Revolução Brasileira (1966)
Estruturalismo e Marxismo (1971)
História do Desenvolvimento (1972)
O que é Filosofia (1981)
A Cidade de São Paulo (1983)

Contact

brasilienseedit@uol.com.br

CARLOS DRUMMOND DE ANDRADE

Se houvesse um único eixo em torno do qual girasse a poesia brasileira, poderíamos dizer que, no século XX, na fase mais madura e exemplar do destino poético do país, CARLOS DRUMMOND DE ANDRADE seria esse sol luminoso. Outros, certamente, como João Cabral de Melo Neto e Manuel Bandeira, poderiam compartilhar com ele o mesmo lugar privilegiado. Mas Drummond é aquele caso raro que, como Fernando Pessoa, une sua grandiosa obra à capacidade de se tornar fundamental para todos os tipos de leitores, do adolescente a descobrir o mundo ao erudito mais rigoroso, do porteiro de um prédio ao alto executivo de uma empresa e, desse, ao poeta em busca de conhecimentos... Ele já foi visto como *uma espécie de Baudelaire de nossa poesia moderna*, querendo-se dizer com isso que o itabirano e cidadão do Rio de Janeiro levou nossa poesia às mais pertinentes questões existenciais e filosóficas do mundo contemporâneo, à vida urbana, à sociedade de massa, às reflexões sociais etc., criando uma poesia acentuadamente brasileira e universal, sem qualquer resquício de uma caricatura nacional.

Crítica

MODERNA CONSTRUÇÃO ENTRE RUÍNAS
"A melhor poesia é sempre uma súmula cultural. A poesia de Drummond articula um protótipo do mundo moderno — o *gauche*. Aí está o sentimento de uma região, de um país e o sentimento do mundo. Aí o problema central é o tempo: o crescimento e o desgaste do personagem, e a obra que resta ao final. A obra como resíduo vital que permanece, uma construção entre ruínas." (Affonso Romano de Sant'Anna, "Um Protótipo do Homem Moderno")

UM POETA EM TUDO
"Carlos Drummond de Andrade já é, como poeta, ficcionista. As suas composições em verso nunca se afastam por completo do desenho que as coisas apresentam aos olhos dos que as contemplam sem outra idéia que não seja vê-las no seu próprio desenho. Um poeta no mundo, um poeta no tempo, um poeta no espaço, um poeta na realidade — eis o poeta que o poeta de *Alguma Poesia* em verdade é." (João Gaspar Simões, "O Contista")

Obras

Alguma Poesia (1930)
Brejo das Almas (1934)
Sentimento do Mundo (1940)
Poesias (1942)
Rosa do Povo (1945)
Claro Enigma (1951)
Contos de Aprendiz (1951)
Poemas (1959)
Boitempo & A Falta que Ama (1968)
As Impurezas do Branco (1973)
Corpo (1984)
Amar se Aprende Amando (1985)
Poesia e Prosa (1992)

Fragmento

A Máquina do Mundo

E como eu palmilhasse vagamente
uma estrada de Minas, pedregosa,
e no fecho da tarde um sino rouco

se misturasse ao som de meus sapatos
que era pausado e seco; e aves pairassem
no céu de chumbo, e suas formas pretas

lentamente se fossem diluindo
na escuridão maior, vinda dos montes
e de meu próprio ser desenganado,

a máquina do mundo se entreabriu
para quem de a romper já se esquivava
e só de o ter pensado se carpia.

Abriu-se majestosa e circunspecta,
sem emitir um som que fosse impuro
nem um clarão maior que o tolerável
pelas pupilas gastas na inspeção
contínua e dolorosa do deserto, e pela mente exausta de mentar

Contato

Lúcia Riff, *agente literária*
lucia@bmsr.com.br

CARLOS DRUMMOND DE ANDRADE

If one single axis existed around which the entire Brazilian poetry rotated, one would say that, in the 20th century, during the most full-fledged and emblematic phase of the Brazilian poetic destiny, CARLOS DRUMMOND DE ANDRADE was this shining sun. Surely a few others, e.g., João Cabral de Melo Neto and Manuel Bandeira, could share with him this privileged place. But Drummond is that rare personality who, like Fernando Pessoa, manages to combine his magnificent work with the ability to become essential for all types of readers, from the teenager just discovering the world to the most demanding pundit, from the janitor of a building to the CEO of a company, and from the latter to the poet in search of knowledge... He was already been described as *the Baudelaire of our modern poetry*, meaning that the man from Itabira and citizen of Rio de Janeiro has taken our poetry to the most relevant contemporary world's existential and philosophical issues, to the urban life, to the mass society, to the social reflections etc., by creating a strongly Brazilian and universal poetry, without any trace of a national caricature.

Review

A MODERN BUILDING IN THE MIDDLE OF RUINS
"The best poetry is always a cultural compendium. Drummond's poetry articulates a prototype of the modern world — the *gauche*. It takes in the feeling of a region, of a country, and the feeling of the world. There the central problem is time: the character's growing and downfall, and the work that remains in the end. The work as a vital withstanding residue, a building in the middle of ruins." (Affonso Romano de Sant'Anna, "Um Protótipo do Homem Moderno")

A POET IN EVERYTHING
"Poet Carlos Drummond de Andrade is already a fictionist. His compositions in verse never stand entirely off the picturization of things to the eyes of those who contemplate them without any other idea than seeing them according to their own representation. A poet in the world, a poet in time, a poet in the space, a poet in the reality — here stands the poet the poet of *Some Poetry* truly is." (João Gaspar Simões, "O Contista")

Excerpt

The Machine of the World

And as I aimlessly meandered
down a stony Minas highway,
and as in the half-light of nightfall a hoarse bell

commixed with the cadenced and dry sound of my shoes;
and as birds hovered
in the plumbeous sky, and as their black silhouettes

slowly faded away
in the growing darkness, coming from the hills
and from my own disillusioned self,

the machine of the world half-opened
for those who quickly ducked off from breaking it
and bewailed for having even thought of it.

It majesticly and circumspectly opened up,
without uttering not a single impure sound
nor a sparkle brighter than the tolerable
through the pupils worn-out by the continuous and painful
inspection of the desert, and through the mind fagged out from minding

Works

Alguma Poesia (1930)
Brejo das Almas (1934)
Sentimento do Mundo (1940)
Poesias (1942)
Rosa do Povo (1945)
Claro Enigma (1951)
Contos de Aprendiz (1951)
Poemas (1959)
Boitempo & A Falta que Ama (1968)
As Impurezas do Branco (1973)
Corpo (1984)
Amar se Aprende Amando (1985)
Poesia e Prosa (1992)

Contact

Lúcia Riff, *literary agent*
lucia@bmsr.com.br

CARLOS GUILHERME MOTA

Há hoje a sensação de que está acontecendo uma viragem na historiografia brasileira. A chegada dos portugueses, por exemplo, começa a ser vista como uma "hecatombe demográfica", e muitos dos que foram considerados como heróis, como o almirante britânico Cochrane, já são percebidos em suas dimensões mercenárias. O historiador e professor CARLOS GUILHERME MOTA é um dos que pilotam essa viragem. Para Mota, a História do Brasil não pode ser mais considerada como um desdobrar harmonioso e pouco sangrento de eventos oriundos de um "descobrimento". Nesse sentido, há ainda muito a ser descoberto no Brasil, isto é, as várias histórias que se escondem por trás da história oficial, e também determinados períodos que, por razões diversas, ainda não foram suficientemente estudados. A partir da visita freqüente aos clássicos da nossa historiografia, como Caio Prado Jr. e Florestan Fernandes, os artigos e livros de Mota buscam um aprofundamento da concepção de sociedade no Brasil, sempre em rumo à formação da identidade brasileira, essa "viagem incompleta".

Crítica

EM SINTONIA COM AS TRANSFORMAÇÕES
"Mais do que apenas lidar com o passado, Mota demonstrou estar antenado com as transformações do presente, e seu trabalho tem o mérito de atender às vicissitudes de seu tempo, e assim ajudar a compreendê-lo e transformá-lo." (Rodrigo Brasil, *O Estado de S. Paulo*)

TALENTO E ERUDIÇÃO
"Pelo talento e pela erudição desse historiador exemplar e historicamente engajado que é Carlos Guilherme Mota." (Octaviano Nogueira, *Jornal da Tarde*)

Obras

Ideologia da Cultura Brasileira (1977)
Brasil em Perspectiva (1984)
A Revolução Francesa (1989)
Brasil Revisitado (1989)
Idéia de Revolução no Brasil, 1789-1801 (1989)
A Descoberta da América (1994)
Nordeste, 1817 (1998)
Ideologia da Cultura Brasileira (1998)
Viagem Incompleta. Formação: Histórias (1999)
Viagem Incompleta. A Grande Transação (2000)

Contato

agmata@macbbs.com.br

Fragmento

Viagem Incompleta

Como se sabe, idéias de Brasil afirmam-se já no século XVII, no período em que a colônia portuguesa esteve sob domínio Habsburgo (1580-1640), quando segmentos das elites que habitavam estas partes passam a refletir sobre os significados de suas próprias experiências e modos de povoar o continente. Dir-se-ia que o Brasil começa a se descobrir Brasil. A corte portuguesa, ocupada com os problemas de sua sobrevivência na Europa, descurou de sua ação colonial durante a União Ibérica, permitindo a emergência de outros interesses e visões no Novo Mundo. Note-se que a idéia de Brasil do governante holandês, o príncipe Maurício de Nassau, ampliava surpreendentemente a discussão sobre o que seria o Brasil, inaugurando possibilidades outras para a definição de uma sociedade nova no mundo tropical.
Naquele século, mais notáveis, entretanto, seriam a ação e o trabalho escrito do padre Antônio Vieira, que dariam projeção e sentido ao Brasil nos quadros da modernidade. Difícil imaginar a produção, posteriormente, de uma obra como a do jesuíta toscano Antonil, autor de Cultura e Opulência do Brasil por suas Drogas e Minas *(1711), em que descreve com rigor a estrutura e funcionamento da açucarocracia, indicando sua natureza, significado e dimensão internacional.*

CARLOS GUILHERME MOTA

There is today the perception that a turn in direction is taking place in the Brazilian historiography. The arrival of the Portuguese, for instance, begins to be perceived as a "demographic hecatomb," and many of those previously regarded as heroes, like British admiral Cochrane, are now seen in their mercenary dimensions. Historian and lecturer CARLOS GUILHERME MOTA is one of those leading this turn. According to Mota, Brazil's History cannot be taken as the harmonious and bloodless unfolding of events originating from a "discovery" any more. In this sense, there is still a lot to be discovered in Brazil, that is, the several histories that hide underneath the official history, as well as a number of periods that, for several reasons, have not been properly investigated. Building on frequent visits to the classics in our historiography, such as Caio Prado Jr. and Florestan Fernandes, Mota essays and books go in search of a deepening in the concept of society in Brazil, always towards the formation of a Brazilian identity, this "unfinished trip".

Review

TUNED WITH CHANGES

"More than just dealing with the past, Mota has shown he is tuned with the changes in the present days, and his work has the merit of meeting the vicissitudes of his time, providing a means to understand it and transform it." (Rodrigo Brasil, *O Estado de S. Paulo*)

TALENT AND ERUDITION

"[...] by the talent and by the erudition of this exemplary and historically engaged historian, namely Carlos Guilherme Mota." (Octaviano Nogueira, *Jornal da Tarde*)

Excerpt

Viagem Incompleta (Unfinished Journey)

As everybody knows, ideas about Brazil were already manifest as early as in the 17th century, since the time when the Portuguese colony was under the Hapsburg domain (1580-1640), when segments of the elites in this part of the world started to contemplate about the meaning of their own experiences and about how to populate the continent. It could well mean that Brazil was just beginning to discover Brazil. The Portuguese court, actively engaged in the problems of their own survival in Europe, neglected their colonial duties during the Iberian Union, which allowed other interests and visions to emerge in the New World. It is noteworthy that the concept of Dutch statesman Prince Maurice of Nassau about Brazil helped intensify significantly the discussion on what Brazil would be, kindling other possibilities for the definition of a new society in the tropical world.

On that century, however, father Antônio Vieira's action and written work would be more remarkable, providing a projection and a meaning for Brazil in the pictures of modernity. It is difficult to fancy, later, the production of a work such as the one by Tuscan Jesuit Antonil, the author of Cultura e Opulência do Brasil por suas Drogas e Minas (Culture and Opulence of Brazil through its Drugs and Mines) *(1711), where he strictly describes the structure and the operation of the sugar-cane dictatorship, unveiling its nature, meaning, and international dimension.*

Works

Ideologia da Cultura Brasileira (1977)
Brasil em Perspectiva (1984)
A Revolução Francesa (1989)
Brasil Revisitado (1989)
Idéia de Revolução no Brasil, 1789-1801 (1989)
A Descoberta da América (1994)
Nordeste, 1817 (1998)
Ideologia da Cultura Brasileira (1998)
Viagem Incompleta. Formação: Histórias (1999)
Viagem Incompleta. A Grande Transação (2000)

Contact

agmata@macbbs.com.br

CARLOS HEITOR CONY

Alguns escritores passam por longos e angustiantes períodos de silêncio que servem, entretanto, para a maturação da obra que virá a seguir. Foi assim com Rilke e Valéry. Depois de 23 anos sem publicar, um dos jornalistas, cronistas e romancistas mais respeitados do país retornou aos livros, arrebatando atenções e diversos prêmios literários com uma "quase memória", ou seja, uma narrativa que, apesar de memorialística, não se quer apenas como testemunha do passado. O destino universal do ser humano, abordado através da vida da classe média urbana em um momento de desvalorização de todos os valores, é a preocupação fundamental de CARLOS HEITOR CONY. Como atualmente nenhuma aventura se faz possível, a matéria romanesca se esvazia, restando uma visão desconsolada, pessimista, meio machadiana, meio à Dostoiévski, mas repleta de forte pulsão lírica e com uma ironia e um humor que levam o leitor a momentos de raro prazer, mesmo quando o tema abordado é a hipocrisia, a deterioração espiritual, a insensibilidade, a desintegração familiar ou a imoralidade.

Crítica

SURPREENDENDO SEMPRE
"Carlos Heitor Cony não tem deixado de surpreender os leitores. Surpreendeu-os pela franqueza de sua linguagem. Surpreendeu-os pela franqueza de suas atitudes. Surpreendeu-os, agora, pela franqueza com que envereda por caminhos novos de sua arte literária." (Otto Maria Carpeaux, "Prefácio")

UM RETRATO EXEMPLAR
"Nós estamos num processo de investigação do nosso presente que, para ser completa, deverá pesquisar o passado. É o óbvio. Cony [...] dá-nos um quadro exato da classe média como ela se vê a si própria em nosso tempo de mediocridade." (Paulo Francis, "Sobre todas as Coisas")

Obras

O Ventre (1958)
A Verdade de Cada Dia (1959)
Tijolo de Segurança (1960)
Matéria de Memória (1963)
Antes, o Verão (1964)
O Ato e o Fato (1964)
Pessach: A Travessia (1967)
Pilatos (1972); *Quase Memória* (1995)
O Piano e a Orquestra (1996)
A Casa do Poeta Trágico (1997)
Romance sem Palavras (1999)

Fragmento

Quase Memória

Acabei a montagem e já havia um clarão de manhã entrando pelas nossas janelas. Eu estava suado, indormido, um dos dedos sangrava, mas o negócio lá estava, imponente como um dinossauro multicor, entupindo a nossa sala — que de resto já estava bastante entupida com a árvore, os embrulhos, o piano fora do lugar. Aquilo tudo enfeitiçaria os teus olhos, e, pela madeira envernizada que fazia uma curva graciosa para contrabalançar a queda, tu rolarias o teu traseirinho. Foi aí que tive medo, aquilo podia estar inseguro e imaginei um tombo, ou coisa pior. E tratei de experimentar o escorrega, a sua pista envernizada e curva — e se alguém me visse, apertando as minhas carnes para caber naquela estreita pista de madeira e verniz, jamais me levaria a sério. O que não teria importância, de há muito eu próprio não me levo a sério.

Contato

Ray-Güde-Mertin, *agente literária*
mertin@em.uni-frankfurt.de

CARLOS HEITOR CONY

Some writers may go through long and anguishing periods of silence that serve, otherwise, as seedbed for the maturation of the work to come. This was true for Rilke and Valéry. After a 23-year period without publishing anything, one of the most respected journalists, chroniclers and novelists in the country resumed the writing of books, winning both attention and a number of literary awards for a "near memoir" book, that is, a narrative that, although resembling a memoir, is not a mere re-counting of past events. The universal destiny of all human beings, seen through the life of urban middle-class people in a moment of declining values, is CARLOS HEITOR CONY's main concern. As no adventures are possible any more today, the romance stuff dwindles away, and what is left is a desolate, pessimistic vision that is at a time a little bit Machadian an a little bit Dostoyevskian, but full of a strong lyric pulsation and plentiful of irony and humor, providing the reader with moments of rare pleasure, even when the theme dealt with is hypocrisy, spiritual deterioration, insensitivity, family disintegration, or immorality.

Review

A NEVER-ENDING SURPRISE

"Carlos Heitor Cony has always been a surprise for his readers. He overwhelmed them with the frankness of his language. He overwhelmed them with the plainness of his attitudes. And now he overwhelms them with the downright way he plunged into new paths in his literary art."
(Otto Maria Carpeaux, "Prefácio")

AN EXEMPLARY PORTRAIT

"We have set off in a process of investigating our present that, if it is to be thorough, has to include digging into the past. This is unmistakable. Cony [...] provides us with a faithful portrait of the middle class that reflects the way it sees itself in this time of mediocrity."
(Paulo Francis, "Sobre todas as Coisas")

Excerpt

Quase Memória (Near Memoir)

I finished assembling when the morning light was already coming through our windows. I was sweaty and sleepless; one of my fingers was bleeding, but the thing was there, larger-than-life, impressive like a multicolored dinosaur cramming our living-room — which besides was already crammed with the tree, the parcels, the displaced piano. That would surely spellbind your eyes. Down the varnished wood gracefully bent to counterbalance the fall, you would roll down your little buttocks. Then I suddenly got a fright. It could be unstable, and I figured a tumble or something worse. Then I decided to try the slide, its varnished bend chute — should anyone see me, squeezing my flesh to fit into that narrow varnished wooden chute, they would never take me seriously. This would matter very little because I myself haven't taken myself seriously for a long time.

Works

O Ventre (1958)
A Verdade de Cada Dia (1959)
Tijolo de Segurança (1960)
Matéria de Memória (1963)
Antes, o Verão (1964)
O Ato e o Fato (1964)
Pessach: A Travessia (1967)
Pilatos (1972); *Quase Memória* (1995)
O Piano e a Orquestra (1996)
A Casa do Poeta Trágico (1997)
Romance sem Palavras (1999)

Contact

Ray-Güde-Mertin, *literary agent*
mertin@em.uni-frankfurt.de

CARLOS NEJAR

CARLOS NEJAR inicia seu percurso poético em 1960. Representante de uma vertente dramática e solene da poesia, seus escritos fazem o caminho do universal ao regional — e vice-versa — sempre em busca do poder atemporal da palavra. Através de um constante exercício de atualização do tempo decorrido, aplicado ao valor patente da imagem ou do pensamento do tempo presente, a lírica de Nejar quer estabelecer uma simultaneidade poética que se manifesta sobretudo em seus poemas longos. Trata-se de uma poesia do humano e para o humano, que dá importância a uma agregação entre os planos social e espiritual, dimensões continuamente exploradas dentro de uma ambição cosmogônica da poética. Daí o incessante recurso à "opção mágica" que tão bem caracteriza o imaginário nejariano e que dá a seus escritos uma tonalidade épica e pungente. Sempre em conexão com um Brasil profundo e ao mesmo tempo com os valores humanitários mais universais, sobretudo os da liberdade e da igualdade, Carlos Nejar é um poeta telúrico por excelência.

Crítica

POÉTICA DRAMÁTICA

"Carlos Nejar constitui, no contexto dos anos 70, um dos mais altos momentos da lírica participativa da língua portuguesa dos últimos tempos. Soube, como pouquíssimos, dinamizar poeticamente a palavra, torná-la acesa e vigorosa, situada entre a intervenção e a invenção. [...]. Talvez uma das razões da raridade do poema dramático se manifeste naquela dificuldade técnica lembrada por T.S. Eliot (As Três Vozes da Poesia) em atribuir passagens poéticas impróprias ou até mesmo adequadas a um personagem, travando assim o desenvolvimento da ação da peça. A estratégia de Carlos Nejar para resolver essa dificuldade reside em transformar cada poema em personagens e cada verso em ato, [...]." (Adriano Espínola, *O Globo*)

ORDEM E EMOÇÃO

"O equilíbrio entre o racional e o sensível é uma das características da poesia de Carlos Nejar. Em especial nos seus livros de composições mais longas: poemas narrativos. Emoção e reflexão nunca se dissociam [...]." (César Leal, *Diário Pernambucano*)

Obras

Sélesis (1960)
Livro de Silbion (1963)
O Campeador e o Vento (1966)
Danações (1969)
Casa dos Arreios (1973)
Somos Poucos (1976)
Os Viventes (1979)
Cinco Poemas Dramáticos (1983)
Fausto, as Parcas e Miguel Pampa (1983)
Meus Estimados Vivos (1989)
Simon Vento Bolívar (1993)
Sonetos do Paiol, ao Sul da Aurora (1997)
Todas as Partes Estão em Ti (2000)

Contato

nejarim@terra.com.br

Fragmento

Das Medidas

Todos me avaliam, mensuram, somam os atributos e os glóbulos. A cabeça e justamente os olhos.

A lucidez me dói como um revés de não ser nada disso, de não levar o chapéu nos comícios, o chapéu do argumento nítido que cabe na frase ou na testa.

Medem-me, terreno a ser comprado e arado e se o for, o endereço não será o do amor.

Somaram-me na regra do sabre ou na coronha dos princípios nobres.

Não valho o que me pagam. Não valho nada. Sou álamo na praça, asno de encomenda e para que sirvo senão ser álamo e asno, montado, desmontado pelos deuses que fardo?

Não valho. E não aceito o que me pagam.

CARLOS NEJAR

CARLOS NEJAR started his poetical journey in 1960. A representative of a dramatic and solemn poetry vein, his texts go from the universal to the regional — and vice versa — always seeking the timeless power of word. Through an exercise of constantly updating the elapsed time, applied to the present time's patent value of image or thought, Nejar's lyrical work aims at establishing a poetical simultaneity that appears especially in his lenghty poems. It is a human poetry for the human, punctuating the aggregation between the social and the spiritual plans, dimensions continuously explored within a poetics cosmogonic ambition. This is the reason for such a ceaseless recourse to the "magical option," which admirably characterizes Nejar's imaginary and gives his writings an epic and pungent hue. Always in connection with a profound Brazil and, at the same time, with the more universal humanitarian values, especially those of freedom and equality, Carlos Nejar is a telluric poet par excellence.

Review

DRAMATIC POETICS

"Carlos Nejar represents, in the context of the seventies, one of the highest moments in the Portuguese language's participative lyric over the last times. He knew, as very few did, how to poetically dynamize the word, making it inflamed and vigorous, placed right between intervention and invention. [...]. Maybe one of the reasons for the dramatic poem rarity lies in that technical difficulty, as suggested by T.S. Eliot (The Three Voices of Poetry), to attribute poetic passages that are inappropriate, or even appropriate, to a character, thereby precluding the development of action in the play. Carlos Nejar's strategy to solve this difficulty consists in transforming each poem in characters and each verse in action, [...]." (Adriano Espínola, *O Globo*)

ORDER AND EMOTION

"The balance between the rational and the sensitive is one of the traits in Carlos Nejar's poetry, chiefly in his lengthier compositions: narrative poems. Emotion and reflection are never dissociated [...]." (César Leal, *Diário Pernambucano*)

Excerpt

Das Medidas (Of Measures)

Everybody evaluates me, measures, ascertain the sum of attributes and globules. The head and precisely the eyes.

Lucidity is as painful to me as the misfortune of being none of that, of not wearing hat in the political rallies, the clear argument hat fitting either the sentence as well as the forehead.

I am measured, plot to be bought and plowed and if so, the address will not be that of love.

I was summed according to the rule of the saber or in the gunstock of the noble principles.

I am not worth what I am paid. I am worth nothing. I am a poplar in the square, a order donkey; and what am I good for if not to be a poplar and a donkey, mounted, dismounted by the gods, what a burden?

I am not worth. And I do not accept what is paid to me

Works

Sélesis (1960)
Livro de Silbion (1963)
O Campeador e o Vento (1966)
Danações (1969)
Casa dos Arreios (1973)
Somos Poucos (1976)
Os Viventes (1979)
Cinco Poemas Dramáticos (1983)
Fausto, as Parcas e Miguel Pampa (1983)
Meus Estimados Vivos (1989)
Simon Vento Bolívar (1993)
Sonetos do Paiol, ao Sul da Aurora (1997)
Todas as Partes Estão em Ti (2000)

Contact

nejarim@terra.com.br

CAROLINA MARIA DE JESUS

Para aqueles que teorizam os Estudos Culturais e o Pós-Modernismo, um dos aspectos fundamentais do mundo contemporâneo é a impossibilidade de recusa das vozes populares e das manifestações da cultura de massa em nome de um pensamento exclusivamente erudito. Trata-se, com isso, de colocar-se a favor de uma abertura radical para qualquer alteridade minoritária, invertendo o processo discriminatório das elites. Ainda assim, são poucas as pessoas que, através da escrita literária, conseguem romper os parâmetros históricos arraigados e fazer valer uma força vital que escapa aos cânones estéticos. Já com seu primeiro livro publicado, *Quarto de Despejo*, CAROLINA MARIA DE JESUS, mulher, negra, favelada, mãe solteira de três filhos, empregada doméstica e catadora de papel, trazendo em si todos os estigmas sociais, alcançou o que parecia impossível: seu diário, primeiro livro impactante da vida cotidiana na favela, esgotou, em uma semana, uma tiragem de dez mil exemplares. Desde então, seus livros foram traduzidos para mais de 40 países do mundo com um número superior a um milhão de exemplares vendidos.

Crítica

O IMPACTO NA VIDA
"A primeira constatação que cabe iluminar remete à 'memória da leitura' promovida pela colocação a público, nos idos de agosto de 1960, do livro *Quarto de Despejo,* de autoria de Carolina Maria de Jesus. Pessoas que viveram aquele período guardam com certa nitidez o impacto do livro em suas vidas." (José Carlos Sebe Bom Meihy, "Carolina Maria de Jesus: Emblema do Silêncio")

A SUPERAÇÃO DA MISÉRIA PELA PALAVRA
"A carreira literária de Carolina Maria de Jesus teve como pano de fundo uma vida marcada pela miséria. Os dados biográficos presentes em seus textos ultrapassam o tom confessional para identificar a luta do homem que procura superar a opressão social." (Edimilson de Almeida Pereira, "Panorama da Literatura Afro-Brasileira")

Obras

Quarto de Despejo (1960)
Casa de Alvenaria (1961)
Pedaços de Fome (1963)
Provérbios (1963)
Diário de Bitita (1982)

Contato

Textos protegidos — em caso de interesse para publicação, fazer contato com o Departamento Nacional do Livro da FBN

Fragmento

Diário de Bitita

A senhorita está ficando mocinha e tem que aprender a ler e escrever, e não vai ter tempo disponível para mamar, porque necessita preparar as lições. Eu gosto de ser obedecida! Estais ouvindo-me D. Carolina Maria de Jesus?"
Fiquei furiosa, e respondi com insolência.
"O meu nome é Bitita. Não quero que troque o meu nome."
"O teu nome é Carolina Maria de Jesus."
Era a primeira vez que eu ouvia pronunciar o meu nome.
Que tristeza que senti. Eu não quero este nome, vou trocá-lo por outro.
A professora deu-me umas reguadas nas pernas, parei de chorar.
Quando cheguei na minha casa tive nojo de mamar na minha mãe.
Compreendi que eu ainda mamava porque era ignorante, ingênua.
E a escola esclareceu-me um pouco.
Minha mãe sorria dizendo:
"Graças a Deus! Eu lutei para desmamar esta cadela e não consegui."
Minha mãe foi beneficiada no meu primeiro dia de aula.

CAROLINA MARIA DE JESUS

For those who theorize upon Cultural Studies and Post-Modernism, one of the fundamental aspects of today's world is the impossibility to refuse popular voices and mass culture manifestations for the sake of an exclusively erudite thinking. It is a question of taking sides in favor of a radical breakthrough towards any minority otherness, thereby reversing the discriminatory process carried on by the elites. Nevertheless, very few the people manage to break, through a literary text, the ingrained historical parameters and enforce a life strength capable to nullify the aesthetic canons. After publishing her first book, *Quarto de Despejo (Eviction Room)*, CAROLINA MARIA DE JESUS, woman, black, slum dweller, unmarried mother of three children, maidservant, and scavenger, bearing on herself all the social stigmata, reached what seemed to be impossible: her diary, the first impacting book about daily life in the favela, sold out ten thousand copies in one week. Ever since, her books have been translated in more than forty countries all over the world, having already sold more than a million copies.

Review

AN IMPACT IN LIFE

"The first validation to be highlighted refers to the 'reading memory' that followed the issue, in August 1960, of a book: *Quarto de Despejo*, by Carolina Maria de Jesus. People contemporary to that time keep the impact of the book imprinted in their lives." (José Carlos Sebe Bom Meihy, "Carolina Maria de Jesus: Emblema do Silêncio")

OVERCOMING POVERTY THROUGH WORD

"Carolina Maria de Jesus literary career's background was a life marked by poverty. The biographical data provided in her texts go beyond the confessional tone to identify the man's fight to overcome social oppression." (Edimilson de Almeida Pereira, "Panorama da Literatura Afro-Brasileira")

Excerpt

Diário de Bitita (Bitita's Diary)

You young lady is becoming a young woman and must learn how to read and write, and you won't have time for suckling, because you've got to do your homework. I like being obeyed! Do you hear me Ms. Carolina Maria de Jesus?"
I got very angry, and replied contemptuously.
"My name is Bitita. I don't fancy having my name changed."
"Your name is Carolina Maria de Jesus."
That was the first time I heard my name spelled out.
What a sadness. I don't want this name, and I will change it for another. The teacher flogged my legs with a ruler. I swallowed my crying. When I got home, suckling at my mother's breast turned my stomach. I understood I still suckled because I was ignorant, naive. But the school had explained that a little bit.
My mother smiled as she said: "Thank God! I tried hard to wean this little bitch with no avail."
Mother benefited from my first day at school.

Works

Quarto de Despejo (1960)
Casa de Alvenaria (1961)
Pedaços de Fome (1963)
Provérbios (1963)
Diário de Bitita (1982)

Contact

Protected texts — in case of interest for publication, get in contact with National Book Office (DNL) of the Biblioteca Nacional Foundation (FBN)

CASIMIRO DE ABREU

Uma das características mais marcantes da arte a partir do século XX é sua abertura àquilo que, anteriormente, não era reconhecidamente artístico. Nessa mestiçagem, tornando-se alguém que pode privilegiar qualquer assunto como motivação de seu fazer, o poeta abre mão dos temas românticos e assume para si a perda de sua aura. Apesar disso, não foi sempre assim. O mundo já se dividira em pessoas de ação e sonhadores extravagantes — os poetas —, que possuíam um certo repertório de temas a ser cantado. Tendo morrido aos 23 anos, CASIMIRO DE ABREU, aliando espontaneidade lingüística, despretensão formal e valorização do sentimento, tornou-se um dos poetas mais lidos do Brasil, talvez justamente por ser o ponto de convergência de inúmeros topos reconhecidamente poéticos (a saudade, o amor, a tristeza, os desejos...), filtrados por uma graciosidade toda própria. É, no mínimo, curioso que aos 20 anos de idade alguém já se sinta melancólico pela perda *da minha infância querida / que os anos não trazem mais...* Mas como não se curvar diante desse embalo vivenciado, em algum momento da vida, por quase todas as pessoas?

Crítica

ÍNTIMA, PESSOAL E A MAIS LIDA DO BRASIL
"Bem diferente foi o destino literário de Casimiro de Abreu; não houve jamais entre nós poeta mais lido. [...] A poesia aqui é tão íntima, tão pessoal, que dizer mal dela equivaleria a dizer mal do carácter do poeta; e quem seria capaz de deixar de amar um tão delicado e sincero com-panheiro?" (Sílvio Romero, "História da Literatura Brasileira")

A TERNURA DA ALMA HUMANA
"Casimiro de Abreu acaba de publicar as suas *Primaveras*. Cumpre ser moço, na verdade, para no meio da indiferença que enregela a sociedade, no meio do burburinho metálico que soa a todos os ouvidos, levantar a voz sonora e dizer a essa sociedade egoísta — Atendei-me! — vou cantar os segredos de ternura da alma humana; vou expor-vos na língua a mais doce e harmoniosa os sentimentos que estão nos vossos, como estão em todos os corações, mas de que tão acuradamente vos distrais." (Justiniano Rocha, "Juízo Crítico")

Obras

Camões e o Jaú (1856)
As Primaveras (1859)
Obras Completas (1940)
Poesias Completas (1948)
Obras de C. A. (1999)

Copyright

Fragmento

Meus Oito Anos

Oh! que saudades que tenho
Da aurora da minha vida,
Da minha infância querida,
Que os anos não trazem mais!
Que amor, que sonhos, que flores,
Naquelas tardes fagueiras
À sombra das bananeiras,
Debaixo dos laranjais!

Como são belos os dias
Do despontar da existência!
— Respira a alma inocência
Como perfumes a flor;
O mar — é lago sereno,
O céu — um manto azulado,
O mundo — um sonho dourado,
A vida — um hino d'amor!

CASIMIRO DE ABREU

One of the outstanding characteristics of art in the 20th century is the opening to that which previously was not regarded as artistic. In this hybridization, as one who is in a position to privilege any theme as a motivation for his task, the poet waives the romantic themes an takes up to himself the loss of his aura. In spite of that, it was not always like this. The world had already been divided into action people and extravagant dreamers — the poets —, who would possess sort of a repertoire of themes to be sung. In spite of having died at the age of 23 years, CASIMIRO DE ABREU, allying linguistic spontaneity, formal lack of pretension, and valorization of feelings, became one of the most read poets in Brazil, maybe exactly for being the melting pot for countless poetical elements (nostalgia, love, sadness, desires...) filtered by an charming style that was unique. It is at least intriguing that a man could feel, at the age of twenty years, melancholy for the loss of *my dear childhood / gone forever with the years*... But how could one possibly resist this lulling everybody lives through at some point in life?

Review

INT MATE, PERSONAL, and MOST READ WORK in BRAZIL
"Casimiro de Abreu's literary destiny was thoroughly different; no other poet managed to win a larger aucience. [...] His poetical work is so intimate, so personal, that bad-mouthing it would mean to bad-mouth the poet's character; and who would be able to be averse to such a delicate and sincere buddy?"
(Sílvio Romero, "História da Literatura Brasileira")

TENDERNESS IN THE HUMAN SOUL
"Casimiro de Abreu has just published his book *Primaveras (Spring)*. It requires indeed a young person to, amic the indifference that glaciates society, amid the metallic brawl that clangs to every ear, raise the resonant voice and say to this egotist society — Listen to me! — I'll sing the tenderness secrets of the human soul; I'll unveil to you, in the sweetest and most harmonious language, the feelings that are in your hearts, just as in all hearts, although you so painstakingly draw off." (Justiniano Rocha, "Juízo Crítico")

Excerpt

Meus Oito Anos (When I was Eight)

Oh! How wistfully I miss
The dawning of my life,
my dear childhood,
gone forever with the years!
So much love, dreams, flowers,
On those flattering afternoons
Under the shade of the banana trees,
in the orange groves!

How beautiful are the days
In the rise of one's existence!
— The soul exudes innocence
Just like the flowers exude their perfumes;
The sea — is a soothed lake,
The sky — a bluish mantle,
The world — a golden dream,
Life — an ode in praise of love!

Works

Camões e o Jaú (1856)
As Primaveras (1859)
Obras Completas (1940)
Poesias Completas (1948)
Obras de C. A. (1999)

Copyright

Works in public domain
— texts available for publication

CASSIANO RICARDO

Tendo participado do movimento modernista e de grupos que se lhe sucederam, CASSIANO RICARDO soube aproveitar como poucos o Indianismo, uma das influências do momento, tomando-o como base de uma autenticidade americana. *Martim-Cererê*, seu livro mais conhecido, traduzido para muitos idiomas e ilustrado por Di Cavalcanti, se fundamenta no mito tupi do Saci-Pererê, manifestando uma conciliação das três raças formadoras da cultura nacional, a indígena, a africana e a portuguesa. Mesclando essas três fontes lingüísticas, ele elabora o que foi chamado de *mito do Brasil-menino*. Modernista e primitiva a um só tempo, brasileira sem ser nacionalista, sua estrutura lembra alguns elementos da história em quadrinho e dos filmes de animação, prenunciando a *pop art*. Além de ter escrito esse livro clássico da literatura brasileira, Cassiano Ricardo manteve, até o fim de sua vida, uma pesquisa poética experimental e independente, acompanhando de perto os novos movimentos de vanguarda, sobre os quais escreveu. Seu último livro, 50 anos após o de estréia, exemplifica essa constante inquietação.

Crítica

A INDICAÇÃO AO PRÊMIO NOBEL

"En fin, la América que reza en español se ha acordado de que existe y, odios aparte, la campaña podrá ser renovada [referia-se ao Prêmio Nobel] en los años próximos en favor de Gallegos, talvez el primero de 'los semejantes', de Neruda, de Juana, de Cassiano Ricardo, el brasileño." (Gabriela Mistral, *El Diario Ilustrado*)

UM TRABALHO MAGISTRAL

"O trabalho magistral de Cassiano foi aprovado por aclamação. O poeta de *O Arranha-Céu de Vidro* parece ter esgotado a matéria com funda erudição e vidente intuição. Como eu o disse em amenas crônicas, esse desespero intelectualista dos moços em pesquisar novos caminhos não apenas interessa por si mesmo, como, a meu ver, obedece a uma fatalidade histórica." (Menotti Del Picchia, "22 e A Poesia de Hoje")

Obras

Dentro da Noite (1915)
Vamos Caçar Papagaios (1926)
Borrões de Verde-e-Amarelo (1926)
Martim-Cererê (1928)
O Sangue das Horas (1943)
Um Dia Depois do Outro (1947)
Poemas Murais (1950)
A Face Perdida (1950)
O Arranha-Céu de Vidro (1956)
Poesias Completas (1957)
22 e A Poesia de Hoje (1962)
Algumas Reflexões sobre Poética de Vanguarda (1964)
Jeremias Sem-Chorar (1964)

Contato

joeditor@unisys.com.br

Fragmento

Martim-Cererê

de primeiro no mundo
só havia sol mais nada
noite não havia

havia só manhã
uma manhã espessa
com a coroa de plumas
vermelhas à cabeça
só manhã no mundo

pois noite não havia
só manhã no mundo
sem nenhuma idéia
de haver noite nem dia

era tudo brasil
tudo era madrugada
não havia mais nada
todas as mulheres
eram filhas do sol
na manhã gentil

CASSIANO RICARDO

Having taken a part in the modernist movement and subsequent groups, CASSIANO RICARDO wittily took advantage of the indianism, a fashionable influence at that time, as the basis for an American authenticity. *Martim-Cererê*, his most popular book, translated into many languages and illustrated by Di Cavalcanti, draws on the Tupi myth of *Saci-Pererê (a little one-legged pipe-smoking black goblin said to set snares for travelers. Translator's note)*, manifesting a conciliation between the three races forming the national culture (Indians, Africans, and Portuguese). By blending the three linguistic sources, he created what was known as *Mito do Brasil-Menino* (the Infant-Brazil's myth). Modernist and primitive at a time, Brazilian but not chauvinist, the book structure suggests some elements of comic strips and animated cartoon, anticipating the so-called *pop art*. Besides this Brazilian literature classic, Cassiano Ricardo sustained, throughout his life, an experimental and independent poetry research, closely following up and writing about the new vanguard movements. His last book, fifty years after his debut, denotes his unceasing restlessness.

Review

NOMINATION TO THE NOBEL PRIZE

"In short, the America that prays in Spanish has remembered the existence and, regardless of antagonisms, the campaign may be renovated [referring to the Nobel Prize] in next years in favor of Galicians, perhaps the first of the 'close fellows,' of Neruda, of Juana, of Cassiano Ricardo, the Brazilian." (Gabriela Mistral, *El Diario Ilustrado*)

AN MASTERLY WORK

"Cassiano's masterly work was publicly acclaimed. The poet of *O Arranha-Céu de Vidro (The Glass Skyscraper)* seems to have exhausted the subject with his deep erudition and clairvoyant intuition. As I already said in previous mild articles, the intellectualist despair in the youth to find new paths not only is attractive because of its own appeal, but also, in my point of view, obeys a historical fatality." (Menotti Del Picchia, "22 e a Poesia de Hoje")

Excerpt

Martim-Cererê

at the beginning of the world
there was nothing but the sun
night, there was none

only morning existed
a thick morning
with a crown of red feathers
on the head
only morning in the whole world

because there was no night
only morning in the whole world
without the faintest idea
of night and day in turns

everything was brazil
everything was dawn
there was nothing else
all women
were the sun's daughters
in the gentle morning

Works

Dentro da Noite (1915)
Vamos Caçar Papagaios (1926)
Borrões de Verde-e-Amarelo (1926)
Martim-Cererê (1928)
O Sangue das Horas (1943)
Um Dia Depois do Outro (1947)
Poemas Murais (1950)
A Face Perdida (1950)
O Arranha-Céu de Vidro (1956)
Poesias Completas (1957)
22 e A Poesia de Hoje (1962)
Algumas Reflexões sobre Poética de Vanguarda (1964)
Jeremias Sem-Chorar (1964)

Contact

joeditor@unisys.com.br

CASTRO ALVES

Se o primeiro romantismo tem seu ponto culminante com Gonçalves Dias, cantando, sobretudo, o Indianismo, a segunda etapa do movimento conhecerá seu ápice com a presença surpreendente de CASTRO ALVES, que, principalmente com seus poemas fundamentados na escravidão negra, levará esse ciclo de trabalhos, abarcador de elementos não-europeus constitutivos do povo brasileiro, a uma dimensão jamais atingida. Mas, se no Indianismo, houve uma exaltação mítica da origem do país, em Castro Alves, a tensão entre negros e escravagistas, entre oprimidos e opressores, além de demarcar o contínuo conflito inerente a todo e qualquer processo histórico, está a serviço do futuro. Este poeta, que sempre lutou pela abolição da escravatura, combateu igualmente pelas liberdades e justiças sociais; a eloqüência retumbante, o virtuosismo rítmico, a forte carga dramática e a imaginação plástica de seus poemas inflamavam as massas liberais, para quem muitas vezes ele recitou seus poemas. Já afirmaram o poeta baiano ter sido o *maior episódio da literatura participante do Brasil*; para muitos, o último adjetivo é inteiramente dispensável.

Crítica

UM POETA QUASE INCONCEBÍVEL
"Nesse poema, que vai da mais doce emoção ao falar do mar e dos marinheiros aos mais terríveis gritos de dor ao contar do sinistro bailado dos escravos [...] nesse poema ele sobrepujou a si mesmo. É quase inconcebível o reunir de tanta beleza e tanta emoção. A língua portuguesa se enriquece com ele e a humanidade também. É um canto de dor e de revolta como poucos se hão escrito." (Jorge Amado, "ABC de Castro Alves")

A MAIOR FORÇA VERBAL
"E há que reconhecer nele a maior força verbal e a inspiração mais generosa de toda a poesia brasileira." (Manuel Bandeira, "Notícia sobre o Poeta")

Obras

Espumas Flutuantes (1870)
Gonzaga ou a Revolução de Minas (1875)
A Cachoeira de Paulo Afonso (1876)
Vozes D'África. Navio Negreiro (1880)
Os Escravos (1883)
Obra Completa (1921)

Copyright

Obras em domínio público
— textos livres para publicação

Fragmento

Navio Negreiro

Era um sonho dantesco... o tombadilho,
Que das luzernas avermelha o brilho,
Em sangue a se banhar.
Tinir de ferros... estalar de açoite...
Legiões de homens negros como a noite
Horrendos a dançar...

Negras mulheres, suspendendo às tetas
Magras crianças, cujas bocas pretas
Rega o sangue das mães:
Outras, moças, mas nuas e espantadas,
No turbilhão de espectros arrastadas,
Em ânsia e mágoa vãs!

E ri-se a orquestra irônica, estridente...
E da ronda fantástica a serpente
Faz doidas espirais...
Se o velho arqueja, se no chão resvala,
Ouvem-se gritos... o chicote estala...
E voam mais e mais...

CASTRO ALVES

If the earlier romanticism had its crowning moment in Gonçalves Dias, who exalted above all the Brazilian indians, the later stage of the movement had its apex in the surprising presence of CASTRO ALVES, who, chiefly through poems based on the black slavery, projected that cycle of works, which included all the non-European elements that contributed to the formation of the Brazilian people, to a dimension never reached before. However, if the indian-praising poetry mythically exalted the origin of the country, in Castro Alves' poetry the tension between blacks and proslavery, between the oppressed and the oppressors, in addition to marking the never-ending conflict inherent to all and any historical process, rendered a service to the future. This poet, who always backed up the abolition of slavery, equally fought for freedom and social justice; the resounding eloquence, the rhythmic virtuosity, the strong dramatic load, and the plastic imagery of his poems would stir up the liberal masses, to whom he many times recited his own poems. Not a few have already described this poet from Bahia as *the most important episode of the participatory literature in Brazil*; again, for many, this last adjective is dispensable.

Review

AN ALMOST INCONCEIVABLE POET

"In this poem, which goes from the sweetest emotion when he speaks of the sea and the sailors to the most terrible pain screams when he recounts the slaves' dreadful dance [...] in this poem he excelled himself. Such collection of so much beauty and so much emotion is almost inconceivable. The Portuguese language is enriched by his work, and so is humankind. It is a song of pain and revolt to be matched by very few that have been written." (Jorge Amado, "ABC de Castro Alves")

THE BIGGEST VERBAL FORCE

"And it is to be recognized in him the biggest verbal force and the most generous inspiration in the entire Brazilian poetry." (Manuel Bandeira, "Notícia sobre o Poeta ")

Excerpt

Navio Negreiro (Slaver)

It was a Dantesque dream... the poop,
Which reddens the shine of the dormers,
In blood bathing.
Clinking chains... snapping lash...
A throng of men as black as the night
dreadfully dancing...

Black women, raising up to their teats
Thin children, whose black mouths
are wetted by the mothers' blood:
Others, young, but nude and frightened,
Dragged away in the whirl of spectra,
Drowned in anguish and vain sorrow!

And the ironic orchestra laughs, stridently...
And out of such fantastic twirling, the serpent
produces insane spirals...
If the old man pants, if he slips on the floor,
Screams are promptly heard... the whip snaps...
And more and more will fly...

Works

Espumas Flutuantes (1870)
Gonzaga ou a Revolução de Minas (1875)
A Cachoeira de Paulo Afonso (1876)
Vozes D'África. Navio Negreiro (1880)
Os Escravos (1883)
Obra Completa (1921)

Copyright

Works in public domain
— texts available for publication

CECÍLIA MEIRELES

O importante crítico português João Gaspar Simões já havia dito ser ela *talvez a maior poetisa da língua portuguesa*, quando Manuel Bandeira, delicada e incisivamente, o corrigiu, dizendo, acerca do comentário mencionado: *A prudência do advérbio era desnecessária*. Tendo surgido em plena vigência do Modernismo, a voz solitária de CECÍLIA MEIRELES passou ao largo de tal movimento, retomando, antes, com grande força poética, domínio técnico da língua, culto ao belo, artesanato e erudição, elementos tradicionais e simbolistas submetidos a um pensamento filosófico e a um espiritualismo metafísico típicos da autora. Se o mundo dos entes que nos rodeiam é transitório, efêmero e inconstante, a arte, aqui, não se quer como produtora de uma verdade exclusiva, mas como um caminho possível para uma transcendência mística. Essa *namorada do Oriente*, como já foi chamada, que também poderia ser uma *namorada* de Platão e dos neoplatônicos, tendeu, assim, a uma poesia de ascese espiritual e sabedoria em busca de um desapego radical de tudo o que é fugidio.

Crítica

CLÁSSICA E CÓSMICA
"Por mais perfeito que seja o manejo da língua portuguesa nestes versos, de todos os seus contemporâneos é Cecília Meireles quem se mostra menos ligada a uma língua, uma terra ou uma literatura. Por mais sutil e penetrante que seja seu olhar, afeito a sondar o subconsciente, descoberto há pouco, seus versos não ostentam nenhum sinal do tempo, ou pelo menos não o revelam senão por finíssimas vibrações nervosas. Desejá-la-íamos mais próxima, menos alheia? Seria desconhecer o segredo, a feição particular de sua arte, ao mesmo tempo clássica e cósmica." (Paulo Rónai, "As Tendências Recentes")

ENTRE DOIS MUNDOS
"Há uma nostalgia invencível na alma de Cecília, uma espécie de tonto maravilhamento por se encontrar num mundo formal, anguloso, ensolarado, cruamente realista e um ansiado desejo de regressão ao seu neblinoso mundo interior, feito de esgarçados devaneios." (Menotti del Picchia, "O Inconsciente na Poesia")

Obras

Viagem (1939)
Vaga Música (1942)
Mar Absoluto e outros Poemas (1945)
Retrato Natural (1949)
Doze Noturnos da Holanda (1952)
O Aeronauta (1952)
Romanceiro da Inconfidência (1953)
Canções (1956)
Metal Rosicler (1960)
Solombra (1963)
Ou Isto ou Aquilo (1964)
Cânticos (1982)
Poesia Completa (1994)

Contato

sac@novafronteira.com.br

Fragmento

Motivo

Eu canto porque o instante existe
e a minha vida está completa.
Não sou alegre nem sou triste:
sou poeta.

Irmão das coisas fugidias,
não sinto gozo nem tormento.
Atravesso noites e dias
no vento.

Se desmorono ou se edifico,
se permaneço ou me desfaço,
não sei, não sei. Não sei se fico
ou passo.

Sei que canto. E a canção é tudo.
Tem sangue eterno a asa ritmada.
E um dia sei que estarei mudo:
— mais nada.

CECÍLIA MEIRELES

The important Portuguese critic João Gaspar Simões had already stated that she was *maybe the most preeminent poetess of the entire Portuguese language* when Manuel Bandeira, politely but incisively corrected him by saying, regarding the comment above: *The prudence of that 'maybe' was unnecessary.* Even though she appeared in the middle of the modernism time, CECÍLIA MEIRELES's lonely voice went down untouched by such a movement; instead, her strenghtful poetry recaptured the technical mastering of the language, the cult of beauty, craft, and erudition, traditional and symbolical elements submitted to a philosophical thought and a author-typical metaphysical spiritualism. If the world of the beings surrounding us transitory, ephemeral, and inconstant, art, here, does not intend to produce an exclusive truth, but rather as a possible path to a mystic transcendence. This *East-loving girl*, as she has already been called, who could also be Plato- and neo-platonic-*loving girl*, tended, thus, to a sort of spiritual ascese poetry and wisdom in search of a radical detachment from everything that is whimsical.

Review

CLASSIC AND COSMIC

"No matter how perfect the handling of the Portuguese language can be in these verses, amongst all of her contemporaries, Cecília Meireles is the least linked to any language, any land, or any literature. However much her glance is subtle and penetrating, fond of probing the recently-found subconscious, her verses will not show any sign of time, or at least they do not reveal it, except for fine nervous vibrations. Would we wish she were closer, less unconnected? This would mean to ignore the secret, the peculiar feature of her art, which is at the same time classic and cosmic."
(Paulo Rónai, "As Tendências Recentes")

BETWEEN TWO WORLDS

"There is an invincible nostalgia in Cecília's soul, a sort of dizzy overwhelming for finding herself in a formal, angular, sunny, crudely realistic world, as well as a desire to return to her foggy inner world, made of raveled reveries."
(Menotti del Picchia, "O Inconsciente na Poesia")

Excerpt

Reason

I sing because this instant exists
and my life is full.
I am neither cheerful nor sad:
I am a poet.

Brother to the swiftly passing things,
I feel neither joy nor torment.
I go through nights and days
in the wind.

If I collapse or if I build,
if I stay or tear down myself,
I don't know, I don't know. I don't know whether I stay
or go away.

I do know I sing. And song is everything.
A rhythmic wing has eternal blood in it.
And some day I know I will be mute:
— that's all.

Works

Viagem (1939)
Vaga Música (1942)
Mar Absoluto e outros Poemas (1945)
Retrato Natural (1949)
Doze Noturnos da Holanda (1952)
O Aeronauta (1952)
Romanceiro da Inconfidência (1953)
Canções (1956)
Metal Rosicler (1960)
Solombra (1963)
Ou Isto ou Aquilo (1964)
Cânticos (1982)
Poesia Completa (1994)

Contact

sac@novafronteira.com.br

CELSO FURTADO

O economista e membro da Academia Brasileira de Letras CELSO FURTADO, autor do consagrado *Formação Econômica do Brasil* — tido como um dos livros brasileiros mais importantes do século XX —, destaca-se dos demais economistas por apresentar uma reflexão que considera noções como as de progresso e desenvolvimento não apenas a partir do crivo econômico, mas como um processo fundamentalmente político, social e cultural. Dentro de sua visão, interdisciplinar por excelência, o subdesenvolvimento em que se encontram os países periféricos, não é uma etapa necessária, que vai na direção ou se afasta do desenvolvimento; para Furtado o que há é um fosso estrutural entre dois padrões de construção e de funcionamento social, fosso acentuado por vários mecanismos de exclusão. Como conseqüência, o próprio desenvolvimento é um mito inalcançável para as economias periféricas. Além das análises político-econômicas, Celso Furtado também produziu obras de cunho memorialista que consolidam sua posição de grande escritor e pensador brasileiro.

Crítica

ILUSÕES DO DESENVOLVIMENTO

"Furtado se sente levado a declarar, sem qualquer alarde, sem qualquer sensacionalismo — haja vista inclusive a modesta repercussão que esse livro fundamental acusa até hoje — de que o desenvolvimento econômico dos países periféricos, tal como se propõe, não passa de um mito, de uma fábula, de uma ilusão. Olhado na perspectiva de mais de um quarto de século de publicação, vê-se que o livro não possui conteúdo oco." (Clóvis Cavalcanti, "Celso Furtado e o Mito do Desenvolvimento Econômico")

DESBRAVADOR MODERNO DO BRASIL

"Se houve um intelectual que, na segunda metade do século XX, contribuiu mais decisivamente para que compreendêssemos o Brasil, não teria dúvida em afirmar que esse intelectual foi Celso Furtado. Ele não ofereceu apenas explicações econômicas para nosso desenvolvimento e nosso subdesenvolvimento. Mais do que isto, ele situou o Brasil no contexto do mundo, analisou sua sociedade e sua política, ofereceu soluções para os grandes problemas enfrentados." (Luiz Carlos Bresser Pereira, "Método e Paixão em Celso Furtado")

Obras

De Nápoles a Paris (1946)
A Economia Brasileira (1954)
Formação Econômica do Brasil (1959)
A Pré-Revolução Brasileira (1962)
Subdesenvolvimento e Estagnação na América Latina (1966)
O Mito do Desenvolvimento Econômico (1974)
A Fantasia Organizada (1985)
A Fantasia Desfeita (1989)
Os Ares do Mundo (1991)
Brasil: uma Construção Interrompida (1992)
Celso Furtado (1997)
Seca e Poder (1998)

Contato

rdaguiar@uol.com.br

Fragmento

A Fantasia Desfeita

Fui para casa e subitamente senti o peso de estar só. A solidão pode ser uma coisa rica, mas também terrificante. Quis arrumar papéis, ver as notas que estivera redigindo como um testamento intelectual. Mas tudo perdera sentido. Era como se um grande vazio se houvesse formado em torno de mim, repentinamente. Ocorreu-me ouvir música. Como uma túnica inconsútil, ela me foi envolvendo suavemente. Ouvi a cantata Alexandre Nevsky, de Prokofiev. Deixei-me embalar pelo elã de sua cavalgada, quase chorei na travessia do campo dos mortos, e respirei aliviado com o canto da vitória. Sem música, viver seria muito mais difícil.

CELSO FURTADO

CELSO FURTADO, economist and member of the Brazilian Literary Academy, the author of *Formação Econômica do Brasil (Brazil's Economical Formation)* — the renowned book regarded as one of the most important Brazilian books in the 20th century —, stands out among the economists by providing a reflection that takes such notions as progress and development not only as economical concepts, but rather as a process that is fundamentally political, social, and cultural. Within his interdisciplinary vision, the underdevelopment faced by the outlying countries is not a necessary stage, either towards or outwards from development; Furtado's concept is that of a structural ditch between two patterns: social construction and social operation; such ditch is accentuated by a number of exclusion mechanisms. As a consequence, development becomes an unreachable myth for the outlying economies. Besides political-economical analyses, Celso Furtado also produced works of a memoir nature, which assures him a place as a great Brazilian writer and thinker.

Review

ILLUSIONS OF DEVELOPMENT

"Furtado feels compelled to declare, without any brag or sensctionalism — as shown by the modest repercussion of this fundamental book until today — that the economical development achieved by the outlying countries, as offered for acceptance, is rather a myth, a fable, an illusion. Considering that more than one fourth of a century has elapsed since the first publication, we see that the content of the book is not vain whatsoever." (Clóvis Cavalcanti, "Celso Furtado e o Mito do Desenvolvimento Econômico")

BRAZIL'S MODERN EXPLORER

"If it is true that in the second half of the 20th century an intellectual gave a decisive contribution to help understand Brazil, without the faintest doubt I would say such an intellectual was Celso Furtado. He not only offered economical explanations to both our development and our underdevelopment, but he went far beyond and set Brazil to a place in a worldwide context; he analyzed Brazil's social and political structures; he offered solutions to the major problems faced by the country." (Luiz Carlos Bresser-Pereira, "Método e Paixão em Celso Furtado")

Excerpt

A Fantasia Desfeita (Shattered Fantasy)

No sooner had I gotten back home than I felt the burden of being alone. Solitude may be enriching, but it is equally terrifying. My desire was to organize papers, read through the notes I had been writing as if they were an intellectual will. But everything had lost sense. As if a great emptiness had suddenly grown around me. Listening to music occurred to me. Like a seamless robe, it smoothly wrapped me. I listened to Prokofiev's cantata Alexandre Nevsky. I allowed myself to be enthralled by the ecstasy of his cavalcade, I almost cried on crossing the field of the deads, and I breathed in relief during the victory song. Without music, living would be much more difficult.

Works

De Nápoles a Paris (1946)
A Economia Brasileira (1954)
Formação Econômica do Brasil (1959)
A Pré-Revolução Brasileira (1962)
Subdesenvolvimento e Estagnação na América Latina (1966)
O Mito do Desenvolvimento Econômico (1974)
A Fantasia Organizada (1985)
A Fantasia Desfeita (1989)
Os Ares do Mundo (1991)
Brasil: uma Construção Interrompida (1992)
Celso Furtado (1997)
Seca e Poder (1998)

Contact

rdaguiar@uol.com.br

CHICO BUARQUE

É comum pensar-se que entre o letrista de música e o poeta há a mesma distância que entre o tecladista de uma banda musical e um pianista clássico. Tal consideração reflete uma maneira estanque de se pensar a arte, isto é, a partir de categorias imutáveis e bem definidas. O fenômeno artístico, entretanto, irrompe com muita freqüência nas zonas fronteiriças entre essas categorias; mais do que isso, o movimento entre registros aparentemente imóveis pode constituir uma expressão artística por si só. A resistência em atribuir valor poético à obra de CHICO BUARQUE é um grande exemplo dessa obtusidade crítica. Depois do lançamento de dois romances de grande sucesso, porém, essa resistência vem sendo vencida. Pois a linguagem rica em imagens e símbolos, densa e de forte articulação já presente nas letras de suas músicas — consideradas por muitos como poemas verdadeiros haja vista a virtuosidade e a universalidade —, foi transposta para uma ficção de filiação hiper-realista, dotada de trama narrativa sofisticada e bastante hermética. Sua poética é hoje plenamente reconhecida.

Crítica

FILIAÇÃO HIPER-REALISTA
"Ao filiar 'Benjamin' e 'Estorvo' — para mais bem compreender-lhes as peculiaridades por vezes desconcertantes — em tão ilustre tradição, é de elementar justiça reconhecer que nenhum dos dois romances de Chico Buarque a deixa estagnar-se na repetição, mas logram ambos levá-la à frente com duas criações de indiscutível originalidade." (José Paulo Paes, *Folha de S. Paulo*)

ENCARNAÇÃO DO POÉTICO
"Chico Buarque encarna os requisitos da obra poética: emoção, economia de palavras e agudo senso estético. Dentro dele faz muito barulho. Mas quem o conhece sabe que ele é quase silêncio, disfarçado de tímido, como quem observa o mundo espantado com o milagre da vida." (Frei Betto, "Cotidiano e Mistério")

Obras

Roda-Viva (1967)
Calabar ou o Elogio da Traição [com Ruy Guerra] (1974)
Fazenda-Modelo (1975)
Gota D'água [com Paulo Pontes] (1975)
Ópera do Malandro (1978)
A Bordo do Rui Barbosa [com Valando Reating] (1981)
Estorvo (1991)
Benjamin (1995)

Contato

www.chicobuarque.com.br

Fragmento

Estorvo

Dessa noite eu não me esqueço porque terminou na cidade, num apartamento de cobertura perto da praia, onde uns estudantes de antropologia comemoravam a formatura. Não conhecíamos ninguém, e não sei como fomos parar naquele lugar. Também não sei quem me apresentou a uma das antropólogas, que tentou me ensinar uma dança africana. Depois ela me contou que pretendia conhecer o Egito, falou de sua experiência no cinema, como continuísta, e no fim da festa botou tarô para mim. Quando meu amigo me deixou em casa ainda me lembro dele dizendo que não achou grande coisas, a antropóloga. Eu não discuti com ele, mas antes de dormir fiquei pensando que ele podia às vezes não estar com tanta razão. Casei com a antropóloga no mês seguinte, vivi trancado com ela quatro anos e meio, e nunca mais soube do meu amigo.

CHICO BUARQUE

It is usually believed that between the lyrics writer and the poet one will find the same distance as between a band keyboard player and a classic pianist. This assumption mirrors a stagnant way of envisioning Art, that is, based on rigid and well-defined categories. The artistic phenomenon, however, very often irrupts in the areas bordering such categories; more than that, the movement between apparently static records may constitute an artistic expression by itself. The resistance to attributing poetic value to CHICO BUARQUE's work is a significant example of this review stupidity. After the publication of two very successful novels, however, this resistance has been gradually done away with. His dense and strongly articulated style, rich in images and symbols, as found in his lyrics — regarded by many as real poems in view of its virtuosity and universality —, was transposed to a hyper-realistic fiction, showing a sophisticated and quite hermetic plot. His poetry is fully recognized today.

Review

A HYPER-REALISTIC AFFILIATION

"On affiliating 'Benjamin' and 'Estorvo' ('Turbulance') — for a better understanding of their sometimes disarranging peculiarities — in such an illustrious tradition, it is of elementary justice to recognize that neither of Chico Buarque's novels allows it to become stagnate in repetition, but both succeed in taking it ahead with two books of undoubting originality." (José Paulo Paes, *Folha de S. Paulo*)

EMBODIMENT OF POETRY

"Chico Buarque embodies the requirements of the poetic work: emotion, economy of words, and acute aesthetic sense. He is very noisy inside. But those who are familiar with him know that he is almost silence, a shy person in disguise, like one who watches the world in astonishment with the miracle of life." (Frei Betto, "Cotidiano e Mistério")

Excerpt

Estorvo (Turbulance)

I shall never forget tonight because it ended up in the city, in a penthouse close to the beach, where some anthropology students were celebrating their graduation. We did not know them, and I do not know how we got to that place. I do not remember either who introduced me to one of the anthropologists, who tried to teach me an African dance. Then she told me she intended to visit Egypt, she spoke of her experience in the movies, in charge of continuity. By the end of the party, she played Tarot to tell my fortune. As my friend dropped me back home, I still remember him saying that the anthropologist did not turn him on. I refrained from arguing with him, but in the bed I was thinking that maybe he was not so right. I married he anthropologist in the following month; I lived locked up with her for four and a half years, and I never heard of my friend again.

Works

Roda-Viva (1967)
Calabar ou o Elogio da Traição [com Ruy Guerra] (1974)
Fazenda-Modelo (1975)
Gota D'água [com Paulo Pontes] (1975)
Ópera do Malandro (1978)
A Bordo do Rui Barbosa [com Valando Reating] (1981)
Estorvo (1991)
Benjamin (1995)

Contact

www.chicobuarque.com.br

CIRO DOS ANJOS

Uma das características básicas da literatura do último século é, a partir da "morte de Deus", estabelecer as palavras de um cotidiano pequeno, onde a solidão humana encontre apenas sua inquietude e a impossibilidade de abrigo na natureza ou na sociedade. Foi assim com Beckett, com Kafka e com o Fernando Pessoa do *Livro do Desassossego*, por exemplo. Dentro desses parâmetros, o movimento modernista mineiro deu à luz a um de seus grandes escritores: buscando alternativas para o romance clássico e um tipo de narrativa que alargasse os limites ficcionais, CIRO DOS ANJOS, em seus primeiros e mais importantes livros, explora a forma do diário escrito por pessoas insignificantes, que narram suas observações do pequeno cotidiano urbano, os sonhos frustrados, o dia-a-dia de um burocrata solteiro, enfim, o que se poderia chamar de uma vida "menor" e subalterna. Se o funcionário público é um dos símbolos nacionais de uma experiência sem desafios, sem paixões e adaptada aos desumanos trâmites burocráticos, ele se adequará às tensões intimistas desse escritor que faz da literatura a única salvação possível.

Crítica

A HARMONIA DOS INCONCILIÁVEIS
"Em Belmiro convivem os inconciliáveis: o democratismo e o privilégio, o racionalismo e o apego à tradição, o impulso confessional, que exige veracidade, e o temor à luz clara. Ora, para estar dos dois lados é preciso que Belmiro esteja, de algum modo, a salvo destes conflitos." (Roberto Schwarz, "Sobre o Amanuense Belmiro")

ENTRE A REALIDADE E O SONHO
"*O Amanuense Belmiro* é o livro de um burocrata lírico. Um homem sentimental e tolhido, fortemente tolhido pelo excesso de vida interior, escreve seu diário e conta suas histórias. Para ele, escrever é, de fato, evadir-se da vida; é a única maneira de suportar a volta às suas decepções, pois escrevendo-as, pensando-as, analisando-as, o amanuense estabelece um movimento de báscule entre a realidade e o sonho." (Antonio Candido, "Brigada Ligeira e outros Escritos")

Obras

O Amanuense Belmiro (1937)
Abdias (1945)
Explorações do Tempo (1952)
A Montanha (1956)
A Criação Literária (1959)
Poemas Coronários (1964)
A Menina do Sobrado (1979)

Contato

joeditor@unisys.com.br

Fragmento

O Amanuense Belmiro

Começo, como no penúltimo capítulo, a fazer considerações em torno da mudança de rumos, a que fui forçado na elaboração destas notas, e acabo por mergulhar, no último, nestas profundas regiões caraibanas do meu espírito, que às vezes me parecem tão remotas e metafísicas. Que me perdoem os abalos passados e os futuros. Como os autocaminhões que, pecorrendo a estrada de Morro Velho, levantam nuvens de pó, mas gentilmente trazem, pendurado na parte posterior da carroçaria, o cartaz "Desculpem a poeira" — tanto mais gentil quanto o pedido de desculpas é, sem distinção, dirigido a todos os que vêm depois — apresento aqui minhas escusas. Desejaria planar suavemente, conduzindo, sem tropeços, os que me acompanham, mas falta-me engenho para isso e nem poderia pô-lo, nestes apontamentos íntimos, sem o risco de falseá-los. Este caderno, onde alinho episódios, impressões, sentimentos e vagas idéias, tornou-se, a meus olhos, a própria vida, tanto se acha embebido de tudo o que de mim provém e constitui a parte mais íntima de minha substância.

CIRO DOS ANJOS

One of the primary characteristics of last century literature is, starting from "God's death," to establish the words of a narrow quotidian, where human solitude can find only its own restlessness and the impossibility of finding shelter neither in nature nor in society. That is what happened to Beckett, Kafka, and Fernando Pessoa, the author of *Livro do Desassossego (The Book of Restlessness)*, for instance. Within such parameters, the modernist movement in Minas Gerais brought forth one of the greatest modernist writers. In the search for alternatives to the classical novel as well as a kind of narrative capable to expand the limits of fiction, CIRO DOS ANJOS explores, in his first and most important books, the format of a diary kept by unimportant people who give an account of their observations about the trifling urban quotidian, thwarted dreams, the day-to-day life of an unmarried white-collar worker, finally, that which could be called a "trivial" and subaltern life. If the civil servant is one of the national symbols of an experience deprived of challenges, of passion, and adapted to merciless bureaucratic procedures, they will adapt to the intimist tensions of this writer who changes literature into the only possible salvation.

Review

THE HARMONY OF INCOMPATIBLES

"The incompatible live together in Belmiro: democratism and privilege, rationalism and the attachment to tradition, the confessional impulse, requiring truthfulness, and the fear of clear light. Now, in order to be on both sides, Belmiro must be, somehow, safeguarded against such conflicts." (Roberto Schwarz, "Sobre o Amanuense Belmiro")

BETWEEN REALITY AND DREAM

"O Amanuense Belmiro (Amanuensis Belmiro) is the book by a lyrical white-collar worker. A sentimental and thwarted man, strongly thwarted by the excess inner life, writes his diary and narrates his stories. For him, writing is, indeed, a escape from life; it is the only way to withstand the return to his disappointments, because by writing them, pondering them, analyzing them, the amanuensis manages to establish a bascule movement between reality and dream." (Antonio Candido, "Brigada Ligeira e outros Escritos")

Excerpt

O Amanuense Belmiro (Amanuensis Belmiro)

I begin, just like in the penultimate chapter, to weave considerations about the change in route I was forced to adopt in the preparation of these notes, and I end up diving, in the last chapter, into these deep white-man areas of my spirit, which sometimes seem to be so remote and metaphysical. I hope you'll forgive me for both past and future commotion. Just like the trucks that raise clouds of dust as they speed along Morro Velho highway, but kindly exhibit, hung on the rear part of their body, a placard reading "Excuse me for the dust". This appear to be much kinder because such an apology is addressed, without any restriction, to whoever comes behind — I hereby express my regret. I whish I could glide smoothly, guiding, without stumbles, the movements of whoever follows me, but I lack ingenuity for such, besides, I would not be able to include them in these personal notes without risking to distort them. This notebook, where I jot down episodes, impressions, feelings, and erratic ideas, has became, to my eyes, life itself, as it is soaked with everything that comes forth from me, and constitutes the most intimate part of my substance.

Works

O Amanuense Belmiro (1937)
Abdias (1945)
Explorações do Tempo (1952)
A Montanha (1956)
A Criação Literária (1959)
Poemas Coronários (1964)
A Menina do Sobrado (1979)

Contact

joeditor@unisys.com.br

CLARICE LISPECTOR

Subitamente, revelando o originário e, com ele, a angústia e a crise que possibilitarão o desguarnecimento da fronteira entre o que é interior e o próprio universo, a estranheza de um mundo indomesticado quebra as seguranças com as quais as personagens (como nós) tentam apoderar-se do cotidiano. Vive-se, assim, a sagração do nada, o espanto que ele detona. Não sabemos como nem por quê, mas a experiência desse acontecimento se realiza no próprio cotidiano, no momento em que a personagem (como nós) vê um cego mascando chicletes, uma barata sente um cheiro de peixe ou de um curral, toma um banho de mar, enfim, num momento em que a personagem (como nós) está imersa em qualquer banalidade do cotidiano. Desde *Perto do Coração Selvagem*, seu primeiro livro, e ao longo de toda sua obra ficcional, CLARICE LISPECTOR manteve, ininterruptamente, a coesão de sua escrita abissal, que a faz ocupar um lugar todo singular na literatura brasileira, tendo uma das obras mais traduzida e bem-aceita em todo mundo. Nenhuma ficção se aproximou mais de um pensamento filosófico do que essa, sem, entretanto, submeter-se a ele.

Crítica

UMA ESCRITA EXISTENCIAL
"Para Clarice Lispector a náusea apossa-se da liberdade e a destrói. É um estado excepcional e passageiro que, para a romancista, se transforma numa via de acesso à existência imemorial do Ser sem nome, que as relações sociais, a cultura e o pensamento apenas recobrem. Interessa-lhe o outro lado da náusea: o reverso da existência humana, ilimitado, caótico, originário." (Benedito Nunes, "A Náusea")

UMA ESCRITA DO IMPRONUNCIÁVEL
"E isso implica um trabalho sobre os limites e no limite da arte, à beira do abismo — onde o disforme resiste à forma, impele ao fracasso e deixa adivinhar o impronunciável." (Plínio W. Prado Jr., "Notas sobre um Sublime Fracasso")

Obras

Perto do Coração Selvagem (1943)
O Lustre (1946)
Cidade Sitiada (1949)
Laços de Família (1960)
A Maçã no Escuro (1961)
A Paixão segundo G. H. (1964)
A Legião Estrangeira (1964)
Uma Aprendizagem ou um Livro dos Prazeres (1969)
A Felicidade Clandestina (1971)
Onde Estivestes de Noite (1974)
A Via-Crúcis do Corpo (1974)
A Hora da Estrela (1977)
A Descoberta do Mundo (1984)

Contato

sac@novafronteira.com.br

Fragmento

A Hora da Estrela

Enquanto eu tiver perguntas e não houver respostas continuarei a escrever. Como começar pelo início, se as coisas acontecem antes de acontecer? Se antes de pré-pré-história já havia os monstros apocalípticos? Se esta história não existe, passará a existir. Pensar é um ato. Sentir é um fato. Os dois juntos — sou eu que escrevo o que estou escrevendo. Deus é o mundo. A verdade é sempre um contato interior e inexplicável. A minha vida mais verdadeira é irreconhecível, extremamente interior e não tem uma só palavra que a signifique. Meu coração se esvaziou de todo desejo...

CLARICE LISPECTOR

In all of a sudden, thereby unveiling that which is primal and, along with it, the anguish and the crisis that would allow the dismantling of the frontier between interior and universal, the strangeness of an untamed world tears apart the assuredness with which the characters (like ourselves) try to take possession of the quotidian. Thus, we witness the anointment of nothing, and the perplexity it ignites. We don't know how or why, but the experience of such an event takes place in the very quotidian, right at the moment when the character (like ourselves) sees a blind man chewing gums, a cockroach, smells a fish or a corral, bathes in the sea, that is, in the moment when the character (like ourselves) is absorbed in any banality of the quotidian. Since *Perto do Coração Selvagem (Close to a Wild Heart)*, her first book, and in the course of her writing career, CLARICE LISPECTOR has uninterruptedly maintained the cohesion of her abyssal fiction, which makes her occupy a unique place in the Brazilian literature; her books are amongst the most translated and well accepted all over the world. No fictional work has ever approached more a philosophical thinking, without submitting to it, however.

Review

AN EXISTENTIAL WRITING

"For Clarice Lispector, nausea takes possession of freedom and destroys it. It is an exceptional and transitory state that, for the novelist, becomes an access road to the immemorial existence of the nameless Being, which is merely covered by social relationships, culture, and thought. She is rather interested in the other side of nausea: the limitless, chaotic, original reverse of human existence."
(Benedito Nunes, "A Náusea")

WRITING THE UNPRONOUNCEABLE

"And that implies a work about the limits and in the limit of art, on the edge of the abyss — where the deformed resists the form, impels to failure, and allows the unpronounceable to be guessed."
(Plínio W. Prado Jr., "Notes on a Sublime Failure")

Excerpt

A Hora da Estrela (The Hour of the Star)

I'll keep on writing for as long as I have questions to ask and there are no answers to them. How can I begin from the beginning when things happen before happening? If prior to pre-prehistory apocalyptic monsters already existed? If this history doesn't exist, it will start to exist. Thinking is an action. Feeling is a fact. The two of them together — It's me who is writing what I am writing. God is the world. Truth is always an inner and inexplicable contact. My truest life is unrecognizable, extremely interior and there is not a single word to mean it. My heart became empty of every desire...

Works

Perto do Coração Selvagem (1943)
O Lustre (1946)
Cidade Sitiada (1949)
Laços de Família (1960)
A Maçã no Escuro (1961)
A Paixão segundo G. H. (1964)
A Legião Estrangeira (1964)
Uma Aprendizagem ou um Livro dos Prazeres (1969)
A Felicidade Clandestina (1971)
Onde Estivestes de Noite (1974)
A Via-Crúcis do Corpo (1974)
A Hora da Estrela (1977)
A Descoberta do Mundo (1984)

Contact

sac@novafronteira.com.br

CORNÉLIO PENA

Romance psicológico, introspectivo, intimista, introvertido, interiorista... vários foram os termos utilizados ao longo do tempo para tentar conceitualizar a obra inclassificável de CORNÉLIO PENA. Todos esses termos que acenam para o privilégio da subjetividade foram forjados, talvez, com o objetivo de contrapor esse escritor à literatura regionalista e social que imperava quando ele estreou. Trata-se, entretanto, justamente, da superação da subjetividade (e, conseqüentemente, da objetividade) em busca de uma sondagem originária do ser, vivida com todos os conflitos da carnalidade e da paixão: a esse caminho, contínua, solitária e verticalmente, o escritor se entrega, no movimento de realização de sua obra, fazendo dela a manifestação de uma luta existencial cujo fim sabe ser inalcançável. Se a angústia é o preço a ser pago por mergulho tão intenso, há que se acatá-la como o destino irrefutável da experiência humana ao se espantar diante dos mistérios da vida. Uma das prosas mais poéticas da tradição brasileira, a ficção de Cornélio Pena se caracteriza por uma construção a um só tempo unitária e mosaical.

Crítica

"Se os simbolistas decidiram que só pela sugestão envolvente a transmissão de seus estados de alma se faria possível, e se Cornélio nos garante que 'por baixo das palavras há um outro mundo que vive, complexo e palpitante', infere-se que nesse mundo sem voz a experiência colhida ficou trancada em silêncio. Não há como dizer o que se sente, o que há em nós de mais íntimo. Há um muro de incomunicabilidade entre os homens. Por que então continuar escrevendo, se o próprio pensamento nos diz que nem pensar adianta e que todo entendimento é uma satisfação provisória? Talvez para insinuar a quem ouve, a quem tem a paciência de ouvir, que por baixo das palavras se aninha um sentimento incomum. Quando ele se torna possível, parece que existir vale a pena." (Leonardo Fróes, "Símbolos, Poema em Prosa e Literatura Intimista")

Obras

Fronteira (1936)
Dois Romances de Nico Horta (1939)
Repouso (1948)
Menina Morta (1954)
Romances Completos (1958)

Fragmento

Fronteira

Através da porta ouço o rumor de vozes.
São homens e mulheres; são criaturas humanas que nunca vi e que nunca me viram; amanhã serão meus amigos e meus inimigos, e formarão em torno de mim uma cadeia cerrada de idéias e de ódios que ainda me não pertencem.
Para lá da porta tudo é novo.
Gente nova! E eu quisera também ter uma alma nova, que surgisse para eles na pureza e no desconhecimento de minha própria vida...
E devagar, furtivamente, abro a porta para entrar no mundo novo que se acha atrás dela, ao encontro dos homens e das mulheres cujas vozes chegam mais distintas, sabendo que nada poderei oferecer-lhes, a não ser as minhas mãos gastas, meu corpo cansado, minha alma usada e sem destino.

Contato

joeditor@unisys.com.br

CORNÉLIO PENA

Psychological, introspective, intimist, introvert novel... a great many expressions have been used over the time in an attempt to conceptualize CORNÉLIO PENA's unclassifiable work. All such expressions hinting at the subjectivity privilege were forged, maybe, with the purpose of contraposing this writer with the regionalist and social literature prevailing when he debuted. However, it is precisely a question of overcoming subjectivity (and, consequently, objectivity), in search of an original survey of the being lived with all the conflicts of carnality and passion: the writer continuously, alone, and vertically surrenders to such path in the movement to accomplish his work, turning it into the manifestation of an existential fight whose end he knows to be unreachable. If anguish is the price to be paid for such an intense dive, it has to be taken as the irrefutable destiny of human experience, astonished before the mysteries of life. One of the most poetic prose in the Brazilian tradition, Cornélio Pena's fiction is characterized by a construction that is at a time unitary and mosaical.

Review

AN UNUSUAL SILENCE

"If the symbolists decided that the transmission of their mindset would be possible merely through an involving suggestion, and if Cornélio reassures us that 'underneath the words there is another living, complex, and pulsating world,' it may be inferred that in this voiceless world the experience collected remained locked in silence. There is no way to say what is felt, our most intimate feelings. There is an uncommunicativeness wall segregating men. Why then should we keep on writing, if thought itself tells us that even thinking is useless and that the entire understanding is a temporary satisfaction? Maybe to instill to those who hear, whoever is patient enough to hear, that an uncommon feeling is nested underneath the words. When it becomes possible, it seems that exist is worthwhile." (Leonardo Fróes, "Símbolos, Poema em Prosa e Literatura Intimista")

Excerpt

Fronteira (Boundary)

Through the door, I hear the sound of voices.
Men and women' s voices; human beings whom I never saw, and who never saw me; tomorrow they will be my friends and my enemies, and they will make up around me a solid chain of ideas and hatred that do not belong to me yet.
Beyond that door, everything is new.
New people! And I wish I also had a new soul to appear before them in the purity and ignorance of my own life...
And slowly, furtively, I open the door to enter the new world lying behind it, towards the men and women whose voices reach me more distinctly now, aware that there is nothing I can offer them besides my hardened hands, my tired body, my worn-out and aimless soul.

Works

Fronteira (1936)
Dois Romances de Nico Horta (1939)
Repouso (1948)
Menina Morta (1954)
Romances Completos (1958)

Contact

joeditor@unisys.com.br

CRUZ E SOUSA

Poeta Negro, Dante Negro, Cisne Negro... não são poucos os epítetos colocados nesse poeta que, tendo morrido em 1898, já foi comparado a Mallarmé, Baudelaire, Stefan George e Lautréamont, entre outros escritores de grande importância internacional. Num momento em que o Naturalismo e o Parnasianismo determinavam o cânone literário do país, o aparecimento de *Broquéis* inaugura o Movimento Simbolista no Brasil, adquirindo com CRUZ E SOUSA (um filho de escravos libertados que, apesar disso, recebeu uma educação aristocrática e se manifestou amplamente a favor do abolicionismo) uma característica inteiramente singular. Se sua originalidade decorre da capacidade criativa e da dedicação, as tragédias da vida não foram menos importantes para a formulação de uma poética simultaneamente pensada e nevrálgica, ou, como já se disse, *selvagem*. Com ele, através de uma desconexão lógica da imaginação e de uma multiplicidade significativa da linguagem, a subjetividade se abre, doridamente, a uma misteriosa violência cósmica e ontológica. Talvez, outro poeta não tenha tido um trabalho tão afim ao dele quanto Van Gogh.

Crítica

UMA VIDÊNCIA SINGULAR
"Cruz e Sousa foi a estilização ou reação brasileira diante de um Simbolismo eminentemente francês. No processo dialético da obra do grande poeta negro, está a nota mais tipicamente brasileira de um movimento que era francês. A condição do etnicamente marginal, do 'emparedado', agravada pelas suas debilidades físicas, outorgou-lhe uma cosmovisão de tal maneira peculiar que o distancia convenientemente dos seus companheiros franceses. Mesmo dos que, como Baudelaire, exerceram influência no poeta." (Eduardo Portella, "Aventura e Desengano da Periodização Literária")

A MEDIDA DO IMPOSSÍVEL
"Pelos olhos do símbolo, o poeta visionário penetra no invisível e tenta nomear o que não se pode dizer, mas assim lança a medida do impossível que, desde o Simbolismo, persegue toda grande poesia. Tanto as formas alvas quanto a noite de Cruz e Sousa se arriscam a preencher esse mesmo vazio, o indizível da experiência simbólica, o oco do olho, às vezes só silêncio." (Davi Arrigucci Jr., "A Noite de Cruz e Sousa")

Obras

Tropos e Fantasias (1885)
Broquéis (1893)
Missal (1893)
Evocações (1898)
Faróis (1900)
Últimos Sonetos (1905)
Obras (1943)
Sonetos da Noite (1958)
Obra Completa (1961)

Copyright

Obras em domínio público
— textos livres para publicação

Fragmento

Emparedado

De que subterrâneos viera eu já, de que torvos caminhos, trôpego de cansaço, as pernas bambaleantes, com a fadiga de um século, recalcando nos tremendos e majestosos Infernos do Orgulho o coração lacerado, ouvindo sempre por toda a parte exclamarem as vãs e vagas bocas: Esperar! Esperar! Esperar!
Por que estradas caminhei, monge hirto das desilusões, conhecendo os gelos e os fundamentos da Dor, dessa Dor estranha, formidável, terrível, que canta e chora Réquiens nas árvores, nos mares, nos ventos, nas tempestades, só e taciturnamente ouvindo: Esperar! Esperar! Esperar!
Por isso é que essa hora sugestiva era para mim então a hora da Esperança, que evocava tudo quanto eu sonhara e se desfizera e vagara e mergulhara no Vácuo...

CRUZ E SOUSA

Black poet, Black Dante, Black Swan... not a few epithets have been assigned to this poet died in 1898, who has already been compared to Mallarmé, Baudelaire, Stefan George, and Lautréamont, among other writers of international importance. At the time when naturalism and the Parnassianism gave direction to the literary canon in the country, the publication of *Broquéis* started the Symbolist movement in Brazil. CRUZ E SOUSA (a son of emancipated slaves who, in spite of that, received an aristocratic education and openly supported the abolitionist cause) gave it an entirely singular characteristic. If Cruz e Souza's originality derives from his creative skills and dedication, it is also true that life tragedies had no less importance for the formulation of a poetry that was at one time meditated and neuralgic, or else, as it has already been said of it, *wild*. Through him, by means of a logical imagination detachment and a significant multiplicity of the language, the subjectivity opens up, painfully, to an enigmatic cosmic and ontological violence. Maybe, no other poet has ever had such an akin work as Van Gogh did.

Excerpt

Walled In

Which undergrounds had I already come from, which appalling roads, tottering with exhaustion, the legs shaking under the fatigue of one century, repressing in the tremendous and majestic Hells of Pride the lacerated heart, always hearing everywhere the clamor from the vain and idle mouths: Wait! Wait! Wait!
Which highways have I walked by, stiff monk of disillusions, knowledgeable of ices and the foundations of Pain; of this strange, formidable, terrible Pain, which sings and mourns Requiems in the woods, in the seas, in the winds, in the storms; lonelily and gloomily hearing: Wait! Wait! Wait!
That is why this suggestive hour meant then to me the hour of Hope, which evoked whatever I had dreamed of and faded away and wandered and dived into the Void...

Review

A SINGULAR CLAIRVOYANCE

Cruz and Sousa was the Brazilian stylization or reaction in face of an eminently French Symbolism. In the dialectical process of the great black poet's work, one finds the more typically Brazilian note of a movement that used to be French. The condition of being ethnically marginalized, 'walled in', worsened by his physical weaknesses, provided him with a *weltanschauung* in such a peculiar way as to place him conveniently far from his French fellow poets. Even from those who, like Baudelaire, had an influence on him. (Eduardo Portella, "Aventura e Desengano da Periodização Literária")

MEASURING THE IMPOSSIBLE

"Through the eyes of the symbol, the visionary poet penetrates the invisible and tries to name that which is unspeakable; however, in so doing, he starts measuring the impossible that, ever since the symbolism, besets all great poetry. Both the white forms and the night of Cruz e Sousa hazard filling out this same emptiness, the unspeakable of the symbolic experience, the hollow of the eye, sometimes only silence." (Davi Arrigucci Jr., "A Noite de Cruz e Sousa")

Works

Tropos e Fantasias (1885)
Broquéis (1893)
Missal (1893)
Evocações (1898)
Faróis (1900)
Últimos Sonetos (1905)
Obras (1943)
Sonetos da Noite (1958)
Obra Completa (1961)

Copyright

Works in public domain
— texts available for publication

DALCÍDIO JURANDIR

Por utilizar uma temática ligada ao cenário natural e aos costumes bem primitivos da ilha de Marajó, na Amazônia, onde nasceu, o romancista DALCÍDIO JURANDIR ocupa um lugar peculiar entre os regionalistas brasileiros de sua época. Sua visão da realidade tem caráter telúrico, embora se associe a mensagens de engajamento político. Muito pobre na origem, o autor foi preso algumas vezes devido à militância esquerdista. Projetou-se literariamente quando seu primeiro romance, *Chove nos Campos de Cachoeira*, ganhou concurso promovido pelo jornal *Dom Casmurro*. Em 1952, esteve na União Soviética, onde 10 anos depois foi publicada a tradução russa de seu livro *Linha do Parque*. Em jornais comunistas, o diário *Imprensa Popular*, o semanário *A Classe Operária* e o periódico cultural *Para Todos*, foi redator e repórter.

Crítica

BARRO DO PRINCÍPIO DO MUNDO
"Trabalhando o barro do princípio do mundo, do grande rio, a floresta e o povo das barrancas, dos povoados, das ilhas, da ilha de Marajó, ele o faz com a dignidade de um verdadeiro escritor, pleno de sutileza e de ternura na análise e no levantamento da humanidade paraense, amazônica, da criança e dos adultos, da vida por vezes quase tímida ante o mundo extraordinário onde ela se afirma." (Jorge Amado, "Saudação a Dalcídio Jurandir")

RIGOR DE CONSTRUÇÃO, DESENHO HUMANO
"Não é preciso um guia nem um código para se ler Dalcídio. Ele está inteiro em seus livros. Embora certas passagens de sua obra ofereçam dificuldades a quem o lê com o dedo já na página seguinte, tudo nela obedece a um rigor de construção e a um desenho humano de quem tem consciência de que o instrumento da criação é a linguagem." (Fausto Cunha, "O Homem de Marajó")

Obras

Chove nos Campos de Cachoeira (1941)
Marajó (1947)
Três Casas e um Rio (1958)
Linha do Parque (1959)
Belém do Grão-Pará (1960)
Passagem dos Inocentes (1963)
Primeira Manhã (1967)
Ponte do Galo (1971)
Os Habitantes (1975)
Chão dos Lobos (1976)
Ribanceira (1978)

Fragmento

Chove nos Campos de Cachoeira

Quantas covas a abrir no seu passado. Uma infâmia doentia, infeliz. Certos desejos, certos sonhos, as inquietações obscuras da adolescência. Os primeiros desenganos ruins demais para a sua sensibilidade, ou melhor, para a sua irritabilidade. Mas enterrara tudo sem saber se estava morto ou não. Daí o seu silêncio de exumação. Obsessão de rever as ossadas, os vestígios de certos sonhos, certos desejos que mal se completaram, como fetos, na sua mocidade solitária e inútil. Talvez no meio das ossadas algum esqueleto esteja contorcido, denunciando um despertar de cataléptico no fundo da cova fechada. Via contorsões desesperadoras dentro de seu passado. Para que o enterrara assim? Tudo foi entulhado pela náusea de si mesmo. Os sonhos vieram abaixo como paredões desabados.

Contato

DALCÍDIO JURANDIR

DALCÍDIO JURANDIR's themes are closely connected with the natural scenery and the primitive habits of Marajó island, his homeland in the Amazonian. This characteristic caused the author to occupy a peculiar place among Brazilian regionalist writers of his time. His perception of reality has a tellurian character, despite its association with political engagement messages. He was born in a very poor family, and was put in jail a few times because of his leftist militancy. He won literary projection when his first novel, *Chove nos Campos de Cachoeira (It rains over Cachoeira Fields)*, won the prize awarded by the newspaper *Dom Casmurro*. In 1952, he visited the Soviet Union, and ten years later the Russian translation of his book *Linha do Parque (Park Line)* was published. He was editor and reporter at communist newspapers: the daily *Imprensa Popular*, the weekly publication *A Classe Operária*, and the cultural newspaper *Para Todos*.

Review

MUD FROM THE BEGINNING OF THE WORLD
"Working the mud from the beginning of the world, from the great river, from the ravines' forest and people, from the villages, from the islands, from Marajó island, he does it with the dignity of a true writer, full of subtlety and tenderness in the analysis and in the survey of Pará's humanity, Amazonian, the children and the adults, the life that is often shy before the extraordinary world where it reveals its personality." (Jorge Amado, "Saudação a Dalcídio Jurandir")

RIGID CONSTRUCTION, HUMAN DESIGN
"No guide or code is necessary to read Dalcídio. He is wholly in his books. Although some particular passages in his work may offer certain difficulties to those who read a page with a finger already in the next page, everything in there will obey a construction rigidity and a human design peculiar to one who is aware that language is the creation tool." (Fausto Cunha, "O Homem de Marajó")

Excerpt

Chove nos Campos de Cachoeira (It Rains over Cachoeira Fields)

How many graves to dig in his past. An unhealthy, distressful infamy. Certain desires, certain dreams, the obscure inquietudes of adolescence. The first disappointments had been too bad for his sensibility, or else, for his touchiness. But he had buried everything without making sure he was dead or not. Hence, his exhumation silence. Obsession to review the bones, the traces of certain dreams, certain desires poorly consummated, like fetuses, in his lonely and worthless youth. Maybe in the middle of those bones a skeleton is contorted, denouncing the awakening of a cataleptic at the bottom of the closed grave. He saw despairing contortions in his past. Why had it to be buried like this? Everything had been crammed full by the repugnance for himself. The dreams caved in like crumbling walls.

Works

Chove nos Campos de Cachoeira (1941)
Marajó (1947)
Três Casas e um Rio (1958)
Linha do Parque (1959)
Belém do Grão-Pará (1960)
Passagem dos Inocentes (1963)
Primeira Manhã (1967)
Ponte do Galo (1971)
Os Habitantes (1975)
Chão dos Lobos (1976)
Ribanceira (1978)

Contact

Protected texts — in case of interest for publication, get in contact with National Book Office (DNL) of the Biblioteca Nacional Foundation (FBN)

DALTON TREVISAN

Nascido em 1926 numa Curitiba imortalizada por ele em inúmeras de suas histórias traduzidas para diversos países e adaptadas para o cinema e a televisão não só do Brasil como do exterior, DALTON TREVISAN tornou os textos de seus livros cada vez mais curtos, tendo escrito contos exemplares de apenas uma linha nos quais aborda as tragicomédias do mundo pequeno-burguês. Nada há, entretanto, de frio esteticismo laboratorial e asséptico nesse minimalista que sonhou fazer do conto haicai. Privilegiando, como já foi observado, o "intenso sobre o extenso", seu realismo conciso expõe as feridas e entranhas da vida de forma cruel, mergulhando sem pudores nas misérias da alma humana. Seus personagens se compõem pelas ruínas do afeto e da moralidade. Com ouvidos bem abertos aos diálogos escutados em qualquer bar ou esquina de rua, esse mestre do momentâneo lancinante explora como poucos a perversidade dos desejos humanos, fazendo seus leitores observarem o latente que pulsa nas frases mais cotidianas, por trás das quais se expõem as vidas anônimas de qualquer cidade contemporânea.

Crítica

UM DOS MELHORES CONTISTAS DO MUNDO
"Dalton Trevisan logrou afirmar-se o melhor contista de sua geração e um dos melhores do Brasil, se não do mundo, como um dia quis Fausto Cunha."
(José Paulo Paes, "A Guerra Sexual")

A ACEITAÇÃO TRÁGICA
"As temáticas de Dalton Trevisan são situações em que as pessoas têm de repente a aturdida compreensão de que suas vidas erradas nunca serão melhores. Momentos terríveis de verdade surgem e exigem aceitação."
(Bruce Allen, *Library Journal*)

Obras

Novelas Nada Exemplares (1959)
Cemitério de Elefantes (1964)
O Vampiro de Curitiba (1965)
Mistérios de Curitiba (1968)
A Guerra Conjugal (1969)
Abismos de Rosas (1976)
Virgem Louca, Loucos Beijos (1979)
Meu Querido Assassino (1983)
A Polaquinha (1985)
Pão e Sangue (1988)
Ah, É? (1994)
234 (1997)

Contato

record@record.com.br

Fragmento

Ah, É? (Ministórias)

01
Domingo inteiro em pijama, coça o umbigo. Diverte-se com os pequenos anúncios. Em sossego na poltrona, entende as borbulhas do gelo no copo de bebida. Uma velhice tranqüila, regando suas malvas à janela, em manga de camisa. Única dúvida: ganhará o concurso de palavras cruzadas?

02
Rataplã é o gato siamês. Olho todo azul. Magro de tão libidinoso. Pior que um piá de mão no bolso. Vive no colo, se esfrega e ronrona.
— Você não acredita. Se eu ralho, sai lágrima azul daquele olho.
Hora de sua volta do colégio, ele trepa na cadeira e salta na janela. Ali à espera, batendo o rabinho na vidraça.
Doente incurável. O veterinário propõe sacrificá-lo. A moça deita-o no colo. Ela mesma enfia a agulha na patinha. E ficam se olhando até o último suspiro nos seus braços. Nem quando o pai se foi ela sentiu tanto.

DALTON TREVISAN

Born in 1926 in the same Curitiba he immortalized in a number of stories which were translated in several countries and adapted to the screen, not only in Brazil, but also abroad, DALTON TREVISAN managed to make his texts shorter and shorter, to the point of writing exemplary short stories of only one line, in which he depicts the tragicomedies of a petit bourgeois world. However, there is nothing resembling to cold aseptic and laboratorial estheticism in this minimalist who dreamed to change the short story into hai-kai. As has been said, by privileging "the intense over the extensive," his concise realism mercilessly exposes the wounds and the entrails of life, unashamedly delving into the miseries of human soul. His characters are built from the ruins of affection and morality. Keeping his ears wide open to any dialogues overheard in a bar or in the street, this master of the poignant flashes masterly exploits the perversity of human desires, taking his readers to realize what is latent in the most day-to-day sentences, behind which the anonymous lives of any contemporary city are exposed.

Review

ONE OF THE BEST STORYTELLERS IN THE WORLD
"Dalton Trevisan succeeded in becoming the best storyteller if his generation, and one of the best of all times in Brazil, if not in the world, just as Fausto Cunha once wished." (José Paulo Paes, "A Guerra Sexual")

THE TRAGIC ACCEPTANCE
"Dalton Trevisan's themes are situations in which people suddenly reach the stunned realization that their wrong lives will never get any better. Dreadful moments of truth appear and demand acceptance."
(Bruce Allen, *Library Journal*)

Excerpt

Ah, É? (Ministórias) [Oh, Is That So? (Ministories)]

01
All Sunday long in pajamas, he scratches his bellybutton. He has fun with the little ads. Quietly in the armchair, he understands the ice bubbles in his drink. A peaceful old age in short-sleeved shirt, watering his mallow on the window. His only doubt: will he win the crossword puzzle contest?

02
Rataplã is the blue-eyed Siamese cat. Thin from being so lustful. Worse than an Indian boy with his hand in his pocket. Always on someone's lap, rubbing himself and purring.
— You won't believe it. If I scold him, a blue tear comes out of that eye.
When she is about to get home from school, he climbs on the chair and jumps to the window. He waits for her there, tapping his tail against the glass.
Sick beyond cure. The vet proposed to sacrifice him. The girl puts him on her lap. She herself pricks his little paw with the needle. And they stare at each other to the last sigh. Not even when her father was gone, she felt so sad.

Works

Novelas Nada Exemplares (1959)
Cemitério de Elefantes (1964)
O Vampiro de Curitiba (1965)
Mistérios de Curitiba (1968)
A Guerra Conjugal (1969)
Abismos de Rosas (1976)
Virgem Louca, Loucos Beijos (1979)
Meu Querido Assassino (1983)
A Polaquinha (1985)
Pão e Sangue (1988)
Ah, É? (1994)
234 (1997)

Contact

record@record.com.br

DANTE MILANO

É fato notório que por pouco a poesia brasileira não perde um grande poeta. Não fosse a insistência e o afinco de amigos também escritores, quem sabe hoje os poemas de DANTE MILANO continuassem restritos aos olhos de seus companheiros. Por isso mesmo, qualquer aproximação de sua obra tem de passar, obrigatoriamente, pela recusa em vir a público, pela retração, pelo mistério que envolve sua escrita. Um silêncio obstinado que é mais do que o simples silêncio de quem rejeita se manifestar; o silêncio, nesse caso, é seu método poético, uma fidelidade ao afazer contido, laborioso, quase impenetrável. Mais ainda, o silêncio torna-se a própria forma de uma poesia que nunca se entrega, que quer preservar o lado obscuro, manter guardados os seus segredos. Uma poesia que não se insere em correntes, escolas ou tradições. Resiste à influência modernista sem, porém, voltar-se para o passado ou indicar algum futuro. Trata-se, propriamente, de uma obra marginal: sem ser contestatória, é uma instigação à decifração de si mesma.

Crítica

EXATIDÃO DE SI

"E cabe mais dizer que nesta poesia — e por que não em toda poesia genuína? — a forma se associa estreitamente ao pensamento e há identidade plena entre o que ela é e o que ela diz. Não importa, assim, tentar distinguir os dois momentos [...], já que tais momentos não são em realidade separáveis. Dante Milano está longe de ser, como se diria, um poeta de idéias, posto que suas 'idéias' não sobrevivem separadamente a qualquer espécie de paráfrase em prosa. Em outras palavras, seu pensamento é de fato sua forma." (Sérgio Buarque de Holanda, "Mar Enxuto")

A ESCRITA ESPESSA

"Perfeito pela inconsútil unidade de sua dicção, onde não há fissuras, tecido conjuntivo entre os temas e a configuração artística que as instrumentaliza. Sua forma é concentrada [...]. Vinho compacto, denso — não diluído: encorpado na sua síntese de terra, uvas e Sol. Forma espessa como um tecido polifônico. Espessura e densidade que decorrem da riqueza de seu pensamento. Sua poesia não faz concessões à rarefação do sentimento. Não é arte diluída em retórica e verbalismo." (Franklin de Oliveira, "A Claridade Estelar")

Obras

Poesias (1948)
Poesias [revistas e aumentadas em 21 poemas] (1958)
Poesias [revistas e com tradução da *Divina Comédia*] (1971)
Poesia e Prosa (1979)

Contato

artiumeditora@openlink.com.br

Fragmento

Divagação

Penso para esquecer... Apenas vivo
Aquilo que me passa pela mente
E vai se desdobrando interiormente
Em forma de soneto pensativo.
Invento — não existe — algum motivo.
Como quem escrevendo a amada ausente
Imagina maior o amor que sente,
— Oh, tudo o que há no amor de descritivo
Como o que ama de longe, assim pareço.
E ao me lembrar de tudo quanto esqueço,
(O vôo da ave é uma existência à-toa?)
Escrevo a minha vida que se esfuma
Na distância... — Ah, bem sei que habito numa
Bola que rola e piso um chão que voa...

DANTE MILANO

It is a well known fact that Brazilian poetry nearly lost a great poet. If his friends, who were also writers, had not been persistent and relentless, DANTE MILANO's poems could have remained restricted to the enjoyment of his pals. For this reason, any interpretation of his work has to take into account the refusal to become public, the retraction, the mystery in which his text is wrapped. An obstinate silence that is more than the mere silence of one who refuses to be in the showcase; silence, in this case, is his poetic method, his faithfulness to the restrained, laborious, and almost impenetrable task. Even more, silence becomes the very form of a poetry that never surrenders, which wants to preserve its dark side, to keep its secrets to itself. A poetry that is not secluded in currents, schools, or traditions. He resists the modernist influence without, however, turning himself to the past or anticipating any future. It is, indeed, a marginal work: without being controversial, it is an incitement to its own interpretation.

Review

SELF-ACCURACY

"And it is more appropriate to say that in this poetical work — and why not in all genuine poetry? — form gets strongly associate with thinking, and there is full identity between what it is and what it says. Thus, trying to distinguish one moment from the other is irrelevant [...], seeing that such moments are actually inseparable. Dante Milano is far from being a poet of ideas, once his 'ideas' do not survive detached from any kind of paraphrase in prose. In other words, his thinking is in fact his form."
(Sérgio Buarque de Holanda, "Mar Enxuto")

A DENSE TEXT

"Perfect for the seamlessness of his style, where no fissures are detected, connective tissue between the themes and the artistic configuration that orchestrates it. The form is intense [...].Compact, dense wine — undiluted: thickened in the synthesis of earth, grapes and sun. A form that is as consistent as a polyphonic tissue. Thickness and density that derive from the wealth of his thinking. His poetry does not make any concessions to the rarefaction of feeling. His art is not diluted in rhetoric and verbalism."
(Franklin de Oliveira, "A Claridade Estelar")

Excerpt

Divagação (Digression)

I think in order to forget... I merely live
Whatever crosses my mind
And goes unfolding inwardly
In the form of a thoughtful sonnet.
I make up — does not exist— any reason.
Just like the man who, on writing to the absent sweetheart
Imagines bigger the love he feels,
— Oh, how descriptive love can be!
Just like the one who loves from far, this is the way I look like.
And as I remember all the things I forget,
(Is the flight of a bird a useless existence?)
I jot down my fading life
In the distance... — Ah, I do realize I live
In a rolling ball and I step on a flying ground...

Works

Poesias (1948)
Poesias [revistas e aumentadas em 21 poemas] (1958)
Poesias [revistas e com tradução da *Divina Comédia*] (1971)
Poesia e Prosa (1979)

Contact

artiumeditora@openlink.com.br

DARCI RIBEIRO

A obra de DARCI RIBEIRO está impregnada de brasilidade. Os escritos desse sociólogo, educador, antropólogo, indianista e político são um mergulho nas entranhas do espírito brasileiro; trata-se de uma radiografia da formação de nosso povo. Tanto em sua ficção quanto em seus ensaios estão presentes os fatores constitutivos da nação: a violência da colonização, a peculiaridade de uma miscigenação tantas vezes louvada, a tropicalidade inerente à cultura etc. Seus livros representam, de fato, uma história do Brasil, mas uma história vista — e muitas vezes narrada — sob o ângulo de quem a sofreu: índios e negros, sobretudo. Fugindo de todo academicismo, Darci Ribeiro procurou fazer mais do que, baseando-se em modelos teóricos estrangeiros, refletir acerca da constituição do povo; sua ambição era a de construir um amplo panorama antropológico, que fosse um painel explicativo do Brasil para os brasileiros. Polêmico, crítico, dono de um carisma arrebatador, utilizou-se da antropologia menos como teoria e mais como um instrumento de transformação social.

Crítica

TRAGÉDIAS DE UMA COLONIZAÇÃO
"Para Darci Ribeiro, o que realmente importa não é a morte dos mairuns, já condenados às doenças da civilização e aos limites da sua aldeia [...]. O importante seria a luz que essa tragédia revela — os índios dão uma chave para a salvação, que é a convivência com a natureza. Pois, na verdade, é o mundo destruído (simbolizado por Alma) quem procura auxílio indígena, querendo entender a fórmula de viver feliz. E [*Maíra*] este livro excepcional de Darci Ribeiro oferece uma maneira de se entender tal fórmula, [...]." (Nei Duclós, *Veja*)

BRASILIDADE OTIMISTA
"O brasileiro aparece como um dos 'povos novos', ou seja, entre aqueles surgidos na América Latina como subprodutos exógenos de projetos europeus de colonização escravista. [...], aqueles empreendimentos ensejaram sua fusão mediante a miscigenação racial e a aculturação, dando lugar a figuras étnicas inteiramente novas. Sendo assim, o brasileiro começa a ser interpretado por Darci Ribeiro como a articulação de um vir a ser eterno, quer dizer, uma articulação entre a história e o mito de uma utopia futura." (Susana Scramim, *Cult*)

Obras

Culturas e Línguas Indígenas do Brasil (1957)
O Processo Civilizatório (1968)
Os Índios e a Civilização (1970)
Teoria do Brasil (1972)
Uira Sai à Procura de Deus (1974)
Maíra (1976)
O Dilema da América Latina (1978)
Ensaios Insólitos (1979)
O Mulo (1981)
Utopia Selvagem (1982)
Migo (1988)
O Povo Brasileiro, a Formação e o Sentido do Brasil (1995)
Confissões (1997) — entre outras

Contato

record@record.com.br

Fragmento

Os Brasileiros. Teoria do Brasil (Livro I)

Os Povos-Novos das Américas — e entre eles o Brasil — demonstram, em seu atraso relativo, o que resulta de processos formativos institucionalizados pelo sistema de fazendas e pela escravidão dentro de movimentos de colonização que se exercem sobre populações de nível tribal. Seus desempenhos evolutivos, tanto no curso da civilização agrário-mercantil como na urbano-industrial, foram e são medíocres e contraditórios. Criaram, ontem como hoje, empresas prodigiosamente prósperas mas de prosperidade não generalizável à população, nem capazes de permitir um crescimento econômico acelerado porque transferem ao exterior a maior parte dos frutos do trabalho nacional. Como tal, geraram uma estratificação social encabeçada por uma classe dominante consular porque dependente de interesses exógenos, e retrógrada porque oposta a qualquer transformação profunda na estrutura socioeconômica. E classes oprimidas, ontem afundadas na penúria como escravos e hoje marginalizadas da força de trabalho regular. Entre estas classes prevalece uma oposição tão profunda quanto a seus interesses fundamentais, que se torna inviável qualquer institucionalidade democrática. Nestas condições, nem chega a constituir-se um povo como categoria política correspondente à totalidade da população e capaz de influir em seu próprio destino, e toda ordenação sociopolítica é despótica ou virtualmente insurgente.

DARCI RIBEIRO

DARCI RIBEIRO's work is impregnated with Brazilianism. The writings of this sociologist, educator, anthropologist, indianist, and politician are indeed a dive into the bowels of the Brazilian spirit; it is the X-ray of our people's formation. The nation formation factors are present not only in his fiction but also in his essays: the violence of colonization, the peculiarity of a highly-praised miscegenation, the tropicality inherent to the culture, etc. His books represent indeed a history of Brazil, but a history seen — and often times narrated — from the perspective of someone who suffered it: the Indians and, chiefly, the Blacks. Avoiding all sorts of academicism, Darci Ribeiro tried to do more than reflecting, based on foreign theoretical models, about the constitution of the people; his ambition was the construction of a wide anthropological panorama, providing an explanatory panel of Brazil to all Brazilians. Controversial, critical, the owner of a captivating charisma, he used anthropology as a means for social transformation rather than as a theory.

Review

TRAGEDIES OF A COLONIZATION

"The most important for Darci Ribeiro was not the death of the *mairuns*, a people already sentenced to the illnesses of civilization and to the limits of their reservation [...]. The most important issue was the light that this tragedy lays bare — the Indians provide the key to salvation, which is the co-existence with nature. As a matter of fact, the destroyed world (symbolized by Alma) is the one to seek help from the Indians, in an attempt to understand the formula for a happy living. Moreover, [*Maíra*] this exceptional book by Darci Ribeiro offers a way to understand this formula, [...]". (Nei Duclós, *Veja*)

AN OPTIMISTIC "BRAZILIANISM"

"The Brazilian people appears as one of the 'new peoples', [...], one of those springing up in Latin America as exogenous byproducts of European proslavery colonization projects. [...], those projects gave rise to a racial miscegenation and acculturation, thereby originating ethnical figures entirely new. For this reason, the Brazilian people is interpreted by Darci Ribeiro as the articulation of an eternal people-to-be, that is, an articulation between history and the myth of a future utopia." (Susana Scramim, *Cult*)

Excerpt

The Brazilians. A Theory about Brazil (Book I)

The New-Peoples of America — including Brazil — evince, in their relative underdevelopment, the results of formative processes institutionalized by the land ownership system and by the slavery subsumed in colonizing movements exercised over tribal level populations. Their evolutionary path, both in the course of the agrarian-mercantile civilization and in the urban-industrial aspect, were and still are inconsequential and contradictory. Yesterday, just like today, prodigiously prosperous companies were created, but this prosperity neither benefited the population nor allowed an accelerated economic growth because they transfer most of the fruits of the national work to foreign countries. As such, they generated a social stratification headed by a domineering class that is consular, as long as they are dependent on exogenous interests, and retrograde because contrary to any deep change in the socioeconomic structure. And oppressed classes, yesterday sunk in poverty as slaves and today marginalized from the regular workforce, were also created. In the middle of these classes an opposition prevails which is so extreme in relation to their fundamental interests that any democratic institutionalization becomes unfeasible. In such conditions, they cannot constitute a people in the form of a political category corresponding to the totality of the population and capable to have an influence on their own destiny, and the entire social-political systematization is either despotic or virtually rebel.

Works

Culturas e Línguas Indígenas do Brasil (1957)
O Processo Civilizatório (1968)
Os Índios e a Civilização (1970)
Teoria do Brasil (1972)
Uira Sai à Procura de Deus (1974)
Maíra (1976)
O Dilema da América Latina (1978)
Ensaios Insólitos (1979)
O Mulo (1981)
Utopia Selvagem (1982)
Migo (1988)
O Povo Brasileiro, a Formação e o Sentido do Brasil (1995)
Confissões (1997) — entre outros

Contact

record@record.com.br

DEONÍSIO DA SILVA

"O domínio das técnicas narrativas, o trabalho equilibrado com a tradição e a invenção e a linguagem sólida são algumas de suas qualidades literárias", disse o Nobel José Saramago ao premiar, em 1992, o romance *Avante, Soldados: para trás*, uma visão cáustica das realidades sociais da guerra do Paraguai, como vencedor do Prêmio Internacional Casa de las Américas. Com uma obra que busca aliar a história nacional à ficção, refletindo as características do ser brasileiro, DEONÍSIO DA SILVA, professor universitário com vários ensaios sobre os anos de censura e seus efeitos na literatura, realiza uma contundente crítica política sem se deixar cair no panfletário ou em romances ensaísticos. Valendo-se de um humor cáustico, a ficção mantém sua autonomia. O último romance que escreveu aborda a questão agrária, uma das mais conflitantes do país, retomando a trajetória histórica do movimento dos sem-terra. Textos do autor foram adaptados para a televisão e o cinema, entre os quais se destacam *Relatório Confidencial*, dirigido pelo dramaturgo Antunes Filho, e *Teresa*, cuja direção foi de José Nélson de Freitas.

Crítica

UMA ESCRITA CORROSIVA
"Poucos escritores são tão corrosivos quanto Deonísio da Silva. Mais que irônico, ele é mordaz. Corta, enquanto ri e faz rir. Não o riso galhofo, mas um certo riso nervoso." (Ignácio de Loyola Brandão, *Leia*)

RENOVADOR DA NARRATIVA
"É um escritor que renova os padrões narrativos tradicionais, em linguagem irônica, fluente, bem-humorada." (Lauro Junker, *A Gazeta*)

Obras

Exposição de Motivos (1976)
Cenas Indecorosas (1978)
A Mesa dos Inocentes (1978)
A Mulher Silenciosa (1981)
Livrai-me das Tentações (1984)
A Cidade dos Padres (1986)
Orelhas de Aluguel (1987)
Avante, Soldados: para trás (1992)
O Assassinato do Presidente (1994)
Ao Entardecer ele Abraçava as Árvores (1995)
Teresa (1997)
Os Guerreiros do Campo (2000)

Contato

deonisio@zaz.com.br

Fragmento

Os Guerreiros do Campo

O movimento era organizado. Um senhor de presumidos cinqüenta anos recebeu Gregório com um facão de cortar cana. O cabo estava enrolado num pedaço de borracha. Outros quatro ou cinco homens o rodeavam. Eram a sentinela avançada do acampamento. Gregório não esperou que lhe perguntassem o que queria e atravessou a cerca mais próxima metendo-se entre os arames. Com boa vontade, o homem com o facão abriu a cancela, composta de um pedaço de pau e três fios, e o convidou a entrar. Para ir adiante, porém, a uns duzentos metros de onde estava a sentinela, deveria aguardar "o chefe". Enquanto isso, o homem com o facão, rodeado pelos colegas sentinelas, foi explicando o que os trouxera até ali. Havia gente das mais diversas procedências. Ele tinha quarenta e oito anos e estava desempregado, "como todo mundo". Nos anos setenta deixara o Ceará e fora para São Paulo, onde trabalhara como metalúrgico.

DEONÍSIO DA SILVA

"The command of narrative techniques, the well-balanced work as for tradition and invention, and the use of a solid language are some of his literary qualities," said Nobel-awarded José Saramago in 1992 as he himself awarded the novel *Avante, Soldados: para trás (Ahead, Soldiers: backwards)*, a caustic vision of the social realities in the Paraguay War, with the Casa de las Américas International Award. By means of a work that tries to combine national history with fiction, reflecting the characteristics of what it means to be a Brazilian, professor DEONÍSIO DA SILVA has written a number of essays about the censorship years and their effects on literature. He provides a forceful political critic without allowing himself to fall into the pamphletary or into essay-like novels. Taking advantage of a caustic humour, his fiction keeps independent. His latest novel was about the agrarian issue, one of the most conflicting issues in the country, retracing the historical path of the landless movement. Some of Deonísio da Silva's texts have been adapted for television and cinema, including *Relatório Confidencial (Confidential Report)*, directed by Antunes Filho, and *Teresa*, directed by José Nélson de Freitas.

Review

A SCHATING WRITING

"Very few writers are so schating as Deonísio da Silva. More than ironical, he is caustic. He cuts while laughing and bringing up laughter. Not the mocking laughter, but a kind of nervous laughter." (Ignácio de Loyola Brandão, *Leia*)

A RENEWER OF NARRATIVE

"He is a writer who renovates the traditional narrative patterns, by using an ironic, fluent, and cheerful language." (Lauro Junker, *A Gazeta*)

Excerpt

Os Guerreiros do Campo (the Cropfield Warriors)

The movement was well-organized. A gentleman in his fifties received Gregório with a large sugar cane chopper. The handle had been wrapped up in a piece of rubber. Four or five men came in and surrounded him. These were the out sentries of the camp. Gregório did not wait to be asked about his intentions and crossed the closest fence by putting himself through the wires. Showing good will, the man with the large chopper opened the gate, which consisted of a piece of wood and three rows of barbwire, and invited him in. In order to be allowed to proceed, however, he was supposed to stop a couple of hundred meters from the sentries and wait for "the boss". Meanwhile, the man with the chopper followed by the sentries started explaining what had brought them there. People had come from all sort of places. He was forty-eight years old and was unemployed, like "everybody". He had left Ceará in the 1970's and moved to São Paulo to work in the steel industry.

Works

Exposição de Motivos (1976)
Cenas Indecorosas (1978)
A Mesa dos Inocentes (1978)
A Mulher Silenciosa (1981)
Livrai-me das Tentações (1984)
A Cidade dos Padres (1986)
Orelhas de Aluguel (1987)
Avante, Soldados: para trás (1992)
O Assassinato do Presidente (1994)
Ao Entardecer ele Abraçava as Árvores (1995)
Teresa (1997)
Os Guerreiros do Campo (2000)

Contact

deonisio@zaz.com.br

DIAS GOMES

Queira-se ou não, toda escrita é uma atividade política, no sentido de que exige uma tomada de posição e um comprometimento com aquilo que é pensado e vivido. Nada mais longe, entretanto, da arte do que um texto panfletário. Escrevendo toda uma dramaturgia engajada com a subversão saudável dos valores pregados pelas mais diversas formas do poder, DIAS GOMES é um teatrólogo de sucesso incomparável. Sua peça mais famosa, *O Pagador de Promessas*, filmada por Anselmo Duarte, conquistou a Palma de Ouro em Cannes, em 1962, internacionalizando definitivamente seu autor. Em suas tragédias, farsas e comédias com temáticas populares e sátira política contra os abusos do capitalismo, o protagonista muitas vezes se revela como um personagem à margem do sistema, mostrando, exatamente, o conservadorismo do *establishment*. Dias Gomes é autor também de grande parte das melhores e mais famosas telenovelas brasileiras, acompanhadas diária e entusiasticamente por milhões de telespectadores. *Saramandaia*, *O Bem-Amado* e *Roque Santeiro* são algumas de suas inesquecíveis telenovelas assistidas pelo mundo afora.

Crítica

A UNIVERSALIDADE DE NOSSA EXPERIÊNCIA
"Acabo de reler *O Pagador de Promessas*, de Dias Gomes. Não vou anunciar aqui o poder de permanência dessa peça teatral consagrada pela crítica e pelo público, dentro e fora do Brasil. [...] E isto é tanto mais significativo porque esta peça afirmou ontem e reafirma hoje as possibilidades efetivas do teatro brasileiro: um teatro capaz de revelar a universalidade de nossa experiência, de nos impor como criadores de cultura." (Ferreira Gullar, "O Pagador de Promessas")

UMA OBRA DE RARA QUALIDADE
"O dramaturgo baiano Dias Gomes impõe-se como um dos talentos mais legítimos do teatro brasileiro, anunciando sua revelação uma obra de rara qualidade. Agrada ao crítico surpreender num texto de teatro o verdadeiro ficcionista, que alia à virtude da criação de uma ótima estória o domínio dos meios cênicos." (Sábato Magaldi, *O Estado de S. Paulo*)

Obras

A Comédia dos Moralistas (1937)
João Cambão (1943)
Os Cinco Fugitivos do Juízo Final (1954)
O Pagador de Promessas (1960)
A Revolução dos Beatos (1962)
O Santo Inquérito (1966)
O Bem-Amado (1968)
Saramandaia (1976)
Campeões do Mundo (1980)
Roque Santeiro (1985)
Derrocada (1994)
Decadência (1995)
Apenas um Subversivo (1998)

Contato

bdnet@ism.com.br

Fragmento

O Pagador de Promessas

Zé do Burro — *Bem, o sangue estancou. Mas Nicolau começou a tremer de febre e no dia seguinte aconteceu uma coisa que nunca tinha acontecido: eu saí de casa e Nicolau ficou. Não pôde se levantar. Foi a primeira vez que isso aconteceu, em seis anos: eu saí, fui fazer compras na cidade, entrei no Bar do Jacob pra tomar uma cachacinha, passei na farmácia de "seu" Zequinha pra saber das novidades — tudo isso sem Nicolau. Todo mundo reparou, porque quem quisesse saber onde eu estava, era só procurar Nicolau. Se eu ia na missa, ele ficava esperando na porta da igreja...*
Padre — *Na porta? Por que ele não entrava? Não é católico?*
Zé do Burro — *Tendo uma alma tão boa, Nicolau não pode deixar de ser católico. Mas não é por isso que ele não entra na igreja. É porque o vigário não deixa.* (Com grande tristeza) *Nicolau teve o azar de nascer burro, de quatro patas.*
Padre — *Burro?! Então esse... que você chama de Nicolau, é um burro?! Um animal?!*
Zé do Burro — *Meu burro, sim senhor.*
Padre — *E foi por ele, por um burro, que fez essa promessa?*

DIAS GOMES

Whether we want it or not, every writing activity is a political activity in the sense that it requires the writer to take sides and commit to that which is thought and experienced. Nothing is farther, however, from art than a pamphletary text. By producing an entire dramaturgy committed to that healthy subversion of the values preached by the forms of power, DIAS GOMES is a playwright of incomparable success. His paramount play, *O Pagador de Promessas*, filmed by Anselmo Duarte, won the Golden Palm in Cannes, in 1962, which made the author internationally known. In his popular-theme tragedies, farces, and comedies, as well as political satire against capitalism abuses, the protagonist is many times a person shut out from the system, thereby showing the conservatism prevailing in the establishment. Dias Gomes is also the author of a great deal of the best and most popular Brazilian soap operas, enthusiastically viewed by millions all over the country. *Saramandaia, O Bem-Amado,* and *Roque Santeiro* are some of his unforgettable soap operas viewed around the world.

Review

THE UNIVERSALITY OF OUR EXPERIENCE

"I just read again Dias Gomes' *O Pagador de Promessas*. Needless to proclaim the power of permanence of this play consecrated by the critic as well as the audience, in Brazil and worldwide. [...] This becomes much more significant because this play affirmed yesterday and reaffirms today the effective possibilities of Brazilian dramaturgy: a dramaturgy capcble to reveal the universality of our experience, to afirm ourselves as culture makers." (Ferreira Gullar, "O Pagador de Promessas")

A WORK OF RARE EXCELLENCE

"Bahian playwright Dias Gomes appears as one of the most legitimate talents in the Brazilian theater, which is validated by a work of rare excellence. It pleases the critic to pick out in a dramatic piece the true fictionist, who manages to combine the virtue of creating a great story with the mastering of scenic means." (Sábato Magaldi, *O Estado de S. Paulo*)

Excerpt

O Pagador de Promessas (A Journey to Bahia)

Zé do Burro (the Donkey's Master) — *Well, the blood stanched. But Nicolau began shivering with fever and in the following day we saw one thing that had never happened before: I left the house but Nicolau stayed. He was unable to get up. That was the first time in six years: I left the house, went downtown to do the shopping, visited Jacob's Bar for a drink, went to Zequinha's pharmacy to learn the news — and all without Nicolau. Everybody noticed, because you know, if you want to know where I am, you just look for Nicolau. If I go to attend mass, he waits for me at the door...*

Priest — *At the door? Why doesn't he come in? He is not a Catholic?*

Zé do Burro — *As he's got such a good soul, Nicolau must be a Catholic for sure. But this is not what keeps him from entering the church. It is because the vicar will not allow him.* (With great sorrow) *Nicolau had the bad luck of being born a donkey, with his four hoofs.*

Priest — *A donkey?! So this... this one you call Nicolau, is a donkey?! An animal?!*

Zé do Burro — *My donkey, no doubt.*

Priest — *And it was for him, for a donkey, that you made that promise?*

Works

A Comédia dos Moralistas (1937)
João Cambão (1943)
Os Cinco Fugitivos do Juízo Final (1954)
O Pagador de Promessas (1960)
A Revolução dos Beatos (1962)
O Santo Inquérito (1966)
O Bem-Amado (1968)
Saramandaia (1976)
Campeões do Mundo (1980)
Roque Santeiro (1985)
Derrocada (1994)
Decadência (1995)
Apenas um Subversivo (1998)

Contact

bdnet@ism.com.br

DIONÉLIO MACHADO

Eu sou um rebelde, afirmou esse escritor que, ao lado de Graciliano Ramos, foi preso político durante o governo de Getúlio Vargas. Um dos introdutores da literatura urbana no Rio Grande do Sul, DIONÉLIO MACHADO, com um estilo enxuto e cenas em *flashes*, soube renová-la, tornando-se um dos grandes precursores de uma escrita citadina contemporânea. *Os Ratos*, seu livro mais famoso, premiado e traduzido, numa ficção que narra as necessidades humanas em seus limites extremos, mescla um forte apelo social a angústias existenciais e psicológicas de uma pequena burguesia que se proletariza: são 24 horas na vida de um funcionário público em busca de dinheiro para liquidar uma dívida, pois seu baixo salário não lhe permite sustentar a família. O viés dramático do romance é extraído do acontecimento mais trivial, da vida anônima de qualquer um. *O Louco do Cati*, outro dos seus romances, possui a singularidade de não ter sido escrito, mas ditado, num momento de enfermidade do autor, ressaltando o viés oral da literatura de Dionélio; Guimarães Rosa o considerava um dos dois ou três melhores livros que já lera.

Crítica

NA OPINIÃO DE GUIMARÃES ROSA, PRÊMIO NOBEL
"Para mim, os melhores livros que já li até hoje, como originalidade, como realização, como beleza, foram o de Herberto e *O Louco do Cati*, de Dionélio Machado. Se o livro de Dionélio tivesse sido escrito em francês ou em inglês e por autor estrangeiro, era Prêmio Nobel, sem dúvida. É muito melhor, muitos furos, do que o romance *O Velho e O Mar*, de Hemingway." (Guimarães Rosa, *Correio do Povo*)

A PERFEIÇÃO DE UMA NOVELA
"*Os Ratos*, de Dionélio Machado, obra clássica da segunda geração modernista, exige agora um reexame crítico. Trata-se de uma novela perfeita, acabada em sua estrutura de época." (Eliane Zagury, "A Novela Clássica do Modernismo Brasileiro")

Obras

Um Pobre Homem (1927)
Os Ratos (1934)
O Louco do Cati (1942)
Desolação (1944)
Passos Perdidos (1955)
Os Deuses Econômicos (1966)
Prodígio (1980)
Ele Vem do Fundão (1982)
Memórias de um Pobre Homem (1990)
O Cheiro de Coisa (1995)
Dionélio Machado (1995)

Contato

Textos protegidos — em caso de interesse para publicação, fazer contato com o Departamento Nacional do Livro da FBN

Fragmento

Os Ratos

Ao seu redor, as coisas foram ficando mais apagadas. A cara da mulher... aquele desenho — aquele ramo — do frontispício do guarda-roupa... Tudo está sendo envolvido por uma claridade opaca, dum amarelo meio sangüíneo. Com os olhos fechados, já não tem mais defronte da pálpebra aquela bola amarela, translúcida. É tudo opaco, escuro... Repara na lamparina: o pingo de luz fininho e comprido foi substituído por uma bolinha de chama, uma chama em que já há um pouco de brasa...
Depois duma trégua, os ratos voltaram a roer, a roer... Outra vez naquele canto do assoalho do comedouro o tritura fininho de madeira roída (decerto é a madeira). Talvez depois de consumido o dinheiro, eles passem a roer, a roer a tábua da mesa... Presta atenção. Alonga o ouvido. Espera ouvir o crepitar miudinho das mandíbulas, vindo lá do fundo, de longe...
Está exausto... Tem uma vontade de se entregar, naquela luta que vem sustentando, sustentando... Quereria dormir... Aliás, esse frio amargo e triste que lhe vem das vísceras, que lhe sobe de dentro de si, produz-lhe sempre uma sensação de sono, uma necessidade de anulação, de aniquilamento... Quereria dormir...

DIONÉLIO MACHADO

I am a rebel, said the writer who, together with Graciliano Ramos, was a political prisoner during Getúlio Vargas's government. He was one of the urban literature initiators in the state of Rio Grande do Sul. DIONÉLIO MACHADO, with his plain style and introducing the scenes in flashes, managed to renovate the urban literature, thereby becoming one of the great precursors of a contemporary city-wise text. *Os Ratos (The Mice)*, his most famous book, won a number of awards and was translated into a number of languages. The book, besides recounting the human needs in extreme limits, merges a strong social appeal with the existential and psychological anxieties of a small middle class that slides down to become proletarian: the book narrates a period of twenty-four hours in the life of a civil servant in search of money to settle a debt because his low salary was not enough to meet the needs of his family. The dramatic vein in the novel draws on the most trivial event, the anonymous life of an ordinary person. *O Louco do Cati (The Lunatic from Cati)*, another of his novels, is unique because it was not written, but dictated during a time when the author was bedridden. This highlights the oral vein in Dionélio's literature. Guimarães Rosa regarded this book as one of the two or three best books he had ever read.

Review

IN GUIMARÃES ROSA's OPINION, A NOBEL PRIZE WINNER

"To my mind, the best books I have ever read, in terms of originality, of accomplishment, of beauty, are that by Herberto and *O Louco do Cati,*, by Dionélio Machado. Should this Dionélio's book be written in French or in English, and by a foreign author, it would have won the Nobel Prize, make no mistake about that. This book is much better, by far, than Hemingway's *The Old Man and the Sea.*" (Guimarães Rosa, *Correio do Povo*)

THE PERFECTION OF A NOVEL

"*Os Ratos (The Mice)*, by Dionélio Machado, a classic work of the Modernism's second generation, requires now a critical reexamination. It is a perfect novel, finished within the structure of its time." (Eliane Zagury, *A Novela Clássica do Modernismo Brasileiro*)

Excerpt

Os Ratos (The Mice)

Around him, the things became gradually dull. The woman's face... that drawing — that branch — on the wardrobe frontispiece... Everything is becoming wrapped in a blood-tinged yellowish opaque clarity. Keeping his eyes closed, he no longer had that yellow, translucent ball in front of his eyelid. Everything is opaque, dark... He stared into the lamp: the thin and slender drop of light had been replaced by a little fire ball, a fire already containing some ember...

After a short let-up, the mice resumed gnawing, gnawing... Again in that corner of the floor he could hear the munching, the faint grating of champed wood (it was certainly the wood). Maybe after chewing the money, they will start to gnaw... to gnaw the board of the table... He pays attention. He takes heed. He expects to hear the faint crackling of jaws, coming from the bottom, from far away...

Works

Um Pobre Homem (1927)
Os Ratos (1934)
O Louco do Cati (1942)
Desolação (1944)
Passos Perdidos (1955)
Os Deuses Econômicos (1966)
Prodígio (1980)
Ele Vem do Fundão (1982)
Memórias de um Pobre Homem (1990)
O Cheiro de Coisa (1995)
Dionélio Machado (1995)

Contact

Protected texts — in case of interest for publication, get in contact with National Book Office (DNL) of the Biblioteca Nacional Foundation (FBN)

DOMÍCIO PROENÇA FILHO

Romancista, poeta, ensaísta, crítico literário, antologista, professor universitário, filólogo, pesquisador, conferencista e promotor cultural, DOMÍCIO PROENÇA FILHO marca sua presença nas áreas da criação artística que se relacionem com a escrita e com a língua portuguesa. Citado, comentado e anotado por todo caderno e revista literária, sua inquietação o leva a percorrer com rara consistência os campos afins à atividade de escritor, sempre alcançando êxito em seus projetos literários. Por trás de todas essas máscaras, encontra-se apenas uma face: a de alguém que vive a intimidade e a estranheza da própria língua, e que quer, instigado pelos movimentos de abertura e fechamento, fazer do seu ofício a habitação e o exercício dessa íntima estranheza. E em seus trabalhos mais especificamente ligados à escrita, isto é, como ensaísta, crítico, ficcionista e poeta, seu tema primordial — ou sua personagem principal — é a linguagem em si mesma, em suas articulações enunciativas, e em seus desdobramentos históricos e, sobretudo, poéticos.

Crítica

QUILOMBO POÉTICO
"O que assegura a ligação dos fragmentos que compõem essa suíte lírica — na qual negritude ascende ao plano conflitivo da história — é o permanente retorno de Palmares, como objeto de experiência individual e social, repensada e retomada pela memória [...]. Em *Dionísio Esfacelado*, quilombos e quilombas ingressam na vertente comemorativa do pensamento que recorda, da recordação que colige e recompõe as partes dispersas de uma origem remanente. Mas não será preciso dizer sobre a originalidade poética dessa obra."
(Benedito Nunes, *O Estado de S. Paulo*)

CÂNTICO À LIBERDADE
"O novo livro de Domício Proença Filho — *Oratório dos Inconfidentes* (faces do verbo) onde se articulam poemas, prosa histórico-poética e textos de história, numa edição primorosa e ilustrada com inéditos de Portinari [...] — além de ser um belo trabalho artístico e literário, é, sobretudo, um cântico dos cânticos à liberdade."
(Letícia Malard, *Estado de Minas*)

Obras

Estilos de Época na Literatura (1978)
O Cerco Agreste (1979)
O Livro do Seminário (1982)
Dionísio Esfacelado: (Quilombo dos Palmares) (1984)
Oratório dos Inconfidentes (1989)
Breves Estórias de Vera Cruz das Almas (1991)
Estória da Mitologia — O Cotidiano dos Deuses (1995)
Capitu — Memórias Póstumas (1998)
A Linguagem Literária (1999)
Pós-Modernismo e Literatura (1999)
Eu, Zeus (2000)
Nós, as Deusas do Olimpo (2000)
Os Deuses Menos o Pai (2000)

Contato

domicio@openlink.com.br

Fragmento

Capitu — Memórias Póstumas

Só agora, decorrido tanto tempo humano, posso, finalmente, contestar as acusações contra mim feitas pelo meu ex-marido, o Dr. Bento Santiago. E fazê-lo, porque, nessas paragens que ora habito, aprendi, com meu irmão, Brás Cubas, as artes da narrativa além-tumular. Ficamos amigos, ele, eu e o Senhor Quincas Borba, o filósofo, um homem extraordinário, não tão louco como alguns pensam e escreveram. Afinal, somos criaturas da mesma pessoa, diante de quem, confesso, fico dividida, talvez por força da ambigüidade do seu texto: ao mesmo tempo, que o admiro, há um lado meu que o rejeita. Ele é o grande responsável por tudo que me aconteceu. Devo-lhe minhas tristezas, minhas alegrias; devo-lhe a fama que, modéstia à parte, acabei granjeando. Mas a ele coube também a construção da imagem negativa que me foi atribuída. A ele e, a bem da verdade, a uns tantos críticos de nomeada que se debruçam sobre a minha história; alguns dentre eles me tiveram por frívola, outros, felizmente, nunca aceitaram a palavra do filho de D. Glória. Sou-lhe grata, ao fim e ao cabo, do fundo do meu coração.

DOMÍCIO PROENÇA FILHO

Novelist, poet, essayist, literary critic, anthologist, professor, philologist, researcher, lecturer, and cultural promoter, DOMÍCIO PROENÇA FILHO distinguishes himself in the areas of artistic creation related to writing and the Portuguese language. Quoted, commented on and referred to by every literary journal and magazine, his restlessness compels him to visit, with rare consistence, all fields akin to the writing activity, always achieving success in his literary projects. Behind all these masks, only one face: that of someone who experiences the intimacy and the strangeness of his own language and wants, urged by the opening and closing movements, to change his métier into the abode and the exercise of such intimate strangeness. In those activities that are more specifically connected to writing, that is, as essayist, critic, fictionist, and poet, language, in its enunciative articulations and historical and poetic unfolding, the latter above all, is his primordial theme — or his main character.

Review

POETIC HIDEOUT

"What joins together the fragments of this lyrical suite — in which blackness ascends to the conflictive plan of history — is the unceasing coming back of Palmares, as an object of individual and social experience rethought and retaken by memory [...]. In *Dionísio Esfacelado (Fragmented Dionísio)*, quilombos and quilombas enter the commemorative flow of a remindful thought, a memory that gathers and recomposes the dispersed parts of a reminiscent origin. Nothing remains to be added about the poetic originality of this work.."

(Benedito Nunes, *O Estado de S. Paulo*)

ODE TO FREEDOM

"Domício Proença Filho's new book — *Oratório dos Inconfidentes* (faces of the verb) where poems, historical-poetic prose, and texts from History are articulated in a fine edition illustrated with Portinari's inedita [...] — besides being a beautiful artistic and literary work, it is, above all, Freedom's song of songs.."

(Letícia *Estado de Minas*)

Excerpt

Capitu — Memórias Póstumas (Capitu — Posthumous Memoirs)

Only now, after such a long human time has elapsed, I can, finally, argue against the accusations charged against me by my former-husband, Dr. Bento Santiago. And to do so because I learned here in this place where I currently dwell, from my brother, Brás Cubas, the art of beyond-tomb narrative. He, myself and Mr. Quincas Borba, the philosopher, became good friends. Mr. Quincas Borba is an extraordinary man, not a lunatic as many people believed and wrote about him. After all, we are creatures molded by the same person, before whom, I admit, I am divided, maybe because of the ambiguity of his text. While I admire him, there is a side of mine that rejects him. He is the only one to blame for all the things that happened to me. I owe him my grief, my happiness; I owe him the fame that I eventually won. But he is also responsible for the negative image that was attributed to me. Frankly speaking, he and a number of prominent critics who pored over my story; some of them took it that I was frivolous, some, fortunately, never accepted D. Glória son's word. After all, I am most grateful to him from the bottom of my heart.

Works

Estilos de Época na Literatura (1978)
O Cerco Agreste (1979)
O Livro do Seminário (1982)
Dionísio Esfacelado: (Quilombo dos Palmares) (1984)
Oratório dos Inconfidentes (1989)
Breves Estórias de Vera Cruz das Almas (1991)
Estória da Mitologia — O Cotidiano dos Deuses (1995)
Capitu — Memórias Póstumas (1998)
A Linguagem Literária (1999)
Pós-Modernismo e Literatura (1999)
Eu, Zeus (2000)
Nós, as Deusas do Olimpo (2000)
Os Deuses Menos o Pai (2000)

Contact

domicio@openlink.com.br

EDGARD TELLES RIBEIRO

Diplomata, ex-professor universitário, produtor e diretor de alguns curtas-metragens para cinema, sendo que um deles foi exibido em 1980 na Quinzena dos Realizadores do Festival de Cannes. Há um cosmopolitismo nas narrativas ambientadas nos mais diversos países do mundo, talvez justamente por causa da carreira que obriga EDGARD TELLES RIBEIRO a estar constantemente em movimento. Com textos densos, forte carga vital, grande força expressiva e trabalhando no cerne da própria linguagem, o escritor é daqueles que rejeitam qualquer tipo de facilidade, privilegiando a sutileza do que pode ser dito nas entrelinhas do texto, onde o ambíguo e o enigmático se resguardam de toda banalidade e univocidade interpretativa. Aqui, muito do que poderia ter sido dito não o foi: a força está na sugestão. Pelo domínio e originalidade da construção ficcional, é exigido ao leitor o abandono de uma possível passividade para que, através dos espaços abertos no fio narrativo, faça uso de sua própria capacidade criativa e se torne co-autor das histórias.

Crítica

A REDENÇÃO PELA LITERATURA
"Francis Bacon disse: 'A vingança triunfa sobre a morte; o amor a menospreza; a honra a persegue; o sofrimento converge para ela.' Edgard Telles Ribeiro poderia acrescentar que a literatura a redime." (*Philadelphia Inquirer*)

UM MESTRE IRRESISTÍVEL
"Emocionante e extremamente desafiador, o [...] romance de Edgard Telles Ribeiro apresenta uma história simples e irresistível, além de excepcionalmente bem escrita. O autor revela-se um mestre na arte de tecer uma trama." (*Sächsische Zeitung*)

Obras

O Criado-Mudo (1991)
O Livro das Pequenas Infidelidades (1994)
As Larvas Azuis da Amazônia (1996)
Branco como o Arco-Íris (1998)
No Coração da Floresta (2000)

Contato

record@record.com.br

Fragmento

No Coração da Floresta

A jovem vinha em sua direção, precedida por um colar de folhas secas que rodopiavam a seus pés. Quase em seguida, uma lufada de vento abriu suas vestes. Seu corpo esplendoroso brilhou na escuridão — estava inteiramente nua. Satanás, murmurou o Cardeal, passando por ela com os olhos cerrados. Um rastro de perfume ainda pairava no ar quando se descobriu do outro lado da praça.
Satanás, repetiu sem a mesma convicção, resistindo ao impulso de voltar-se para trás e verificar se a mulher penetrara na catedral. Atracou-se à visão familiar do palácio cujos contornos delineavam-se a sua frente. As muralhas pareceram-lhe menos imponentes do que de hábito. Pensou na irmã, que o aguardava. Altiva, despojada de tristezas, impenetrável em sua viuvez, jantariam juntos naquela noite. Como faziam todo último domingo de cada mês, havia quase trinta anos.

EDGARD TELLES RIBEIRO

A diplomat, a former university lecturer, a short films producer and director (one of them was shown in 1980's Cannes Festival Enterprising Fortnight). His cosmopolitan narratives are set in many different countries in the world, maybe because his career forces EDGARD TELLES RIBEIRO to be constantly moving. Producing dense texts, strong vital charge, great expressiveness, and working in the very heart of the language, this writer refuses any kind of easiness while privileging the subtleness that can be inserted between the lines of the text, where the ambiguous and the enigmatic seek shelter from all banality and single interpretation. Much of what could have been said here has not been: strength lies in the hint. Through originality and the mastering of fictional construction, the reader is compelled to abandon any possible passivity to, through the spaces opened in the narrative thread, make use of their own creative capacity and become a co-author of the stories.

Review

REDEMPTION THROUGH LITERATURE
"Francis Bacon said: 'Revenge triumphs over death; love despises it; honor pursues it; suffering converges onto it. Edgard Telles Ribeiro would add that literature is its redemption." *(Philadelfia Inquirer)*

AN IRRESISTIBLE MASTER
"Touching and extremely challenging, [...] Edgard Telles Ribeiro's novel brings out a simple and irresistible story, besides being exceptionally well written. The author reveals himself a master in the art of hatching a plot." *(Sächsische Zeitung)*

Excerpt

No Coração da Floresta (In the Heart of the Forest)

The young girl was walking in his direction, preceded by a wreath of dry leaves that turned round her feet. Soon afterwards, a gust of wind opened her dress. Her splendorous body shone in the dark – she was stark naked. Satan, murmured the Cardinal, closing his eyes as he walked past her. A trace of perfume still hovered in the air when he found himself on the other side of the square.

Satan, he repeated without the same conviction, resisting the impulse to turn back to check whether the woman had entered the cathedral. He stuck to the familiar vision of the palace whose outlines were delineated in front of him. The walls seemed less imposing than usual. He thought of his sister, who was waiting for him. Proud, deprived of any trace of sorrow, impenetrable in her widowhood, they were going to have dinner together that evening, just as they had been doing every last Sunday of each month, for nearly thirty years.

Works

O Criado-Mudo (1991)
O Livro das Pequenas Infidelidades (1994)
As Larvas Azuis da Amazônia (1996)
Branco como o Arco-Íris (1998)
No Coração da Floresta (2000)

Contact

record@record.com.br

EDUARDO PORTELLA

Poucos intelectuais transitam, simultaneamente, pelas esferas da criação do pensamento e do poder político com a desenvoltura de EDUARDO PORTELLA, um dos críticos literários mais respeitados do país. Seu âmbito reflexivo sempre esteve aberto aos problemas brasileiros, aos caminhos paradoxais que se estabeleceram nessa *baixa modernidade* e às diversas linguagens que, a partir de então, se instauraram por todo o mundo com força decisiva. Próximos às investigações filosóficas, seus estudos acolhem, além da literatura, a cultura, a comunicação, a política e a educação, entre outras áreas. Atual diretor da Biblioteca Nacional e do Fundo Internacional para Promoção da Cultura, da Unesco, Portella já presidiu essa instituição vinculada à Organização das Nações Unidas (ONU), foi ministro da Educação e Cultura, secretário da Cultura do Estado do Rio de Janeiro e assistente do Gabinete Civil da Presidência da República, entre outras atividades públicas. Com diversos prêmios nacionais e internacionais, membro da Academia Brasileira de Letras, fundou o Colégio do Brasil e a Editora Tempo Brasileiro.

Crítica

A AVENTURA DE UMA RENOVAÇÃO RESPONSÁVEL
"O Sr. Eduardo Portella é jovem pelas duas idades; e há nele uma consciência de responsabilidade tanto de geração como função literária que o distingue dos irresponsáveis, sem lhe abafar o gosto de ser, às vezes, demasiadamente moço entre gente apolineamente antiga; ou o prazer pela aventura de ser novo no meio de velhos. Ou renovador entre devotos de tradições cujos valores procura, aliás, discriminar dos simples arcaísmos." (Gilberto Freyre, "Um Pouco de Autobiografia e outro Tanto de Prefácio")

UM DOS MAIORES CRÍTICOS DA CULTURA
"De mim, entretanto, não enxergo em vossa personalidade intelectual um crítico de exclusiva formação literária, muito embora vos considere um dos maiores que já tivemos, um crítico de literatura, a que não falta a preocupação com os segredos da linguagem. [...] Considero-vos um crítico de literatura envolto por um crítico de idéias, filosoficamente fundamentado e sustentado. Sois, mais do que isso, um crítico da cultura, voltado ontologicamente para tudo o que diga respeito ao homem." (Afrânio Coutinho, "Discurso de Saudação a Eduardo Portella na Academia Brasileira de Letras")

Obras

Aspectos de la Poesía Brasileña Contemporánea (1953)
Dimensões I (1958)
Dimensões II (1959)
Literatura e Realidade Nacional (1962)
Dimensões III (1965)
Teoria da Comunicação Literária (1970)
Fundamento da Investigação Literária (1970)
Vanguarda e Cultura de Massa (1976)
O Intelectual e o Poder (1983)
Brasil à Vista (1983)
People, Cities, Nature: Culture Today (1992)
Chemins de la Pensée: vers De Nouveau Langages (2000)
México: Guerra e Paz (2001)

Contato

Franco Portella
colegiodobrasil@yahoo.com.br

Fragmento

Fundamento da Investigação Literária

Toda vez que sufocamos a liberdade, comprometemos a essência da verdade. A racionalidade repressiva do Ocidente fez da verdade uma meia verdade, unilateral e arbitrária; e, como não existe meia verdade, recolhemos a inverdade. Está perfeitamente claro como, a cada momento, estamos falando do homem e suas criações mais plenas. E compreende-se por que a verdade é preocupação constante em toda reflexão que visa a recolocar o problema da literariedade. O intento semiológico, ao investigar o sentido das representações, consiste em pesquisar concretamente o que quer dizer num discurso, mediante, está claro, a articulação na faixa do sistema de signos. A preocupação ontológica investiga todo o movimento estruturante do sistema de signos; desce ao núcleo dinâmico da experiência poética, à criatividade, lá onde a ideologia impulsiona a verdade. Por isso a crítica é a verdade da ideologia — a crítica que não se confunda com um catálogo de utensílios, capaz de preservar aquela peculiaridade hermenêutica, segundo a qual conhecer é co-nascer. E saiba: somente se conhece nascendo com. Essa crítica ontológica ou poética não é apenas uma linguagem sobre mas uma linguagem com.

EDUARDO PORTELLA

Very few intellectuals transit between the spheres of intellectual creation and the political power as self-confidently as EDUARDO PORTELLA, one of the most respected literary critics in the country. His reflective domain has always been open to Brazilian problems, to the paradoxical paths opened in this *low-modernity*, and to the several languages that, starting from then, have strengthfully settled down all over the world. Coming near the philosophical investigation, his studies cover, besides Literature, such areas as Culture, Communication, Politics, and Education. Portella is currently the Head of the National Library and Director of Unesco's International Fund for Culture Promotion, but he has already chaired this UN-sponsored institution. In previous years, he held the office of Minister of Culture and Education, Rio de Janeiro State's Culture Secretary, and Assistant to the Secretary for Civil Affairs, among other civil-service positions. He has been assigned a number of national and international awards, is a member of the Brazilian Literary Academy, and the founder of both Colégio Brasil and Tempo Brasileiro publishing house.

Review

THE ADVENTURE OF A RELIABLE RENEWAL
Mr. Eduardo Portella is young according to both ages; and his conscience of responsibility comprises both the generation conscience and the literary function that distinguishes him from the irresponsible, without depriving him of the pleasure of being sometimes a too young person among people Apollonianly old; or the pleasure derived from the adventure of being young among old folks. Or a renovator among traditions devotees, whose values he tries in fact to discriminate from simple archaisms." (Gilberto Freyre, "Um Pouco de Autobiografia e outro Tanto de Prefácio")

ONE OF THE MOST IMPORTANT CULTURE CRITICS
"As for me, however, I cannot see in your intellectual personality a critic with exclusive literary formation, although I regard you as one of the greatest we have ever had, [...]. I regard you as a literature critic cocooned by a philosophically grounded and sustained critic of ideas. You are, beyond that, a critic of culture, ontologically focused on everything that concerns the man." (Afrânio Coutinho, "Discurso de Saudação a Eduardo Portella na Academia Brasileira de Letras")

Excerpt

Fundamento da Investigação Lliterária (Fundamentals of Literary Investigation)

Every time we suffocated freedom, we jeopardize the essence of truth. The West repressive rationality changed truth into a unilateral and arbitrary half-truth; and as there is not such thing as half-truth, we harvest untruth. It is perfectly clear that, at every moment, we are talking about man and his most complete creations. And it is understandable why truth is a constant concern in every reflection that seeks to put forth the problem of literariness. The semiological intent, as it investigates the meaning of representations, consists of concretely researching what is meant in a discourse, by means, of course, of articulation in the range of a signs system. The ontological concern investigates the entire structuring movement of the signs system; it goes down to the poetic experience dynamic core, to creativity, there where truth is impelled by ideology. This is why critic is the ideology truth — critic that does not mix up with a catalog of tools, capable of preserving that hermeneutic peculiarity, according to which knowing means co-emerge. And make no mistake: you only know when you emerge with. This ontological or poetic critic is not just a language about, but rather a language with.

Works

Aspectos de la Poesía Brasileña Contemporánea (1953)
Dimensões I (1958)
Dimensões II (1959)
Literatura e Realidade Nacional (1962)
Dimensões III (1965)
Teoria da Comunicação Literária (1970)
Fundamento da Investigação Literária (1970)
Vanguarda e Cultura de Massa (1976)
O Intelectual e o Poder (1983)
Brasil à Vista (1983)
People, Cities, Nature: Culture Today (1992)
Chemins de la Pensée: vers De Nouveau Langages (2000)
México: Guerra e Paz (2001)

Contact

Franco Portella
colegiodobrasil@yahoo.com.br

ÉRICO VERÍSSIMO

Tirante a Semana de Arte Moderna e o que decorreu diretamente a partir dela, inúmeros escritores que estrearam nos anos 30 vieram de fora do eixo cultural e cosmopolita constituído por São Paulo e Rio de Janeiro. Nordeste, Minas Gerais e Rio Grande do Sul propiciaram novos movimentos que geraram alguns dos mais estimados autores nacionais. Nessa época, ao lado de Jorge Amado, foi ÉRICO VERÍSSIMO quem, vindo do extremo sul do país, melhor conseguiu equacionar a relação entre uma literatura de alta qualidade e rara popularidade, levando sua obra a ser uma das mais traduzidas e filmadas em todo o mundo. Um profundo sentido de observação social, psicológica e dos costumes se sobressai em suas novelas, contos e romances, que privilegiam uma linguagem simples e direta, não obstante densa. Indo do épico ao introspectivo, com uma estrutura fortemente renovadora, *O Tempo e o Vento*, sua obra de maior vulto, elogiada, inclusive, por Gabriel García Márquez, que disse ter sido esse um dos livros que influenciaram *Cem Anos de Solidão*, realiza um amplo painel da história sul-rio-grandense.

Crítica

POPULAR E À FRENTE DE SEU TEMPO

"Érico Veríssimo um escritor de vanguarda? Acho que sim. Foi um dos primeiros a fazer literatura urbana no Brasil, a preferir o despojamento anglo-saxão à empolação ibérica e francesa e escrever com uma informalidade que não excluía a experiência com estilos e técnicas de narrativa. Talvez nenhum outro escritor brasileiro do seu tempo fosse tão bem informado sobre a teoria do romance, embora se definisse como apenas um contador de histórias. Foi ingênuo e lírico na sua primeira fase, até *O Tempo e o Vento*, mas, mesmo nos primeiros romances, que conquistaram um público inédito e fizeram a sua reputação de autor popular, há uma constante nem sempre reconhecida de aguda observação social e construção de tipos aliada a um controle de técnica pouco comum, na metrópole ou fora dela." (Luís Fernando Veríssimo, "Um Chão Distante da Metrópole")

Obras

Fantoches (1932)
Clarissa (1932)
Caminhos Cruzados (1935)
Olhai os Lírios do Campo (1938)
O Resto É Silêncio (1943)
O Continente e o Retrato: O Tempo e o Vento (1951)
Noite (1954)
O Arquipélago (1962)
O Prisioneiro (1967)
Um certo Capitão Rodrigo (1970)
Incidente em Antares (1971)
Ana Terra (1971)
Solo de Clarinetas: Memórias (1973)

Contato

Lúcia Riff, *agente literária*
lucia@bmsr.com.br

Fragmento

O Tempo e o Vento

Alonzo ia sendo aos poucos consumido pelo lento fogo que se lhe acendera no peito desde o dia em que chegara aos Sete Povos a notícia da assinatura do Tratado de Madrid. Era um braseiro de paixão, misto de revolta nascida da consciência duma injustiça, de mágoa e — embora ele relutasse em reconhecer — de ódio. De faces descarnadas, dum amarelo lívido a que a barba cerrada emprestava um tom esverdeado, ele comia e dormia pouco e mal, e vivia num permanente estado de agitação física e espiritual. A roupeta negra lhe ia ficando cada vez mais folgada no corpo anguloso; a voz se lhe tornava azeda e áspera, os gestos nervosos, e às vezes toda a vida que havia nele parecia concentrar-se unicamente nos carvões ardentes dos olhos.
Aqueles últimos anos haviam sido particularmente difíceis e duros, talvez os mais dolorosos de sua existência. Outra vez estava ele em face duma tragédia. Agora, porém, não se tratava apenas de sua pessoa, mas sim de dezenas de milhares de criaturas humanas. Ele sofria na carne e nos nervos o drama dos Sete Povos.

ÉRICO VERÍSSIMO

Except for the Modern Art Week and its direct spin-offs, a great many writers who had their debut in the 1930's came from outside the São Paulo-Rio de Janeiro cultural and cosmopolitan axis. The Northeast, Minas Gerais and Rio Grande do Sul supplied new movements which brought forth some of the most popular authors. At that time, together with Jorge Amado, ÉRICO VERÍSSIMO, coming from the southernmost part of the country, managed to set out the relationship between a high quality literature and a rare popularity. As a result, his work is among those most translated and dramatized around the world. A deep sense of social, psychological, and behavioral observation stands out in his novellas, stories and novels, privileging a simple and direct language, although dense. Going from the epic to the introspective, providing a strongly renovating structure, *O Tempo e O Vento (The Time and The Wind)*, his paramount work, was also acclaimed by Gabriel García Márquez. According to him, this book influenced *Cem Anos de Solidão (One hundred Years of Solitude)*. Veríssimo provides a broad panel of history of Rio Grande do Sul.

Review

POPULAR AND AHEAD OF HIS TIME

"Is Érico Veríssimo a vanguard writer? I think so. He was among the first to produce urban literature in Brazil, to prefer the Anglo-Saxon divestment to the Iberian and French stilted style, and to write with an informality that would not exclude the experience with narrative styles and techniques. Perhaps no other Brazilian writer of his time was so well informed about the novel theory, although he defined himself simply as a storyteller. He was candid and lyrical in his first phase, until *O Tempo e O Vento*, but even in his first novels, which won an unprecendeted audience and built his reputation as a popular author, there is a constant, not always recognized, of sharp social observation and creation of types combined with a technique mastering that is very uncommon, either in the metropolis or across the country." (Luis Fernando Veríssimo, "Um Chão Distante da Metrópole")

Excerpt

O Tempo e o Vento (The Time and the Wind)

Alonzo was being gradually consumed by the slow fire lit in his chest since the day when the news about the Madrid Treaty signing got to Sete Povos. That was a passion brazier, mixed with the revolt born from the awareness of an injustice, with resentment, and — although he resisted to recognize — with hatred. His face had become emaciated, of a livid yellow tone turned greenish by the thick beard. He would eat and sleep very little and badly, living in a permanent state of physical and spiritual restlessness. The black cassock was getting looser and looser on his skinny body; his voice becoming sour and rough, nervous gestures, and sometimes all the life remaining in him seemed to concentrate as live ember in his eyes.

Those last years had been particularly difficult and hard, maybe the most painful in his whole life. He was about to face a tragedy again. This time, however, it was not himself alone, but dozens of thousands of human beings. He was suffering Sete Povos' drama in his flesh and in his nerves.

Works

Fantoches (1932)
Clarissa (1932)
Caminhos Cruzados (1935)
Olhai os Lírios do Campo (1938)
O Resto É Silêncio (1943)
O Continente e o Retrato: O Tempo e o Vento (1951)
Noite (1954)
O Arquipélago (1962)
O Prisioneiro (1967)
Um certo Capitão Rodrigo (1970)
Incidente em Antares (1971)
Ana Terra (1971)
Solo de Clarinetas: Memórias (1973)

Contact

Lúcia Riff, *literary agent*
lucia@bmsr.com.br

EUCLIDES DA CUNHA

Publicado logo no princípio do século XX, o livro *Os Sertões* se tornou um eixo em torno do qual gira a formação de toda uma cultura. Diversos autores da mesma época se aplicavam a uma exposição ou a uma tentativa de explicação do país, mas nenhum deles conseguiu forjar uma interpretação da civilização brasileira cuja relevância se equiparasse à de EUCLIDES DA CUNHA. Abordando em seus livros assuntos como o drama de Canudos, o futuro brasileiro da Amazônia e o estabelecimento de uma ecologia social, ele conseguiu revelar, tanto para os estrangeiros interessados no Brasil quanto para os próprios brasileiros, um país até então desconhecido, que passará a ser visto por muito tempo como o que há em nós de maior autenticidade. Com uma escrita esplendorosa e contundente, unindo força épica, conteúdo trágico e beleza lírica, seus livros, transitando pela sociologia, antropologia e ecologia, poderiam ter sido ensaios científicos de uma época: através de uma completa transfiguração artística deste prosador exemplar, foram, entretanto, um monumento literário capaz de revelar as latências mais recônditas de todo um povo.

Crítica

UM FUNDADOR DA CULTURA BRASILEIRA
"Euclides da Cunha exerceu um papel fundador na cultura brasileira, comparável ao de Cervantes na cultura espanhola. Trata-se de uma influência difícil de delimitar, mas decisiva, que se foi metamorfoseando no correr de todo o século XX." (Celso Furtado, "A Atualidade de Euclides da Cunha")

A PRESENÇA MAIOR
"Euclides pertence ao número de autores que não se deixa buscar ou procurar pelo leitor: vêm ao seu encontro. Apresentam-se. Exibem-se. Nenhum escritor de língua portuguesa mais presente na literatura do que ele. Nenhum mais ostensivo em sua presença." (Gilberto Freyre, "Euclides da Cunha Revelador da Realidade Brasileira")

Obras

Os Sertões (1902)
Contrastes e Confrontos (1907)
À Margem da História (1909)
Peru versus Bolívia (1907)
Castro Alves e seu Tempo (1907)

Copyright

Obras em domínio público
— textos livres para publicação

Fragmento

Os Sertões

Antônio Conselheiro seguira em viagem para o céu. Ao ver mortos os seus principais ajudantes e maior o número de soldados, resolvera dirigir-se diretamente à Providência. O fantástico embaixador estava àquela hora junto de Deus. Deixara tudo prevenido. Assim é que os soldados, ainda quando caíssem nas maiores aperturas, não podiam sair do lugar em que se achavam. Nem mesmo para se irem embora, como das outras vezes. Estavam chumbados às trincheiras. Fazia-se mister que ali permanecessem para a expiação suprema, no próprio local dos seus crimes. Porque o profeta volveria em breve, entre milhões de arcanjos descendo — gládios flamívomos coruscando na altura — numa revoada olímpica, caindo sobre os sitiantes, fulminando-os e começando o Dia do Juízo...

EUCLIDES DA CUNHA

Published in the early 20th century, the book Os Sertões *(Rebellion in the Backlands)* became the axis around which the formation of an entire culture gravitates. Many authors of that time endeavored to expose or made an attempt to explain the country, but none of them managed to shape an interpretation of the Brazilian civilization whose importance could be comparable to EUCLIDES DA CUNHA's interpretation. By approaching in his books such issues as the "Canudos" dramatic events, the future of Brazilian Amazon region, and the setting up of a social ecology, he managed to disclose, both to those foreigners interested in Brazil and to Brazilians themselves, a country that had been concealed to then, which will therefrom be seen for a long time as the most authentic thing we have had. With a splendorous and powerful writing that combines epic force, tragic content, and lyrical beauty, his books, including sociology, anthropology, and ecology, could have been scientific essays of a time: however, his book actually became, through the complete artistic transfiguration of this exemplar novelist, a literary monument capable of revealing the most concealed latency of an entire people.

Review

AN ARCHITECT OF THE BRAZILIAN CULTURE
"Euclides da Cunha was one of the architects of the Brazilian culture, comparable to Cervantes in the Spanish culture. His influence is difficult to delimit, but it was nonetheless decisive, and metamorphosed over the 20th century." (Celso Furtado, "A Atualidade de Euclides da Cunha")

THE MOST REMARKABLE PRESENCE
Euclides belongs to that group of authors who do not allow the reader a chance to look for them: they come and meet the reader. They introduce themselves. They unveil themselves. No other writer in the Portuguese language had a more effective presence in the literature. No one was more outwardly ostensible." (Gilberto Freyre, "Euclides da Cunha Revelador da Realidade Brasileira")

Excerpt

Os Sertões (Rebellion in the Backlands)

Antônio Conselheiro had set off on a journey to heaven. When he saw his main assistants dead as well as a larger number of soldiers, he decided to address directly to the Providence. At that time, the fantastic ambassador was next to God. Prior arrangements had been made. Therefore, the soldiers, even when facing the greatest difficulties, could not leave the place where they were. Not even to go away, as they had done before. They were fixed to the trenches. It was of utmost importance that the soldiers remained there for the supreme expiation, in the very site of their crimes. Because the prophet would come back soon, descending in the middle of millions of archangels — flame-throwing swords sparkling in the heights — in an Olympic soar, and falling onto the besiegers, annihilating them and beginning the Judgement Day...

Works

Os Sertões (1902)
Contrastes e Confrontos (1907)
À Margem da História (1909)
Peru versus Bolívia (1907)
Castro Alves e seu Tempo (1907)

Copyright

Works in public domain
— texts available for publication

FAGUNDES VARELLA

Uma das vitalidades do Romantismo, a atravessar, inclusive, algumas das vanguardas e outros importantes movimentos mundiais do século XX, foi a da própria vida do artista, questionando os valores decadentes da vida burguesa, se transformar em obra de arte. Nesse sentido, FAGUNDES VARELLA foi um romântico exemplar. Nele, tudo é desregramento: mulheres, brigas, bebedeiras, contas devidas na praça, vadiagem, hostilidades explícitas a transeuntes nas ruas, salvamento heróico de pessoas em um naufrágio etc. Acrescenta-se, a isso, a morte de dois filhos e de uma de suas esposas, para compor um rápido panorama da tragicidade de sua existência, além da sua própria passagem ter sido provocada pelo álcool. Detestando a hipocrisia da vida urbana e expurgando as dores que lhe eram impingidas, Varella fazia intermináveis andanças pelo ermo da natureza selvagem, onde conseguia se reconciliar com a alegria originária do cosmos. Tendo escrito o *Evangelho na Selva*, onde buscou sua imortalidade literária, ele é tido como o último dos grandes românticos, com uma poesia à altura de sua vida.

Crítica

UMA INTENSA POESIA DO COSMOS
"Libertário como D. H. Lawrence, bebedor e demolidor de tabus como um *beatnik*, ele nunca se adaptou às regras do jogo. Combateu a sociedade com acerba determinação e sarcasmo. Desempenhou o papel de ultracantor do Romantismo caboclo, tendo encontrado razões objetivas para se abater e penar. Sua obra, ao mesmo tempo, está toda impregnada de vozes que são ouvidas no espaço. Não apenas árvores e rios falantes, mas também espíritos na atmosfera dizendo, com uma certeza cristalina, que há uma 'luz das luzes'. Ao andar sem destino, na exuberância dos quadros tropicais, esse doido e proscrito, como ele mesmo se considerou, acabou contatando uma extraordinária harmonia. Da poesia da terra, foi içado para fora de si — 'Somos o fluido eterno que circula' — a uma participação intensiva na poesia do cosmos." (Leonardo Fróes, "Um Outro Varella")

Obras

Noturnas (1861)
O Estandarte Auriverde (1863)
Vozes da América (1864)
Cantos e Fantasias (1865)
Cantos Meridionais (1869)
Cantos do Ermo e da Cidade (1869)
Anchieta ou o Evangelho na Selva (1875)
Cantos Religiosos (1878)
Diário de Lázaro (1880)
Poesias Completas (1956)

Copyright

Fragmento

Anchieta ou o Evangelho na Selva

— Como é límpido o céu! Como refulge,
Ao dourado clarão do sol do estio,
Ao longe o vasto mar! Como cintilam
As pérolas do orvalho penduradas
Das verdes folhas dos murtais viçosos! —
Exclama o venerando Missionário.
— Oh! Não choreis, irmãos, que sinto n'alma
A paz divina que precede a aurora
Da verdadeira vida! Alva sublime,
Alva celestial de eternos raios
Cobre os campos, os prados e as florestas
De riquezas e pompas inefáveis!...
Gênio da Natureza, eu te estou vendo!
Pensas, e teu pensar sustenta os orbes,
Conduz os ventos, equilibra os mares,
Alenta a humanidade sofredora
E a matéria sujeita à inteligência
Dos levitas felizes que te servem!

FAGUNDES VARELLA

One of the vitalities in the romanticism that permeated even some of the vanguards and other important 20th century world movements was the change of the artist's life, by questioning the decadent values of the bourgeois life, into a work of art. In this sense, FAGUNDES VARELLA was an exemplary romantic. Everything in his life was unruly: women, fights, sprees, debts, vagrancy, explicit hostilities against any people in the streets, heroic rescue of people in a shipwreck, etc. If the death of two of his children and of one of his wives is placed on top of that, one can have a pictorial representation of the calamity in his existence; not to say that his own death resulted from alcoholism. Abhorring the hypocrisy of the urban life, and purging the pains that life had inflicted on him, Varella would endlessly ramble through the wilderness of untamed nature, where he would be able to reconcile with the original happiness of the cosmos. Having written *Evangelho na Selva (Gospel in the Jungle)*, where he strove for his literary immortality, he is regarded as the last great romantic, providing a poetry that is up to his life.

Review

AN INTENSE POETRY OF THE COSMOS

"As libertarian as D.H. Lawrence, drinking and devastating taboos like a *beatnik*, he never adapted to the rules of the game. He combated society with scathing determination and sarcasm. He played the part of the mestizo romanticism's ultrasinger, having found objective reasons to debase himself and grieve. His work is, at the same time, impregnated with voices that are heard in the space. Not only speaking trees and rivers, but also spirits proclaiming in the atmosphere, with a crystalline certainty, that there is a 'light of the lights'. On aimlessly wandering in the exuberance of the tropical sceneries, this lunatic and outlaw, as he described himself, ended up contacting an extraordinary harmony. From the earthly poetry, he was uplifted from himself — 'We are the eternal circulating fluid' — to an intensive participation in the cosmos poetry."

(Leonardo Fróes, "Um Outro Varella")

Excerpt

Anchieta ou o Evangelho na Selva (Anchieta or the Gospel in the Jungle)

— How limpid is the sky! How fulgurating it is,
Under the gilding sparkle of the summer sun,
The vast sea in the distance! How sparkling
The dew pearls seem to be as they hang
From the green leaves of the lush myrtles! —
Exclaims the venerable Missionary.
— Oh! Don't cry, siblings, 'cause I feel in my soul
the divine peace that precedes the dawning
Of true life! Sublime dawning,
Celestial dawning of eternal beams
Covering the fields, the grasslands, and the forests
With ineffable wealth and glory!...
The Genius of Nature, I can see you!
You think, and your thinking sustains the orbs,
Steers the winds, counterpoises the seas,
Encourages the suffering mankind
And subjects matter to the intelligence
Of the happy Levites serving you!

Works

Noturnas (1861)
O Estandarte Auriverde (1863)
Vozes da América (1864)
Cantos e Fantasias (1865)
Cantos Meridionais (1869)
Cantos do Ermo e da Cidade (1869)
Anchieta ou o Evangelho na Selva (1875)
Cantos Religiosos (1878)
Diário de Lázaro (1880)
Poesias Completas (1956)

Copyright

Works in public domain
— texts available for publication

FERNANDO MORAIS

FERNANDO MORAIS especializou-se na arte de contar as histórias escondidas na história oficial. Partindo dos vários anos de trabalho como jornalista, Morais descobriu que as versões públicas dos fatos por vezes ocultam verdadeiros dramas que em nada ficam devedores à ficção, ou melhor, que justamente por serem reais, por terem de fato ocorrido no mundo real com pessoas reais, são ainda mais pungentes. Perfeccionista, o autor só começa a redigir sua história depois de recolher, como todo bom repórter, milhares de anotações, entrevistas, fotos e investigações de toda ordem. Como manda a lei do jornalismo, todas as informações têm de ser checadas e confirmadas. A partir daí, aquieta-se o jornalista e nasce o escritor obsessivo por seu texto, que dá a todos os dados coletados a costura de um romance, onde se apresentam as características da grande ficção: a coragem, a cobiça, a sordidez, o idealismo etc., ou seja, tudo o que dá uma dimensão humana ao texto, sem que, no entanto, nenhum fato relatado tenha de se afastar do que realmente ocorreu.

Crítica

O REPÓRTER ESCRITOR
"A reportagem de Fernando Morais é cristalina. Um diário. Um olho de câmara de cinema aberto sobre um tema. [...] E passo ao leitor a reportagem de Fernando Morais, sólida e cerrada como uma fortaleza nos dados que apresenta mas ao mesmo tempo transparente, pois deixa ver dentro dos muros a alegre atividade de um povo empenhado na autoria de si mesmo."
(Antônio Callado, prefácio de "A Ilha")

O ROMANCE DO REAL
"Com a mesma habilidade de um romancista, que afasta a lente para permitir uma abrangência histórica e a aproxima para relatar dramas individuais, Morais conta uma história real e eletrizante em sua obra."
(André Nigri, *Jornal da Tarde*)

Obras

Primeira Página (1982)
A Ilha (1983)
Olga (1985)
Chatô: o Rei do Brasil (1999)
Corações Sujos (2000)

Fragmento

Olga

1. Na "fortaleza vermelha"

Com os corpos moídos após setenta e duas horas no trem, Olga e Otto chegaram ao hotel Desna, na capital soviética. Ao contrário do Lux, destinado a receber estrangeiros ilustres que aportavam em Moscou, não havia nenhuma pompa no Desna, que, em compensação, era limpo e discreto. Ao preencher a ficha de entrada, Olga notou que, por curiosa coincidência, exatamente cinco anos antes ela entrara pela primeira vez numa organização comunista.

Contato

fmorais@sol.uniemp.br

FERNANDO MORAIS

FERNANDO MORAIS specialized in the art of telling those stories hidden in the official history. Drawing on the several years when he worked as a journalist, Morais found out that the public versions of facts often veil true dramas tantamount to fiction, or even better, which, precisely because they are true stories, happened in the real world with real people, are much more poignant. Perfectionist, the author only begins writing his story after he has gathered, like every good reporter, thousands of notes, interviews, pictures, and investigations of all sorts. According to the journalism rule, all information has to be checked and confirmed. Only then does the journalist quiet down and the text-obsessive writer come out, giving all the data collected the seam of a novel, including all characteristics of a great fiction: courage, greed, sordidness, idealism, etc. put simply, all that gives the text a human dimension; without, however, compelling the fact so narrated to deviate from what really happened.

Review

THE WRITER-REPORTER

"Fernando Morais' report is crystal-clear. A diary. A motion picture camera's eye focusing on a theme. [...] And I forward Fernando de Morais' report to the reader, as solid and concrete as a fortress in the data recounted; however, at the same time, it is translucent, for it allows the cheerful activity of a people engaged in shaping themselves to be seen through the walls." (Antônio Callado, foreword to "A Ilha")

REALITY NOVEL

"As skillfully as a novelist, zooming out to allow a historical visualization and zooming in to narrate individual dramas, Morais tells a real and thrilling story in his work." (André Nigri, *Jornal da Tarde*)

Excerpt

Olga

I. Na "fortaleza vermelha" (In the "red fortress")

Feeling wearied after seventy-two hours on the train, Olga and Otto arrived at Desna hotel, in the Soviet capital. Unlike the Lux, intended to receive illustrious foreigners in visit to Moscow, there was no pomp in the Desna. However, to make up for, it was clean and discreet. As she filled out the check-in form, Olga realized the funny coincidence that exactly five years had elapsed since she entered a communist organization for the first time.

Works

Primeira Página (1982)
A Ilha (1983)
Olga (1985)
Chatô: o Rei do Brasil (1999)
Corações Sujos (2000)

Contact

fmorais@sol.uniemp.br

FERNANDO SABINO

Tradutor de Flaubert e Henry James, entre outros, FERNANDO SABINO, desde sua estréia em 1941, vem escrevendo contos, novelas, crônicas, romances e biografias. Trabalhou como jornalista e, durante o período em que teve uma importante editora, publicou livros de escritores brasileiros do porte de Clarice Lispector, Carlos Drummond de Andrade, Vinícius de Moraes, Rachel de Queiroz e Autran Dourado, além da obra de Gabriel García Márquez e Mario Vargas Llosa. Através de um estilo ágil e direto, que confere a seus escritos um tom quase que de confidência oral, várias situações do cotidiano vão surgindo repletas de vibração e absurdo. A ausência de sentido das coisas, entretanto, aparece em inúmeras variações entre dois extremos: do aspecto noturno da inutilidade, que leva à fragilidade e à solidão humanas, ao diurno, no qual o cotidiano é visto como propiciador do cômico. Dele, já foi dito ser um "Kafka de eletricidade positiva", ou seja, um escritor para o qual o mundo só é suportável, e até mesmo divertido, justamente pelo absurdo que lhe é inerente.

Crítica

O ELOGIO MAIOR
"A sensação que eu tenho, atravessada de sustos, de medos e até de tristezas, é que você acaba de escrever uma coisa muito grande, uma coisa de primeira ordem. [...] É assombroso como você está escrevendo bem a prosa de ficção. É uma coisa admirável a sua linguagem e o seu estilo. Você está escrevendo tão bem como Machado de Assis." (Mário de Andrade, "Carta de 1943")

O DESAFIO DOS OPOSTOS
"Aí está o significado profundo da ficção de Fernando Sabino: a busca da essência, o jogo solitário que o homem pratica, pondo em desafio tendências opostas do mesmo espírito." (Fábio Lucas, "A Ficção de Fernando Sabino")

Obras

Os Grilos não Cantam Mais (1941)
A Marca (1944)
A Cidade Vazia, Medo em Nova York (1950)
A Vida Real (1952)
O Encontro Marcado (1956)
O Homem Nu (1960)
A Mulher do Vizinho (1962)
O Grande Mentecapto (1979)
O Menino no Espelho (1982)
A Faca de Dois Gumes (1985)
A Volta por Cima (1990)
Com a Graça de Deus (1994)

Contato

Lúcia Riff, *agente literária*
lucia@bmsr.com.br

Fragmento

O Grande Mentecapto

O sino da igreja tinha acabado de bater. Então Geraldo Viramundo se apoiou nos cotovelos e estendeu o olhar, meio para longe, meio para cima. Centenas de vezes tinha estado ali, naquela mesma posição, era uma paisagem conhecida e tão familiar como o seu próprio modo de viver, que nela se completava. Mas naquele mesmo instante uma buzina de automóvel soou na estrada, um boi mugiu no pasto, uma menininha de vermelho passava correndo lá longe, na ponte, um vento leve começou a sacudir a ramagem das árvores. O momento assim surpreendido parecia conter um significado qualquer que lhe escapava, e a tudo se subordinava, como as notas de uma música. Geraldo Viramundo se sentiu mais só do que quando mergulhava no rio, mas era uma solidão feita de desamparo e de saudade da infância — quando, minutos mais tarde, se ergueu e caminhou em direção a casa, percebeu que não era menino mais.

FERNANDO SABINO

The translator of Flaubert and Henry James, and others, FERNANDO SABINO has been writing short stories, serials, chronicles, novels, and biographies since his debut in 1941. He worked as a journalist and, during the period he owned an important publishing house, he published books by remarkable Brazilian writers such as Clarice Lispector, Carlos Drummond de Andrade, Vinícius de Moraes, Rachel de Queiroz, and Autran Dourado, as well as Gabriel Garcia Márquez's and Mário Vargas Llosa's works. Through his nimble and direct style, which makes his writings to nearly become an oral confidence, a number of daily situations have been brought forth, full of vibration and absurdity. The nonsense of things, however, appears in countless variations between the two extremes: from the nocturnal aspect of uselessness, which leads to the human fragility and seclusion, to the daytime aspect, in which the quotidian is seen as a propitiator of comicality. He has been described as an "electrically positive Kafka," in other words, a writer to whom the world is only tolerable, and even laughable, precisely because of its inherent absurdity.

Review

THE GREATEST PRAISE

"My feeling, mixed with fright, fear, and even sadness, is that you have just written something huge, something of first order. (...) It is astonishing how well you are writing fictional prose. Your language and style are amazing. You are writing as well as Machado de Assis." (Mário de Andrade, "Carta de 1943")

THE CHALLENGE OF THE OPPOSITES

"This is the deep meaning of Fernando Sabino's fiction: the search for what is essential, the lonely game played by men, putting under challenge opposite tendencies in the same spirit." (Fábio Lucas, "A Ficção de Fernando Sabino")

Excerpt

O Grande Mentecapto (The Great Cuckoo)

The church bell had just pealed. Geraldo Viramundo leaned on his elbows and looked further, half ahead, half upwards. Hundreds of times had he been there, in that same stance. The landscape was so familiar, and as well-known to him as his own way of living, that they completed each other. However, at that very moment an automobile horned in the highway, an ox mooed in the grazing field, a little girl in red was running across the bridge in the distance, a gentle breeze began shaking the foliage on the trees. The moment, taken unawares like this, seemed to contain a meaning that escaped him and submitted itself to everything, like the notes of a music. Geraldo Viramundo felt more solitary than when he plunged into the river, but that was a solitude made of abandonment and a nostalgic longing for his childhood — when minutes later he got up and headed to the house, he realized he was not a boy any more.

Works

Os Grilos não Cantam Mais (1941)
A Marca (1944)
A Cidade Vazia, Medo em Nova York (1950)
A Vida Real (1952)
O Encontro Marcado (1956)
O Homem Nu (1960)
A Mulher do Vizinho (1962)
O Grande Mentecapto (1979)
O Menino no Espelho (1982)
A Faca de Dois Gumes (1985)
A Volta por Cima (1990)
Com a Graça de Deus (1994)

Contact

Lúcia Riff, *literary agent*
lucia@bmsr.com.br

FERREIRA GULLAR

Na medida em que uma unanimidade poética é possível, FERREIRA GULLAR é a maior, entre os poetas vivos do Brasil. Tendo sido um dos fundadores do Concretismo, importante movimento de vanguarda, abandonou-o, em seguida, para fundar o Neoconcretismo, que buscava uma revisão das premissas do que lhe precedeu. Esse poeta que faz do espanto o fundamento da poesia e que escreveu um dos mais intensos poemas da língua (o *Poema Sujo*), busca as palavras que a própria vida engendra, aquelas que nascem ao rés-do-chão e do corpo, com as misérias do povo, chulas, e um tipo de escrita que desafia as normas convencionais do que é poético. Ele desfigura, justamente, as classificações preconcebidas do que é e do que não é poético, pois sabe que a poesia está em tudo, desde que consigamos percebê-la e elaborar o material propício a sua manifestação. A essas palavras eivadas de vida e impregnadas de experiência, o poeta une uma delicadeza observadora toda própria. Traduzido em diversas línguas, escritor de roteiros televisivos, dramaturgo e teórico das artes em geral, Gullar é um dos grandes mestres da poesia brasileira.

Crítica

A LUTA CORPORAL
"O corpo, para Gullar, é o lugar onde o ser vivo deixa pressentir da melhor maneira o enigma fascinante de seu sentido. Esse sentido se manifesta, à percepção, como luta: no corpo palpitam, combatendo-se, as forças cegas do impulso; ali se movimentam, agitando-se e retraindo-se as molas do instinto, os mil matizes da sensação, os muitos mecanismos do universo inconsciente. O corpo é, além do mais, o cenário onde se cumpre o itinerário traçado de tudo quanto amadurece e morre."
(Santiago Kovadloff, "Ferreira Gullar: O Fogo Solitário")

UM DOS MAIS BELOS POEMAS DA LÍNGUA
"Os equivocados partidários da teoria de que o artista precisa sofrer para criar grandes obras dirão que tudo isso foi benéfico porque resultou num dos mais belos poemas de nossa língua brasileira, o *Poema Sujo*. [...] Lembro-me bem da emoção que causou."
(Dias Gomes, "Os Aliados")

Obras

A Luta Corporal (1954)
A Luta Corporal e Novos Poemas (1966)
Vanguarda e Subdesenvolvimento (1969)
Dentro da Noite Veloz (1975)
Poema Sujo (1976)
Na Vertigem do Dia (1980)
A Estranha Vida Banal (1989)
Barulhos (1997)
Cidades Inventadas (1997)
Argumentação contra a Morte da Arte (1998)
Rabo de Foguete (1998)
Muitas Vozes (1999)
Toda Poesia (2000)

Contato

sgullar@uninet.com.br

Fragmento

Poema Sujo

Não sei de que tecido é feita minha carne e essa vertigem
que me arrasta por avenidas e vaginas entre cheiros de gás
e mijo a me consumir como um facho-corpo sem chama,
ou dentro de um ônibus
ou no bojo de um Boeing 707 acima do Atlântico acima do arco-íris
perfeitamente fora
do rigor cronológico
sonhando
Garfos enferrujados facas cegas cadeiras furadas mesas gastas
balcões de quitanda pedras da Rua da Alegria beirais de casas
cobertos de limo muros de musgos palavras ditas à mesa do jantar,
voais comigo
sobre continentes e mares

E também rastejais comigo
pelos túneis das noites clandestinas
sob o céu constelado do país
entre fulgor e lepra
debaixo de lençóis de lama e de terror
vos esgueirais comigo, mesas velhas,
armários obsoletos gavetas perfumadas do passado, dobrais comigo
[as esquinas do susto
e esperais esperais
que o dia venha

FERREIRA GULLAR

To the extent that a poetic unanimity is possible, FERREIRA GULLAR is the greatest among all living Brazilian poets. He forsook the concretist movement he had helped to initiate — an important vanguard movement — to start the neo-concretism, trying to revise all the premises of the previous movement. This poet, who takes fright as the foundation of poetry, having written one of the most intense poems of the language (*Poema Sujo*), searches for those words forged by life, those words born at the level of the ground and of the body, close to people's miseries, filthy, and a kind of writing that challenges the conventional standards of what is poetic. He disfigures, precisely, the preconceived classifications of what is and what is not poetic, because he knows poetry is everywhere, as long as we manage to perceive it and to elaborate the material favorable to its manifestation. With such lively and experience-impregnated words, the poet combines a unique heedful delicacy. Translated in a number of languages, the writer of television scripts, playwright, and theorist of general arts, Gullar is one of the great masters of the Brazilian poetry.

Review

CORPORAL FIGHT

"For Gullar, the body is the place where the living being best unmasks the fascinating enigma of sense. Such sense appears to perception as fight: the blind forces of impulse, fighting each other, pulsate in the body; there the springs of instinct get in motion, throbbing and recoiling, the thousand shades of sensation, the numberless mechanisms of unconscious universe. The body is, besides, the scenery where the drawn itinerary of whatever ripens and dies may come true." (Santiago Kovadloff, "Ferreira Gullar: O Fogo Solitário")

ONE OF THE MOST BEAUTIFUL POEMS IN THE LANGUAGE

"The fallacious supporters of the theory by which the artist has to suffer to be able to create great works will say that all this was beneficial as it resulted in one of the most beautiful poems in our Brazilian language, *Poema Sujo*. [...] I remember the emotion it aroused ."

(Dias Gomes, "Os Aliados")

Excerpt

Poema Sujo (Filthy Poem)

I don't know what tissue my flesh and this vertigo are made of
which drags me through avenues and vaginas through the midst of
[smells of gas
and pee, depleting me like a flameless beam-body,
or onboard a bus
or inside the body of a 707 Boeing overflying the Atlantic Ocean
[above the rainbow
perfectly out
of the chronological rigidity
dreaming
Rusted forks blunt knives holed chairs worn-out tables
grocery store counters Happiness Street stones roof eaves
covered with slime mossed walls words said at dinner table,
come fly with me
over continents and seas

And also come crawl with me
through clandestine night tunnels
under the starry sky of the country
between splendor and leprosy
under sheets of mud and terror
come sneak out with me, old tables,
obsolete closets perfumed drawers of the past, come turn with me
[the corners of fright
and wait wait
until daybreak

Works

A Luta Corporal (1954)
A Luta Corporal e Novos Poemas (1966)
Vanguarda e Subdesenvolvimento (1969)
Dentro da Noite Veloz (1975)
Poema Sujo (1976)
Na Vertigem do Dia (1980)
A Estranha Vida Banal (1989)
Barulhos (1997)
Cidades Inventadas (1997)
Argumentação contra a Morte da Arte (1998)
Rabo de Foguete (1998)
Muitas Vozes (1999)
Toda Poesia (2000)

Contact

sgullar@uninet.com.br

FLORA SÜSSEKIND

Professora, ensaísta e pesquisadora do Setor de Filologia do Centro de Pesquisas da Fundação Casa de Rui Barbosa, FLORA SÜSSEKIND vem regularmente publicando em seus livros e artigos nos cadernos de literatura vários textos críticos que formam um autêntico painel da atual e da recente produção literária brasileira. Preocupada em identificar os movimentos de ruptura e de continuidade tanto nos autores que se consagraram no século XX quanto nos que estão surgindo nesse início de século XXI — hoje não mais agrupados em escolas, gerações ou movimentos coletivos, mas buscando soluções próprias e individualizadas, que respondam menos ao sentimento geral de uma época e que se caracterizam, sobretudo, pela apresentação de uma visão particular, pulverizada, de *uma* realidade —, Flora Süssekind destaca-se por sua erudição e pela competência presente em suas análises, assim como pela capacidade de reunir, em seus ensaios sobre autores e temas tão heterogêneos uns em relação aos outros, um nexo articulador sempre sólido e pertinente.

Crítica

REDESCOBRINDO O BRASIL
"*O Brasil não é Longe Daqui* se constrói com o mesmo espírito do *Cinematógrafo de Letras*, da mesma autora: viagem *versus* literatura, literatura *versus* técnica. Em outras palavras: impulso e determinação de escrever uma história da literatura brasileira levando outras relações em conta; tentativa de formalizar tais relações, vê-las internamente, no texto. [...] Flora Süssekind, porém, está em boa companhia. Teóricos significativos têm estado atentos, entre nós, à questão insistente das 'descobertas' do Brasil sob as luzes mais variadas."
(Vilma Arêas, orelha a "O Brasil Não é Longe Daqui")

A NOVA CRÍTICA BRASILEIRA
"Nem tudo está perdido na crítica literária brasileira. Quem desejar um pouco de esperança deve ler, logo, os vigorosos ensaios da carioca Flora Süssekind, uma das mais brilhantes críticas de literatura da nova geração. Flora é uma intelectual incansável."
(José Castello, *O Estado de S. Paulo*)

Obras

O Negro como Arlequim (1982)
Cultura e Sociedade em Manuel Bomfim (1984)
Tal Brasil, qual Romance? (1984)
Literatura e Vida Literária, Polêmicas, Diários e Retratos (1985)
As Revistas de Ano e a Invenção do Rio de Janeiro (1986)
Cinematógrafo de Letras (1987)
O Brasil Não é Longe Daqui (1989)
Papéis Colados: Ensaios (1993)
O Sobrinho pelo Tio (1995)
Memórias do Sobrinho de meu Tio — Joaquim Manuel de Macedo (1995)
Até Segunda Ordem Não me Risquem Nada (1995)
Cabral, Bandeira, Drummond: Alguma Correspondência (1996)
A Voz e a Série (1998)

Contato

mfsussekind@ig.com.br

Fragmento

Predomínio do Negro (*in*: A Voz e a Série)

Qualquer exercício paisagístico beira a impossibilidade. Basta pensar no seu esforço de fixação, e concentração num espaço restrito, daquilo que se apresenta necessariamente como fluxo, variação (luz, atmosfera, estações), e no seu movimento de delimitação e singularização, contraditório com o que há de ilimitado, indivisível, descentrado, na noção mesma de natureza. [...] Tensão figurada belissimamente, na poesia de João Cabral de Melo Neto, no desejo de Anfion, diante da cidade de Tebas, que acabara de fundar, de reencontrar o deserto — "como / a um tecido / que buscasse adivinhar pelo avesso". *Tensão inerente ao paisagismo que explica, em parte, o recurso freqüente a ele numa obra como a de Cabral, marcada exatamente pela conjugação de pólos a rigor excludentes, como figuração e abstratização, descrição e narração, percepção espacial e consciência temporal.*

FLORA SÜSSEKIND

A professor, essayist, and researcher at Fundação Casa de Rui Barbosa Philology Department's Research Center, FLORA SÜSSEKIND has been including in her books and in her articles, published in a number of literary supplements, many critical texts that make up an authentic panel about both the contemporary and the recent Brazilian literary production. Her main concern has been to identify the movements of rupture and continuity, both in the 20th-century's consecrated authors and in those authors who are emerging in this early 21st century — authors today are not classified according to schools, generation, or collective movements any more, but they rather look for their own and individualized solutions, less sensitive to the general feeling of a time and characterized above all by the offering of a private pulverized vision of a reality —, Flora Süssekind stands out because of her erudition and competence of her analyses, and because of her ability to gather, in her essays about authors and themes that are so heterogeneous in relation to each other, a coherency hinge that is always solid and pertinent.

Review

REDISCOVERING BRAZIL

"*O Brasil Não é Longe Daqui (Brazil is Not Far Away from Here)* was built with the same spirit of *Cinematógrafo de Letras (Letters Cinematographer)*, by the same author: trip *versus* literature, literature *versus* technique. In other words: impulse and determination to write a history of Brazilian literature taking other relationships into account; an attempt to formalize such relationships, to see them from inside, *in the text*. [...] Flora Süssekind, however, is in good company. Major theorists have paid due attention, among us, to a recurring theme, namely 'discovering' Brazil, under the most varied lights [...]." (Vilma Arêas, flap in "O Brasil Não é Longe Daqui")

THE NEW BRAZILIAN CRITIC

"There is still a hope for the Brazilian literary critic. Whoever wants to find some hope should read the vigorous essays by *carioca* Flora Süssekind, one of the brightest critics of literature from the new generation. Flora is a tireless intellectual." (José Castello, *O Estado de S. Paulo*)

Excerpt

Predomínio do Negro (*in*: A voz e a Série) [Prevalence of the Black (*in*: The Voice and the Series)]

Any exercise in landscaping verges on impossibility. You just think of a fixation effort, and concentration in a restricted space, of that which necessarily comes out as a flow, a variation (light, atmosphere, stations), and of its delimitation and singularization movement, contradictory with whatever exists that is limitless, indivisible, off-centered, in the very notion of nature. [...] Tension beautifully represented in João Cabral de Melo Neto's poetry, in the desire of Anfion, in front of the city of Tebas he had just founded, met the desert again — "just like / a piece of fabric / he had tried to guess from the inside". *A landscaping inherent tension that is capable to partly explain the recurrent reference made to it in a work by Cabral, marked exactly by the conjugation of mutually excluding poles, such as figuration and abstraction, description and narration, spacial perception and temporary conscience.*

Works

O Negro como Arlequim (1982)
Cultura e Sociedade em Manuel Bomfim (1984)
Tal Brasil, qual Romance? (1984)
Literatura e Vida Literária, Polêmicas, Diários e Retratos (1985)
As Revistas de Ano e a Invenção do Rio de Janeiro (1986)
Cinematógrafo de Letras (1987)
O Brasil Não é Longe Daqui (1989)
Papéis Colados: Ensaios (1993)
O Sobrinho pelo Tio (1995)
Memórias do Sobrinho de meu Tio — Joaquim Manuel de Macedo (1995)
Até Segunda Ordem Não me Risquem Nada (1995)
Cabral, Bandeira, Drummond: Alguma Correspondência (1996)
A Voz e a Série (1998)

Contact

mfsussekind@ig.com.br

FLORESTAN FERNANDES

O destino da Sociologia parece ser, através de interpretações esclarecedoras que redimensionem o passado, o presente e o futuro, a realização íntegra de um pensamento crítico da sociedade com o fim de beneficiá-la. Estabelecendo uma rigorosa análise revisionista das estruturas sociais e econômicas que formaram o Brasil desde os primeiros tempos da colonização aos dias de hoje, FLORESTAN FERNANDES é um dos principais responsáveis pela rápida transformação que levou às ciências humanas do país a um nível internacional. Ainda mais importante do que isso é o fato de o sociólogo ter ganho amplo reconhecimento pelas subseqüentes tentativas de abrir caminhos de desenvolvimento para o país ao traçar, por exemplo, uma ampla amostragem da evolução do capitalismo e das mudanças sociais, identificando os momentos de estabelecimento de uma crise característica da sociedade brasileira. Em sua prática diretamente política, ele participou da fundação do Partido dos Trabalhadores (PT) e foi eleito deputado federal. Faleceu em 1995, deixando extensa bibliografia.

Crítica

RECONHECIDO EM TODOS OS LUGARES
"Florestan Fernandes é hoje uma figura de intelectual altamente respeitada no país e no exterior, mercê de sua cultura e de sua coerência na apreciação dos problemas relacionados a sua especialidade." (Fernando Henrique Cardoso, "Mudanças Sociais no Brasil")

Obras

Mário de Andrade e o Folclore Brasileiro (1946)
Organização Social dos Tupinambás (1949)
Ensaio sobre o Método de Interpretação Funcionalista na Sociologia (1953)
Cor e Estrutura Social em Mudança (1955)
Mudanças Sociais no Brasil (1960)
Ensaios de Sociologia Geral e Aplicada (1960)
Sociedade de Classes e Subdesenvolvimento (1968)
Capitalismo Dependente e Classes Sociais na América Latina (1973)
Revolução Burguesa no Brasil (1975)
A Sociologia do Brasil Contribuição para o Estudo de sua Formação e Desenvolvimento (1976)
Poder e Contrapoder na América Latina (1981)
Democracia e Desenvolvimento (1994)
A Contestação Necessária: Retratos Intelectuais de Inconformistas e Revolucionários (1995)

Contato

instfloresn@uol.com.br

Fragmento

A Revolução Burguesa no Brasil

Se me volto, de modo tão incisivo, para os processos de longa duração, faço isso porque esse é o traço lógico sine qua non *da sociologia diferencial (ou histórica), de Marx aos nossos dias. É claro que alguns sociólogos se concentram em fases de curta duração — e é incontestável que a maioria dos sociólogos prefere, pura e simplesmente, omitir o fluxo da história através da pesquisa de campo focalizada no* tempo in flux *de pequenos grupos ou de instituições ou no* tempo psicológico *da motivação das atitudes e comportamentos humanos. Não obstante, esse nunca foi o meu caminho. Se ao estudar os Tupinambá fiquei confinado à reconstrução histórica firmemente delimitada, o esforço que fiz para chegar a explicações gerais, ou seja, ao conhecimento de uma civilização, como diria Mauss, é patente. Se ao estudar o folclore paulistano fiquei preso à órbita estreita de uma pesquisa de campo, também é evidente que procurei transcender às fronteiras do imediato — para trás, ao tentar descobrir as raízes e as etapas evolutivas da* cultura de folk *em São Paulo; e* para a frente, *ao mostrar como a urbanização se mesclava à constituição de espaços históricos não-saturados, nos quais e pelos quais o folclore podia sobreviver, redefinindo-se e reincorporando-se à sociedade em transformação.*

FLORESTAN FERNANDES

Sociology's fate seems to be, through explanatory interpretations resizing the past, the present and the future, the full accomplishment of a critical thought on society with the purpose of bringing a benefit. By establishing a rigorous revisionist analysis of the social and economical structures that formed Brazil since the first times of the colonization until today, FLORESTAN FERNANDES is one of those responsible for the fast change that took the country's humanities to its current international level. Even more important than that is the fact that this sociologist achieved wide recognition for his subsequent attempts to open development roads for the country as he provided, for instance, a comprehensive sampling of the capitalism evolution and the social changes, identifying the onset of a crisis characteristic to the Brazilian society. In his directly political activity, he took part in the foundation of the Labor Party (PT) and was elected to serve in the Federal Congress as a representative. He died in 1995, leaving a extensive bibliography as legacy.

Review

RECOGNIZED EVERYWHERE

"Florestan Fernandes is highly respected both in the country and abroad as an intellectual, thanks to his culture and his coherence in evaluating the problems related to his field of activity." (Fernando Henrique Cardoso, "Mudanças Sociais no Brasil")

Excerpt

A Revolução Burguesa no Brasil (The Bourgeois Revolution in Brazil)

If I focus so incisively on the long-term processes, I do so because that is the differential (or historical) sociology's sine qua non *logical line, from Marx to present days. Some sociologists, of course, will concentrate on short-term phases — and it is unarguable that most sociologists purely and simply prefer to omit the flow of history by providing field researches focused either on small groups or institutions in flux time or on the psychological time of human attitudes motivation and behaviors. Notwithstanding, this has never been my way. If on studying the Tupinambá I was confined to the firmly delimited historical reconstruction, the effort I made to achieve general explanations, in other words, the knowledge of a civilization, as Mauss would say, is patent. If on researching São Paulo city's folklore I got stuck in the narrow orbit of a field research, it is also evident that I tried to transcend to the boundaries of the immediate — backwards, when trying to discover the roots and the evolutionary stages in São Paulo's folk culture; and forward, when showing how urbanization would mix with the constitution of non-saturated historical spaces, in which and by which folklore could survive, redefining itself and reincorporating itself into the changing society.*

Works

Mário de Andrade e o Folclore Brasileiro (1946)
Organização Social dos Tupinambás (1949)
Ensaio sobre o Método de Interpretação Funcionalista na Sociologia (1953)
Cor e Estrutura Social em Mudança (1955)
Mudanças Sociais no Brasil (1960)
Ensaios de Sociologia Geral e Aplicada (1960)
Sociedade de Classes e Subdesenvolvimento (1968)
Capitalismo Dependente e Classes Sociais na América Latina (1973)
Revolução Burguesa no Brasil (1975)
A Sociologia do Brasil Contribuição para o Estudo de sua Formação e Desenvolvimento (1976)
Poder e Contrapoder na América Latina (1981)
Democracia e Desenvolvimento (1994)
A Contestação Necessária: Retratos Intelectuais de Inconformistas e Revolucionários (1995)

Contact

instfloresn@uol.com.br

FRANCISCO ALVIM

FRANCISCO ALVIM, ao contrário do que possa parecer, não faz uma poesia fácil. Seus poemas, manifestadamente instantâneos, de aspecto fotográfico, ocultam uma intensa indagação poética que em nada pode ser confundida com a escrita apressada, desinteressada, que marcou a maior parte da poesia de seus contemporâneos, conhecidos como poetas marginais. Não se trata, tampouco, da reedição das anedotas ou dos ditos espirituosos característicos do primeiro Modernismo. Sob seu aparente prosaísmo, o que se vê é a procura do poético em seus limites extremos, nas fronteiras mais distantes do que em geral se crê ser a poesia. Pois a matéria desse poético não pode ser pre-definida, prevista ou preconcebida. O real da poesia, seu surgimento, sua corporeidade, sua coisidade, apresenta-se sempre indefinido, inacabado, indecidível e, sobretudo, atópico. Por isso, encontra-se na poética de Francisco Alvim o dever de procurar pelo poético onde ele provavelmente não poderia estar, no relance de um diálogo, numa percepção súbita ou na brevidade de um fragmento de vida.

Crítica

INDAGAÇÃO DO MUNDO
"Mas não é só via figuração em fuga que Francisco Alvim parece encaminhar, em *Elefante*, sua consideração do poema e, em particular, do seu método poético, [...] desdobrando esse movimento auto-reflexivo de uma indagação mais geral sobre as relações entre o poema e o mundo, sobre a 'realidade', o processo de ficcionalização próprios à vertente dramatizada de sua poesia, movida sobretudo por movimentos de miniaturização crítica e por afastamentos e aproximações entre a sua perspectiva semi-oculta e as 'personae' que se expõem nos poemas breves." (Flora Süssekind, *Folha de S. Paulo*)

LIMITES DA LINGUAGEM
"Assim, o ser votado à perda e o fundamento de nossa 'História antiga', [...] são ao mesmo tempo construídos de material concreto e nítido, mas invisível e impalpável, respeitando-se a palavra, que é também sopro. Por isso, o lugar da poesia, inscrevendo-se 'no ar do ar' e 'na luz da luz', admite o dentro deslizar no fora, a impossibilidade de traduções desaguarem em traduções, e farrapos de frases nos limites da linguagem traçarem o arco da totalidade." (Vilma Arêas, orelha a "Elefante")

Obras

Amostra Grátis, Sol de Cegos (1968)
Passatempo (1974)
Exemplar Proceder (1978)
Poemas (1978)
Dia Sim Dia Não [com Eudoro Augusto] (1978)
Lago, Montanha, Festa (1981)
Passatempo e outros Poemas (1981)
Poesias Reunidas (1988)
O Corpo Fora (1988)
Elefante (2000)

Contato

record@record.com.br

Fragmento

Manhã de Sol com Azulejos

Tudo se veste da cor de teu vestido azul
Tudo — menos a dona do vestido:
meus olhos te passeiam nua
pela grama do campo de golfe

Uma curva e eis-nos diante de meu coração
Não amiga não temas
meu coração;
é apenas um chapéu surrado
que humildemente estendo
para colher um pouco de tua alegria
de tua graça distraída
de teu dia

FRANCISCO ALVIM

Contrary to what it could appear to be, FRANCISCO ALVIM did not produce an easy poetical work. His poems, plainly instantaneous, of a photographic nature, hide an intense poetic inquiry that should in no way be mistaken for the hurried, indifferent writing that marked most of his contemporaries, known as marginal poets. It is not the case, either, of reediting the first modernism's anecdotes or characteristic witty writing. Under his apparent pedestrianism one will find the search for the poetic to its extreme extent, to the farthest limits of what is generally believed to be poetry, since the substance of such poetic cannot be predefined, foreseen or preconceived. Real poetry, its emergence, its corporeity, its creaturezation, always comes up in a indefinite, unfinished, undecidable, and, above all, non-topical way. Therefore, Francisco Alvim's poetical work embeds the duty of seeking for the poetic where it could not probably be, in the flash of a dialogue, in a sudden perception, or in the brevity of a life fragment.

Review

INQUIRING THE WORLD

"But it was not only through fleeing figuration that Francisco Alvim seems to steer, in *Elephant*, his consideration about poem and, especially, about his poetic method, [...] thereby unfolding this self-reflective movement of a more general inquiry about the relationships between the poem and the world, about 'reality', the process of fictionalization that is inherent to the dramatized stream of his poetry, driven above all by critical miniaturization movements and by removals and approaches between his semi-hidden perspective and the 'personae' exposed in the short poems." (Flora Süssekind, *Folha de S. Paulo*)

LIMITS OF LANGUAGE

"Thus, the being devoted to the loss and the foundation of our 'old History ', [...] are at the same time built of concrete and clear material, although invisible and intangible, abiding by the word, which is also a blow. Therefore, the place of poetry, perpetuating 'in the air of the air' and 'in the light of the light', admits the inner sliding on the outer, the impossibility of translations casting forth into translations, and rags of sentences [...]."
(Vilma Arêas, flap in "Elefante")

Excerpt

Manhã de Sol com Azulejos (Sunshiny Morning with Tiles)

Everything picks up the color of your blue dress
Everything — but the dress wearer:
my eyes stroll over your naked body
on the golf course lawn

One curve and here we are before my heart
No, friend, no fear
my heart;
is just a worn out hat
which I lowly pass
to pick up a little bit of your happiness
of your careless charm
of your day

Works

Amostra Grátis, Sol de Cegos (1968)
Passatempo (1974)
Exemplar Proceder (1978)
Poemas (1978)
Dia Sim Dia Não [com Eudoro Augusto] (1978)
Lago, Montanha, Festa (1981)
Passatempo e outros Poemas (1981)
Poesias Reunidas (1988)
O Corpo Fora (1988)
Elefante (2000)

Contact

record@record.com.br

FRANCISCO IGLÉSIAS

Um dos gigantes da historiografia brasileira, FRANCISCO IGLÉSIAS tem uma grande legião de admiradores entre a intelectualidade do país. Exercendo profunda influência em três gerações universitárias de Minas Gerais, seus livros e ensaios primam pela elegância, clareza e também pela tonalidade clássica de sua escrita, derivada de sua admiração por autores como Montaigne. Em virtude da convivência com os maiores expoentes da poesia, do romance e da crítica nacional, Iglésias dá grande valor à literatura, o que resulta no uso inteligente e conciso da língua. De fato, Iglésias chega a participar do I Congresso Brasileiro de Escritores, onde conhece e se torna amigo de Antonio Candido e Mário de Andrade, que fazem de tudo para que se estabeleça em São Paulo. Fiel a Minas e a sua família, porém, Iglésias permanece exercendo sua discreta carreira de professor universitário em Belo Horizonte. Especialista na história econômica e social dos séculos XIX e XX, destaca-se pela variada gama de saberes que domina, notabilizando-se, sobretudo, por sua cultura interdisciplinar.

Crítica

SABER INTERDISCIPLINAR
"Ele pode ser considerado um intelectual-ponte entre gerações e entre os inúmeros saberes que praticou ou que incorporou à sua formação humanística." (Régis Gonçalves, *Revista Adusp*)

INVENTOR DE SI
"Iglésias foi claramente o autor de si mesmo: o autor dessa figura singular em que o rigor profissional era apenas uma faceta dessa atitude geral de autocontrole e empenho de equilíbrio e lucidez." (Fábio Wanderley Reis, *Revista Adusp*)

Obras

Política Econômica do Governo Provincial Mineiro (1958)
Introdução à Historiografia Econômica (1959)
Periodização do Processo Industrial no Brasil (1963)
História e Ideologia (1971)
A Revolução Industrial (1981)
A Industrialização Brasileira (1985)
Constituintes e Constituições Brasileiras (1986)
Idéias Políticas de Pandiá Calógeras (1987)
História Geral e do Brasil (1989)
Joaquim Nabuco, un Estadista del Império y otros Textos (1992)
Trajetória Política do Brasil 1500-1964 (1993)
História Contemporánea del Brasil (1994)

Contato

brasilienseedit@uol.com.br

Fragmento

A Industrialização Brasileira

Pouco se fez no país, nos três primeiros séculos, em matéria de transformação de bens primários para o consumo. Vários fatores contribuem no caso: em primeiro lugar, o pacto colonial, responsável pela vida política e econômica do período português; a falta de tradição tecnológica do colonizador, comprovada no parco crescimento industrial; a contribuição do índio é aqui menor que em outras partes do mundo americano; o escravo negro tem importância maior, embora tolhido pelo sistema de trabalho; a produção, com vistas ao mercado externo, especializa-se em determinado artigo, no conhecido trinômio monocultura, latifúndio e escravidão; a conhecida agricultura de subsistência; as unidades produtoras têm em vista a não dependência do fornecimento externo, auto-suficientes com a obtenção dos gêneros em seus próprios limites, de modo a ser comum a atividade transformadora, através de artesanato; as condições de domínio de vasto território, com diversas fisionomias.

FRANCISCO IGLÉSIAS

One of the Brazilian historiography giants, FRANCISCO IGLÉSIAS relies on a large number of followers among Brazilian intellectuals. Deeply influencing three academic generations in Minas Gerais, his books and essays sands out by the elegance, clarity and classic hue of his texts, arising from his admiration for such authors as Montaigne. Because of his relationship with poetry, novel, and national criticism exponents, Iglésias values literature greatly, which results in the intelligent and concise use of the language. As a matter of fact, Iglésias took part in the First Congress of Brazilian Writers, when he met and became friend of Antonio Candido and Mário de Andrade. They insisted with him to persuade him to settle down in São Paulo. Faithful to Minas and to his family, however, Iglésias kept in his modest career as a university lecturer in Belo Horizonte. A specialist in the economical and social history of the 19th and 20th centuries, he distinguished himself by his broad knowledge, becoming renowned, above all because of his interdisciplinary culture.

Review

INTERDISCIPLINARY KNOWLEDGE

"As an intellectual, he may be considered a bridge between generations and between the wide range of knowledge he used or incorporated into his humanistic education." (Régis Gonçalves, *Revista Adusp*)

AN INVENTOR OF HIMSELF

"Iglésias was clearly the author of himself: the author of this singular character whose professional strictness was just a facet in the general attitude of self-control and equilibrium and lucidity effort." (Fábio Wanderley Reis, *Revista Adusp*)

Excerpt

A Industrialização Brasileira (The Brazilian Industrialization)

Very little was done in the country, in the first three centuries, regarding the transformation of primary input for consumption. Many factors contributed in this case: firstly, the colonial pact, responsible for the political and economical life during the Portuguese period; the colonizer's lack of technological tradition, which became evidente in the poor industrial growth; the indian contribution was here less significant than in other parts of the American hemisphere; the black slave had a more significant role, although hindered by the labor system; the production, aiming the foreign market, specialized in certain items in the well-known triad monoculture, latifundium, and slavery; the well-known subsistence agriculture; the producing units purpose was to achieve autonomy in relation to external supply, becoming self-sufficient in the acquisition of goods within their own boundaries, in order to establish the transformation activity, through craftsmanship; the domination conditions in a huge territory, with several features.

Works

Política Econômica do Governo Provincial Mineiro (1958)
Introdução à Historiografia Econômica (1959)
Periodização do Processo Industrial no Brasil (1963)
História e Ideologia (1971)
A Revolução Industrial (1981)
A Industrialização Brasileira (1985)
Constituintes e Constituições Brasileiras (1986)
Idéias Políticas de Pandiá Calógeras (1987)
História Geral e do Brasil (1989)
Joaquim Nabuco, un Estadista del Império y otros Textos (1992)
Trajetória Política do Brasil 1500-1964 (1993)
História Contemporánea del Brasil (1994)

Contact

brasilienseedit@uol.com.br

FRANCISCO WEFFORT

FRANCISCO WEFFORT é muito mais conhecido por sua atuação como ministro da Cultura do governo Fernando Henrique Cardoso do que por seus trabalhos como cientista político e professor universitário. Ele tem, porém, uma passagem marcante como analista e estudioso do Brasil moderno. Seus livros, ensaios e artigos, sempre versando sobre política e a construção de uma cultura e de um país democráticos, mostram as articulações de um autoritarismo endêmico que implantou seus alicerces no Brasil, resultando nas práticas corporativas que todos conhecemos e que paralisam qualquer esforço de democratização. Weffort estuda também fenômenos como os do populismo — essa mão dupla entre grupos dominantes que se promovem usando o apoio das massas de "dominados" —, explicitando as condições em que este se pode instalar e se perpetuar. Como toda obra de cunho político, trata-se, em primeiro lugar, de produzir ferramentas que possibilitem a compreensão do Brasil dentro de sua complexidade, passo fundamental para a consecução de qualquer transformação.

Crítica

PENSANDO A CRISE POLÍTICA
"Poucos como Francisco Weffort com imensa coragem conseguiram romper as dissimulações e impor a transparência na teoria e na luta política. Transpondo as certezas dos enganadores momentos de euforia das grandes mobilizações e da construção dos novos partidos populares, foi capaz de antever a crise que se anunciava para a democracia, e para as esquerdas." (Paulo Sérgio Pinheiro, orelha a "Qual Democracia?")

PREPARAÇÃO PARA A DEMOCRACIA
"Debates como estes que Weffort levanta acabarão por ajudar a pavimentar uma via que respeite o pluralismo de nossa formação e provam a cultura democrática que a democracia brasileira merece. Mais ainda, sem uma a outra não existe." (Márcio Souza, "Revoluções e Provocações")

Obras

América Latina: Ensayos de Interpretación Sociológico-Política [com Fernando Henrique Cardoso] (1970)
Populismo, Marginalidad y Dependência [com Aníbal Quijano] (1974)
O Populismo na Política Brasileira (1978)
Por que Democracia? (1984)
O que É Deputado (1987)
Os Clássicos da Política (1989)
Qual Democracia? (1992)

Contato

gm@minc.gov.br

Fragmento

O Populismo na Política Brasileira

I – Povo e democracia

A crise institucional que se manifesta em toda a plenitude desde a renúncia de Jânio Quadros, expressa-se, em verdade, em todas as crises que desde 1945 assinalam a história política do Brasil. Por força das transformações sociais e econômicas que se associam ao desenvolvimento do capitalismo industrial e que assumem um ritmo mais intenso a partir de 1930, a democracia defronta-se, apenas começa a instaurar-se no após-guerra, com a tarefa trágica de toda democracia burguesa: a incorporação das massas populares ao processo político. O crescimento das cidades e do proletariado lança à vida política amplos contingentes da população e o processo de absorção das massas passa a constituir uma dimensão política essencial de novo período. Se conseguirmos, no exame dos acontecimentos, ir além das sugestões ilusórias do detalhe, encontraremos a pressão crescente das massas sobre a estrutura do Estado como uma das condições decisivas das crises desta fase.

FRANCISCO WEFFORT

FRANCISCO WEFFORT is more popular as the Minister of Culture in Fernando Henrique Cardoso's cabinet than as a political scientist and university lecturer. He has, however, an outstanding passage as an analyst and researcher of modern Brazil. His books, essays, and articles, always dealing with politics and the construction of a democratic culture and a democratic country, show the articulations of an endemic authoritarianism that planted roots in Brazil, which resulted in the well-known corporate practices that hinder any democratization effort. Weffort also studies such phenomena as the populism — the two-way road between the domination groups that perpetuate in the power by using the "dominated" masses support —, explaining how they manage to perpetuate in power. Just like all work dealing with political issues, the first purpose is providing the tools to that will enable the understanding of Brazil within its complexity, a fundamental step in the attainment of any transformation.

Review

APPRAISING THE POLITICAL CRISIS

"Very few managed to be so corageous as Francisco Weffort to break the dissimulations and impose a transparency both in the theory and in the political fight. Going beyond the certainties of the misleading euphoria times during the great mobilizations and construction of new popular parties, he was able to anticipate the crisis that was about to befall over the democracy, and over the left wing." (Paulo Sérgio Pinheiro, flap in "Qual Democracia?")

PREPARATION FOR DEMOCRACY

"Discussions like those proposed by Weffort will eventuallly pave the way to respect the pluralism of our formation and will promote the democratic culture deserved by the Brazilian democracy. Moreover, one cannot exist without other." (Márcio Souza, "Revoluções e Provocações")

Excerpt

O Populismo na Política Brasileira (Populism in Brazilian Politics)

I – People and democracy

The institutional crisis that has been prevailing since Jânio Quadros' resignation appears, as a matter of fact, in all of the crises that marked the political history of Brazil since 1945. Due to the social and economical changes associated with the industrial capitalism development, becoming more intense after 1930, democracy started facing, as soon as it was established in the post-war period, the same tragic task faced by every bourgeois democracy: the incorporation of the popular masses into the political process. The cities and the proletariat growth introduces a wide contingents of the population into the political life, and the masses absorption process becomes an essential political dimension in this period. If we manage, in evaluating the events, to go beyond the illusory suggestions of the detail, we will find that the growing masses pressure over the structure of the State is one of the decisive conditions in the crises of this phase.

Works

América Latina: Ensayos de Interpretación Sociológico-Política [com Fernando Henrique Cardoso] (1970)
Populismo, Marginalidad y Dependência [com Aníbal Quijano] (1974)
O Populismo na Política Brasileira (1978)
Por que Democracia? (1984)
O que É Deputado (1987)
Os Clássicos da Política (1989)
Qual Democracia? (1992)

Contact

gm@minc.gov.br

FRANKLIN TÁVORA

Na segunda metade do século XIX, FRANKLIN TÁVORA sabe aproveitar-se da crise do Romantismo, inaugurando, na literatura e no pensamento brasileiros, novos caminhos em direção ao Realismo e ao Naturalismo. Cumprindo esse movimento, ele encontra as contradições de quem vive uma época de transição. Por um lado, privilegiando uma observação direta da realidade, ele abdica do privilégio da sonhadora imaginação romântica para o processo criador. Nesse sentido, ele incorpora a técnica cientificista como propiciadora de novas conquistas para a manifestação das percepções do mundo e sonhará com uma sociedade industrializada que venha transformar a natureza tão celebrada pelos românticos em uma onda progressista de novas tecnologias. Por outro lado, ele será o primeiro a dar voz teórica e prática a um regionalismo que vê no Norte do país, supostamente mais puro do que o Sul e o Sudeste, a possibilidade de alcançar uma literatura eminentemente nacional. Com essa vidência, ele inaugura, precocemente, um movimento que, com Gilberto Freyre e muitos autores da geração de 30, terá toda a sua força.

Crítica

UM REGIONALISTA AVANT LA LETTRE
"O *Cabeleira* iniciou o regionalismo no Brasil. No afã de lançar a 'literatura do Norte', Franklin Távora fez emergir o Norte, com sua paisagem, seu linguajar, seu povo, seu *status quo*." (Samira Youssef Campedelli, "Herói do Mal")

O PRIMEIRO MANIFESTO REGIONALISTA
"O teorizador Franklin Távora volta a nos dar outro texto básico quando, publicando em 1876 *O Cabeleira*, inclui nele um prefácio que pode ser considerado o primeiro manifesto regionalista da literatura brasileira." (José Maurício Gomes de Almeida, "A Tradição Regionalista no Romance Brasileiro")

Obras

A Trindade Maldita (1861)
Um Mistério de Família (1861)
Os Índios do Jaguaribe (1862)
A Casa de Palha (1866)
Um Casamento no Arrabalde (1869)
Três Lágrimas (1870)
Cartas de Semprônio a Cincinato (1871)
O Cabeleira (1876)
O Matuto (1878)
Lourenço (1878)
Lendas e Tradições do Norte (1878)
Sacrifício (1879)

Copyright

Obras em domínio público
— textos livres para publicação

Fragmento

O Cabeleira

— Que não seria deste mundo — pensei eu, descendo das eminências da contemplação às planícies do positivismo —, se nestas margens se sentassem cidades; se a agricultura liberalizasse nestas planícies os seus tesouros; se as fábricas enchessem os ares com seu fumo, e neles repercutisse o ruído de suas máquinas? Desta beleza, ora a modo de estática, ora violenta, que fontes de renda não havia de rebentar? Mobilizados os capitais e o crédito; animados os mercados agrícolas, industriais, artísticos, veríamos aqui a cada passo uma Manchester ou uma Nova York. A praça, o armazém, o entreposto ocupariam a margem, hoje nua e solitária, o cômoro sem vida e sem promessa; o arado percorreria a região que de presente pertence à floresta escura. O estado natural, espancado pelas correntes de imigração espontânea que lhe viessem disputar os domínios improdutivos para os converter em magníficos empórios, ter-se-ia ido refugiar nos sertões remotos donde em breve seria novamente desalojado. Uma face nova teria vindo suceder ao brilhante e majestoso painel da virgem natureza.

FRANKLIN TÁVORA

In the second half of 19th century, FRANKLIN TÁVORA knew how to take advantage of the romanticism crisis, opening, in the Brazilian literature and thinking, new paths towards realism and naturalism. On putting this movement into effect, he found the contradictions that are typical to one who lives in a time of transition. On the one hand, by privileging a direct observation of reality, he abdicated the privilege of a visionary romantic imagination for the creative process. In this sense, he incorporates the scientistic technique as the provider of new triumphs for the manifestation of world perceptions, and dreams of an industrialized society capable to change into a progressive wave of new technologies that very nature that had been exalted by romantic writers. On the other hand, he was the first to give a theoretical and practical voice to a regionalism that sees in the northern part of the country, supposedly purer than the southern and the southeastern parts, a possibility to accomplish an eminently national literature. With that vision, he prematurely started a movement which would become full-grown with Gilberto Freyre and many authors from the 1930's generation.

Review

AN AVANT LA LETTRE REGIONALIST

"*O Cabeleira (The Hair)* started regionalism in Brazil. In the enthusiasm to launch the 'northern literature,' Franklin Távora set off the emerge of the North, with its landscape, its typical speech, its people, its *status quo*."
(Samira Youssef Campedelli, "Herói do Mal")

THE FIRST REGIONALIST MANIFESTO

"Theorizer Franklin Távora provided another basic text when he published *O Cabeleira* in 1876, in which he included a foreword that may be regarded as the first regionalist manifesto in the Brazilian literature". (José Maurício Gomes de Almeida, "A Tradição Regionalista no Romance Brasileiro")

Excerpt

O Cabeleira (The Hair)

— What would have happened to this world — I thought, descending from the prominence of contemplation to the plains of positivism —, if cities had been settled on these river banks; if agriculture had released its treasures on these plains; if the factories had filled the air with their smoke, and the noise of their machines had echoed in the air? Out of this beauty, now static, then violent, what sources of income would have outcropped? Should capitals and credit be mobilized; should agricultural, industrial, artistic markets be fostered, then we would see here, at every step, a Manchester or a New York. The square, the grocery store, the warehouse would occupy the river bank, today bare and lonely, the lifeless and hopeless hillock; the plow would travel over the area that currently belongs to the dark forest. The natural state, beaten up by the currents of spontaneous immigration that would them came to dispute its unproductive domains to convert them into magnificent emporia, would have taken refuge in the remote backlands, from where they would be soon dislodged again. A new face would have come to replace the shining and majestic panel of virgin nature.

Works

A Trindade Maldita (1861)
Um Mistério de Família (1861)
Os Índios do Jaguaribe (1862)
A Casa de Palha (1866)
Um Casamento no Arrabalde (1869)
Três Lágrimas (1870)
Cartas de Semprônio a Cincinato (1871)
O Cabeleira (1876)
O Matuto (1878)
Lourenço (1878)
Lendas e Tradições do Norte (1878)
Sacrifício (1879)

Copyright

Works in public domain
— texts available for publication

GARCIA-ROZA

A filosofia e a psicanálise são duas das investigações mais radicais acerca do ser humano, seu destino e suas perdições. Talvez por isso elas possam dar subsídios de grande originalidade para GARCIA-ROZA compor os personagens e as tramas de seus romances policiais com tanta eficácia e densidade. Antes de se tornar o premiado ficcionista, o escritor era conhecido no meio acadêmico brasileiro como professor e autor de vários ensaios nessas duas áreas do pensamento, além de ter sido coordenador do único curso universitário de pós-graduação em psicanálise do Brasil. Mas foi com o inspetor Espinosa, um policial pouco cartesiano, cheio de sutilezas e que se compraz em olhar o mar enquanto tenta solucionar seus enigmas, que ele se tornou íntimo do público ao ser a grande revelação do país nesse gênero literário. A presença não só do mar como da Praça Mauá, de Copacabana, dos sebos do Centro e de outros lugares do Rio de Janeiro, só faz aumentar o charme de suas histórias, sempre ambientadas na cidade que inspirou a bossa nova e que tem participação ativa nos romances.

Crítica

GARCIA-ROZA AND RAYMOND CHANDLER
"O Sr. Garcia-Roza também é admirado pelo modo como usa a paisagem e o clima do Rio de Janeiro como um outro personagem, sutilmente evocando o espírito e as qualidades peculiares da cidade, exatamente como Chandler fez com Los Angeles." (*The New York Times*)

DE UM SÓ FÔLEGO
"Garcia-Roza é uma reveleção como escritor de suspense. Tendo em vista que o leitor — como no filme *Frenesi*, de Hitchcock, — sabe desde o início como a vítima morre, o que é o fato por trás de toda a trama, o autor consegue o milagre de o levar de um só fôlego, simplesmente em virtude de sua grande habilidade, da primeira à última página. (*O Estado de S. Paulo*)

Obras

O Silêncio da Chuva (1996)
Achados e Perdidos (1998)
Vento Sudoeste (1999)
Uma Janela em Copacabana (2001)

Contato

ICM (Heatler Shroder)
foreignrights@icmtalent.com

Fragmento

Uma Janela em Copacabana

Final de tarde e o relógio digital da esquina marcava a temperatura de 38º. Pouca diferença fazia se era dia ou noite; dentro do carro o calor era o mesmo. Respiravam, havia horas, uma mistura enjoativa de suor, restos de sanduíches e fumaça dos ônibus. De nada adiantava fazer o carro andar mais rápido ou mais devagar, o ar que entrava pela janela em plena hora do rush não alterava a mistura de cheiros e não abrandava o calor. A farda úmida de suor colava ao corpo como a pele fria de um réptil. Foi quase com alegria que atenderam ao chamado para o endereço a poucas quadras de onde estavam. O prédio era velho e a galeria que dava acesso aos elevadores tivera suas lojas originais divididas em pequenos boxes, onde os homens e mulheres malcuidados vendiam miudezas e ofereciam serviços de bombeiro, gasista, eletricista, manicura, costureira, cartomante. Apesar de situado em ponto de grande movimento da Avenida Copacabana, os boxes atendiam quase que unicamente à demanda dos moradores dos mais de cem apartamentos do próprio prédio. Dos quatro elevadores, apenas dois funcionavam, e a minuteria estava quebrada ou desligada.

GARCIA-ROZA

Philosophy and psychoanalysis are two of the most radical investigations about human beings, their destinies and ruin. Maybe for this reason, they may provide GARCIA-ROZA with great originality subsidies to make up his thrillers' characters and plots with so much effectiveness and density. Prior to becoming a prizewinning fiction writer, he was well-known in the Brazilian academic circles as a professor and an author of several essays in those two areas of thought. Besides, he was the coordinator to the only graduate course in psychoanalysis in Brazil. However, he became nationally renowned as the great revelation in this literary category with inspector Espinosa, a not much Cartesian policeman, full of subtleties who takes pleasure in looking at the sea while he tries to solve his enigmas. Besides the sea, the presence of such places as Praça Mauá, Copacabana, second-hand bookstores, and other places in Rio de Janeiro, adds to the charm of his stories, always set in the city that inspired the "bossa-nova" and takes an active role in his novels.

Review

GARCIA-ROZA AND RAYMOND CHANDLER
"Mr. Garcia-Roza is also admired for the way he uses the landscape and weather of Rio de Janeiro as another character, subtly evoking the spirit and peculiar qualities of the city, much as Chandler did for Los Angeles". (*The New York Times*)

IN ONE SOLE BREATH
"Garcia Roza is a revelation as a suspense writer. Given that the reader — as in Hitchcock's film *Frenzy* — knows from the outset how the victim dies, which is the fact behind the whole plot, the author accomplishes the miracle of leading the reader, in one sole breath, by the sheer excellence of his craftsmanship, from page one to last". (*O Estado de S. Paulo*)

Excerpt

Uma Janela em Copacabana (A Window in Copacabana)

Twilight, and the digital thermometer at the corner displayed a temperature of 38° C. It made no difference whether it was day or night; inside the car, it was just as hot. Over the last hours, they had been breathing a nauseating mixture of perspiration, sandwich leftovers, and bus exhaust fumes. It made no difference either whether the car was going fast or slowly because the air coming in from the window could not change the mixture of smells nor attenuate the heat at the rush hour. The uniform, soaked with sweat, stuck to the body like the cold skin of a reptile. They responded to the call to go to an address a few blocks away almost with pleasure.

That was an old building and the original shops in the hall leading to the elevators had been partitioned into small stalls, where scruffy men and women were selling odds and ends and offering their services as plumber, gas installer, electrician, manicurist, dressmaker, fortune teller. Although located in a very busy spot on Copacabana Avenue, the stalls almost only customers were the people living in the more than a hundred apartments of that building. Only two of the four elevators were working, and the timer was either broken or turned off.

Works

O Silêncio da Chuva (1996)
Achados e Perdidos (1998)
Vento Sudoeste (1999)
Uma Janela em Copacabana (2001)

Contact

ICM (Heatler Shroder)
foreignrights@icmtalent.com

GILBERTO FREYRE

Darci Ribeiro prestou a maior e mais justa homenagem a esse intérprete da cultura brasileira dizendo: *Casa-Grande & Senzala é o maior dos livros brasileiros, é o mais brasileiro dos ensaios que escrevemos: livro que fundou o Brasil no plano cultural tal como Cervantes à Espanha, Camões à Lusitânia, Tolstói à Rússia, Sartre à França.* Além disso, em escala internacional, a admiração pela obra de GILBERTO FREYRE foi manifestada por intelectuais do porte do filósofo espanhol Ortega y Gasset e de Roland Barthes, o reconhecido semiólogo francês. Aparecendo logo após o Modernismo, nesse rico período intelectual brasileiro, o sociólogo, através da trilogia central de sua obra, compreendida pelos livros *Casa-Grande & Senzala*, *Sobrados e Mucambos* e *Ordem e Progresso*, reavalia o conjunto das tradições culturais que formaram o país, ilumina o passado que, por fundamental, se atualiza no momento presente e indica as linhas criadoras do sentido de um futuro possível. Ele mostra, assim, a vivacidade do tempo em numerosas perspectivas renovadoras para o povo brasileiro.

Crítica

POLIFONIA E SINCRETISMO BRASILEIRO
"No livro paradigmático sobre a cultura brasileira que é *Casa-Grande & Senzala*, descortina-se, em suma, a percepção e a formação de uma imagem extremamente híbrida, sincrética e polifônica da sociedade brasileira." (Mariza Veloso, "O Modernismo de Freyre")

O FASCÍNIO SENTIDO POR ROLAND BARTHES
"Empreendimento que fez Roland Barthes lamentar que a França não houvesse tido um intérprete à altura de Gilberto Freyre na realização do estudo dos complexos culturais dos primeiros séculos de sua formação. Quem conhece Roland Barthes sabe que tal afirmativa foi feita sob a impressão que lhe causara a magia de linguagem e o estilo de Gilberto Freyre." (César Leal, "Sobrados e Mucambos: Linguagem e Estilo")

Obras

Casa-Grande & Senzala (1933)
Sobrados e Mucambos (1935)
O Mundo que o Português Criou (1940)
Perfil de Euclides e outros Perfis (1944)
Interpretação do Brasil (1947)
Ingleses no Brasil (1948)
Quase Política (1950)
Ordem e Progresso (1959)
Manifesto Regionalista de 1926 (1952)
Arte, Ciência e Trópico (1962)
Vida, Forma e Cor (1962)
Heróis e Vilões no Romance Brasileiro (1979)

Contato

fgf@fgf.org.br

Fragmento

Casa-Grande & Senzala

Inserindo-se na vida dos colonizadores como esposas legítimas, concubinas, mães de família, amas-de-leite, cozinheiras, puderam as mulheres [indígenas] exprimir-se em atividades agradáveis ao seu sexo e à sua tendência para a estabilidade. O homem indígena, porém, quase que só encontrou, nos adventícios, senhores de engenho para os fazerem trabalhar na lavoura da cana e padres para os obrigarem a aprender a contar, a ler e a escrever, mais tarde a mourejar nas plantações de mate e de cacau. Qualquer dessas atividades impostas ao índio cativo ou ao catecúmeno vinha torcer-lhes ou desviar-lhes a energia em direções as mais repugnantes à sua mentalidade de primitivos; a imposta pelos padres afastando-os do contato, que tanto os atraía aos adventícios, das ferramentas européias, para fixá-los na tristeza dos cadernos e dos exercícios de gramática; as outras afetando-os no que é tão profundo nos selvagens quanto nos civilizados — a divisão sexual do trabalho; obrigando-os a uma sedentariedade letal para homens tão andejos; segregando-os [...].

GILBERTO FREYRE

Darcy Ribeiro paid the greatest and the most deserved homage to this interpreter of the Brazilian culture by saying: *"Farmhouse & Slave Quarters" is the greatest of all Brazilian books, and it is the most Brazilian of all essays we have ever written: the book that founded Brazil in the cultural scenario, just like Cervantes did to Spain, Camões to Portugal, Tolstói to Russia, Sartre to France".* Besides, at the international level, the admiration for GILBERTO FREYRE's work was manifested by intellectuals like Spanish philosopher Ortega y Gasset, and Roland Barthes, the renowned French semiologist. Published soon after modernism, during that intellectually rich period in Brazil, the trilogy of this sociologist, formed by the books *Casa-Grande & Senzala (Farmhouse & Slave Quarters)*, *Sobrados e Mucambos (Two-story Houses and Hideaway Huts)*, and *Ordem e Progresso (Order and Progress)*, reassesses the set of cultural traditions that helped build the country, lightens the past which, by being fundamental, is updated in the current time and sets forth the meaning creative lines in a possible future. He shows, this way, the vivacity of time in a number of renovating perspectives for the Brazilian people.

Review

POLYPHONY AND BRAZILIAN SYNCRETISM
"In this paradigmatic book on the Brazilian culture *(Farmhouse & Slave Quarters)*, the perception and the formation of an extremely hybrid, syncretic, and polyphonic image of the Brazilian society is, in short, unveiled." (Mariza Veloso, "O Modernismo de Freyre")

THE FASCINATION FELT BY ROLAND BARTHES
"Enterprise that made Roland Barthes to regret that France did not have such a great interpreter as Gilberto Freyre in the study of the cultural compounds found in the first centuries of France formation. Whoever knows Roland Barthes will understand that such an assertion was made under the impression caused by Gilberto Freyre's language magic and style." (César Leal, "Sobrados e Mucambos: Linguagem e Estilo")

Excerpt

Casa-Grande & Senzala (Farmhouse & Slave Quarters)

By thrusting themselves into the lives of the settlers as legitimate wives, concubines, housewives, wet-nurses, cooks, [indigenous] women managed to express themselves in activities that were pleasant to their gender and to their tendency to stability. To the indigenous man, on the other hand, the foreign newcomers would almost always be only plantation owners who would make them work in the sugar cane plantations, and priests who would force them to learn counting, reading and writing; and then drudge in the maté tea and cocoa plantations. Any of those activities imposed on the captive Indian or the catechumen would twist or divert their energy towards that which was the most repugnant to their aboriginal mentality; the activity imposed on them by the priests, which would avert them from the contact with the European tools that had attracted them to the newcomers, fastening them to the sadness of notebooks and grammar exercises; the several activities that would affect them in what is as deep in the savages as in the civilized people — the gender-based work division; forcing them, by segregating them, to a sedentariness that is lethal for such errant men; [...].

Works

Casa-Grande & Senzala (1933)
Sobrados e Mucambos (1935)
O Mundo que o Português Criou (1940)
Perfil de Euclides e Outros Perfis (1944)
Interpretação do Brasil (1947)
Ingleses no Brasil (1948)
Quase Política (1950)
Ordem e Progresso (1959)
Manifesto Regionalista de 1926 (1952)
Arte, Ciência e Trópico (1962)
Vida, Forma e Cor (1962)
Heróis e Vilões no Romance Brasileiro (1979)

Contact

fgf@fgf.org.br

GILBERTO MENDONÇA TELES

Com mais de 40 anos de percurso, a obra poética de GILBERTO MENDONÇA TELES alcança um grande amadurecimento formal e técnico sem, no entanto, ter de abandonar as conquistas vanguardistas e experimentais. Sua escrita procura aliar o amplo cabedal que lhe confere a participação ativa na vida literária do país, tanto como poeta quanto como ensaísta e professor, a uma disposição de estar continuamente fazendo o novo. Em virtude de sua grande habilidade técnica, a poética de GMT transita com bastante naturalidade entre um regionalismo de sabor originário e uma postura mais experimentalista, de cunho universal, como, por exemplo, o trabalho com a visualidade do poema, onde valoriza o signo e a materialidade da palavra. Isso significa que, além do cuidado com o sentido, seus poemas podem ocupar a página numa configuração gráfica inusitada. O poeta também se excede na construção de sonetos e de poemas de maior rigor métrico. Além da vertente poética propriamente dita, destacam-se importantes ensaios sobre a poesia brasileira e seus poetas mais importantes.

Crítica

NOVA TRADIÇÃO POÉTICA
"Entre poetas imagistas, vanguardistas, modernistas, a presença de Gilberto Mendonça Teles, como poeta, não pode mais ser escamoteada. Poesia além dos ismos, bebida na 'tradição nova' de uma nova literatura." (Assis Brasil, *Jornal de Letras*)

POESIA E CRÍTICA
"A evolução poética de Gilberto Mendonça Teles, portanto, desde o subjetivismo 'azul' inicial até uma *reificação* esotérica, em que a preocupação com a própria linguagem das *coisas* emerge com sua crescente exigência criadora, representa uma das mais ricas aventuras poéticas de nossa língua, sempre guiada por uma espeleologia crítica, como a que revelou na interpretação da obra de nosso poeta máximo, Carlos Drummond de Andrade." (Tristão de Athayde, introdução de "Hora Aberta")

Obras

A Raiz da Fala (1972)
A Arte de Amar (1977)
A Retórica do Silêncio (1979)
Sociologia Goiana (1982)
Estudos de Poesia Brasileira (1985)
A Crítica e o Romance de 30 no Nordeste (1990)
Falavra (1990)
A Crítica e o Princípio do Prazer (1995)
A Escrituração da Escrita (1996)
Sonetos (1998)
Casa de Vidro (1999)
Caixa de Fósforo (1999)
Álibis (2000)

Contato

gimet@com.br

Fragmento

Silêncio

Antes que desça a solidão das tardes,
ainda as velas abrir, torná-las côncavas,
soltá-las para o azul, singrando, ao largo,
a transparência líquida das ondas.

Nossos destinos foram ter às águas,
cegando-se no sal, nas suas pontas
polidas pelos pólipos e algas
e ventos que nos falam de horizontes.
Um dia, quando as águas se aquietarem,
e o nevoeiro ceder-se a um Sol sem nome,
nós deixaremos o rigor dos mares
e partiremos para a praia ao longe.
(Não haverá notícias de naufrágio,
Mas o silêncio cantará nas conchas.)

GILBERTO MENDONÇA TELES

After more than forty years on the road, GILBERTO MENDONÇA TELES poetic work reaches a significant formal and technical ripening without, however, giving up any of the avant-garde and experimental conquests. His text tries to ally the rich experience acquired with his active participation in the literary life of the country, both as a poet and as an essayist and lecturer, with a predisposition to be always producing something new. Because of his fine technical ability, GMT's poetical work transit fairly naturally from an original-flavored regionalism to a more universal-marked experimentalist attitude, such as the work with the visualization of poem, where the sign and the word materiality are valued. This implies that, besides his extreme care with meaning, his poems may easily fill the page in an unusual graphic configuration. The poet also excels himself in creating sonnets and poems according to a more rigid metric. Besides the poetical stream, he also applied himself to producing important essays about Brazilian poetry and its major poets.

Review

A NEW POETICAL TRADITION

"Among imagist, avant-garde, modernist poets, the presence of Gilberto Mendonça Teles, as a poet, cannot be juggled any more. His poetry goes beyond the *isms*, and is drank in the 'new tradition' of a new literature." (Assis Brasil, *Jornal de Letras*)

POETRY AND CRITIC

"Gilberto Mendonça Teles poetical maturation, from the initial 'blue' subjectivism to an esoteric *reification*, in which the concern with the very language of all *things* emerges wrapped in an increased creative demand, represents, therefore, one of the richest poetical adventures of our language, always guided by a critical speleology, just like the one he revealed in interpreting the work of Carlos Drummond de Andrade, our greatest poet." (Tristão de Athayde, foreword to "Hora Aberta")

Excerpt

Silêncio (Silence)

Before the swoop of the afternoon solitude,
may the sails still go open, getting concave,
setting loose for the blue, sailing along, at large,
the liquid transparency of the waves.

Our destinies met the waters,
sightless in the salt, in its tips
polished by the polyps and by the algae
and winds that speak of horizons.
One day, when the waters get quiet,
and the mist yields in to a nameless Sun,
we will forsake the stiffness of the seas
and will set out to the beach lying on a distant shore.
(There will be no shipwreck news,
But silence will sing in the seashells.)

Works

A Raiz da Fala (1972)
A Arte de Amar (1977)
A Retórica do Silêncio (1979)
Sociologia Goiana (1982)
Estudos de Poesia Brasileira (1985)
A Crítica e o Romance de 30 no Nordeste (1990)
Falavra (1990)
A Crítica e o Princípio do Prazer (1995)
A Escrituração da Escrita (1996)
Sonetos (1998)
Casa de Vidro (1999)
Caixa de Fósforo (1999)
Álibis (2000)

Contact

gimet@com.br

GILKA MACHADO

Se até mesmo um intelectual modernista e, portanto, cosmopolita, como Mário de Andrade ficou chocado com a poesia do desejo de GILKA MACHADO, pode-se imaginar a reação da sociedade conservadora, moralista e machista do começo do século XX para com uma mulher que, além de ser poetisa, manifestava, pela primeira vez em versos, a condição feminina, buscando a liberdade de seu próprio corpo historicamente reprimido. Sua poesia fortemente erótica e sensual revitalizou o Simbolismo, a essa altura decadente, unindo, ao espírito, a celebração de carne, através de uma força dionisíaca capaz de liberar os instintos e levar a individualidade recalcada à sua superação. Se o cerne dessa poesia é, realmente, a intensidade erótica, as temáticas satélites são o espiritualismo, os sentimentos de fraternidade e a maternidade, entre outras. Assim, por um lado, Gilka não participou das inovações da Semana de Arte Moderna de 22, da qual foi contemporânea, mas, apesar disso, ela encontrou seu próprio caminho de transformação dos valores antiquados da sociedade de então.

Crítica

O PRAZER DO CORPO
"Uma análise de sua obra nos conduz a uma primeira constatação: os títulos dos seus livros revelam a proposta inovadora contida nos seus versos [...] apontando para uma ruptura que irá se processar tanto na forma quanto na temática de sua poesia. A audácia implícita nos títulos de suas publicações revela o desejo de romper com a repressão imposta à mulher, dirigida principalmente ao corpo e ao prazer que dele emana." [Sylvia P. Paixão, "Gilka Machado (1893-1980): A Fala de Eros"]

CHOCANDO ATÉ O MODERNISTA!
"A leitura dos poemas sensuais e eróticos de *Cristais Partidos* provocou indignação no Mário [de Andrade] católico, congregado mariano, moço de família, moralista e machista. Parecia-lhe despudorado uma mulher jovem e casada declarar publicamente, em *Ânsia Azul: E que gozo sentir-me em plena liberdade, / longe do jugo atroz dos homens e da ronda / da velha Sociedade / — a messalina hedionda / que, da vida no eterno carnaval, / se exibe fantasiada de vestal!*" (Arthur Soffiati, "Gilka e Mário: Dois Centenários")

Obras

Cristais Partidos (1915)
Estados de Alma (1917)
Mulher Nua (1922)
A Revelação dos Perfumes (1923)
Meu Glorioso Pecado (1928)
Poesias (1929)
Sublimação (1938)
Carne e Alma (1938)
O Meu Rosto (1947)
Velha Poesia (1965)
Poesias Completas (1978)

Fragmento

Beijas-me Tanto

Beijas-me tanto, de uma tal maneira,
boca do meu Amor, linda assassina,
que não sei definir, por mais que o queira,
teu beijo que entontece e que alucina!

Busco senti-lo, de alma e corpo, inteira,
e todo o senso aos lábios meus se inclina:
morre-me a boca, presa da tonteira
do teu carinho feito de morfina.

Beijas-me e de mim mesma vou fugindo,
e de ti mesmo sofro a imensa falta,
no vasto vôo de um delíquio infindo...

Beijas-me e todo o corpo meu gorjeia,
e toda me suponho uma árvore alta,
cantando aos céus, de passarinhos cheia...

Contato

Textos protegidos — em caso de interesse para publicação, fazer contato com o Departamento Nacional do Livro da FBN

GILKA MACHADO

If even a modernist and, therefore, cosmopolitan intellectual like Mário de Andrade was shocked by GILKA MACHADO's poetry of desire, one can imagine the reaction of the early 20th century conservative, moralist, and male-oriented society towards a woman who, in addition to being a poetess, manifested, for the first time in verses, the feminine condition, seeking to liberate her own historically repressed body. Her strongly erotic and sensual poetry revitalized the then decadent Symbolism, combining the celebration of the flesh with the spirit, through a Dionysian strength capable of liberating the instincts and leading the repressed individuality to self-excelling. If the core of her poetry is indeed the erotic intensity, the satellite themes are spiritualism, fraternity feelings, and maternity, among others. Thus, although Gilka did not contribute to the 1922's Modern Art Week innovations, even being contemporary to it, she found her own way to transform the antiquated values of society.

Review

THE PLEASURE OF THE BODY

"By analyzing her work we soon notice: the titles of her books reveal the innovative proposal contained in the verses [...] pointing to a rupture that will happen both in the form and in the themes of her poetry. The implicit audacity in the titles of her publications reveals the desire to break with the repression imposed to the woman, driven mainly to the body and the pleasure that can be derived from the body." [Sylvia P. Paixão, "Gilka Machado (1893-1980): A Fala de Eros"]

SHOCKING EVEN THE MODERNIST!

Reading the sensual and erotic poems in *Cristais Partidos (Broken Crystals)* aroused the indignation of Catholic Mário [de Andrade], a Marian young man from a moralist and male-oriented family. It seemed to him inappropriate of a young and married woman to openly declare, like in *Ânsia Azul* (Blue Anxiety): *What an orgasm to feel myself thoroughly free, / far away from men's and the patrol's merciless yoke / from old Society / — vile Messalina / who, making life an everlasting carnival, / shows off wearing a vestal costume.!"* (Arthur Soffiati, "Gilka e Mário: Dois Centenários")

Excerpt

Beijas-me Tanto (You Kiss Me So Much)

You kiss me so much, in such a way,
mouth of my Love, beautiful murderess,
that I'm unable to define, much as I try,
your dizzying and hallucinating kiss!

I try to feel it, in the soul as much as in the body, thoroughly,
and all my senses converge to my lips:
dies my mouth, prey to this dizziness
from your morphine caress.

As you kiss me, from myself I get fleeing,
and from missing you I suffer,
in the vast flight of an endless deliquescence...

You kiss me and my whole body twitters,
and as a high tree I see myself,
singing to the skies, flooded with little birds...

Works

Cristais Partidos (1915)
Estados de Alma (1917)
Mulher Nua (1922)
A Revelação dos Perfumes (1923)
Meu Glorioso Pecado (1928)
Poesias (1929)
Sublimação (1938)
Carne e Alma (1938)
O Meu Rosto (1947)
Velha Poesia (1965)
Poesias Completas (1978)

Contact

Protected texts — in case of interest for publication, get in contact with National Book Office (DNL) of the Biblioteca Nacional Foundation (FBN)

GODOFREDO DE OLIVEIRA NETO

Em literatura, sabe-se que, contrariamente à ciência, os importantes escritores antigos são tão contemporâneos quanto os mais representativos do momento. Um exemplo da vivacidade do passado se manifesta na força com a qual o tempo presente, marcado pela herança recebida, quer reavivá-lo, ficcionalizando-o. GODOFREDO DE OLIVEIRA NETO é um autor que se caracteriza justamente pela reciclagem de traços do Romantismo, do Naturalismo, do Decadentismo e do Regionalismo. Dele, já disseram ser um romancista retrô, que, privilegiando o exótico como a diferença brasileira e buscando no interior do país as intensidades mestiças do povo, consegue realizar um questionamento significativo sobre a atual condição do país. Com descrições detalhistas, adjetivos nobres e elegância estilística, ele revisita situações históricas para salientar a fratura social, a corrupção das elites prepotentes e a impotência popular. Esse professor de literatura, nascido em 1951 no Estado de Santa Catarina, lança uma reflexão sobre impasses ainda arcaicos de um Brasil em plena globalização.

Crítica

NA CONTRAMÃO
"Pressionados pelo cinema e a mídia eletrônica, nossos jovens escritores buscam hoje expressão concisa e palavras corriqueiras. Escrevem frases curtas, com poucos adjetivos. Godofredo busca o oposto." (Silviano Santiago, *O Estado de S. Paulo*)

ANACRONISMO TRANSGRESSOR
"O último romance de Godofredo de Oliveira Neto mistura, muito à vontade, tradições ficcionais bastante díspares, transgredindo pela via da mútua contaminação e pelo anacronismo quaisquer expectativas de coerência." (Ângela Maria Dias, *O Estado de S. Paulo*)

Obras

Faina Jurema (1981)
O Bruxo do Contestado (1996)
Pedaço de Santo (1997)
Oleg e os Clones (1999)
Marcelino Nanmbrá, O Manumisso (2000)

Fragmento

Oleg e os Clones

A recuperação foi lenta e dolorosa. A cabeça e a coluna o fizeram sofrer por um bom tempo. As reguadas recebidas tinham sido violentas. Só dois meses depois Olegárcio pôde voltar às suas atividades profissionais. Mas visivelmente transformado. Já não era o mesmo. Faltavam-lhe vigor e energia. Suas análises também já não eram as mesmas. Os alunos das séries menores riam do diretor e professor cada vez mais esquisitão que ziguezagueava pelo pátio e deixava cair provas, pautas e boletins escolares pelos corredores afora. No recreio era só o que se comentava. Os estudantes das turmas do curso superior também caçoavam, as pastas escondendo, discretas, o sorriso de galhofa.
Olegárcio tinha mudado. E muito. E a mudança coincidia com o aparecimento dos clones. Emoções agora turvavam-lhe a racionalidade antes tão presente. — Tenho que reagir, tenho que reagir — grunhia, pelos cantos e corredores do estabelecimento escolar.

Contato

sac@novafronteira.com.br

GODOFREDO DE OLIVEIRA NETO

It is well-known that in literature, unlike science, the celebrated writers of the past are so contemporary as the most representative writers of today. An example of past vivacity can be seen in the force with which the present days, although marked by the inheritance from the past, want to revive this same past by turning it into fiction. GODOFREDO DE OLIVEIRA NETO is a writer characterized exactly by recycling the features of Romanticism, Naturalism, Decadent traits, and Regionalism. He has already been described as a retro novelist who, by privileging the exotic as the Brazilian earmark and searching in the back country for people's hybrid intensities, manages to bring about a meaningful questioning about the current conditions in the country. By using detailed descriptions, noble adjectives, and a stylistic elegance, he revisits historical situations to point out the social fracture, the corruption of the despotic elite, and the helplessness of the people. This literature teacher, born in 1951 in the state of Santa Catarina, calls forth a reflection about still archaic deadlocks in a Brazil that is fully bound for globalization.

Review

AGAINST THE CURRENT
"Pressed by the movies and the electronic media, our young writers look today for concise expressions and day-to-day words. They write short sentences, use just a few adjectives. Godofredo seeks the opposite."
(Silviano Santiago, *O Estado de S. Paulo*)

TRANSGRESSING ANACHRONISM
"Godofredo de Oliveira Neto's latest novel comfortably blends very different fictional traditions, transgressing through mutual contamination and anachronism any expectations of coherence."(Ângela Maria Dias, *O Estado de S. Paulo*)

Excerpt

Oleg e os Clones (Oleg and the Clones)

Recovery had been slow and painful. His head and column made him suffer for quite a while. He had been delivered violent blows. Only two months later Olegárcio could resume his professional activities, but he was changed now. He was no longer the same. He lacked vigour and energy. His analyses were not the same either. The lower grade students would laugh at that weird principal and teacher who would zigzag along the patio and would drop tests, schedules, and school reports in the corridors. They had no other subject to talk about during the breaks. The higher grade students would also made fun of him, their folders discreetly hiding the joking smiles.

Olegárcio had changed. And notably. His change had coincided with the emergence of the clones. Emotions would darken his reasoning, which used to be so luminous. — I've got to react, I've got to react — he would grumble as he rambled along the school corridors.

Works

Faina Jurema (1981)
O Bruxo do Contestado (1996)
Pedaço de Santo (1997)
Oleg e os Clones (1999)
Marcelino Nanmbrá, O Manumisso (2000)

Contact

sac@novafronteira.com.br

GODOFREDO RANGEL

O fato que, primeiramente, tornou o nome GODOFREDO RANGEL conhecido de um público mais amplo foi o mesmo que dificultou uma divulgação maior de sua excelente obra literária: sendo, por mais de 40 anos, o destinatário das cartas de Monteiro Lobato que compuseram o volume *A Barca de Gleyre* (fundamental para a compreensão não só desse autor e de seu tempo, mas de toda cultura brasileira), tal acontecimento, por ironia do destino, acabou fixando-o em um lugar que só nos últimos anos vem sendo revisitado. Em função da grande admiração sentida por Rangel, um escritor do porte de Autran Dourado, em *O Artista Aprendiz*, chegou a transformá-lo em personagem. O estilo impecável, a maestria da composição, a visada psicológica e a típica ironia do autor de *Vida Ociosa* se apropriaram de elementos autobiográficos para transformá-los em ficção: como já foi dito, políticos, pessoas comuns, carcereiros, encrenqueiros, sentenciados conformistas e outros saem da experiência de vida desse juiz de direito de cidades do interior para entrar nas páginas freqüentemente comparadas às de Machado de Assis.

Crítica

A ARTE DA PERFEITA EXPERIÊNCIA DE VIDA
"Cheguei em casa possuído de forte emoção. Afinal, conhecera um escritor, e o escritor que eu mais admirava depois de Machado de Assis, aquele que soubera transformar em obra de arte que eu achava perfeita experiência de vida (...)." (Autran Dourado, "O meu Mestre Rangel")

A SINGULARIDADE INCOMPARÁVEL
"Não conheço ninguém, de fato, mais 'individual' do que Rangel. O que me parece característico seu inconfundível é que ele está presente e se revela até no íntimo, ainda quando descreve sítios e paisagens que o impressionaram. Cada cousa vista desperta-lhe emoções imediatas que se ligam a outras anteriores por elos inconscientes, numa cadeia de evocações, cujas formas imprecisas ele surpreende e grava instantaneamente, em páginas que são obras-primas de psicanálise." (Hilário Tácito, "Prólogo Dispensável")

Obras

Falange Gloriosa (1917)
Vida Ociosa (1920)
Andorinhas (1921)
A Filha (1929)
Os Humildes (1944)
Os Bem Casados (s. d.)

Fragmento

Vida Ociosa

Alquebrada de velhice, a casa mal se firma agora nos esteios oblíquos e comidos de cupim. Vergastadas dos temporais e corroídas polegada a polegada pela ação erosiva do tempo, as paredes raros vestígios mostram da última mão de cal levada vinte anos antes.
As ripas, enxadrezadas com os paus-a-pique, exibem por toda a parte sua ossatura carunchosa. É um cadáver de casa, uma carcaça decomposta, já mostrando as costelas descamadas. Ao lado, onde foram as tulhas, vê-se hoje um montão de escombros; e, no eirado, para onde se abre a porta principal, cresce o capim desafogadamente. Contrastando com esse ar de morte e abandono e dando uma nota ridente de vida ao vetusto pardieiro, sobe dos fundos uma espiral de fumo azul, que se desfibra lentamente no espaço.

Contato

Textos protegidos — em caso de interesse para publicação, fazer contato com o Departamento Nacional do Livro da FBN

GODOFREDO RANGEL

The fact which for the first time made the name GODOFREDO RANGEL known to a larger audience was the same that hindered a wider popularization of his excellent literary work. For more than forty years he was the addressee of Monteiro Lobato's letters. Such letters formed the volume named *A Barca de Gleyre (Gleyre's Boat)* — fundamental to understand not only the author and his time, but also the entire Brazilian culture. Ironically, this eventually reserved for him a place that only in the last years has been revisited. Because of the high regard for Rangel, a writer of the stature of Autran Dourado made him a character in his book *O Artista Aprendiz*. The impeccable style, the mastering of composition, the psychological perception, and the typical irony enabled the author of *Vida Ociosa (Idle Life)* to take possession of autobiographical elements to change them into fiction. As discussed previously, politicians, the man in the street, prison guards, troublemakers, babbitt convicts, and others, frequently come out of the life experience of this back country state judge to become characters in pages that are often compared to those by Machado de Assis.

Review

THE ART A PERFECT LIFE EXPERIENCE

"I got back home feeling a fullness of heart. I had finally met a writer, and the writer for whom I had the highest regard, second only to Machado de Assis, the one who had mastered how to change into a work of art that I believed to be the perfect life experience. [...]". (Autran Dourado, "O Meu Mestre Rangel")

THE INCOMPARABLE SINGULARITY

"As a matter of fact, I don't know anybody more 'individual' than Rangel. What I believe to be his unmistakable characteristic is the fact that he is present and reveals what is the most intimate in himself, even when he describes places and landscapes that impressed him. Each thing he sees brings about immediate emotions that are connected to previous ones by unconscious links, in a chain of evocations, whose hazy forms he grasps and instantly records in pages that are psychoanalysis masterpieces." (Hilário Tácito, "Prólogo Dispensável")

Excerpt

Vida Ociosa (Idle Life)

Dilapidated from old age, the house is now badly shored on the oblique and termite-eaten stays. Lashed by the storms and inch by inch eaten away by the erosive action of time, the walls exhibited very little vestige of the last coat of whitewash applied twenty years ago. The laths, set up in a latticework, exposed to view a worm-eaten skeleton. The house is a corpse, a putrefied carcass, already displaying its bare-boned ribs. At the side, where there used to be the granary, only a heap of debris; on the terrace, over which the main door opens up, the grass grows wildly. Contrasting with that death and abandonment looks and bringing a blooming token of life to that time-honored ruin, a spiral of blue smoke was rising up above the backyard, slowly shredding into the air.

Works

Falange Gloriosa (1917)
Vida Ociosa (1920)
Andorinhas (1921)
A Filha (1929)
Os Humildes (1944)
Os Bem Casados (s. d.)

Contact

Protected texts — in case of interest for publication, get in contact with National Book Office (DNL) of the Biblioteca Nacional Foundation (FBN)

GONÇALVES DIAS

Rivalizado, dentro do Romantismo, apenas por Castro Alves, com quem, aliás, constitui um dos pontos mais altos de toda a poesia brasileira, GONÇALVES DIAS, se não foi o criador do Indianismo, foi aquele que, ao lado de José de Alencar na prosa, o levou aos maiores extremos de beleza, riqueza e intensidade. Misturando poesia lírica e épica, seus escritos de temática americana incorporam, definitivamente, os assuntos e as paisagens autóctones, libertando as letras brasileiras do jugo português. Valorizando os sentimentos de piedade e coragem, apreendendo o sentido heróico da vida, com densa carga emocional, força dramática, fartura simbólica, plasticidade rítmica e um jogo dialógico dos mais ricos, *I-Juca-Pirama* é a expressão superior dessa vertente que conseguiu trabalhar, pela primeira vez com radicalidade máxima, o protótipo do brasileiro. Em sua veia lírica, o poeta saberá designar aquilo que é mais característico do temperamento do povo do país, como, por exemplo, a saudade da terra natal, tão bem cantada noutro dos mais famosos poemas nacionais de todos os tempos, *Canção do Exílio*.

Crítica

A PÁTRIA EM PALAVRAS
"O *I-Juca-Pirama* é dessas coisas indiscutidas, que se incorporam ao orgulho nacional e à própria representação da pátria, como a magnitude do Amazonas, o grito do Ipiranga ou as cores verde-e-amarela." (Antonio Candido, "Formação da Literatura Brasileira")

A CRIAÇÃO DE UMA LITERATURA AUTÓCTONE
"Sabe-se que nas chamadas 'poesias americanas', isto é, de cunho indianista, sua grandeza dificilmente poderá ser contestada: nelas, pela primeira vez, percebeu-se definidamente no Brasil a criação de uma literatura autóctone em assunto e ambiente." (Péricles Eugênio da Silva Ramos, "Introdução")

Obras

Primeiros Cantos (1846)
Leonor de Mendonça (1847)
Segundos Cantos e Sextilhas de Frei Antão (1848)
Últimos Cantos (1851)
Cantos (1857)
Os Timbiras (1857)
Dicionário de Língua Tupi (1858)
Obras Póstumas (1869)
Poesia Completa e Prosa Escolhida (1959)

Copyright

Obras em domínio público
— textos livres para publicação

Fragmento

I-Juca-Pirama

Tu choraste em presença da morte?
Na presença de estranhos choraste?
Não descende o cobarde do forte;
Pois choraste, meu filho não és!
Possas tu, descendente maldito
De uma tribo de nobres guerreiros,
Implorando cruéis forasteiros,
Seres presa de vis Aimorés.

Possas tu, isolado na terra,
Sem arrimo e sem pátria vagando,
Rejeitado da morte na guerra,
Rejeitado dos homens na paz,
Ser das gentes o espectro execrado;
Não encontres amor nas mulheres,
Teus amigos, se amigos tiveres,
Tenham alma inconstante e falaz!

Não encontres doçura no dia,
Nem as cores da aurora te ameiguem,
E entre as larvas da noite sombria
Nunca possas descanso gozar:
Não encontres um tronco, uma pedra,
Posta ao sol, posta às chuvas e aos ventos,
Padecendo os maiores tormentos,
Onde possas a fronte pousar.

GONÇALVES DIAS

As a Romantic, he was only rivaled by Castro Alves. Together, in fact, they constitute one of the paramount points in the entire Brazilian poetry. GONÇALVES DIAS, if he was not the creator of the Indianist movement, he was the one who provided it with the most beautiful, abundant, and intense moments, just like José de Alencar did in prose. Combining lyrical and epic poetry, his American-centered texts definitively incorporate autochthonous themes and landscapes, thereby freeing the Brazilian letters from the Portuguese yoke. Valuing such feelings as mercy and courage, catching the heroic sense of life with a dense emotional content, dramatic force, symbolic wealth, rhythmic plasticity, and one of the richest collection of dialogues, *I-Juca-Pirama* is the superior expression of a stream that managed to work out, for the first time with full radicalism, the prototype of the Brazilian soul. In his lyrical vein, the poet discerned that which is more characteristic in the temperament of the people, for instance, the longing for the birthplace, which was so exemplarily sang in another of the most famous national poems of all times, *Canção do Exílio (Song from the Exile)*.

Review

HOMELAND IN WORDS

"I-Juca-Pirama is one of those undebatable things, which are incorporated into the national pride and the very representation of the homeland, just like the magnitude of the Amazon, the Ipiranga cry, or the green and the yellow in the national flag." (Antonio Candido, "Formação da Literatura Brasileira")

THE CREATION OF AN AUTOCHTHONOUS LITERATURE

"It is known that in the so-called 'American poetry', that is, of an indianist stamp, his greatness is rather unquestionable: in this, it was seen for the first time in Brazil, in a definite way, the creation of an autochthonous literature as for theme and atmosphere." (Péricles Eugênio da Silva Ramos, "Introdução")

Excerpt

I-Juca-Pirama

Did you cry in the presence of death?
In the presence of strangers did you cry?
A coward cannot descend from a brave;
Because you cried, you're not a son of mine!
May you, damned descendant
From a tribe of noble warriors,
Beseeching cruel outsiders,
Be prey to vile Aimorés.

May you, abandoned on the earth,
Deprived of succor and homelessly wandering,
Rejected by death in the war,
Rejected by men in the peace,
Be among the people an execrated spectrum;
May the women deny you any love,
May your friends, if friends you have,
Have inconstant and deceptive soul!

May you be denied the sweetness of the day,
May the colors of the dawn scorn you,
And among the larvas in the shady night
May you never enjoy any rest:
May you never find a log, a stone,
Under the sun, under rain and winds,
Suffering the harshest torments,
Where to rest your forehead.

Works

Primeiros Cantos (1846)
Leonor de Mendonça (1847)
Segundos Cantos e Sextilhas de Frei Antão (1848)
Últimos Cantos (1851)
Cantos (1857)
Os Timbiras (1857)
Dicionário de Língua Tupi (1858)
Obras Póstumas (1869)
Poesia Completa e Prosa Escolhida (1959)

Copyright

Works in public domain
— texts available for publication

GRAÇA ARANHA

EM 1902, QUANDO DE SUA PUBLICAÇÃO, *Canaã*, um dos raros romances simbolistas da história literária brasileira, teve um sucesso exemplar. Levando-se em conta que, quatro anos antes, seu autor havia sido um dos membros fundadores da Academia Brasileira de Letras, instituição que buscava dar unidade à literatura do país, pode-se avaliar o prestígio de GRAÇA ARANHA na elite intelectual da época. O que não se conseguia imaginar é que esse escritor fosse aderir ao movimento liderado pelos modernistas, oferecendo a eles o respaldo de uma seriedade intelectual da qual eles ainda não desfrutavam perante o público. Mas Graça Aranha, autor de um drama encenado em Paris, não apenas contribuiu com a semana, fazendo um discurso de apresentação no Teatro Municipal de São Paulo que investia contra as academias e escolas que arbitravam as regras do bom gosto e do bom-senso: em 1924, em conferência na própria Academia Brasileira de Letras, desligou-se dessa instituição, alegando que sua criação fora um erro, já que ela não era capaz de admitir "as forças ocultas do nosso caos", referindo-se, certamente, aos ideários modernistas.

Crítica

UM DOS RAROS ESCRITORES SÉRIOS
"Na literatura, a não ser Graça Aranha, que vem mantendo uma grande linha de pensamento, em evolução admirável — *Canaã*, *Malazarte*, *A Estética da Vida* —, vemos Afrânio Peixoto e mais alguns raros escritores sérios." (Oswald de Andrade, "O Futurismo Tem Tendências Clássicas")

A ESTRONDOSA REPERCUSSÃO EUROPÉIA
"Em novembro de 1921, *O Estado de S. Paulo* publicou dois enormes artigos de Elísio de Carvalho sobre a filosofia de Graça Aranha e sua repercussão na Europa, onde ele era tratado como a 'maior glória do nome brasileiro e orgulho da raça latina', que 'se incorporou pela sua ideação e pela sua forma na cultura européia com os mesmos direitos e as mesmas prerrogativas com que Goethe e Shelley, Nietzsche e Ibsen, Tolstói e D'Annunzio se impuseram à admiração do mundo'." (Nicolau Sevcenko, "Orfeu Extático na Metrópole")

Obras

Canaã (1902)
Malazarte (1911)
A Estética da Vida (1921)
A Viagem Maravilhosa (1930)

Copyright

Fragmento

Canaã

Muitas árvores estavam contaminadas, ardiam como tochas monstruosas, e estendendo os braços umas às outras espalhavam por toda a parte a voragem do incêndio. O vento penetrava pelos claros abertos e esfuziava, atiçando as chamas. Pesados galhos de árvores que caíam, troncos verdes que estalavam, resinas que se derretiam espreitosas faziam a música desesperada de uma imensa e aterradora fuzilaria. Os homens olhavam-se atônitos diante do clamor geral das vítimas. Línguas de fogo viperinas procuravam atingi-los. Recuavam, fugindo à perseguição das colunas que marchava. Pelos cimos da mata se escapavam aves espantadas, remontando às alturas num vôo desesperado, pairando sobre o fumo. Uma araponga feria o ar com um grito metálico e cruciante. Os ninhos dependurados arderam, e um piar choroso entrou no coro como nota suave e triste. Pelas abertas do mato corriam os animais destocados pelo furor das chamas. Alguns libertavam-se do perigo, outros caíam inertes na fornalha.

GRAÇA ARANHA

IN 1902, WHEN IT WAS PUBLISHED, *Canaan*, one of the rare symbolist novels in the history of Brazilian literary, achieved an exemplary success. Taking into account that four years before the author of that book had been among those who founded the Brazilian Literary Academy, an institution devoted to promoting the unity of the national literature, one can evaluate GRAÇA ARANHA's prestige among the intellectual elite of the time. One thing that nobody could image was that this writer would come to adhere to the movement led by the modernists, thereby offering them the support of an intellectual significance that they had not achieved so far for the readers. However, Graça Aranha, the author of a play staged in Paris, not only supported the Modern Art Week, but delivered the introductory speech at the São Paulo Municipal Theater investing against the academies and schools that then ruled good taste and good-sense. Besides that, in 1924, in a lecture delivered at the very Brazilian Literary Academy, he resigned from that institution on the grounds that the creation had been a mistake, since it was unable to admit "the concealed driving-forces of our chaos," surely referring to the modernist ideas.

Review

ONE OF THE RARE SERIOUS WRITERS

"In our literature, except for Graça Aranha, who has been sustaining an amazingly evolving line of thinking — Canaan, Malazarte, A Estética da Vida —, we have only Afrânio Peixoto and a very few other serious writers." (Oswald de Andrade, "O Futurismo Tem Tendências Clássicas")

A ROARING REPERCUSSION IN EUROPE

"In November 1921, *O Estado de S. Paulo* published two long articles by Elísio de Carvalho about Graça Aranha's philosophy and his repercussion in Europe, where he was regarded as 'the greatest glory for the Brazilian name and a pride for the entire Latin race'. He 'was incorporated in the European culture because of his ideas and style, being entitled the same rights and prerogatives with which Goethe and Shelley, Nietzsche and Ibsen, Tolstoi and D' Annunzio had imposed themselves to the world admiration'." (Nicolau Sevcenko, "Orfeu Extático na Metrópole")

Excerpt

Canaã (Canaan)

A lot of trees had been contaminated, were burning like monstrous torches, and reaching their arms to one another to spread the maelstrom of fire all over. The wind penetrated through the clearings and whizzed, poking the flame. The heavy branches of trees falling, the popping green trunks, the melting resins spying around would produce the desperate music of a huge and terrifying fusillade. The men looked at each other amazed before the victims' clamor. Tongues of poisonous fire would try to reach them. They would retreat, fleeing from the persecution of the marching column. Above the forest, frightened birds would escape, ascending to the heights in desperate flight, hovering above the smoke. A bellbird harrowed the air with a metallic and distressing cry. The nests hanging from the trees all burned, and a lamenting cheep joined the choir as a soft, sad accord. Dislodged by the rage of the flames, the animals ran through the clearings in the wood. Some managed to escape the danger, but others fell motionless in the furnace.

Works

Canaã (1902)
Malazarte (1911)
A Estética da Vida (1921)
A Viagem Maravilhosa (1930)

Copyright

Works in public domain — texts available for publication

GRACILIANO RAMOS

Grandes escritores são aqueles que, pelo menos, escapam a todas as classificações onde os críticos desejam apreendê-los. Tendo estreado logo após José Américo de Almeida, Rachel de Queiroz, José Lins do Rêgo e Jorge Amado, ele é habitualmente situado no movimento regionalista, como integrante do ciclo nordestino, mas a verdade é que GRACILIANO RAMOS é um autor para sempre inclassificável. Seu projeto ficcional culminou na eliminação máxima de todo supérfluo para manter apenas o extremamente essencial, ou seja, a aspereza da vida a provocar a ruína social, a gratuidade do poder, a carência material e a destruição da consciência humana. Nele, não se pode estabelecer qualquer distinção entre a precariedade do real, do ser humano e da linguagem, inteiramente identificados num processo isomórfico de radicalidade raramente vista. Com uma *estrutura desmontável* em que a possível autonomia de cada capítulo se conjuga com a completude da obra, e se utilizando, entre outras, da forma livre do diário, as obras desse grande escritor acabaram por gerar alguns dos mais densos e importantes filmes nacionais da época do Cinema Novo.

Crítica

NA VIDA, SEM QUALQUER TRANSCENDÊNCIA
"Estamos ante a filosofia do nada — a da absoluta negação e destruição — que o Sr. Graciliano Ramos cultiva para os seus personagens. [...] Todos [os personagens] se acham dentro da vida, como que perdidos e abandonados, sem nada saber da sua origem nem do seu destino. Os seus atos se originam e se justificam, por si mesmos, fora de qualquer preocupação moral e transcendente." (Álvaro Lins, "Valores e Misérias das Vidas Secas")

UMA METAFÍSICA DA DANAÇÃO
"Construído sobre uma 'estrutura desmontável', sobre uma série de contos da cena agreste, *Vidas Secas* é a consumação formal de uma percepção de mundo na qual o sofrimento psicológico, a carência material e a gratuidade do poder estão na superfície dolorosa, mas harmônica, em que homem e paisagem se confundem. Graciliano parece chegar às portas de uma metafísica da danação do homem na terra, encerrando atavismo e sociabilidade num mesmo veio primitivo, cuja força se faz sentir nas falhas sempre perceptíveis do tecido da civilização." (Manuel da Costa Pinto, "Os Cárceres da Linguagem")

Obras

Caetés (1933)
São Bernardo (1934)
Angústia (1936)
Vidas Secas (1938)
Histórias de Alexandre (1944)
Dois Dedos (1945)
Infância (1945)
Insônia (1947)
Memórias do Cárcere (1953)
Viagem (1954)
Linhas Tortas (1962)
Viventes das Alagoas (1962)
Alexandre e outros Heróis (1962)
Cartas (1962)
Cartas a Heloísa (1992)

Contato

record@record.com.br

Fragmento

Vidas Secas

Na planície avermelhada os juazeiros alargavam duas manchas verdes. Os infelizes tinham caminhado o dia inteiro, estavam cansados e famintos. Ordinariamente andavam pouco, mas como haviam repousado bastante na areia do rio seco, a viagem progredira bem três léguas. Fazia horas que procuravam uma sombra. A folhagem dos juazeiros apareceu longe, através dos galhos pelados da caatinga rala.

Arrastaram-se para lá, devagar, Sinha Vitória com o filho mais novo escanchado no quarto e o baú de folha na cabeça, Fabiano sombrio, cambaio, o aió a tiracolo, a cuia pendurada numa correia presa ao cinturão, a espingarda de pederneira no ombro. O menino mais velho e a cachorra Baleia iam atrás.

Os juazeiros aproximaram-se, recuaram, sumiram-se. O menino mais velho pôs-se a chorar, sentou-se no chão.

GRACILIANO RAMOS

Great writers are those who, at least, escape from all the classifications the critics want to confine them in. As he had his debut soon after José Américo de Almeida, Rachel de Queiroz, José Lins do Rêgo, and Jorge Amado, he is usually included in the regionalist movement as a member of the Northeastern cycle, but the truth is that GRACILIANO RAMOS is an author beyond any classification. His fictional project culminated in the total elimination of all that is superfluous to keep only what is extremely essential, in other words, the roughness of life bringing social ruin, the groundlessness of power, the material deprivation, and the destruction of human conscience. Nothing in his work may be inferred as a distinction between the precariousness of reality, human being, and language, as they are thoroughly identified in a rarely seen isomorphic process of radicality. With a *modular structure* in which the possible autonomy of each chapter combines with the completeness of the work, and using, among other resources, the free style of a diary, the novels written by this great writer ended up generating some of the densest and most important films in the Cinema Novo movement.

Review

IN LIFE, WITHOUT ANY TRANSCENDENCE

"We find ourselves in face of the philosophy of nothing — the philosophy of absolute denial and destruction — which Mr. Graciliano Ramos cultivates for his characters. [...] All [the characters] are immersed in life, as if lost and abandoned, knowing nothing of their origin or destiny. Their actions arise and are justified, by themselves, outside any moral and transcendent concern." (Álvaro Lins, "Valores e Misérias das Vidas Secas")

A METAPHYSICS OF DAMNATION

"Built on a 'modular structures', on a series of rural short stories, *Vidas Secas* (Dry Lives) is the formal consummation of a world perception in which the psychological suffering, the material deprivation, and the groundlessness of power are on the painful, however harmonious, surface, in which man and landscape intermingles. Graciliano seems to come very near the metaphysics of man damnation on earth, including atavism and sociability in the same primitive vein, whose strength can be felt in the always perceptible flaws of the civilization tissue." (Manuel da Costa Pinto, "Os Cárceres da Linguagem")

Excerpt

Vidas Secas (Dry Lives)

In the reddened plain, the jujube trees spread two large green spots. The wretches had walked all day; they were tired and starving. They would usually walk very little, but as they had rested enough on the sands of the dry river, the journey smoothly reached three leagues. They had been longing for a shade for quite a long time. The jujube trees green leaves appeared far in the distance, through the skinned branches of the thorny stunted creeper.

They slowly crawled toward the shade; Ma'am Vitória carried the little one straddling on her haunch and the leaf trunk on the head; Fabiano, knock-kneed, walked downheartedly, the hunt bag piggyback, the gourd hanging from the belt, the flintlock on the shoulder. The eldest boy and Baleia, the female dog, walked behind him.

The jujube trees approached, fell back, disappeared. The eldest boy began to cry and sat down on the ground.

Works

Caetés (1933)
São Bernardo (1934)
Angústia (1936)
Vidas Secas (1938)
Histórias de Alexandre (1944)
Dois Dedos (1945)
Infância (1945)
Insônia (1947)
Memórias do Cárcere (1953)
Viagem (1954)
Linhas Tortas (1962)
Viventes das Alagoas (1962)
Alexandre e outros Heróis (1962)
Cartas (1962)
Cartas a Heloísa (1992)

Contact

record@record.com.br

GREGÓRIO DE MATOS

GREGÓRIO DE MATOS está para a poesia barroca assim como padre Antônio Vieira para a prosa. Ele não é apenas o mais importante poeta do respectivo movimento brasileiro, mas um nome para o qual converge uma rede de poemas anônimos representantes de um mesmo temperamento. Para além da questão autoral, pouco importante, inclusive, para o século em que viveu (o XVII), esse poeta lírico, satírico, erótico e religioso, influenciado por Gôngora, Quevedo, Gracian e Calderón, entre outros pertencentes ao cânone do momento, fez uso de sua *boca do inferno* para combater a falsa nobreza constituída pelo clero, pelos políticos, pela colônia portuguesa e pelos negociantes... todos eles exploradores dessa nova terra. *Aborrecido de uns e temido de outros*, o poeta mais polêmico do país e o primeiro a cantar o elemento nacional-brasileiro, levando uma existência boêmia, manifestou os sentimentos reprimidos do espírito popular, que testemunhou todas as hipocrisias de então sem nada poder fazer. Assim, além de ter sido um dos fundadores de nossa cultura, já se disse que ele foi também o primeiro antropófago cultural.

Crítica

O INFERNAL PRAZER DA SÁTIRA
"É para admirar-se, então, como a animalidade o assoberbava e como o cinismo o fazia descer até ao mais desbragado desrespeito a coisas reputadas santas. Diante da contração satírica tudo cedia, tudo se desfazia, tudo se esbandalhava, e à boca vinha o volvo excrementício, que o poeta vomitava colérico-risonho, saboreando em um infernal prazer o horror contumelioso dos pobres padres assustados de tanta acrimônia e imodéstia." (Araripe Júnior, "Daguerreótipo de 1894")

O PRIMEIRO POETA LEGITIMAMENTE BRASILEIRO
"As razões que teriam levado o poeta a deixar a magistratura e a afastar-se da Igreja são certamente importantes, porém menos significativas do que o fato irrecusável de o ter feito efetivamente, ter deixado ainda muito mais: o gongorismo pela linguagem da gente simples, o sentir e o pensar do intelectual institucionalizado pela gargalhada saudável descoberta entre os deserdados da Colônia, que também a desconheciam em seu sofrimento." (James Amado, "A Foto Proibida há 300 Anos")

Obras

Obras Completas (1964)

Copyright

Obras em domínio público
— textos livres para publicação

Fragmento

Juízo Anatômico dos Achaques que Padecia o Corpo da República em todos os seus Membros, e Inteira Definição do que em Todos os Tempos É a Bahia

Que falta nesta cidade?... Verdade.
Que mais por sua desonra?... Honra.
Falta mais que se lhe ponha?... Vergonha.

O Demo a viver se exponha,
Por mais que a fama a exalta,
Numa cidade onde falta
Verdade, honra, vergonha.

Quem a pôs neste recrócio?... Negócio.
Qua causa tal perdição?... Ambição.
E no meio desta loucura?... Usura.

Notável desaventura
De um povo néscio e sandeu,
Que não sabe que o perdeu
Negócio, ambição, usura.

Quais são seus doces objetos?... Pretos.
Tem outros bens mais maciços?... Mestiços.
Quais destes lhe são mais gratos?... Mulatos.

GREGÓRIO DE MATOS

GREGÓRIO DE MATOS means to the Baroque poetry what father Antônio Vieira means to prose. He is not only the most important poet in this movement in Brazil, but he is a name to which a multitude of anonymous poems representing a same temperament converges. Beyond the authorial issue, which meant very little in the 17th century, this lyrical, satirical, erotic, and religious poet, influenced by Gôngora, Quevedo, Gracian, and Calderón, among others belonging to the canon at that time, used his *hell mouth* to fight the false nobility formed by the clergy, the politicians, the Portuguese settlers, and the merchants... all of them exploiting this new country. *Looked down on by some and feared by others,* the most controversial poet in the country and the first to laud the national-Brazilian element, while living a bohemian existence, he voiced the feelings repressed in the popular spirit, which helplessly witnessed all sort of hypocrisies. Thus, besides being one of the founders of our culture, he has also been described as the first cultural anthropophagous.

Review

THE INFERNAL PLEASURE OF SATIRE

"It is amazing to see how animality would overwhelm him and how cynicism would divest him of the least possible respect for things regarded as sacred. In front of that satirical contraction everything would yield, everything would ruin, everything was destroyed; and up to the mouth there would come the excrementous flavor which the poet would furiously-smilingly throw up, savoring with an infernal pleasure the contumelious horror felt by the poor priests frightened by such an acrimony and immodesty." (Araripe Júnior, "Daguerreótipo de 1894")

THE FIRST LEGITIMATELY BRAZILIAN POET

"The reasons why the poet forsook magistracy and entirely deserted the Church are surely important; however, they are less significant than the irrefutable fact that he actually did it, definitely renouncing even more than that: he traded Gongorism for the ordinary people's language, the feeling and thinking of an institutionalized intellectual for the healthy laughter found among the disinherited in the Colony, although these would also ignore it in their suffering." (James Amado, "A Foto Proibida há 300 Anos")

Excerpt

Juízo Anatômico dos Achaques que Padecia O Corpo da República em Todos Os Seus Membros, e Inteira Definição do que em Todos Os Tempos É a Bahia (Anatomical Judgement of the Ailments that Affected All The Members in The Republican Body, and Complete Definition of What Bahia Is All About in All Times)

What does this city lack?... Truth.
What else for its dishonor?... Honor.
Is there anything that could be added?... Shame.

The Devil to show off,
no matter how much fame will laud it,
In a city deprived of
Truth, honor, shame.

Who threw it into this hodgepodge?... Business.
Which caused such damnation?... Ambition.
And into this craziness?... selfishness.

Notable mischance
Of an ignorant and dolt people,
Who ignores what made it fall
Business, ambition, selfishness.

Which are the city's sweetest objects?... Blacks.
Are there more solid goods?... Mestizos.
Which of these are more treasured?... Mulattos.

Works

Obras Completas (1964)

Copyright

Works in public domain
— texts available for publication

GUERREIRO RAMOS

As décadas de 50 e 60 na história brasileira são marcadas por um sentimento de urgência, uma agitação intensa que pressentia os rumos turbulentos e mesmo obscuros pelos quais o país passaria. A sociologia de GUERREIRO RAMOS é uma legítima representante desses tempos. Seus livros contemporâneos ao golpe militar de 1964 estão dominados pela ênfase na conscientização de que o Brasil estava atravessando um período em que era necessário tomar o futuro do país em mãos, isto é, fazer a revolução, ou, pelo menos, preparar-se para ela. Guerreiro Ramos, porém, já naquela época alertado acerca das atrocidades cometidas por regimes comunistas mundiais, procurava afastar sua idéia de revolução das teses marxistas: tratava-se, para ele, de uma revolução política, científica e, principalmente, intelectual, de um despertar nacionalista das consciências. Ainda que os tempos sejam outros, sua sociologia engajada, sobretudo a que discute o papel do negro na sociedade, permanece bastante atual. De fato, suas afirmações sobre as minorias étnicas podem ser consideradas como pioneiras no Brasil.

Crítica

ESCRITOR ENGAJADO
"Guerreiro Ramos [...] representava bem esta estirpe de escritores, combinando grande erudição e brilho intelectual com uma preocupação constante em participar e influir na vida política." (Simon Schwartzman, "A Sociologia de Guerreiro Ramos")

SOCIOLOGIA POÉTICA
"Alberto Guerreiro Ramos, talvez o único sociólogo brasileiro com uma visão geopoética de nossa história, diria que, até o testemunho patético de Euclides sobre Canudos, o Brasil da cidade não tinha 'povo.'" (Gerardo Mello Mourão, "A Geopoética de Euclides")

Obras

O Drama de Ser Dois (1937)
Sociologia Industrial (1951)
Cartilha Brasileira do Aprendiz de Sociologia (1955)
Condições Sociais do Poder Nacional (1957)
O Problema Nacional do Brasil (1960)
A Crise do Poder no Brasil (1961)
Mito e Realidade na Revolução Brasileira (1963)
A Redução Sociológica (1964)
Administração e Estratégia de Desenvolvimento (1966)
A Nova Ciência das Organizações (1981)

Contato

Textos protegidos — em caso de interesse para publicação, fazer contato com o Departamento Nacional do Livro da FBN

Fragmento

A Crise do Poder no Brasil

Viver sob o signo da revolução é a maneira mais rica de ser brasileiro na presente época do meu País. Confesso que, por temperamento, sou comodista. A tensão revolucionária contraria os meus humores, minhas idiossincrasias glandulares. Como Salvador Dalí, gostaria de viver numa época em que não houvesse reivindicações a fazer, onde as coisas e as pessoas estivessem nos devidos lugares. Nasci, porém, num País e numa época em que a revolução é a única maneira de conferir dignidade à existência. A maior humilhação que pode sofrer um intelectual consiste em se surpreender abaixo das virtualidades de seu tempo e de sua circunstância. Sou revolucionário por orgulho. Por uma questão de ética, de ética intelectual. A vocação da inteligência é a verdade. Se a vida do intelectual tem de ser um experimento da verdade, no Brasil de hoje é compelida a tornar-se revolucionária. A verdade do Brasil de hoje é a revolução. Equivale a dizer: o verdadeiro Brasil é uma possibilidade. É negação do Brasil remanescente. Se assim não fosse, a revolução seria um capricho. Vivemos, hoje, no Brasil, período de história viva, isto é, período em que um novo ser nacional procura exprimir-se em adequadas formas, em adequados estilos históricos, por constituir, por fundar.

GUERREIRO RAMOS

The 1950's and 1960's are marked in the Brazilian history by an certain feeling of urgency, an intense agitation that anticipated the turbulent and even obscure period the country would have to go through. GUERREIRO RAMOS's sociology is a legitimately reflects those times. His books published during the 1964 military coup are dominated by the emphasis on the awareness that Brazil was then facing a time that required us to take the future of the country in our hands, that is, to make the revolution or, at least, to prepare for it. However, Guerreiro Ramos, aware of the atrocities committed by communist regimes worldwide, tried to draw his idea of revolution off the Marxist theories: in his opinion, that was the case of a political, scientific, and, especially, intellectual revolution, a nationalist awareness raising. Although the circumstances have changed, his engaged sociology, above all that including a discussion about black people's role in society, keeps up-to-date. In fact, his statements about the ethnic minorities may be regarded as pioneering in Brazil.

Review

AN ENGAGED WRITER

"Guerreiro Ramos [...] was a representative of this writer lineage, combining great erudition and intellectual brilliance with an unceasing concern about the participation in and the influence on the political life." (Simon Schwartzman, "A Sociologia de Guerreiro Ramos")

POETIC SOCIOLOGY

"Alberto Guerreiro Ramos, maybe the only Brazilian sociologist endowed with a geopoetical vision of our history, would say that up to Euclides' pathetic testimony on Canudos, urban Brazil had no 'people'." (Gerardo Mello Mourão, "A Geopoética de Euclides")

Excerpt

A Crise do Poder no Brasil (Power Crisis in Brazil)

Living under the sign of the revolution is the richest way of being Brazilian in my Country's present days. I admit that, because of my natural predisposition, I am self-indulgent. The revolutionary tension upsets my temper, my glandular idiosyncrasies. Just like Salvador Dalí, I would like to live at a time when no claims were required, finding that things and people were in their due places. I was born, however, in a Country and at a time when the revolution is the only way to offer dignity to existence. The worst humiliation for an intellectual is finding himself below the virtualities of his time and his circumstance. I am revolutionary for the sake of my pride. Because of ethics, intellectual ethics. Truth is the intelligence vocation. If the life of an intellectual has to be an experiment in truth, he is compelled in today's Brazil to become revolutionary. Revolution is today's Brazil truth. This means to say: true Brazil is a possibility. It is the denial of remaining Brazil. If otherwise, the revolution would be a caprice. We live today in Brazil a time of living history, that is, a period when a national personality is trying to express itself in appropriate forms, in appropriate historical styles, yet to be constituted, yet to be founded.

Works

O Drama de Ser Dois (1937)
Sociologia Industrial (1951)
Cartilha Brasileira do Aprendiz de Sociologia (1955)
Condições Sociais do Poder Nacional (1957)
O Problema Nacional do Brasil (1960)
A Crise do Poder no Brasil (1961)
Mito e Realidade na Revolução Brasileira (1963)
A Redução Sociológica (1964)
Administração e Estratégia de Desenvolvimento (1966)
A Nova Ciência das Organizações (1981)

Contact

Protected texts — in case of interest for publication, get in contact with National Book Office (DNL) of the Biblioteca Nacional Foundation (FBN)

GUIMARÃES ROSA

Assim como Machado de Assis e Euclides da Cunha, ele está entre os incomparáveis escritores que, além de orgulhar qualquer país, por si só, o justifica. Fazendo do *sertão* o símbolo de uma brasilidade, e dessa a expressão não apenas de um universalismo mas de toda uma cosmologia, GUIMARÃES ROSA atravessa o desespero metafísico do ser humano, conhecendo suas intimidades mais secretas e enigmáticas. Trata-se, justamente, de explorá-las, superando as dicotomias mais arraigadas no espírito ocidental e encontrando aquilo que mais lhe interessa: o infinito, o indizível e o inacreditável presentes na realidade da vida. Seu motor é a língua, pois ele sabe que apenas com sua transformação se pode renovar o mundo, defendendo, segundo suas próprias palavras, a dignidade do homem. Para isso, torna-se-lhe necessário recriar a linguagem, explorando suas possibilidades mais eruditas, arcaizantes e, ao mesmo tempo, tradicionalmente folclórico-populares. A renovação é completa, caracterizada pela desautomatização das palavras, criação de inúmeros neologismos, fusão dos gêneros e ruptura com a linearidade tradicional da ficção, entre inúmeros outros aspectos.

Crítica

A LIBERDADE DA INVENÇÃO
"Na extraordinária obra-prima *Grande Sertão: Veredas* há de tudo para quem souber ler, e nela tudo é forte, belo, impecavelmente realizado. Cada um poderá abordá-la a seu gosto, conforme o seu ofício; mas em cada aspecto aparecerá o traço fundamental do autor, a absoluta confiança na liberdade de inventar." (Antonio Candido, "O Homem dos Avessos")

GUIMARÃES ROSA E JAMES JOYCE
"Já Guimarães Rosa retoma de Joyce aquilo que há de mais joyceano: sua (como disse Sartre) 'contestação da linguagem comum', sua revolução da palavra, e consegue fazer dela um problema novo, autônomo, alimentado em latências e possibilidades peculiares à nossa língua, das quais tira todo um riquíssimo manancial de efeitos." (Haroldo de Campos, "A Linguagem do Iauaretê")

Obras

Sagarana (1946)
Corpo de Baile (1956)
Grande Sertão: Veredas (1956)
Primeiras Estórias (1962)
Tutaméia (1967)
Estas Estórias (1969)
Ave Palavra (1970)

Contato

joeditor@unisys.com.br

Fragmento

Grande Sertão: Veredas

O senhor saiba: eu toda a minha vida pensei por mim, forro, sou nascido diferente. Eu sou é eu mesmo. Diverjo de todo o mundo... Eu quase que nada não sei. Mas desconfio de muita coisa. O senhor concedendo, eu digo: para pensar longe, sou cão mestre — o senhor solte em minha frente uma idéia ligeira, e eu rastreio essa por fundo de todos os matos, amém! Olhe: o que devia de haver, era de se reunirem-se os sábios, políticos, constituições gradas, fecharem o definitivo a noção — proclamar por uma vez, artes assembléias, que não tem diabo nenhum, não existe, não pode. Valor de lei! Só assim, davam tranqüilidade boa à gente. Por que o Governo não cuida?!
Ah, eu sei que não é possível. Não me assente o senhor por beócio. Uma coisa é pôr idéias arranjadas, outra é lidar com país de pessoas, de carne e sangue, de mil-e-tantas misérias... Tanta gente — dá susto se saber — e nenhum se sossega: todos nascendo, crescendo, se casando, querendo colocação de emprego, comida, saúde, riqueza, ser importante, querendo chuva e negócios bons... De sorte que carece de se escolher: ou a gente se tece de viver no safado comum, ou cuida só de religião só.

GUIMARÃES ROSA

As well as Machado de Assis and Euclides da Cunha, he is among those incomparable writers who, in addition to filling any country with pride, suffices to uphold a country's literary repute. By taking the *sertão (back country)* as a symbol of *Brazilianess*, and taking such as an expression not only of an universalism, but of an entire cosmology, GUIMARÃES ROSA traverses the human being's metaphysical despair to fathom its most secret and enigmatic core. He applied himself to explore them, overcoming the most ingrained dichotomies in the western spirit to find that which interests him most: the infinite, the unspeakable, and the unbelievable in the reality of life. Language is his driving force, for he knows that only by transforming the language one can renovate the world, thereby defending, according to his own words, man's dignity. To achieve that, he feels compelled to recreate the language, exploring its most erudite, archaistic and, at the same time, traditionally folkloric-popular possibilities. The renovation is thoroughgoing, characterized by the disautomation of words, creation of countless neologisms, coalition of genders, and rupture with the traditional linearity of fiction, to mention but a few aspects.

Review

FREE INVENTION

"Everything can be found in the extraordinary masterpiece *Grande Sertão: Veredas (Great Outback: Byways)* if you know how to read it; and everything is forceful, beautiful, flawlessly consummated. Each reader will approach it as they please, according to their craft; but in each aspect the author's fundamental trait will appear, his absolute confidence in the freedom of inventing."
(Antonio Candido, "O Homem dos Avessos")

GUIMARÃES ROSA AND JAMES JOYCE

"Guimarães Rosa in his turn, recaptures from Joyce that which is the most Joycean: his (as Sartre said) 'contestation to common language,' his word revolution; and he manages to turn it into a new problem, autonomous, fed by latencies and possibilities peculiar to our language, from which he draws a rich spring of effects."
(Haroldo de Campos, "A Linguagem do Iauaretê")

Excerpt

Grande Sertão: Veredas (The Devil to Pay in the Backlands)

For your information: in all my life I always thought for myself, freed, I was born different. I am what I am. I demur from everybody... I only know nearly a great few things. But I smell out a lot of thing. If you allow me, I'll tell you: to hound around, I am a master dog — you just drop a quick idea in front of me, and I'll track it through all sorts of bushes, amen! Look: it'd be truly good if we could take all eggheads, politicians, notable constitutions, and savvy forever the notion — to proclaim once forever, in all assemblies, that there's no devil whatever, he don't exist, he can't. Lawlike! Only this way we'd be given some peaceful rest. Why don't the Government take care?!
O.K., I know it is not possible. Don't take me for a meathead. One thing is to put across arranged ideas, another thing is to deal with a country of people, of meat and blood, of a zillion hardships... So many people — it's daunting to know — and none is cool-headed: all being born, growing, getting married, striving for a job, food, health, wealth, being important, wishing rain and good businesses.... So that there is not much to choose: either we drudge everyday in the humdrum, or we mind only religion alone.

Works

Sagarana (1946)
Corpo de Baile (1956)
Grande Sertão: Veredas (1956)
Primeiras Estórias (1962)
Tutaméia (1967)
Estas Estórias (1969)
Ave Palavra (1970)

Contact

joeditor@unisys.com.br

HAROLDO DE CAMPOS

Um dos três membros do grupo vanguardista Noigandres e fundador do Concretismo, HAROLDO DE CAMPOS parte de uma poética pautada nas invenções de James Joyce, Gertrude Stein e os estudos de Ernest Fenolosa sobre o chinês para desenvolver suas inovações. Do primeiro, toma emprestada a idéia de uma escrita *verbivocovisual*; da segunda, herda a famosa definição: *prose is a kind of concrete poetry with justified margins*; do último, busca a compreensão das palavras como disposições ideogrâmicas. Deslocando, a princípio, a sintaxe lingüística para o branco da página, usado também como intervalo silencioso estrutural ao poema e ao sentido, o poeta superpõe as palavras criando montagens lexicais e valorizando o lado material do signo lingüístico. O desenvolvimento de sua poética o levou a escrever um dos livros mais radicais dos anos 80, *Galáxias*, um experimento barroco-contemporâneo elogiado por Octavio Paz e Marjorie Perloff, entre outros. Um dos grandes teóricos da tradução e ensaísta combativo, Haroldo de Campos tem um peso decisivo para as gerações que o sucederam.

Crítica

TEXTOS LIMITES
"Ao contrário, desejo observar alguns 'textos-limite', alguns 'poemas em prosa' que, a exemplo de Galáxias, desafiem a distinção entre poesia e prosa e enfatizem a materialidade do texto." (Marjorie Perloff, "'Concrete Prose': Haroldo de Campos's *Galáxias* and After")

O NÃO-VERBAL POÉTICO
"Tem-se, então, que a poesia concreta é uma poesia, por excelência, da palavra, e se inscreve nos limites extremos do campo da tradição verbal, apontando, nos poemas diagrâmicos, para o ingresso de fenômenos não-verbais na poesia, que se iniciará com a poesia semiótica, o poema-processo e o que se convencionou chamar 'poesia visual' dos últimos vinte e cinco anos." (Philadelpho Menezes, "Poética e Visualidade")

Obras

Auto do Possesso (1949)
Revisão de Sousândrade (1964)
Teoria da Poesia Concreta (1965)
A Arte no Horizonte do Provável (1969)
Xadrez de Estrelas (1974)
Signantia: Quasi Coelum (1979)
Galáxias (1984)
A Educação dos Cinco Sentidos (1985)
Finismundo: A última Viagem (1990)
Metalinguagem e outras Metas (1992)
O Arco-Íris Branco 1997)
Crisantempo (1998)
A Máquina do Mundo Repensada (2000)

Contato

editorial@globaleditora.com.br

Fragmento

Galáxias

e começo aqui e meço aqui este começo e recomeço e remeço e arremesso e aqui me meço quando se vive sob a espécie da viagem o que importa não é a viagem mas o começo da por isso meço por isso começo escrever mil páginas escrever milumapáginas para acabar com a escritura para começar com a escritura para acabarcomeçar com a escritura por isso recomeço por isso arremeço por isso teço escrever sobre escrever é o futuro do escrever sobrescrevo sobrescravo em milumanoites milumapáginas ou uma página em uma noite que é o mesmo noites e páginas mesmam ensimesmam onde o fim é o começo onde escrever sobre o escrever é não escrever sobre não escrever e por isso começo descomeço pelo descomeço desconheço e me teço um livro onde tudo seja fortuito e forçoso um livro onde tudo seja não esteja seja um umbigodomundolivro um umbigodolivromundo um livro de viagem onde a viagem seja o livro o ser do livro é a viagem por isso começo

HAROLDO DE CAMPOS

One of the three members of the avant-garde group *Noigandres* and founder of the concretism, HAROLDO DE CAMPOS's poetic work builds on James Joyce's inventions, Gertrude Stein, and Ernest Fenolosa's studies about Chinese to develop its innovations. From the former he borrows the idea of a *verbal-vocal-visual* writing; from the second, he inherits the famous definition: *prose is a kind of concrete poetry with justified margins;* from the latter, he brings the understanding of words as ideogram arrangements. By moving, at first, the linguistic syntax over to the blank space on the page, which is also used as a structural silent interval to the poem and the meaning, the poet overlaps the words to create lexical arrays and value the material side of the linguistic sign. The development of his poetry took him to write one of the most radical books of the eighties, *Galáxias (Galaxies)*, a Baroque-contemporary experiment eulogized by Octavio Paz and Marjorie Perloff, among others. One of the major theorists of translation and a combative essayist, Haroldo de Campos exerts a decisive influence over the generations after him.

Review

LIMIT TEXTS

"Rather, I want to look at some "limit-texts," at "prose poems" that, like the *Galáxias*, challenge the distinction between poetry and prose and emphasize the materiality of the text." (Marjorie Perloff, "'Concrete Prose': Haroldo de Campos's *Galáxias* and After")

POETIC NON-VERBAL

"It is assumed, then, that concrete poetry is a word poetry par excellence, subsuming in the utmost limits of verbal tradition field, thereby betokening, in the diagrammatical poems, the introduction of non-verbal phenomena into poetry, starting with the semiotic poetry, the poem-process, and the so-called 'visual poetry' of the last twenty-five years." (Philadelpho Menezes, "Poética e Visualidade")

Excerpt

Galáxias (Galaxies)

and I set out from here and I step off here this set-out and I reset and restep off and shoot and here I set off myself when one lives under the materialization of the trip what matters is not the trip but the beginning of it for this reason I step off for this reason I begin to write a thousand pages to write thousandonepages to do away with writing to begin the writing to beginend the writing so I reset so I restep off so I shoot so I weave writing about writing is the future of writing I overwrite overslave in thousandonenights thousandonepages or one page in one night which is the same nights and pages saming are lost in the same thinking where the end is the beginning where writing about writing is the same as not writing about not writing and for this reason I set off I unset off by the unset-off I ignore and I weave to myself a book where everything is fortuitous and forced a book where everything is isn't being a worldbellybuttonbook a bookbellybuttonworld a trip book where the trip is the book the being of the book is the trip for this reason I set off

Works

Auto do Possesso (1949)
Revisão de Sousândrade (1964)
Teoria da Poesia Concreta (1965)
A Arte no Horizonte do Provável (1969)
Xadrez de Estrelas (1974)
Signantia: Quasi Coelum (1979)
Galáxias (1984)
A Educação dos Cinco Sentidos (1985)
Finismundo: A última Viagem (1990)
Metalinguagem e outras Metas (1992)
O Arco-Íris Branco 1997)
Crisantempo (1998)
A Máquina do Mundo Repensada (2000)

Contact

editorial@globaleditora.com.br

HENRIQUETA LISBOA

Surgindo no decênio da Semana de Arte Moderna, Henriqueta marcou o seu lugar, em nossas letras, num tom que tanto se distanciou da objetividade realista quanto da musicalidade ultra-simbolista e das tropelias lúdicas do Modernismo. Vinha para descobrir pouco a pouco o seu próprio caminho. Só. Figura solitária. Sua poesia confunde-se com o afã de tangenciar o indizível, de ultrapassar os limites léxico-semânticos da palavra e, afinal, como queria Rilke, de penetrar a essência da poesia. Por isso nos comove tanto, sem recorrer a qualquer artifício sentimental. Sentimos que seus versos são a secreção de uma vida e não apenas um devaneio caprichoso. As palavras vêm para ela, como se não fossem símbolos ou arquétipos, valores ou sinais, mas as próprias coisas, os próprios sentimentos, as próprias sensações. É perfeição de natureza ascética, adquirida à força de difíceis exercícios espirituais, de rigorosa economia vocabular. Atingiu-se o momento em que a poesia se oferece, direta e simples, mas de uma simplicidade que significa paradoxalmente maior complexidade e riqueza interior. HENRIQUETA LISBOA é dos maiores poetas em língua portuguesa.

(Esse "arranjo crítico" foi feito com frases de Guilhermino César, Ivan Junqueira, Carlos Drummond de Andrade, João Gaspar Simões, Manuel Bandeira, Alphonsus de Guimaraens Filho e Otto Maria Carpeaux sobre a obra de Henriqueta Lisboa)

Crítica

ANTEVISÕES DO INFORME
"O que distingue os grandes poemas, recentes ou antigos, da poetisa mineira, é a sua inconfundível marca diáfana, abstrata. Henriqueta extrai da sua contínua contemplação da natureza antevisões do informe que brotam do visto em sua forma concreta." (Leo Gilson Ribeiro, "Inconfundível Marca Diáfana, Abstrata")

FORÇA LÍMPIDA
"Henriqueta Lisboa é hoje um dos poetas mais puros do Brasil. A forma límpida, cristal sem jaça de sua poesia, a agudeza das imagens, a densidade das palavras, a segurança do ritmo, sua humildade, constituem sua força expressiva e comunicativa." (Sérgio Milliet, "Flor da Morte e Lembrança de Rilke")

Obras

Fogo-Fátuo (1925)
Enternecimento (1929)
Prisioneira da Noite (1941)
A Face Lívida (1945)
Flor da Morte (1949)
Poemas (1951)
Azul Profundo (1956)
Lírica (1958)
Além da Imagem (1963)
Nova Lírica (1971)
Reverberações (1976)
Pousada do Ser (1982)
Presença de Henriqueta Lisboa (1992)

Contato

editora@bu.ufmg.br

Fragmento

Do Supérfluo

Também as cousas participam
de nossa vida. Um livro. Uma rosa.
Um trecho musical que nos devolve a horas inaugurais.
[O crepúsculo
acaso visto num país
que não sendo da terra
evoca apenas a lembrança
de outra lembrança mais longínqua.
O esboço tão-somente de um gesto
de ferina intenção. A graça
de um retalho de lua
a pervagar num reposteiro.
A mesa sobre a qual me debruço
cada dia mais temerosa
de meus próprios dizeres.
Tais cousas de íntimo domínio
talvez sejam supérfluas.
No entanto
que tenho a ver contigo
se não leste o livro que li
não viste a rosa que plantei
nem contemplaste o pôr-do-sol
à hora em que o amor se foi?

HENRIQUETA LISBOA

Having her debut in the same decade as the Modern Art Week, Henriqueta ensured herself a place in our literature in a tone that departed both from the realistic objectivity and from Modernism ultra-symbolist musicality and ludic uproar. She little by little came to discover her own path. Alone. A lonely character. Her poetry gets mixed with the enthusiasm to graze the unspeakable, to go beyond the lexical-semantic limits of the word and, eventually, just like Rilke wished, to penetrate the essence of poetry. This is why it moves us so much, even without resorting to any kind of sentimental artifice. We feel her verses are the secretion of a life and not just a mercurial dream. The words spring to her, as if they were not symbols or archetypes, values or signals, but rather the very things, the very feelings, the very sensations. It is a perfection of ascetic nature, acquired by means of tough spiritual exercises, of a tight word economy. The moment has been reached in which honest and simple poetry offers itself, but a simplicity paradoxically meaning higher complexity and more inner wealth. HENRIQUETA LISBOA appears among the most important poets in the Portuguese language.

(This "critical assemblage" was set up by gathering sentences by Guilhermino César, Ivan Junqueira, Carlos Drummond de Andrade, João Gaspar Simões, Manuel Bandeira, Alphonsus de Guimaraens Filho, and Otto Maria Carpeaux about Henriqueta Lisboa's work)

Review

ANTICIPATION OF THE FORMLESS

"The great poems by this Minas Gerais' poetess, whether recent or from the early days, can be distinguished by her unmistakable translucent, abstract mark. Henriqueta extracts from her continuous contemplation of nature anticipations of the formless that spring from that which has been seen in its concrete form." (Leo Gilson Ribeiro, "Inconfundível Marca Diáfana, Abstrata")

CRYSTAL-CLEAR STRENGTH

"Henriqueta Lisboa is today one of the purest poets in Brazil. The pellucid, crystal-clear form of her poetry, the sharpness of her images, the density of her words, the reliance of her rhythm, her meekness, make up her expressive and communicative strength." (Sérgio Milliet, "Flor da Morte e Lembrança de Rilke")

Excerpt

Do Supérfluo (From Superfluousness)

Things will also have a role
in our life. A book. A rose.
A musical passage that sends us back to the primeval hours.
[The twilight
if seen from a country
that does not belong to the land
will only evoke the recollection
of another further recollection.
The sketch is but a gesture
of cruel intention. The grace
of a moon scrap
rambling over a portiere.
The table over which I lean down
every day more fearful
of my own assertions.
Such things from the innermost domain
are maybe superfluous.
However,
what do I have to do with you
if you did not read the book I read
did not see the rose I planted
and did not contemplate the sunset
when love bade farewell?

Works

Fogo-Fátuo (1925)
Enternecimento (1929)
Prisioneira da Noite (1941)
A Face Lívida (1945)
Flor da Morte (1949)
Poemas (1951)
Azul Profundo (1956)
Lírica (1958)
Além da Imagem (1963)
Nova Lírica (1971)
Reverberações (1976)
Pousada do Ser (1982)
Presença de Henriqueta Lisboa (1992)

Contact

editora@bu.ufmg.br

HERMILO BORBA FILHO

Ainda que impregnada pela região nordestina, por sua gente típica e sua aridez, a obra de HERMILO BORBA FILHO é das mais universais da literatura brasileira. Em virtude da tonalidade autobiográfica e da linguagem despojada, os livros de Borba Filho são por vezes comparados aos do escritor norte-americano Henry Miller, de quem, aliás, é declarado admirador, chegando mesmo a dedicar um estudo crítico sobre sua vida e obra. Mas sua escrita tem personalidade própria, pois é indissociável da realidade política e da cultura popular brasileira. Marcado por um erotismo vital, seu trabalho abre uma vertente singular na literatura produzida no país, conciliando uma dimensão social explícita e uma veia voluptuosa, apaixonada, sem, todavia, cair no lado caricatural de nenhuma dessas alternativas. Quase não fazendo uso de metáforas, o estilo sempre direto e irreverente de Borba Filho, que chega mesmo a ser libertino — o que lhe vale a pecha de escritor maldito —, está, sobretudo, presente na tetralogia *Um Cavaleiro da Segunda Decadência*, sua obra mais importante.

Crítica

IRREVERÊNCIA TROPICAL
"Irreverente, zombeteiro, rabelesiano, boccaciano, Hermilo Borba Filho vai tecendo os seus enredos, numa enxúndia de palavras que faz o sertão virar mar. Sua linguagem choca em catadupas. Uma pancada intencional de bom ou mau gosto. Uma bacanal descritiva. A prosa é uma orgia romano-tropicalista que certas situações de uma sensualidade erótica mais acentuam." (Hélio Pólvora, orelha a "Margem das Lembranças")

DESBRAVADOR DE CAMINHOS
"No que se refere a nossa geração, não há ninguém que se possa comparar a Hermilo Borba Filho como abridor de veredas e apontador de caminhos." (Ariano Suassuna, orelha a "Margem das Lembranças")

Obras

A Donzela Joana (1966)
Fisionomia e Espírito do Mamulengo (1966)
Apresentação do Bumba-meu-Boi (1967)
Um Cavaleiro da Segunda Decadência (1968)
Margem das Lembranças (1968)
A Porteira do Mundo (1968)
Henry Miller / Vida e Obra (1968)
O Cavalo da Noite (1969)
Sobrados e Mocambos (1971)
Deus no Pasto (1971)
O General Está Pintando (1974)
Sete Dias a Cavalo (1974)
Os Ambulantes de Deus (1976)

Contato

Textos protegidos — em caso de interesse para publicação, fazer contato com o Departamento Nacional do Livro da FBN

Fragmento

Margem das Lembranças

Eu estou na balança. Todos os meus atos estão num dos pratos da balança. De um lado, os demais: muitos deles sou eu, metamorfoseado, irreconhecível, adulterado; do outro lado, eu mesmo, integral, de carne, as pernas penduradas no vazio. E me jogo numa longa viagem do útero à morte: de um negro para outro, de um vermelho para um vermelho, de um branco para um mais que branco, diáfano, transparente, etéreo, como era antes, sempre em formação, em massa, um pastel. Este sou eu, tanto no passado — vida morta — como no presente que se estende pelos dias e pelas noites sem nada como o futuro inexistente, apenas inventado pela imaginação e com certeza diferente do que espero. Merda para o futuro! Teço, nesse papel, um passado real, às vezes, e, outras, puramente imaginado na esperança de que no fim Deus confunda o que vivi e o que inventei e me dê um saldo favorável para uma modesta pensão no Purgatório. E se, como dizem, lá o tempo se conta por bilhões, que me importa o futuro diáfano, sempre branco, com flocos, menos que a lã-de-barriguda?

HERMILO BORBA FILHO

Although impregnated with the Northeastern region, with the typical Northeastern people and aridity, HERMILO BORBA FILHO work is among the most universal in the whole Brazilian literature. Because of the autobiographical shade and the unaffected language, Borba Filho's books are often compared to those by North-American Henry Miller, whom, in fact, he regarded highly. He even wrote a critical study on the life and work of that American writer. However, his writing has its own personality, seeing that it is indissolubly tied with the Brazilian political reality and popular culture. Marked by a vital eroticism, his work opens up a unique trend in the literature produced in the country, combining an explicit social dimension with a voluptuous, passionate vein, without, though, falling into the caricature side of either alternatives. Avoiding metaphors, Borba Filho direct and irreverent style, coming to the verge of lechery — which causes him to be regarded as a damned writer —, is especially present in the tetralogy *Um Cavaleiro da Segunda Decadência (A Knight from the Second Decadence)*, his greatest piece of work.

Review

TROPICAL IRREVERENCE

"Irreverent, mocker, rabelaisian, boccaccian, Hermilo Borba Filho weaves his plots in a gush of words that makes the backlands to become a sea. His language strikes in a spurt. An intentional blow of either good or bad taste. A descriptive orgy. His prose is a Roman-tropical orgy, often accentuated by some situations full of an erotic sensuality."(Hélio Pólvora, flap in "Margem das Lembranças")

A PATHFINDER

"In what concerns our generation, there is nobody to compare with Hermilo Borba Filho as one who opens paths and points out directions."(Ariano Suassuna, flap in "Margem das Lembranças")

Excerpt

Margem das Lembranças (Memoirs' Sidetracks)

I am on the balance. All my actions are on one of the pans in the balance. On the one side, all other humans: many of them are indeed my metamorphosed, unrecognizable, adulterated self; on the other side, myself, integral, in the flesh, my legs dangling in the emptiness. And I plunge myself into a long trip from the womb to death: from one black to another, from red to red, from white to more-than-white, diaphanous, transparent, ethereal, as it used to be, always in formation, in paste, a pastry. That's me, both in the past — still life — and in the present days, spanning over empty days and nights, just like a nonexistent future, merely invented by the imagination and certainly different from what I expect. Shit for the future! I weave, on this piece of paper, a sometimes real past, and other times a merely imagined past, in the hope that on the doomsday God will blend what I actually lived with what I invented and will grant on me a favorable balance for a modest pension in the Purgatory. If it happens to be as I have been told it is, that time there is counted by the billion, what difference will make a diaphanous future, always white, with flakes, less than the silk-cotton wool?

Works

A Donzela Joana (1966)
Fisionomia e Espírito do Mamulengo (1966)
Apresentação do Bumba-meu-Boi (1967)
Um Cavaleiro da Segunda Decadência (1968)
Margem das Lembranças (1968)
A Porteira do Mundo (1968)
Henry Miller / Vida e Obra (1968)
O Cavalo da Noite (1969)
Sobrados e Mocambos (1971)
Deus no Pasto (1971)
O General Está Pintando (1974)
Sete Dias a Cavalo (1974)
Os Ambulantes de Deus (1976)

Contact

Protected texts — in case of interest for publication, get in contact with National Book Office (DNL) of the Biblioteca Nacional Foundation (FBN)

IVAN JUNQUEIRA

Poeta, ensaísta e tradutor de alguns dos mais importantes autores dos séculos XIX e XX, IVAN JUNQUEIRA, um dos principais nomes da geração dos anos 60, conjuga as mais elevadas conquistas poéticas da modernidade a uma freqüentação metafísica de inclinação clássica. Com inteiro domínio do ofício, manifestando a cada livro grande rigor formal, plena musicalidade e rica imagética, o poeta transita pelos temas fundamentais da lírica do pensamento: a morte, o amor, a arte, o sentido da vida, o escoar do tempo... sua poesia, em vez de ancorada no tempo presente, prefere o mítico, o universal, o atemporal e o essencial. Dessa maneira, ao longo dos mais de 30 anos de seu percurso de escritor, conciliando tradição literária e experiência pessoal, suas questões giram obsessivamente em torno do eixo temático da perda e da morte. Assim, se a memória realiza uma atividade fecunda em sua poesia, ela não está, entretanto, em busca apenas do passado, mas do arcaico: essa experiência de origem que a ambiência da morte resguarda no próprio mundo cotidiano, tornando a vida algo a ser sempre comemorado.

Crítica

UMA REALIZAÇÃO ADMIRÁVEL
"Sei perfeitamente que me encontro perante uma realização admirável, seja pelo domínio consumado da língua e da poesia, seja pela unidade impressionante do conjunto, pela intensidade da expressão e — o que me parece o mais admirável de tudo — pela *via media* absolutamente clássica de sua carga emotiva, perpetuamente suspensa entre o *pathos* e a sobriedade, nessa corda bamba onde de um lado vemos a frieza e do outro o excesso." (Alexei Bueno, "A Sagração dos Ossos")

UM DOS MELHORES POETAS DE HOJE
"Tendo estreado em livro em 1964, Ivan Junqueira não se deixou tocar pelos cacoetes modernosos que desde os anos 50 assolavam o país. Atento à tradição, como já dissemos, e também aproveitando as melhores influências de autores de outras línguas (alguns dos quais ele traduziu), o que ele fez foi burilar e aprofundar sua contribuição, tornando-se, sem dúvida, um dos poetas de hoje que melhor manejam a linguagem poética, explorando com segurança os mais diversos ritmos, métricas, formas." (Ruy Espinheira Filho, "Animal Efêmero")

Obras

Os Mortos (1964)
Três Meditações da Corda Lírica (1977)
A Rainha Arcaica (1980)
Dias Idos e Vividos (1981)
Testamento de Pasárgada (1981)
Cinco Movimentos (1982)
À Sombra de Orfeu (1984)
O Grifo (1987)
O Encantador de Serpentes (1987)
Prosa Dispersa (1991)
O Signo e a Sibila (1993)
A Sagração dos Ossos (1994)

Contato

abl2@montreal.com.br

Fragmento

Esse Punhado de Ossos

Esse punhado de ossos que, na areia,
alveja e estala à luz do sol a pino,
moveu-se outrora, esguio e bailarino, como se move o sangue
[numa veia.
Moveu-se em vão, talvez, porque o destino
lhe foi hostil e, astuto, em sua teia
bebeu-lhe o vinho e devorou-lhe à ceia
o que havia de raro e de mais fino.
Foram damas tais ossos, foram reis,
e príncipes e bispos e donzelas,
mas de todos a morte apenas fez
a tábua rasa do asco e das mazelas.
E ali, na areia anônima, eles moram.
Ninguém os escuta. Os ossos não choram.

IVAN JUNQUEIRA

Poet, essayist and translator of some of the most important authors of the 19th and 20th centuries, IVAN JUNQUEIRA, one of the leading names in the 1960's generation, combines the highest poetic conquests of modernity with a classical-tending metaphysical visitation. Fully mastering his lifework, and evidencing at each new book an inordinate formal rigidity, full musicality, and rich imagery, the poet moves through the fundamental themes of the lyrical of the thought: death, love, art, the meaning of life, the elapsing of time... his poetry, instead of being anchored in the present time, chooses the mythical, the universal, the atemporal, and the essential. Thus, over his more-than-thirty-year-long writing career, conciliating literary tradition with personal experience, his themes obsessively gravitates around the thematic axis of loss and death. So, if memory plays a fertile role in his poetry, it is not, however, merely in the search for the past, but rather for the archaic: this origin experience which the death ambiance safekeeps from the daily world itself, making life something to be celebrated all the time.

Review

AN ADMIRABLE ACCOMPLISHMENT

"I'm perfectly aware that I am in front of an admirable accomplishment, either for the consummated mastering of language and poetry, or for the impressive unit of the work collection, or for the intensity of the expression, or — which seems to be the most admirable of all — for the absolutely classical *via media* of his emotional load, perpetually suspended between *pathos* and sobriety, on this tight rope where we see coldness on one side and excess on the other side." (Alexei Bueno, "A Sagração dos Ossos ")

ONE OF THE BEST POETS TODAY

"Having his first book published in 1964, Ivan Junqueira never allowed himself to be influenced by any of the stylish twitches that had been plaguing the country since the 1950's. Mindful of tradition, as we have already said, and at the same time taking advantage of the best influences by foreign authors (he translated some of them), he polished and deepened his contribution, doubtlessly becoming one of the contemporary poets who best handles the poetic language, safely exploring the varied rhythms, metric, forms." (Ruy Espinheira Filho, "Animal Efêmero")

Excerpt

A Handful of Bones

This handful of bones that, in the sand,
whiten and snap under the upright sun,
once moved around, lankily dancing, just like the blood in a vein.
They moved in vain, maybe, because destiny
was no friend of them, and cunningly drank their wine in its web,
and at supper devoured
that which they treasured most.
Those bones were ladies once, they were kings,
and princes, and bishops, and damsels,
but death took them all and wiped
the slate clean as for disgust and blots.
And there, in the anonymous sand, they dwell.
Nobody listens to them. Bones never cry.

Works

Os Mortos (1964)
Três Meditações da Corda Lírica (1977)
A Rainha Arcaica (1980)
Dias Idos e Vividos (1981)
Testamento de Pasárgada (1981)
Cinco Movimentos (1982)
À Sombra de Orfeu (1984)
O Grifo (1987)
O Encantador de Serpentes (1987)
Prosa Dispersa (1991)
O Signo e a Sibila (1993)
A Sagração dos Ossos (1994)

Contact

abl2@montreal.com.br

JOÃO ANTÔNIO

A qualidade de um livro pode ser estimada quando se o lê, mas sua excelência se explicita no momento em que, ao fechá-lo, ele continua a repercutir no espírito do leitor. Difícil sair ileso da obra de JOÃO ANTÔNIO, herdeiro manifesto de Lima Barreto, a quem dedica uma biografia e um de seus livros; herdeiro também de João do Rio e par de Antônio Fraga, entre outros escritores que misturam sua vida à de jogadores de sinuca, prostitutas, traficantes, alcagüetes, gigolôs, artistas decadentes, leões-de chácara... melhor dizendo, que misturam sua vida à obra que realizam com o próprio corpo — das palavras. Nele, há uma força explodindo a contenção, um eriçamento escrachado de vidas desajustadas que o fazem ser o intérprete por excelência do submundo e da marginalidade urbana. Nascido em 1920, o escritor atuou em sua juventude como jornalista policial e tornou-se grande contista da literatura brasileira. Ao longo dos anos, criou uma escrita híbrida da ficção, do documentário e do biográfico, insubmissa a qualquer tipo de classificação. Uma coisa é certa: ninguém sai de um livro de João Antônio da mesma maneira que entrou.

Crítica

OS PERSONAGENS COMO AUTORES
"Uma qualidade marcante da literatura de João Antônio é a linguagem, que foge completamente da escrita 'literária', sobretudo na fala dos personagens. O leitor sente logo que são pessoas falando como sabem e como falam entre elas, e não bonecos dizendo coisas que o autor lhes soprou." (José J. Veiga, "O Escritor João Antônio")

A POESIA DAS SOBRAS DA VIDA
"Vida por vezes suja, literatura que não se propõe às frases caprichadas, às palavras sonoras. João Antônio trabalha com o lixo da vida e com ele constrói beleza e poesia. Porque esse escritor soma ao talento e à experiência, o amor, a paixão pela gente que povoa seus livros admiráveis." (Jorge Amado, Apresentação)

Obras

Malagueta, Perus e Bacanaço (1963)
Leão-de-Chácara (1975)
Malhação do Judas Carioca (1975)
Casa de Loucos (1976)
Calvário e Porres do Pingente Afonso Henriques de Lima Barreto (1977)
Lambões de Caçarola (1977)
Ó Copacabana (1978)
Dedo-Duro (1982)
Abraçado ao meu Rancor (1986)
Guardador (1992)
A Dama do Encantado (1996)

Contato

record@record.com.br

Fragmento

Leão-de-Chácara

Deram para xingar esta minha viração de leão-de-chácara. Não gosto do nome. Ele marca e deixa na cara uma situação de fortaleza e mando. Isso é ruim. Prefiro que os trouxas me tratem como porteiro, como seu Zé ou como Pirraça. Já é um disfarce, um agá. E que me permite fazer negaças e confundir a maioria quando a situação é preta. De mais a mais, em trinta anos de janela é raro um cara que saiba o meu nome — Jaime. O falador se dá mal na vida e o come-quieto só come porque não fala. Depois, eu gosto de respeito e distância com os fariseus a quem sirvo e aturo. A mim, quando me convém, respeito até menino vendedor de amendoim. Leão-de-chácara e toda a leonagem é um chaveco novo na noite do Rio. Tem mais de quinze anos, não. Alcancei tudo isso: na quizumba e no esporro das rodas da Lapa, num tempo de ouro. Ali se enrustia a maior escola que um bandido podia ter.

JOÃO ANTÔNIO

The quality of a book can be appraised when one reads it, but its excellence only becomes explicit when, after closing it, it continues to echo in the reader's spirit. One will hardly finish the reading of a JOÃO ANTONIO's book untouched. Undisguised heir of Lima Barreto, to whom he dedicates a biography and one of his books; he is also heir of João do Rio and a pal to Antônio Fraga, among other writers who mixed their lives with the lives of snooker players, prostitutes, traffickers, stoolpigeons, pimps, decadent artists, bouncers; in other words, those who mix their lives with the work they do with their own body—with the body of words. One finds in his work a force that bursts out the contention, an ostensible bristling of misfit lives that makes him to be the par excellence interpreter of the urban underworld and marginalized people. Born in 1920, the writer worked in his youth as a police journalist, and became one of the major storytellers in the Brazilian literature. Over the years, he created a hybrid work of fictional, documentary and biographical texts, rebel to any kind of classification. One thing is for sure; nobody finishes the reading of a book by João Antônio the same way one started reading it.

Review

THE CHARACTERS AS AUTHORS

"An outstanding quality of João Antonio's literature is a language that fully evades the traditional 'literary' writing, especially in the characters' speech. The reader realizes at once that they are people speaking the way they know and in the same way they would speak to each other, instead of puppets echoing things the author had whispered to them." (José J. Veiga, "O Escritor João Antônio")

POETRY IN THE LIFE LEFTOVERS

"Life that is at times dirty, literature that is not meant to be made of perfect sentences or resonant words. João Antônio works with the garbage of life and builds beauty and poetry out of it. Because this writer adds to his talent and experience, love and passion for those who populate his amazing books." (Jorge Amado, "Apresentação")

Excerpt

Leão-de-Chácara (Bouncer)

They took to calling my job bouncer. I don't like this word. It marks and scars one on the face with a pockmark of power and command. That is bad. I'd rather the suckers treat me as a doorman, call me John Doe or Pirraça. It goes like a disguise, a cook-up. This allows me to cheat and hoodwink people when I have a hard time. Besides, after thirty years in the spot, hardly anyone knows me by the name — Jaime. The windbag will fall short in the end, and the lurker gets away with it because he slinks. Moreover, I like being respected and keeping back the sanctimonious people I have to serve and hack. As for me, when it suits me, I respect even the boy selling peanuts. Bouncers and all this sort of things is a new fad in Rio's nightlife. Less than fifteen years. I remember what it used to be like: the dins and the hullabaloos of the Lapa's hubbubs in the golden times. You'd find skulking there the best school an outlaw could have.

Works

Malagueta, Perus e Bacanaço (1963)
Leão-de-Chácara (1975)
Malhação do Judas Carioca (1975)
Casa de Loucos (1976)
Calvário e Porres do Pingente Afonso Henriques de Lima Barreto (1977)
Lambões de Caçarola (1977)
Ó Copacabana (1978)
Dedo-Duro (1982)
Abraçado ao meu Rancor (1986)
Guardador (1992)
A Dama do Encantado (1996)

Contact

record@record.com.br

JOÃO CABRAL DE MELO NETO

JOÃO CABRAL DE MELO NETO é daqueles raros poetas cuja obra honraria qualquer país do mundo, fato comprovado pelas traduções em diversas línguas e prêmios nacionais e internacionais, como o Neustadt, por exemplo. No Brasil, nos últimos 40 anos, talvez nenhum outro poeta tenha exercido tanta influência sobre gerações posteriores quanto ele. Herdando de Valéry a exigência de uma extrema lucidez na vontade de criar, sua trajetória demarca a derrocada de diversos valores habitualmente tidos por poéticos: contra a inspiração, o trabalho; contra a espontaneidade, a construção; contra o sentimentalismo, a objetividade; contra a obscuridade, a clareza; contra o lirismo, a aspereza; contra a abstração, a concretude; contra a retórica, a economia; contra o melódico, o rascante; contra o flácido, a lâmina... Trabalhando sob a luz de uma intensa consciência construtivista, não é sem motivos que essa escrita calcada na razão se impôs os rigores do engenheiro. Mas não se enganem: seguramente, todo o arcabouço apolíneo de sua poesia é uma arma que o poeta encontrou para domar e contrabalançar a intensidade explosiva subjacente à sua escrita.

Crítica

O PÉTREO DA LINGUAGEM
"Porque se João Cabral ainda usa o verso em seus poemas, o faz não para 'poetizá-lo', mas para violentá-lo, para desmistificar, de dentro de si, os seus mitos e a sua linguagem, ou para contradizê-lo a todo momento, dessacralizando a sua roupagem florida com a linguagem seca da pedra e com a semântica pedregosa do Nordeste." (Augusto de Campos, "Da Antiode à Antilira")

SOB O PRISMA DO *MENOS*
"Mas, para João Cabral, desvincular a palavra de uma tradição retórica não é suficiente: a desconfiança do poeta incide tanto na antiga ordem de significações do signo quanto na nova ordem em que ele o instala. Daí sua poesia freqüentemente confessar-se como um ponto de vista (histórico) sobre a linguagem, e não como um neutro espaço de onde as palavras emanariam resgatadas numa pureza original." (Antonio Carlos Secchin, "João Cabral: A Poesia do Menos")

Obras

Pedra do Sono (1942)
Os Três Mal-Amados (1943)
O Engenheiro (1945)
Psicologia da Composição com a Fábula de Anfion e Antiode (1947)
O Cão sem Plumas (1950)
Morte e Vida Severina: Auto de Natal Pernambucano (1956)
Uma Faca Só Lâmina (1956)
A Educação pela Pedra (1966)
Museu de Tudo (1975)
Crime na Calle Relator (1987)
Sevilha Andando (1990)
Obra Completa (1994)

Contato

sac@novafronteira.com.br

Fragmento

O Cão sem Plumas

O que vive
não entorpece.
O que vive fere.
O homem, porque vive,
choca com o que vive.
Viver
é ir entre o que vive.

O que vive incomoda de vida
o silêncio, o sono, o corpo
que sonhou cortar-se
roupas de nuvens.
O que vive choca,
tem dentes, arestas, é espesso.
O que vive é espesso
como um cão, um homem, como aquele rio.

Como todo real
é espesso.
Aquele rio
é espesso e real.

JOÃO CABRAL DE MELO NETO

JOÃO CABRAL DE MELO NETO is one of those rare poets whose work would confer honor on any country in the world. This becomes evident by the translations to many languages and by the prizes won nationally and internationally, e.g., Neustadt. In the last forty years, surely no other Brazilian poet had such a big influence on subsequent generations as he did. Inheriting from Valéry the demand of an extreme lucidity in the will to create, his work path marks off the ruin of a number of values usually regarded as poetic: against the inspiration, the work; against the spontaneity, the construction; against sentimentality, objectivity; against obscurity, clarity; against lyricism, roughness; against abstraction, concreteness; against the rhetoric, the economy; against the melodic, the acrid; against the flaccid, the blade... Working under the light of an intense constructivist conscience, it is not without reasons that his writing, built on reason, imposed to itself the rigidities of an engineer. But make no mistake: the entire Apollonian outline of his poetry is certainly a weapon the poet found to tame and counterpoise the explosive intensity underlying his writing.

Review

LANGUAGE ROCKY MAN

"Because if João Cabral still uses verses in his poem, he does so not to 'make it poetry', but rather to defile it, to demystify it from within itself of its myths and its language, or else to contradict it at every moment, desecrating its flowery outerwear by using the stone's dry language, and by using the Northeast stony semantics." (Augusto de Campos, "Da Antiode à Antilira")

UNDER THE PRISM OF THE *LEAST*

"But, for João Cabral, disentailing the word from a rhetorical tradition is not enough: the poet's distrust goes to the old order of sign significances just as much as it goes to the new order he puts in place. This is why his poems frequently owns up as a (historical) point of view about the language, rather than a neutral space from where the words would emanate rescued in an original purity." (Antonio Carlos Secchin, "João Cabral: A Poesia do Menos")

Excerpt

The Featherless Dog

That which lives
won't go numb.
That which lives will hurt.
Man, because he lives,
shocks with that which he lives.
To live
is to go amongst that which lives.

That which lives will bring inconvenience through its life
to silence, sleep, the body
which dreamed of tailoring to itself
clothes from clouds.
That which lives will shocks,
has teeth, edges, is thick.
That which lives is thick
like a dog, a man, that river.

Just like all that's real
it is thick.
That river
is thick and real.

Works

Pedra do Sono (1942)
Os Três Mal-Amados (1943)
O Engenheiro (1945)
Psicologia da Composição com a Fábula de Anfion e Antiode (1947)
O Cão sem Plumas (1950)
Morte e Vida Severina: Auto de Natal Pernambucano (1956)
Uma Faca Só Lâmina (1956)
A Educação pela Pedra (1966)
Museu de Tudo (1975)
Crime na Calle Relator (1987)
Sevilha Andando (1990)
Obra Completa (1994)

Contact

sac@novafronteira.com.br

JOÃO DO RIO

Ao lado de Machado de Assis e Lima Barreto, Paulo Barreto, mulato, aliás, como os outros dois, completa a trinca da prosa urbana de melhor qualidade do início do século XX. Esse romancista, que também foi contista, jornalista, dramaturgo, cronista, conferencista e ensaísta, levou a fusão entre reportagem e crônica literária às últimas conseqüências, inovando a escrita existente até então. Pode-se dizer que o Rio de Janeiro da *belle époque* foi praticamente uma invenção desse que é o maior exemplo da literatura *art nouveau* brasileira. Sua vida e sua obra se confundem com a cidade, que ele soube retratar tão bem em seus múltiplos aspectos. Freqüentando desde importantes recepções presidenciais a centros espíritas dos subúrbios e rodas de samba nas favelas cariocas, ele se misturou à multidão para descrever a rotina da marginalidade da época. Além da cor de sua pele, que já era motivo de preconceitos, sua homossexualidade desafiava os padrões estabelecidos. Mas não foi como Paulo Barreto que esse escritor ficou conhecido e sim com um de seus inúmeros pseudônimos: JOÃO DO RIO.

Crítica

MESTRE DA DESORDEM LÍRICA
"Foi um mestre da crônica, dominando como ninguém um gênero confuso e ilusório, híbrido e borboleteante, mosaico bizantino por ele convertido em pura obra de arte, seja pela insolência da sátira, seja pela bela desordem lírica de certos trechos descritivos." (Agrippino Griecco, "Evolução da Prosa Brasileira")

UM DESTAQUE COMPLETO
"Uma das figuras mais originais, independentes, brilhantes, fecundas e pioneiras que a nossa literatura já produziu." (João Carlos Rodrigues, "João do Rio: Uma Biografia")

Obras

As Religiões no Rio (1904)
A Alma Encantadora das Ruas (1908)
Cinematographo (1909)
Dentro da Noite (1910)
A Profissão de Jacques Pedreira (1911)
Psicologia Urbana (1911)
Vida Vertiginosa (1911)
Memórias de um Rato de Hotel (1912)
Pall Mall (1917)
A Mulher e os Espelhos (1919)
Rosário da Ilusão (1921)
Celebridades, Desejo (1932)

Copyright

Obras em domínio público
— textos livres para publicação

Fragmento

A Alma Encantadora das Ruas

Estávamos na Rua do Núncio. O meu excelente amigo fez-me entrar num botequim na esquina da Rua de S. Pedro e os meus olhos logo se pregaram na parede da casa, alheio ao ruído, ao vozear, ao estrépito da gente que entrava e saía. Eu estava diante de uma grande pintura mural comemorativa. O pintor, naturalmente agitado pelo orgulho que apossou de todos nós ao vermos a Avenida Central, resolveu pintá-la, torná-la imorredoura, da Rua do Ouvidor à Prainha. A concepção era grandiosa, o assunto era vasto — o advento do nosso progresso estatelava-se ali para todo o sempre, enquanto não se demolir a Rua do Núncio. Reparei que a Casa Colombo e o Primeiro Barateiro eram de uma nitidez de primeiro plano e que aos poucos, em tal arejamento, os prédios iam fugindo numa confusão precipitada.

JOÃO DO RIO

Along with Machado de Assis and Lima Barreto, Paulo Barreto, a mulatto man, just like the other two, makes up the best urban prose's trio from the beginning of the 20th century. This novelist, who was also a storyteller, a journalist, a playwright, a chronicler, a lecturer, and an essayist, took the blending of reporting and literary chronicles to its last consequences, innovating on the writing produced at the time. It is not false to say that the *belle-époque* Rio de Janeiro was indeed an invention of this man, who is the best example of the Brazilian *art noveau* literature. His life and work fuses with the city, whose multiple aspects he portrayed so well. Attending from important presidential receptions to spiritualist congregations in the outskirts of the city, as well as samba parties in the slums of Rio de Janeiro, he mingled with the crowd to describe the routine of the downtrodden people of the time. In addition to the color of his skin, already a reason for discrimination, his homosexuality defied the standards. But he did not become popular as Paulo Barreto, but rather as JOÃO DO RIO, one of his many pen names.

Review

MASTER OF THE LYRIC DISORDER

"He was a master of the chronicle, unrivaledly mastering a confusing and illusory, hybrid and fluttering style; a Byzantine mosaic he turned into sheer work of art, either by the insolence of satire, or by the beautiful lyric disorder of certain descriptions ". (Agrippino Griecco, "Evolução da Prosa Brasileira")

A PERFECT UNIQUENESS

"[...] one of the most original, independent, brilliant, prolific, and pioneering figures our literature has ever produced ". (João Carlos Rodrigues, "João do Rio: Uma Biografia")

Excerpt

A Alma Encantadora das Ruas (The Enchanted Soul of the Streets)

We were at Núncio Street. My good friend took me into a bar on the corner with S. Pedro Street. The wall of the house soon caught my eyes, forgetting about the noise, the voices, the din of people in and out of the place. I was before a great commemorative mural painting. The painter, surely excited by the outburst of pride that took us all over when we saw the Central Avenue, decided to immortalize it by painting it on the wall, from Ouvidor Street to Prainha. The conception was grandiose, the subject was vast — the advent of our progress would be motionless there forever, as long as Núncio Street remains. I noticed that Casa Colombo and Primeiro Barateiro appeared in a neat foreground while the buildings would little by little, in an air-blowing, fade hastily away.

Works

As Religiões no Rio (1904)
A Alma Encantadora das Ruas (1908)
Cinematographo (1909)
Dentro da Noite (1910)
A Profissão de Jacques Pedreira (1911)
Psicologia Urbana (1911)
Vida Vertiginosa (1911)
Memórias de um Rato de Hotel (1912)
Pall Mall (1917)
A Mulher e os Espelhos (1919)
Rosário da Ilusão (1921)
Celebridades, Desejo (1932)

Copyright

Works in public domain
— texts available for publication

JOÃO FELÍCIO DOS SANTOS

Marguerite Duras, Alain Robbe-Grillet, Faulkner, Hemingway, Peter Handke... muitos foram os escritores internacionais a terem escrito diretamente para o cinema. Impossível separar a obra romanesca de JOÃO FELÍCIO DOS SANTOS dessa arte, assim como também não se pode apartá-la de uma dedicada e consciente pesquisa da história do Brasil, cujos personagens reais são aproveitados por esse cultivador maior do romance histórico no país. Episódios como a invasão holandesa, a rebelião de Zumbi dos Palmares, a vida de Aleijadinho (o maior escultor barroco nacional e um dos maiores de todo o mundo), a corte de d. João VI e a guerra de Canudos são alguns de seus temas. Por outro lado, além de ter tido diversos livros adaptados para o cinema, escreveu outros surgidos já de dentro de um projeto de filmagem. É nessa vulnerabilidade dos limites da História e do cinema que nasce, portanto, o romancista, valendo-se da força tropical de nossa realidade mestiça exposta através de uma linguagem que lhe é inventivamente correspondente. Nessa obra, uma autêntica brasiliana, a supremacia da escrita ficcional nunca é, entretanto, afetada.

Crítica

A SUPREMACIA DA VERDADE FICCIONAL
"João Felício dos Santos, um admirável cronista da História, a trata, ao mesmo tempo, com o fascínio de um amante dengoso e com a *aisance* de um conquistador autoritário. Enquanto dedica sua vida literária a ela e a seus segredos mais íntimos, o romancista estabelece entre ele e o material que utiliza, uma relação em que o mito e a imaginação criadora ganham força de verdade e são, às vezes, mais sensatos, prováveis e verossímeis do que o que se convenciona chamar de 'verdade histórica' que, essa sim, muitas vezes não passa de uma deformação exercida por consciências que se julgam vivas sobre consciências supostamente mortas." (Carlos Diegues, "Nota Introdutória")

ALMA BRASILEIRA
"Isto tudo [*Xica da Silva*] é mais do que parte da nossa História. É um pedaço do nosso coração, um segmento da nossa alma brasileira." (Eduardo Francisco Alves, "Alma Brasileira")

Obras

Palmeira Real (1934)
O Pântano Também Reflete Estrelas (1949)
João Abade — Guerra de Canudos (1958)
Major Calabar — Holandeses no Brasil (1962)
Ganga Zumba — Guerra dos Palmares (1962)
Cristo de Lama; o Aleijadinho (1964)
Canto Geral das Minas de Goitacases (1967)
Carlota Joaquina, a Rainha Devassa (1968)
Ataíde, Azul e Vermelho (1969)
Xica da Silva (1970)
A Guerrilheira (1976)
Benedita Torreão da Sangria Desatada (1983)
Margueira Amarga (1984)

Contato

Textos protegidos — em caso de interesse para publicação, fazer contato com o Departamento Nacional do Livro da FBN

Fragmento

Xica da Silva

Aconteceu que o intendente (ainda nos ouvidos os pícaros ditos da mulata-sestro-sexo) vendo Xica, as pernas da Xica, a bata da Xica frouxa demais nos devantes redondos, novinhos, fecundos, machucados nos bicos escuros da raça, cresceu de repente na bodialidade e decidiu mandar às favas circunstâncias e compromissos oficiais. Xica ressumando presenças, o velho deu de perguntar isso mais aquilo sobre a peça ainda desconhecida dele, pouco freqüentador da mansão do compadre.
Ignorando, inclusive, horários e chegadas de autoridade (Xica era de matar um homem!) ou demoras impróprias (Xica valia a pena...) o intendente achou de insistir (Olaré, se valia!) os olhos faiscando deslumbramento:
— Desde quando esta moleca está em vossa casa, meu compadre? Que idade tem ela? Como se chama? Foi comprada quando? A quem? Onde? Como? — e falava entremezes, voz tremendo lubricidade. Só parou um instante para reavaliar Xica por todos os ângulos, em grossos respirares.

JOÃO FELÍCIO DOS SANTOS

Marguerite Duras, Alain Robbe-Grillet, Faulkner, Hemingway, Peter Handke... a great many international writers wrote directly for the movies. It is impossible to separate JOÃO FELÍCIO DOS SANTOS' novels from this art, just as we cannot separate it from a dedicated and conscious research about the history of Brazil, whose real characters are taken and used by this writer, maybe the greatest historical novelist in the country. Some of his themes include such events as the Dutch invasion, Zumbi dos Palmares rebellion, the life of Aleijadinho (the greatest Brazilian Baroque sculptor and one of the greatest in the world), d. João VI's court, and the Canudos war. On the other hand, besides having many of his books dramatized for the movies, he also wrote novels from within a filming project. The novelist comes into being, therefore, in the middle of this vulnerability between the limits of History and movies, taking advantage of the tropical strength of our mestizo reality, as exposed through a language that inventively corresponds to himself. In this work, an authentic *braziliana*, the supremacy of the fictional text, however, is never affected.

Review

THE SUPREMACY OF FICTIONAL TRUTH

"João Felício dos Santos, an admirable columnist of History, treats it, at the same time, with the fascination of a coy lover and the aisance of an authoritarian conqueror. While he dedicates his literary life to it and to its most intimate secrets, the novelist establishes, between himself and the material he uses, a relationship in which both the myth and the creative imagination become as powerful as truth. They are sometimes wiser, more probable and verisimilar than that which is usually called 'historical truth'. This is often times nothing more than a deformation executed by some consciences capable of presuming themselves alive over supposedly dead consciences." (Carlos Diegues, "Nota Introdutória")

BRAZILIAN SOUL

"All his [Xica da Silva] is more than part of our History. It is a piece of our heart, a segment of our Brazilian soul." (Eduardo Francisco Alves, "Alma Brasileira")

Excerpt

Xica da Silva

It happened that the intendant (still having in his ears the cunning jokes of the guile-sex-mulatto), as he saw Xica, as he saw Xica's legs, Xica's gown, which was too slack on the round breasts, new, fertile, bruised in the dark teats of the race, became suddenly very ardent, and he decided to send circumstances and official commitments to blazes. Xica made her presence more evident; the old man started asking random questions about the piece he was still ignorant about, seeing that he seldom visited the godfather's mansion.

Ignoring even the schedules and the arrival times of authorities (Xica could kill a man!) or inadequate delays (Xica was worthwhile...) the intendant decided to insist (Voilà, she was worthwhile indeed!), his eyes sparkling dazzle: 'Since when have you had this youngster in your house, my godfather? What is her age? What is her name? When was she bought? From whom? Where? How?' He spoke foolishly, his voice shaking with lubricity. He only stopped for a moment to revalue Xica from all angles, breathing heavily.

Works

Palmeira Real (1934)
O Pântano Também Reflete Estrelas (1949)
João Abade — Guerra de Canudos (1958)
Major Calabar — Holandeses no Brasil (1962)
Ganga Zumba — Guerra dos Palmares (1962)
Cristo de Lama; o Aleijadinho (1964)
Canto Geral das Minas de Goitacases (1967)
Carlota Joaquina, a Rainha Devassa (1968)
Ataíde, Azul e Vermelho (1969)
Xica da Silva (1970)
A Guerrilheira (1976)
Benedita Torreão da Sangria Desatada (1983)
Margueira Amarga (1984)

Contact

Protected texts — in case of interest for publication, get in contact with National Book Office (DNL) of the Biblioteca Nacional Foundation (FBN)

JOÃO GILBERTO NOLL

Uma das melhores características que um escritor pode ter é, ao mesmo tempo em que se aprofunda em seu próprio caminho, conseguir escapar de si mesmo, buscando possibilidades insondáveis através de um estilo, simultaneamente, inconfundível e novo. A realização desse aparente paradoxo manifesta-se a cada instante no caso de JOÃO GILBERTO NOLL. Compreendendo a literatura como lugar ritualístico da presentificação de um acontecimento, ele, que começou a publicar nos anos 70, discorre sobre a incapacidade das pessoas em atribuir um sentido à existência no mundo da chamada pós-modernidade, ou seja, posteriormente à decepção causada pela promessa, jamais cumprida, de infinitas melhoras na vida humana. Em sua obra, nenhum alívio existencial é atribuído a personagens desqualificados para os caminhos da normalidade social. Flagrando os conflitos e as incertezas, esse excelente narrador da desolação humana executa uma escrita de forte visualização e movimento, fazendo com que seus livros pareçam não apenas um roteiro mas o próprio desenrolar de um filme.

Crítica

A CONSTANTE AVENTURA DA LINGUAGEM
"O melhor do autor é que as fórmulas não lhe interessam, nada dos caminhos sofisticados que costumam enfeitar mais do que criar. A linguagem de Noll não é uma embalagem." (Márcio Souza, "O Cego e a Dançarina")

UMA LEITURA IMPRESSIONANTE
"A fluência de Noll está numa habilidade muito particular para juntar palavras que conjugam o simples e o rotineiro em benefício de uma sensibilidade barroca, sinestésica, borrascosa. O resultado é quase sempre de leitura impressionante." (Reinaldo Azevedo, *Bravo*)

Obras

O Cego e a Dançarina (1980)
A Fúria do Corpo (1981)
Bandoleiros (1985)
Rastros do Verão (1986)
Hotel Atlântico (1989)
O Quieto Animal da Esquina (1991)
Harmada (1993)
A Céu Aberto (1996)
Romances e Contos Reunidos (1997)
Canoas e Marolas (1999)

Fragmento

Harmada

Lembrei em silêncio que eu acabara de fugir de um hotel perto dali. Certo, não há nada até agora que caracterize a minha saída como fuga, fuga será se eu não retornar por noites e dias. Mas, sei lá, alguma coisa em mim queria que aquela minha saída do hotel ficasse desde já caracterizada como fuga; e não se tratava mesmo de outro lance, eu não queria mais voltar àquele hotel, se possível não queria botar para escanteio, de vez, a lembrança de Amanda, ela que chegara de repente, numa bela manhã, e anunciara que continuariam os três a excursão pelo interior, partiriam naquela tarde mesmo... e eu não precisaria mais do que um pálido convite para partir também e segui-los como um pobre cão — mas nem um pálido nem um tímido convite brotou da boca de Amanda...

Contato

Ray-Güde-Mertin Literarische Agentur, *agente literária*
mertin@em.uni-frankfurt.de

JOÃO GILBERTO NOLL

One of the best characteristics of an author is to be able to go deeper into his own way while escaping from himself to search unfathomable possibilities through a style that is at a time unique and new. The fulfillment of such apparent paradox pervades the entire work of JOÃO GILBERTO NOLL. As he interpreted literature as a ritualistic place for the presentification of an event, his books — first published in the 70's — talk about people's incapacity to assign a meaning to existence in a post modern world, i.e., after the thwarted expectation caused by the unfulfilled promise of infinite improvements to human life. His work ascribes no existential relief to characters that are disqualified to follow the path of social normality. By depicting conflicts and uncertainties, this excellent narrator of human desolation produces a writing that is full of powerful visualization and movement, causing his books to seem not only like a screenplay, but the full development of the very movie.

Review

UNCEASING LANGUAGE ADVENTURE

"The best about the author is that he is not interested in formulas, nor in the sophisticated trails that use to decorate rather than create. Noll's language is not mere cosmetics." (Márcio Souza, "O Cego e a Dançarina")

AN AMAZING TEXT

"Noll's fluency lies in a very peculiar ability to put together words that conjugate simplicity and routine for the benefit of a baroque, kinesthetic and stormy sensibility. The result is almost always an amazing text." (Reinaldo Azevedo, *Bravo*)

Excerpt

Harmada

I silently remembered that I had just slipped away from a hotel nearby. All right, nothing so far characterizes my leaving as a getaway, it is going to be a escape if I fail to get back for days and nights. I don't know, but something in me wanted my leaving from the hotel to be taken as an escape; and it was exactly that, I didn't want to go back to that hotel; if possible, I didn't want to get rid of the remembrance of Amanda, who had arrived so suddenly, in a beautiful morning, to announce that the three of them would continue their tour around the countryside; they would leave that same afternoon... and a faint invitation would be enough for me to follow behind them like a poor dog... but not even a faint, a shy invitation came out of Amanda's mouth...

Works

O Cego e a Dançarina (1980)
A Fúria do Corpo (1981)
Bandoleiros (1985)
Rastros do Verão (1986)
Hotel Atlântico (1989)
O Quieto Animal da Esquina (1991)
Harmada (1993)
A Céu Aberto (1996)
Romances e Contos Reunidos (1997)
Canoas e Marolas (1999)

Contact

Ray-Güde-Mertin Literarische Agentur, *literary agent*
mertin@em.uni-frankfurt.de

JOÃO UBALDO RIBEIRO

A Bahia de Ubaldo não é mais a província negra de Jorge Amado ou, melhor, não é apenas isto, mas outras coisas, disse o cineasta Glauber Rocha. Seu projeto, inconfundivelmente brasileiro e modelo da transfiguração do regional em universal, é uma tentativa de compreender a formação da identidade nacional através de um painel da história social do povo. O cerne de sua obra, entretanto, está no fato de que, para o autor, o segredo da verdade é que não existem fatos, só histórias. Seus romances e contos, manifestando o imenso domínio ficcional do autor, conseguem realizar o ambicioso projeto de reinvenção do Brasil com uma escrita que alia elementos barrocos, como exuberância vocabular, ritmo espraiado e neologismos, a uma inesperada simplicidade. Com vários contos e romances adaptados para televisão e para o cinema, roteirista, colunista de jornais nacionais e estrangeiros e traduzido em diversas línguas (só na Suécia vendeu mais de 100 mil exemplares), JOÃO UBALDO RIBEIRO é membro da Academia Brasileira de Letras e um dos escritores contemporâneos mais reconhecidos e requisitados da língua.

Crítica

PARA COMPREENDER O MUNDO DE HOJE
"O romance de João Ubaldo ajuda a compreender muito do que se passa no mundo de hoje." (Jorge Amado, *Jornal do Brasil*)

O GOZO DA PALAVRA
"O significante, a elaboração verbal, o gozo da palavra, o 'prazer do texto', eis talvez a mais profunda pulsão escritural de João Ubaldo, fabulista do significado, atento, por um lado, à intriga, à função narratológica; por outro, propenso a interrogar o 'quem' da linguagem, como o [Guimarães] Rosa da prosa ensinou." (Haroldo de Campos, *Folha de S. Paulo*)

Obras

Setembro não Tem Sentido (1968)
Sargento Getúlio (1971)
Vencecavalo e o outro Povo (1974)
Vila Real (1979)
Viva o Povo Brasileiro (1984)
Sempre aos Domingos (1988)
O Sorriso do Lagarto (1989)
Já Podeis da Pátria Filhos (1991)
Um Brasileiro em Berlim (1995);
O Feitiço da Ilha do Pavão (1997)
Arte e Ciência de Roubar Galinhas (1998)
A Casa dos Budas Ditosos (1999)

Contato

jubaldo@novafronteira.com.br

Fragmento

Viva o Povo Brasileiro

E por isso mesmo não deixava de revoltar-se por não poder arriscar-se a chamar a atenção dos maledicentes e invejosos, capazes até de encher os ouvidos da baronesa de falsas insinuações e mesmo calúnias, com gastos à altura de sua posição na sociedade. Não importava que todos soubessem — e todos sabiam, pois havia sido ele mesmo quem contara, embora não fosse verdade, mas disto eles não sabiam — que Teolina herdara uma fortuna de seus tios-avós portugueses de Trás-os-Montes. Assim mesmo se falava, se comentava. Que caminhos ásperos, quantos obstáculos em cima de obstáculos, quantos escolhos insuspeitados! Cuidava-se de uma coisa, aparecia imediatamente outra, resolvia-se um problema, nascia outro logo a seguir. Quanto tempo perdido com os latinórios, as citações e as palavras decoradas, dura senda que não levava a lugar nenhum, a não ser a pobreza agravada pela inveja dos ignorantes, pobres ou ricos. Agora que achara o rumo certo, que cavara com as unhas sua fortuna, ainda tinha de enfrentar o problema da aparência racial, a aceitação das pessoas gradas, as restrições impostas pelos mesquinhos — a ponto de até a festa do batizado de Patrício Macário, que podia ser suntuosa como poucas na Bahia, ter virado, por cautela, praticamente uma festa íntima, para os parentes e amigos mais chegados.

JOÃO UBALDO RIBEIRO

Ubaldo's Bahia is not Jorge Amado's black province any more, or better still, it is not just this, but much more, said film director Glauber Rocha. His project, unmistakably Brazilian and a prototype of transfiguration from regional into universal, is an attempt to understand the formation of a national identity through a panel of people's social background. The core of his work, however, is the fact that he sees secret of truth as the total absence of facts; only stories remain. His novels and short stories, a portrait of the author's immense fictional mastery, manage to accomplish the ambitious project of reinventing Brazil by means of a text combing such Baroque elements as a vocabulary exuberance, a scattered rhythm, and neologisms, with an unexpected simplicity. Many of his short stories and novels have been adapted to the screen (television and movies), he is a scriptwriter, a columnist writing for Brazilian and foreign newspapers, and has been translated into several languages (only in Sweden he sold more than 100,000 copies). JOÃO UBALDO RIBEIRO is a member of the Brazilian Literary Academy and one of the most recognized and requested contemporary writers.

Review

TO UNDERSTAND TODAY'S WORLD
"João Ubaldo's novel helps understand a lot of what happens in today's world." (Jorge Amado, *Jornal do Brasil*)

THE RAPTURE OF THE WORD
"The meaningful, the verbal elaboration, the rapture of the word, the 'pleasure of the text': this is maybe João Ubaldo's deepest frenzy to write. He is, on the one hand, a fabulist of the meaning, attentive to the intrigue, to the function of narrative; on the other hand, he is prone to interrogate the language's 'who,' just like the prose's [Guimarães] Rosa had taught." (Haroldo de Campos, *Folha de S. Paulo*)

Excerpt

Viva o Povo Brasileiro (An Invincible Memory)

And that was the very reason why he felt a certain bitterness, because he could not risk spending in accordance with his social position lest he attract the attention of slanderous, envious people, capable even of filling the baroness's ears with false insinuations, maybe downright calumnies. It did not make a difference that everyone knew — and everyone did know, because he had told them himself, though it was not true; but that they did not know — Teolina had inherited a fortune from her Portuguese great-uncles in Trás-Os-Montes. There were gossips and comments just the same. What a rock-strewn path he had to tread, obstacles upon obstacles, so many unsuspected hurdles! You took care of one thing and another would immediately loom ahead; you solved one problem and another would immediately pop up. To think of the time he had lost on Latin books, quotations, and memorized speeches, an arduous trail leading nowhere, except to poverty made more serious by the envy of the ignorant, rich and poor. Now that he had found the right course, had dug up his wealth with his fingernails, he still had to face the racial problem, rejection by people of high station and the restrictions imposed by the mean-minded, to the point that even Patrício Macário's christening party, which could be lavish as any in Bahia, had been planned cautiously as almost an intimate reception, for their closest friends and relatives.

Works

Setembro não Tem Sentido (1968)
Sargento Getúlio (1971)
Vencecavalo e o outro Povo (1974)
Vila Real (1979)
Viva o Povo Brasileiro (1984)
Sempre aos Domingos (1988)
O Sorriso do Lagarto (1989)
Já Podeis da Pátria Filhos (1991)
Um Brasileiro em Berlim (1995);
O Feitiço da Ilha do Pavão (1997)
Arte e Ciência de Roubar Galinhas (1998)
A Casa dos Budas Ditosos (1999)

Contact

jubaldo@novafronteira.com.br

JOAQUIM CARDOZO

O poeta e dramaturgo recifense JOAQUIM CARDOZO não é um filho ingrato de sua terra: o Nordeste, e em particular Recife, está sempre presente em sua obra, funcionando muitas vezes como a própria matéria de sua poesia. Entretanto, a terra nordestina não se manifesta apenas como memória ou saudosismo, como acontece com freqüência entre tantos poetas. Surge como natureza complexa e viva, como paisagem original, e do mesmo modo como contradição e miséria social. O Nordeste, no caso de Cardozo, é uma verdadeira dimensão do espírito do poeta, um local real onde ocorre o mundo. Atuando profissionalmente como engenheiro, inclusive como assistente de Oscar Niemeyer, a arquitetura também tem papel fundamental no tratamento poético de Joaquim Cardozo. O verso calculado, preciso, trabalhado sem afetação, constitui sempre um conjunto harmonioso, de marcada preocupação arquitetônica, ainda que simples e objetivo. Por outro lado, procura dar significação poética à arquitetura, deixando trabalhos teóricos importantes nessa área.

Crítica

ARQUITETURA DO SIMPLES
"Altamente senhor de seu ofício, com incursões experimentalistas saborosas, de um cabedal de saber e conhecimento singulares —, tudo isso se apaga nos organismos poéticos que elabora, destinados a dar-nos emoções, sensações, imagens e — não raro — vislumbres de convicções para além da vida e da morte, do presente e do futuro." (Antônio Houaiss, orelha a "Poesias Completas")

RECIFE COMO MATÉRIA
"Com teus sapatos de borracha / seguramente / é que os seres pisam / no fundo das águas. // Encontraste algum dia / sobre a terra / o fundo do mar, / o tempo marinho e calmo?// Tuas refeições de peixe; / teus nomes / femininos: Mariana; teu verso / medido pelas ondas; // a cidade não consegues / esquecer / aflorada no mar: Recife, / arrecifes, marés, maresias; // e marinha ainda a arquitetura / que calculaste: / tantos sinais da marítima nostalgia / que te fez lento e longo." (João Cabral de Melo Neto, "A Joaquim Cardozo")

Obras

Poemas (1947)
Prelúdio e Elegia de uma Despedida (1952)
O Signo Estrelado (1960)
O Coronel de Macambira (1963)
De uma Noite de Festa (1971)
Poesias Completas (1971)
O Capataz de Selema / Antônio Conselheiro / Boi de Carro (1975)
Um Livro Aceso e Nove Questões Sombrias (1981)
Poemas Selecionados (1996)

Contato

Textos protegidos — em caso de interesse para publicação, fazer contato com o Departamento Nacional do Livro da FBN

Fragmento

Cinematógrafo

E assim vos digo:

Foi no engenho Araçu que encontrei o Persinunga:

Colhi a rapidez de suas correntezas,
Apanhei todas as cotas de fundo do seu leito,
Detive o volume de suas águas cor-de-mel,
Liguei, amarrei muito bem suas margens cobertas de ingazeiras.

Trouxe depois comigo todo o rio
Dentro da minha caderneta de campo
Que tenho ali guardada naquela escrivaninha.

Em tardes de verão, quando me regresso nas lembranças,
faço correr o Persinunga. Liberto suas águas morenas,
E me contemplo nelas. Contemplo as esperanças de longe

Na paisagem de outros tempos;
E molhada nessas águas imagens, impercebida e rastejante,
Uma insinuação de presenças invisíveis se propaga.

JOAQUIM CARDOZO

JOAQUIM CARDOZO, the poet and playwright from Recife, is not an ungrateful son of his homeland: the Northeast, and especially the city of Recife, are always present in his work, not seldom appearing as the very object of his poetry. However, the Northeastern land is not mere recollection or nostalgia, as it often happens with so many poets. It appears as complex and alive nature, as original landscape, and also as contradiction and social deprivation. The Northeast, in Cardozo's universe, represents a true dimension of the poet's spirit, a real place where the world takes place. Because of his professional experience as an engineer — he worked as an assistant to Oscar Niemeyer — architecture also plays a fundamental role in Joaquim Cardozo's poetic treatment. The well-planned and precise verses, executed without ostentation, always constitute a harmonious group, marked by an architectural concern, although plain and objective. On the other hand, he endeavors to give architecture a poetical significance, thereby producing important theoretical works in this area.

Review

THE ARCHITECTURE OF PLAINNESS

"Fully mastering his trade, providing tasty experimentalist incursions that reveal a repository of singular wisdom and knowledge — all these coalesce in the poetical organisms he creates, intended to give us emotions, sensations, images and — not seldom — glimpses of convictions beyond life and death, present and future." (Antônio Houaiss, flap in "Poesias Completas")

RECIFE AS OBJECT

"Wearing your rubber shoes / certainly / is how the creatures step / on the bottom of the waters. / / Did you ever find / on this earth / the bottom of the sea, / that marine and calm weather? / / Your fish meals; / your feminine / names: Mariana; your / wave-measured verse; / / the city you won't be able / to forget / outcropping from the sea: Recife, / reefs, tides, sea sprays; / / and marine still the architecture / you devised: / so many signs of the marine nostalgia / which made you slow and lengthy." (João Cabral de Melo Neto, "A Joaquim Cardozo")

Excerpt

Cinematógrafo (Cinematographer)

Thus, I tell you:

It was at Araçu sugar mill that I found Persinunga:

I picked up the speed of its currents,
Collected all the depth heights in its bed,
Brought the volume of its honey-colored waters to a stop,
Tied, bound together its banks populated with inga trees.

Then I brought the whole river with me
Inside my field notebook
Which I hold and keep there in that desk.

On a summer afternoon, as I go back to my memories,
I get the Persinunga to run again. I set its brunet waters free,
And I see myself cast back from them. I see those hopes from far away

Blended in the landscape of another time;
Wet in those water-images, ignored and trailing,
An insinuation of invisible presences extends out.

Works

Poemas (1947)
Prelúdio e Elegia de uma Despedida (1952)
O Signo Estrelado (1960)
O Coronel de Macambira (1963)
De uma Noite de Festa (1971)
Poesias Completas (1971)
O Capataz de Selema / Antônio Conselheiro / Boi de Carro (1975)
Um Livro Aceso e Nove Questões Sombrias (1981)
Poemas Selecionados (1996)

Contact

Protected texts — in case of interest for publication, get in contact with National Book Office (DNL) of the Biblioteca Nacional Foundation (FBN)

JOAQUIM MANUEL DE MACEDO

Há escritores que radicalizam uma postura em sua obra, destacando-se pelo exemplo da intensidade revelada; outros, ao contrário, reúnem características diversas que, em vez de os levarem ao mais alto ponto criativo possível, nos fazem estabelecer os aspectos medianos do cânone do passado, do presente e, surpreendentemente, do futuro. JOAQUIM MANUEL DE MACEDO encontra-se no segundo exemplo. Se contra a grandiloqüência romântica ele se fia no modo coloquial de falar das pessoas, do mesmo Romantismo, ele mantém um certo sentimentalismo, ainda que em escala muito reduzida; do realismo, ele antecipa a verossimilhança e o interesse pelo mundo circundante, mas um tanto de sonho não lhe faz mal; traçando o mito do sentimento enamorado, ele não se esquiva, por outro lado, das pequenas intrigas baseadas na hierarquia econômica da classe mediana; se ele não estabelece, de fato, a ficção urbana brasileira, os costumes citadinos que tanto conseguirão posicionar-se ao lado dos narrados por autores decisivos como Machado de Assis e Manuel Antônio de Almeida. Assim, Macedo é daqueles pequenos grandes escritores.

Crítica

ACENANDO PARA O FUTURO
"*A Moreninha* e *O Moço Loiro*, de Macedo, surgem como as primeiras obras apreciáveis pela coerência e execução, fundindo tendências anteriormente esboçadas e dando exemplo dos rumos que o nosso romance seguiria, isto é, a tentativa de inserir os problemas humanos num ambiente social descrito com fidelidade." (Antonio Candido, "História da Literatura Brasileira")

A SIMPLICIDADE, ACIMA DE TUDO
"Vê-se que uma facilidade, uma simpleza, um não sei quê de franco, de interessante, de desimpedido são os dotes principais do estilo em que é manejada *A Moreninha*; e tal julgamos ser o caráter do autor." (A. F. Dutra e Melo, "A Moreninha")

Obras

A Moreninha (1844)
O Moço Loiro (1845)
Os Dois Amores (1848)
O Cego (1849)
Cobé (1855)
A Nebulosa (1857)
Um Passeio pela Cidade do Rio de Janeiro (1862)
Lusbela (1863)
Teatro (1863)
Mazelas da Atualidade (1867)
A Luneta Mágica (1869)
As Vítimas-Algozes (1869)
Memórias da Rua do Ouvidor (1878)

Copyright

Obras em domínio público
— textos livres para publicação

Fragmento

A Moreninha

— Temos discurso!... Atenção!... Ordem!... gritaram a um tempo três vozes.
— Coisa célebre! acrescentou Leopoldo, Filipe sempre se torna orador depois do jantar...
— E dá-lhe para fazer epigramas, disse Fabrício. [...]
— Como quiserem, continuou Filipe, pondo-se em hábitos menores; mas por minha vida que a carraspana de hoje ainda me concede apreciar devidamente aqui o meu amigo Fabrício, que talvez acaba de chegar de alguma visita diplomática, vestido com esmero e alinho, porém tendo a cabeça encapuzada com a vermelha e velha carapuça do Leopoldo; este, ali escondido dentro de seu robe-de-chambre cor-de-burro-quando-foge, e sentado em uma cadeira tão desconjuntada que, para não cair com ela, põe em ação todas as leis de equilíbrio, que estudou em Pouillet; acolá, enfim, o meu romântico Augusto, em ceroulas, com as fraldas à mostra, estirado em um canapé em tão bom uso, que ainda agora mesmo fez com que Leopoldo se lembrasse de Bocage. Oh! V. S.[as] tomam café! [...]
— Carraspana!... Carraspana!... gritaram os três.

JOAQUIM MANUEL DE MACEDO

Some writers make certain attitudes to become radical in their work, standing out by the intensity of the example; some, on the contrary, amass dissimilar characteristics that, instead of taking them to the highest creative point possible, make them determine the average aspects of the past, present, and surprisingly, future canons. JOAQUIM MANUEL DE MACEDO falls in the second category. If, against the romantic grandiloquence he relies on people colloquial way of speaking, from the same romanticism he sustains a certain sentimentality, although in a very reduced scale; as for Realism, he anticipates its verisimilitude and interest for the surrounding world, believing that a little bit of dream would make it a lot of good; when drawing the loving feeling myth, he does not evade, on the other hand, the small double-dealings based on the middle class economical hierarchy; if it is true that he does not lead off the Brazilian urban fiction, the urban habits he so painstakingly describes would influence such decisive authors as Machado de Assis and Manuel Antônio de Almeida. Thus, Macedo belongs to the category of minor great writers.

Review

HEADING FOR THE FUTURE

"*A Moreninha (The Brunette)* and *O Moço Loiro (The Blond Young Man)*, by Macedo, appear as the first books appreciable because of both the coherence and the execution, combining tendencies previously outlined and providing example of the trend our novel would follow, that is, the attempt to insert the human issues in a faithfully described social environment." (Antonio Candido, "História da Literatura Brasileira")

SIMPLICITY, ABOVE ALL

"It becomes crystal-clear that such an easiness, simplicity, something of candid, of interesting, of free, are the main gifts in the style according to which *The Brunette* is handled; and such we believe to be the author's character." (A.F. Dutra e Melo, "A Moreninha")

Excerpt

A Moreninha (The Brunette)

'We've got a speech!... Attention, please!... Order!...' three voices burst at a time.

'Famous thing!' added Leopoldo, 'Filipe always becomes a speaker after dinner...'

'And he is given to preparing epigrams,' Fabrício said. [...]

'As you please,' Filipe went on, in underclothes; 'but I swear for my life that this evening's spree still allows me to properly appreciate my friend Fabrício, who may have just arrived from some diplomatic visit, neatly dressed, but wearing on his head Leopoldo's red and old hood; the latter, hidden in his lackluster-colored robe-de-chambre, *and seated on a chair that is so disjointed that, to keep stable on it, he has to put in action all of the equilibrium laws he learned in Pouillet; over there, finally, my romantic Augusto, in long johns, with the shirttails out, so cozily stretched on a couch, that made just now Leopoldo recall Bocage. Oh! Do Your Grace feel like some coffee? [...]*

— Bacchanal!... Bacchanal!... the three screamed at a voice.

Works

A Moreninha (1844)
O Moço Loiro (1845)
Os Dois Amores (1848)
O Cego (1849)
Cobé (1855)
A Nebulosa (1857)
Um Passeio pela Cidade do Rio de Janeiro (1862)
Lusbela (1863)
Teatro (1863)
Mazelas da Atualidade (1867)
A Luneta Mágica (1869)
As Vítimas-Algozes (1869)
Memórias da Rua do Ouvidor (1878)

Copyright

Works in public domain
— texts available for publication

JOAQUIM NABUCO

Orador dos mais apreciados nos tempos finais da monarquia, diplomata e político de grande prestígio, JOAQUIM NABUCO norteou-se, como estilista literário, por padrões de rara elegância. São de caráter memorialista seus dois livros que mais permaneceram: *Um Estadista do Império*, biografia de seu pai, e *Minha Formação*, em que narra o percurso próprio. Mas sua estréia se deu com um estudo sobre Camões e *Os Lusíadas*, e é também muito importante sua vasta obra política, particularmente marcada pela luta pela libertação dos escravos. Nascido na elite do Império e dotado de sólida formação européia, Nabuco faleceu em Washington como embaixador brasileiro, posto que antes já exercera em Londres. Leitor de Chateaubriand e Renan, escreveu em francês, que usou como segunda língua, boa parte de seus trabalhos. Amigo de Machado de Assis, José Veríssimo, Lúcio de Mendonça e outros destacados escritores da época, foi membro fundador da Academia Brasileira de Letras.

Crítica

DISTINTAMENTE EUROPEU
"De formação, de índole, de sociabilidade, mais um europeu que um brasileiro. Nem era isso privilégio seu. Crescido número dos nossos intelectuais o compartilham com ele. Ele, porém, o foi mais e mais distintamente que todos." (José Veríssimo, "História da Literatura Brasileira")

LÍMPIDO, CLARO, SEGURO
"Nabuco é um clássico brasileiro, e a obra que deixou está vinculada à nossa terra e à nossa gente, apesar do plano aristocrático a que jamais fugiu o seu autor. Poucas vezes a prosa terá sido trabalhada, em nosso país, como o foi por esse homem que trouxe para as letras o timbre de sua classe, evidentemente, mas também a sua capacidade artística." (Nélson Werneck Sodré, "História da Literatura Brasileira")

Obras

Camões e os Lusíadas (1872)
Amour et Dieu (1874)
O Abolicionismo (1883)
Balmaceda (1895)
A Intervenção Estrangeira durante a Revolta (1896)
Um Estadista do Império (1897)
Minha Formação (1900)
Escritos e Discursos Literários (1901)
Pensées Detachées et Souvenirs (1906)
Obras Completas (1947)

Copyright

Obras em domínio público
— textos livres para publicação

Fragmento

Minha Formação

Não havia nada que me desse na América do Norte idéia da superioridade de suas instituições sobre as inglesas. A atmosfera moral em roda da política era seguramente muito mais viciada; a classe de homens a quem a política atraía, inferior, isto é, não era a melhor classe da sociedade, como na Inglaterra; pelo contrário, o que a sociedade tem de mais escrupuloso afasta-se naturalmente da política. A luta não se trava no terreno das idéias, mas no das reputações pessoais; discutem-se os indivíduos; combatem-se, pode-se dizer, com raios Roentgen; escancaram-se as portas dos candidatos; expõe-se-lhes a casa toda como em um dia de leilão. Com semelhante regímen, sujeitos às execuções sumárias da calúnia e aos linchamentos no alto das colunas dos jornais, é natural que evitem a política todos os que se sentem impróprios para o pugilato na praça pública, ou para figurar em um big show.

JOAQUIM NABUCO

One of the most respected speakers during the latest years of monarchy, a diplomat and a politician of great prestige, JOAQUIM NABUCO pursued, as a literary stylist, the standards of highest elegance. Both of his two most read books have a memorialist makeup: *Um Estadista do Império (A Statesman of the Empire)*, a biography of his father, and *Minha Formação (My Own Background)*, where he provides an account of the course of his own life. However, he made his debut with a study about Camões and *Os Lusíadas*. His vast political work is also very important, particularly stamped by the fight for the abolition of slavery. Born in the elite of the Empire and endowed with a solid European education, Nabuco died in Washington as the Brazilian ambassador, an office he had formerly held in London. A reader of Chateaubriand and Renan, he wrote a significant portion of his works in French, which was his second language. He was good friends with Machado de Assis, José Veríssimo, Lúcio de Mendonça, and other renowned contemporary writers, and was a founding member of the Brazilian Literary Academy.

Review

DISTINCTIVELY EUROPEAN

"In terms of background, disposition, sociability, he was more a European than a Brazilian. But this was not a privilege of his. Not a few of our intellectuals share it with him. However, he was distinctively more and more of a European than any of the others. (José Veríssimo, "História da Literatura Brasileira")

LIMPID, CLEAR, SELF-CONFIDENT

"Nabuco is a Brazilian classic, and the work he bequeathed is linked to our land and people, despite the aristocratic stratum the author never forwent. Very few times prose will have been worked on in our country in the way it was by this man who brought to literature the tone of his class, obviously, but also his artistic capacity." (Nélson Werneck Sodré, "História da Literatura Brasileira")

Excerpt

Minha Formação (My Own Background)

Nothing in North America gave me any hint of a possible superiority of its institutions over the English ones. The moral environment in politics was doubtlessly much more vicious; the class of men attracted to politics was inferior, that is, not the best class in society, as it was in England; on the contrary, those who are most principled in the society move naturally away from politics. The battle is not fought in the field of ideas, but rather in that of personal reputations; private lives are openly discussed; battles are fought with Roentgen rays; the candidates' doors are widely opened; their houses are openly exhibited like in an auction sale. With such a regimen, subject to slander summary executions and to lynching on the newspapers' gossip columns, it is natural that all those who feel unfit for a public fighting or for a performance in a big show will avoid politics.

Works

Camões e os Lusíadas (1872)
Amour et Dieu (1874)
O Abolicionismo (1883)
Balmaceda (1895)
A Intervenção Estrangeira durante a Revolta (1896)
Um Estadista do Império (1897)
Minha Formação (1900)
Escritos e Discursos Literários (1901)
Pensées Detachées et Souvenirs (1906)
Obras Completas (1947)

Copyright

Works in public domain
— texts available for publication

JORGE AMADO

Inserida de início no regionalismo nordestino, corrente que começou a tomar forma por volta de 1930, a obra de JORGE AMADO voltou-se para o engajamento político e adotou preceitos do realismo socialista ao comprometer-se com a defesa dos pobres. A partir de *Gabriela, Cravo e Canela* (1958), o romancista trilhou novos caminhos, abordando com humor temas mais leves e retratando questões sexuais com uma malícia bem típica de sua terra baiana. Mesmo nessa última fase, contudo, a simpatia pelos oprimidos, ainda que de forma mais branda, continuou a aflorar. Grande parte de sua obra continua sendo adaptada com enorme sucesso para o cinema e para a televisão, o que, aliado à invulgar capacidade de comunicação de seus livros, o faz admirado até pelas camadas mais iletradas da sociedade, tão comovedoramente retratadas por ele. Por isso, o escritor ocupa uma parte significativa do imaginário dos habitantes do Brasil. Vencedor de inúmeros prêmios internacionais e com traduções para cerca de 50 línguas, Jorge Amado foi uma espécie de embaixador da cultura brasileira pelo mundo.

Crítica

UM MODELO DE ROMANCISTA
"Um livro magnífico e prodigioso. Se é verdade que o romance é antes de tudo ação, esse é um modelo do gênero. E nele se lê claramente o que pode haver de fecundo em uma certa barbárie livremente consentida. [...] A ele nada é indiferente. Tudo é emocionante. Mais uma vez, os romancistas americanos nos fazem sentir o vazio e o artifício de nossa literatura romanesca."
(Albert Camus, *Alger Républicain*)

UM FICCIONISTA PURO
"Jorge Amado é um ficcionista puro que revela através da ação os costumes, os sentimentos de seus personagens. Nunca se deixa pegar pelas armadilhas da erudição, ensina sem pontificar, revela sem tirar o mistério, incorpora as crenças e a magia sem perder o lado de realismo social. Seu mundo é amplo, nele cabe tudo."
(Ana Miranda, *Folha de S. Paulo*)

Obras

O País do Carnaval (1931)
Cacau (1933)
Jubiabá (1935)
Capitães de Areia (1936)
Gabriela, Cravo e Canela (1958)
A Morte e A morte de Quincas Berro D'Água (1959)
Dona Flor e seus Dois Maridos (1966)
Tenda dos Milagres (1969)
Tereza Batista Cansada de Guerra (1972)
Tieta do Agreste (1977)
Tocaia Grande (1984)
Navegação de Cabotagem (1994)

Contato

fcamado@sun.com.br

Fragmento

Dona Flor e seus Dois Maridos

Assim, com as mãos, o hálito, os lábios, as palavras macias, com o olhar, o riso, a invenção, a graça, com o queixume, a briga, o dengue, Vadinho cercara a fortaleza, dita irredutível por dona Flor, pondo abaixo muralhas de dignidade e pudicícia. Num avanço constante e firme, em obstinado assédio, reduzira hora a hora o campo de batalha.
A cada encontro ocupava nova posição, caíam bastiões, rendidos pela força ou pela astúcia: a mão sabida ou bem o lábio de promessas mil, todas elas vãs — 'só um beijo, meu bem, só um...'. Lá se foram os seios, as coxas, o colo, as ancas, a bunda de cetim. Agora tudo isso era dele, terreno livre de censuras para a mão, para o lábio, para a carícia de Vadinho. Quando dona Flor se deu conta, sua honestidade e a honra do doutor viam-se encurraladas em derradeiro reduto, quanto lhe restava ainda incólume. O mais, esse chão ardente de batalha, ele o tomara quase sem ela perceber.
Dona Flor vinha disposta a reclamar as manchas roxas do pescoço, sinais devassos, estarrecedores, vinha disposta a proibir quaisquer intimidades, mas ele a envolvia num abraço, sussurrando explicações ou fazendo burla de seu pudor e de sua seriedade, e dentro em pouco lhe mordiscava a orelha, num afago de arrepios.

JORGE AMADO

In the very beginning, JORGE AMADO's work was regarded as inserted in the Northeastern regionalism, which had gained momentum in the 1930s, but later it became more politically engaged and adopted the socialist realism's precepts as it committed to the defense of the poorest people. After *Gabriela, Cravo e Canela (Gabriela, Clove and Cinnamon)* (1958), the novelist took new paths, approaching lighter themes with humor and portraying sexual issues with his typical Bahian slyness. However, even in his last phase, the sympathy for the oppressed continued to emerge, although in a softer way. A significant part of his work is frequently adapted, and always successfully, to the screen (movies and TV). This, combined with the exceptional rapport of his books, makes him to be admired even by the uneducated layers of the society, which are so movingly portrayed in his work. For this reason, Jorge Amado is assured a conspicuous place in the Brazilian people's imagery. The winner of countless international awards and translated into about 50 languages, Jorge Amado played the role of a Brazilian culture ambassador throughout the world.

Review

A MODEL OF NOVELIST

"A magnificent and prodigious book. If it is true that a novel is action above all, this one is a model of the kind. Whatever exists of fecund in a certain freely accepted barbarism is clearly read in this book. [...] He is indifferent to nothing. Everything is touching. Once again, the American novelists make us feel how empty and phony our romantic literature can be." (Albert Camus, *Alger Républicain*)

A PURE FICTIONIST

"Jorge Amado is a pure fictionist who uses action to reveal his characters' habits and feelings. He is never a prey to erudition mousetraps; he teaches without pontificating, he unveils without ousting mystery, he incorporates beliefs and magic without losing track of social realism. His world is wide enough to embrace everything." (Ana Miranda, *Folha de S. Paulo*)

Excerpt

Dona Flor e seus Dois Maridos (Dona Flor and her Two Husbands)

Thus, with hands, breath, lips, soft words, looks, laughter, jests, complaints, quarrels, insinuations, Vadinho was beleaguering the fortress which Dona Flor had assured him was invincible, undermining walls of dignity and modesty. In a relentless advance, in stubborn assault, he was conquering the field hour by hour.

In each engagement he occupied a new position and bastions fell, overcome by force or astuteness: the knowing hand or the lips that uttered a thousand promises, all of them sham: "Just one kiss, darling, just one...". And then followed breasts, thighs, neck, hips, the satiny backside. Now all that was his, terrain free from reprimand for Vadinho's hand, lips, caresses. By the time Dona Flor took in what had happened, her decency and the Doctor's honor were hemmed into the last redoubt, the only one still holding out. The rest, that burning battlefield, he had conquered almost without her being aware.

Dona Flor came prepared to make a complaint about those red spots on her neck, those incriminating, dismaying signs, but he enveloped her in an embrace, whispering explanations or making fun of her modesty and seriousness, and in a little while he was biting her ear, in a blandishment that sent shivers through her.

Works

O País do Carnaval (1931)
Cacau (1933)
Jubiabá (1935)
Capitães de Areia (1936)
Gabriela, Cravo e Canela (1958)
A Morte e A morte de Quincas Berro D'Água (1959)
Dona Flor e seus Dois Maridos (1966)
Tenda dos Milagres (1969)
Tereza Batista Cansada de Guerra (1972)
Tieta do Agreste (1977)
Tocaia Grande (1984)
Navegação de Cabotagem (1994)

Contact

fcamado@sun.com.br

JORGE ANDRADE

A dramaturgia de JORGE ANDRADE parece seguir à risca o conselho que lhe foi confiado pelo teatrólogo norte-americano Arthur Miller: "Volte para seu país e procure descobrir por que os homens são o que são e não o que gostariam de ser, e escreva sobre a diferença." Como conseqüência, nas obras andradinas, fortemente enraizadas na realidade, não há espaço para a fantasia ou o sonho. Adepto do lema "ninguém inventa nada", suas peças se fundam nos tipos humanos comuns, com suas desventuras coletivas e individuais. Andrade não se preocupa em extremar ou em dar contornos sutis às personagens. Trata-se antes, para ele, de representar os lugares-comuns da família e da sociedade em sua imbricação complexa e, sobretudo, injusta, tendo como ponto central a incomunicabilidade humana. Há em todo o seu trabalho uma importante vertente autobiográfica, tanto na reiteração do conflito pai-filho quanto na derrocada da aristocracia cafeeira que se seguiu à crise mundial de 1929. Destaca-se ainda o grande preparo histórico e social do autor, o que dá ainda maior dimensão a seu teatro.

Crítica

IMPORTÂNCIA DRAMATÚRGICA
"Jorge Andrade é responsável por alguns dos maiores sucessos financeiros do teatro paulista e um dos poucos dramaturgos realmente importantes de nossa literatura." (Osman Lins, "Significação de *Rasto Atrás*")

TEATRO E SOCIOLOGIA
"Eis aí um legítimo sociólogo-teatral, tão poderoso na análise das conseqüências sociais de um drama rural burguês como na descrição dos caracteres autênticos de nossa sociedade interiorana." (Flávio de Carvalho, orelha a "Marta, a Árvore e o Relógio")

Obras

O Telescópio (1951)
A Moratória (1955)
Pedreira das Almas (1957)
Vereda da Salvação (1958)
A Escada (1961)
Os Ossos do Barão (1962)
A Senhora da Boca do Lixo (1963)
Rasto Atrás (1965)
As Confrarias (1969)
Sumidouro (1970)
Marta, a Árvore e o Relógio (1970)
Milagre na Cela (1977)
Labirinto (1978)

Contato

info@agireditora.com.br

Fragmento

Rasto Atrás

Mariana: *Então, não há problema. Em um casamento, gostar é o de menos. Afinal, o que sabe uma mulher? Somos levadas p'ra cama e parimos. Nada mais. Quando tia Marta, mãe de Bernadino, me pediu em casamento, eu estava dentro de um rego-d'água, dando banho em minha boneca. Não me perguntaram se queria ou não. Tia Marta sabia o que fazia, quando me escolheu! Decerto já desconfiava do filho. É o que devia também ter feito com João José.* (Concentrada) *Mas parece que o que tem de ser, nada muda.* (Pausa) *Com quinze anos, me vi em uma cama com um homem barbudo ao meu lado. Sabe o que fiz? Brinquei com a barba dele... e fiquei sabendo o que era um marido!*
França: *A senhora sempre disse que foi feliz.*
Mariana: *Se felicidade é segurança — e é — fui muito, até que descobri a flauta.*
França: *Flauta?*
Mariana: *Meu marido tinha uma... que ele tratava como objeto sagrado. Se Bernadino não tivesse morrido, tínhamos ficado na miséria. Morreu na hora certa. Que Deus o guarde! Para mim, naquela flauta estava todo o mal.*
França: *A vida não é feita só de trabalho, dona Mariana!*
Mariana: *A minha foi. A dele, não.*

JORGE ANDRADE

JORGE ANDRADE's dramaturgy seems to follow strictly the advice offered to him by North-American playwright Arthur Miller: "Go back to your country and try to find out why men are what they are and not what they would like to be, then write about the difference." As a result, Andrade's works, deeply rooted in reality, allow no space for fantasy or dream. Adhering to the motto "nobody has ever invented anything", his plays build on the ordinary human types, including their collective and individual misfortunes. Andrade is not concerned with taking his characters to extremes or giving them subtle outlines. He is most concerned, rather, with representing the platitudes found both in the family and in society in their complex and, above all, unjust imbrication, focusing mainly on human uncommunicativeness. One will find in the whole of his work an important autobiographical vein, both in the reiteration of the father-son conflict and in the ruin of the coffee-based aristocracy after the 1929's world crisis. The author's great historical and social education still stands out, which confers a significance to his plays.

Review

DRAMATURGICAL SIGNIFICANCE

"Jorge de Andrade accounts for some of the most significant financial successes in São Paulo's theater, and he is among the few really important playwrights in our literature." (Osman Lins, "Significação de *Rasto Atrás*")

DRAMA AND SOCIOLOGY

"Here stands a true sociologist-playwright. He is just as powerful in analyzing the social consequences of a bourgeois rural drama as in describing the authentic characters of our back-country society."(Flávio de Carvalho, flap in "Marta, a Árvore e o Relógio")

Excerpt

Rasto Atrás (Backtracking)

Mariana: *Then, there is no problem. Loving is the least important thing in a marriage. After all, what does a woman know? We are taken to the bed and we have babies. That's all. When aunt Marta, Bernadino's mother, called me to be taken in marriage, I was in a ditch of water giving my doll a bath. Nobody ask me whether I was happy or not. Aunt Marta knew what she was doing when she chose me! She certainly was already distrustful about her son. That's what she should have done for João José too.* (Thoughtful) *But it seems that whatever will be, cannot be changed.* (Pause) *At the age of fifteen, I found myself on a bed with a bearded man on my side. Do you know what I did? I played with his beard... then I learned what a husband was all about!*
France: *You always said you were happy.*
Mariana: *If happiness means safety — as it actually does — I was very happy, until the day I found the flute.*
France: *Flute?*
Mariana: *My husband used to have one... which he would treat as a sacred object. If Bernadino had not died, we would have become very poor. He died at the right time. May God keep him in a good place! To my mind, that flute had all the evil.*
France: *There is more to life than just work, Mariana!*
Mariana: *Not to my life. But certainly there was much more to his.*

Works

O Telescópio (1951)
A Moratória (1955)
Pedreira das Almas (1957)
Vereda da Salvação (1958)
A Escada (1961)
Os Ossos do Barão (1962)
A Senhora da Boca do Lixo (1963)
Rasto Atrás (1965)
As Confrarias (1969)
Sumidouro (1970)
Marta, a Árvore e o Relógio (1970)
Milagre na Cela (1977)
Labirinto (1978)

Contact

info@agireditora.com.br

JORGE CALDEIRA

Ao imbuir-se da delicada tarefa de levar a História do Brasil até o homem comum, o jornalista e sociólogo JORGE CALDEIRA sabe que vai ser contestado. Seu projeto de popularizar a história não implica, porém, faltar com o rigor e com a pesquisa necessárias para se fazer uma obra de qualidade. Muito ao contrário, trabalhando sozinho ou em equipe, seus livros são o resultado de uma árdua e ampla investigação. A popularização se dá, contrariamente, no tratamento final destinado ao material encontrado, sobretudo no caso da *História do Brasil*, escrito em parceria com Sérgio Goes e também publicado em CD-ROM: busca-se, principalmente, uma linguagem mais simples, direta e com pouquíssima abstração, privilegiando a exposição dos fatos e suas conseqüências em detrimento da elucubração. Desse modo, o ponto fundamental do trabalho de Caldeira é a preferência por contar a história brasileira a partir de seus eventos pontuais, fragmentados, em lugar de vê-la sob seu ângulo de continuidade. Tal método, é certo, custa-lhe grande crítica, mas não tira a validade e a importância de seu trabalho.

Crítica

HISTÓRIA POLÊMICA
"Jorge Caldeira vai causar polêmica. Ele contesta o peso que a historiografia brasileira tradicional atribui ao desenvolvimento dependente do capitalismo no país e prefere lançar luzes sobre a disputa de poder na elite brasileira, que teria excluído os negociantes e mercadores das decisões políticas." (Luciana Pinsky, *Época*)

ALTERNATIVA HISTÓRICA
"Os historiadores Jorge Caldeira e Sérgio Goes passaram dois anos fazendo uma *História do Brasil* [...]. Um fino trabalho, profundo e horizontal. Pelo livro, vemos a natural tendência histórica do Brasil para a democracia." (Arnaldo Jabor, *Folha de S. Paulo*)

Obras

Noel Rosa, de Costas para o Mar (1981)
Mauá: Empresário do Império (1995)
Viagem pela História do Brasil
[com Sérgio Goes] (1997)
A Nação Mercantilista (1999)
Diogo Antônio Feijó (2000)

Contato

editores@companhiadasletras.com.br

Fragmento

História do Brasil

Primeiros habitantes
A ocupação humana do território que depois se tornaria o Brasil começou numa data que os especialistas calculam atualmente entre 12 e 30 mil anos atrás. De acordo com as hipóteses mais aceitas sobre os caminhos de ocupação, duas rotas teriam sido usadas. As controvérsias entre os estudiosos, no entanto, não permitem traçar com segurança as formas de povoamento da região. O que se sabe com certeza é que todo ele estava ocupado há mais de cinco milênios.

Tecnologia
A grande população indígena original apresentava algumas características comuns. Em milhares de anos de contato com as florestas e os cerrados, os índios aprenderam a conviver com a natureza tropical. Domesticaram plantas e espécies animais. Descobriram um método para o preparo da mandioca. Empregaram madeiras e raízes, produziram pigmentos e usaram ervas medicinais. Cada grupo desenvolveu a seu modo técnicas de sobrevivência adaptadas à natureza que o cercava.

JORGE CALDEIRA

On undertaking the delicate task of taking the History of Brazil to the man in street, journalist and sociologist JORGE CALDEIRA knew he would be objectioned. His history popularization project does not imply, however, in failing to be demanding and failing to carry out the necessary research to produce a high-quality work. Much on the contrary, working alone or doing teamwork, his books are the outcome of strenuous and comprehensive investigation. Popularization will take place, contrarily, in the final treatment given to the data collected, especially in the case of *História do Brasil (History of Brazil)*, written in partnership with Sérgio Goes and also published in CD-ROM format: a simpler, direct and less abstractive language is pursued, privileging the presentation of facts and the consequences thereof, in detriment of lucubration. This way, Caldeira's work fundamental point is a preference to recounting the Brazilian history building on its focal, fragmented events, instead of looking at it under the continuity angle. Such method, surely, cost him a lot of criticism, but this did not depreciate or debase his work.

Review

CONTROVERSIAL HISTORY

"Jorge Caldeira will surely cause controversy. He argues against the weight the traditional Brazilian historiography attributes to the country's capitalism-dependent development, and prefers to shed light on the Brazilian elite fight for power, which he believes to have excluded traders and merchants from the political decision making." (Luciana Pinsky, *Época*)

HISTORICAL ALTERNATIVE

"Historians Jorge Caldeira and Sérgio Goes dedicated two years to the production of a *History of Brazil* [...]. A fine, deep, and horizontal work. Through this book, we see the Brazil's natural historical tendency towards democracy." (Arnaldo Jabor, *Folha de S. Paulo*)

Excerpt

História do Brasil (History of Brazil)

First inhabitants

Human occupation in the territory that would later become Brazil began on a date that specialists now estimate between 12 thousand and 30 thousand years ago. According to the most accepted hypotheses on the occupation path, two routes would have been used. The controversies among specialists, however, do not allow the settlement forms in the area to be satisfactorily drawn. But one thing is known for sure, that the entire territory has been occupied for more than five thousand years.

Technology

The huge original native population had some common features. Over thousands of years of contact with the forests and the savannahs, the Indians learned how to live in harmony with the tropical nature. They tamed plants and animal species. Devised a method to handle the cassava. They used wood and roots, produced pigments, and used medicinal herbs. Each group developed, in their way, a survival technique adapted to the nature that surrounded them.

Works

Noel Rosa, de Costas para o Mar (1981)
Mauá: Empresário do Império (1995)
Viagem pela História do Brasil [com Sérgio Goes] (1997)
A Nação Mercantilista (1999)
Diogo Antônio Feijó (2000)

Contact

editores@companhiadasletras.com.br

JORGE DE LIMA

No país em que p. Antônio Vieira elaborou inúmeros de seus memoráveis *Sermões*, já disseram que esse poeta do século XX foi o maior escritor barroco nacional; outro crítico o denominou de o maior poeta brasileiro de todos os tempos; um ficcionista de renome disse ter testemunhado uma confidência segundo a qual o autor do *Livro de Sonetos* ganharia, em breve, o Prêmio Nobel, se não tivesse morrido. JORGE DE LIMA suscita paixões inflamadas em quem quer que se aproxime de sua obra com a atenção necessária. Tendo ficado famoso logo após o Modernismo com poemas que seguiam o programa do movimento, ele logo se distinguiu por criar uma obra de grandeza incomparável. *Invenção de Orfeu*, sua obra monumental, é um poema cosmogônico de estrutura sinfônica, no qual, através de um emaranhado de poemas a um só tempo independentes e, de certa forma, interligados, o demiurgo flagra o momento preciso em que o caos originário quer manifestar-se em qualquer ordem possível. Se Platão ensinou que poesia é a passagem do não-ser ao ser, de tal forma que o originário continue se manifestando na superfície, Jorge de Lima é o poeta por excelência, o poeta dos poetas, o poeta dos pensadores. O poeta.

Crítica

O MAIOR DE TODOS OS TEMPOS
"Para nós, todavia, pelo menos neste momento de nossa própria evolução, é Jorge de Lima o maior, o mais alto, o mais vasto, o mais importante, o mais original dos poetas brasileiros de todos os tempos." (Mário Faustino, "Revendo Jorge de Lima")

A PERPLEXIDADE DE UM CAOS CRIADOR
"Tudo entra no poema de Jorge de Lima concebido na febre que exalta, no sonho que dilata, no transe que confunde. E o passado junta-se ao presente. Memória e invenção, sonho e realidade, história e futuro, infância e ancestralidade confundem-se, como se, em verdade, o poeta formasse com o seu poema uma espécie de caos preparatório de onde surgirá um dia uma ordem ideal." (João Gaspar Simões, "Invenção de Orfeu")

Obras

XIV Alexandrinos (1914)
O Mundo do Menino Impossível (1925)
Poemas (1927)
Essa Negra Fulô (1928)
Novos Poemas (1929)
O Anjo (1934)
Calunga (1935)
Tempo e Eternidade (1935)
A Túnica Inconsútil (1938)
A Anunciação e Encontro em Mira-Celi (1940)
Livro de Sonetos (1949)
Invenção de Orfeu (1952)
Poesia Completa (1998)

Fragmento

Invenção de Orfeu, XV

A garupa da vaca era palustre e bela,
uma penugem havia em seu queixo formoso;
e na fronte lunada onde ardia uma estrela
pairava um pensamento em constante repouso.

Esta a imagem da vaca, a mais pura e singela
que do fundo do sonho eu às vezes esposo
e confunde-se à noite à outra imagem daquela
que ama me amamentou e jaz no último pouso

Escuto-lhe o mugido — era o meu acalanto,
e seu olhar tão doce inda sinto no meu:
o seio e o ubre natais irrigam-me em seus veios.

Confundo-os nessa ganga informe que é meu canto:
semblante e leite, a vaca e a mulher que me deu
o leite e a suavidade a manar de dois seios.

Contato

Lúcia Riff, *agente literária*
lucia@bmsr.com.br

JORGE DE LIMA

In the country where Father Antônio Vieira contrived countless of his memorable *Sermons*, it has already been said that this 20th century poet was the greatest national Baroque writer; another critic described him as the greatest Brazilian poet of all times; a renowned fictionist declared to have heard a confidence by which the author of *Livro de Sonetos (Book of Sonnets)* would have soon won the Nobel Prize if he had not died. JORGE DE LIMA stirs inflamed passions in whoever approaches his work with the necessary attention. Becoming popular in the wake of modernism by writing poems that followed the program proposed by the movement, he soon stood out by creating an incomparably great work. *Invenção de Orfeu (The Invention of Orfeu)*, his monumental work, is a symphonic-structure cosmogonic poem, in which, through an entangling combination of poems which were at a time independent and somehow interlinked, the Demiurge catches the precise moment when the original chaos tries to manifest in any possible order. If Plato taught that poetry is the passage from not-being to being, in such a way that the matrix keeps manifesting in the surface, Jorge de Lima is the poet par excellence, the poet among poets, the thinkers' poet. The poet.

Review

THE GREATEST OF ALL TIMES

"For us, though, at least at this stage of our own evolution, Jorge de Lima is the greatest, the highest, the vastest, the most important, the most original Brazilian poet of all times". (Mário Faustino, "Revendo Jorge de Lima")

THE PERPLEXITY OF A CREATIVE CHAOS

"Everything is enclosed in Jorge de Lima's poetry conceived in the fever that exalts, in the dream that dilates, in the dazing trance. And the past blends with the present. Memory and invention, dream and reality, history and future, childhood and ancestry, all get commixed, as if the poet indeed created with his poem a type of preparatory chaos from where one day an ideal order will come out."
(João Gaspar Simões, "Invenção de Orfeu")

Excerpt

Invenção de Orfeu, XV (The Invention of Orfeu, XV)

The croup of the cow was spongy and beautiful,
her beautiful chin exhibited some fluffy downy hair,
and in her lunate forehead, where burned a star
a thought hovered in constant rest.

This is the image of the cow, the purest and the chastest
which, from the bottom of a dream I sometimes I espouse
and at night it gets confused with the other image of that
who nursed me and breastfed me, and who lies in the last rest

I hear her mooing — that used to be my cradlesong,
and her most sweet glance I still feel on mine:
the native mamma and udder irrigate me in their veins.

I confuse them in this formless veinstone that is my song:
semblance and milk, the cow and the woman who gave me
the milk and the softness pouring out of two breasts.

Works

XIV Alexandrinos (1914)
O Mundo do Menino Impossível (1925)
Poemas (1927)
Essa Negra Fulô (1928)
Novos Poemas (1929)
O Anjo (1934)
Calunga (1935)
Tempo e Eternidade (1935)
A Túnica Inconsútil (1938)
A Anunciação e Encontro em Mira-Celi (1940)
Livro de Sonetos (1949)
Invenção de Orfeu (1952)
Poesia Completa (1998)

Contact

Lúcia Riff, *literary agent*
lucia@bmsr.com.br

JOSÉ AMÉRICO DE ALMEIDA

Marco histórico, o romance *A Bagaceira*, publicado originalmente em 1928 e já na 36ª edição em 2002, deu início ao importante ciclo do romance regionalista nordestino. Nele, JOSÉ AMÉRICO DE ALMEIDA revelava os problemas sociais ocasionados pela seca e o cangaço, denunciando o sistema latifundiário que então submetia os sertanejos a níveis ultrajantes de desespero e miséria. Temas regionais haviam sido bem freqüentes no Romantismo brasileiro, mas o traço que mais distingue esse autor foi abordá-los por um viés engajado. Em breve ele estaria envolvido nas próprias lutas políticas, elegendo-se senador, concorrendo sem êxito à presidência da República e chegando a governar seu estado, a Paraíba. Contudo, não parou de escrever. O mesmo mundo do primeiro romance, as mesmas tendências socializantes e a mesma ironia cáustica de homem do interior prolongaram-se nas sucessivas obras de ficção que ele viria ainda a criar.

Crítica

PRECURSOR DE SI MESMO
"*A Bagaceira* não é um romance-ilha, mas o resultado de remota elaboração do próprio autor. *Reflexões de uma Cabra*, a novela de 1922, contém, em miniatura, qualidades estruturais que a crítica identificou e proclamou no romance de 1928. José Américo torna-se, assim, precursor de si mesmo." (José Ferreira Ramos, "O Humor Poético na Obra de José Américo")

PARTES DE UM ÚNICO VALOR
"O descritivo de José Américo, embora fulgurante como em *A Bagaceira*, atenua-se em *O Boqueirão* num impressionismo que vai passando, ligeiro, sobre a fisionomia das coisas. O pensamento e as palavras buscam a visão geral, a sugestão do conjunto; procuram acompanhar o desenvolvimento do processo na sua totalidade, situando cada episódio ou figurante, cada impressão óptica ou moral, como partes sucessivas de um único valor." (Juarez da Gama Batista, "A Sinfonia Pastoral do Nordeste")

Obras

Reflexões de uma Cabra (1922)
A Bagaceira (1928)
O Boqueirão (1935)
Coiteiros (1935)
Ocasos de Sangue (1954)
A Palavra e o Tempo (1965)
O Ano do Nego (1968)
Eu e Eles (1970)
Quarto Minguante (1975)
Antes que me Esqueça (1976)
Sem me Rir, Sem Chorar (1984)

Fragmento

A Bagaceira

Meninotas, com as pregas da súbita velhice, careteavam torcendo as carinhas decrépitas de ex-voto. Os vaqueiros másculos, como titãs alquebrados, em petição de miséria. Pequenos fazendeiros, no arremesso igualitário, baralhavam-se nesse atônito aniquilamento.
Mais mortos do que vivos. Vivos, vivíssimos só no olhar. Uns olhos espasmódicos de pânico, como se estivessem assombrados de si próprios. Agônica concentração de vitalidade faiscante.
Fariscavam o cheiro enjoativo do melado que lhes exacerbava os estômagos jejunos. E, em vez de comerem, eram comidos pela própria fome numa autofagia erosiva.

Contato

joeditor@unisys.com.br

JOSÉ AMÉRICO DE ALMEIDA

A historical landmark, the novel *A Bagaceira (Bagasse Dump)*, published for the first time in 1928, reached its 36th edition in 2002. This novel led off the important Northeastern regionalist novel cycle. JOSÉ AMÉRICO DE ALMEIDA unveils in this book the social problems caused by the drought and by the outlawry, baring the evil in the latifundium system which would submit the inlanders to outrageous levels of despair and poverty. Regional themes had often been dealt with in the Brazilian Romanticism, but what distinguished this author most was his engaged approach. He would soon be engaged in the political struggles. He became a senator, ran an unsuccessful campaign for President, and was elected governor in his state, Paraíba. Notwithstanding, he never gave up writing. The same world as in the first novel, the same socializing tendencies, and the same caustic irony of a man from the back country continued to appear in the successive fiction books he wrote afterwards.

Review

THE PRECURSOR OF HIMSELF

"*A Bagaceira* is not an island, but the result of the author's remote painstaking. *Reflexões de uma Cabra (Reflections of a Nanny-Goat)*, the 1922 novella, includes, in a thumbnail, the same structural qualities that the critic identified and praised in the 1928 novel. José Américo becomes, thus, the precursor of himself." (José Ferreira Ramos, "O Humor Poético na Obra de José Américo")

PORTIONS OF A SAME VALUE

"José Américo's descriptive skills, although sparkling in *A Bagaceira*, is attenuated in *O Boqueirão (The Gorge)* into an impressionism that swiftly touches on the physiognomy of things. Thought and words look for the overview, the suggestion of unity; they try to follow up the process development in its wholeness, placing each episode or character, every optical or moral impression, as successive parts of a same value." (Juarez da Gama Batista, "A Sinfonia Pastoral do Nordeste")

Excerpt

A Bagaceira (Bagasse Dump)

Young girls, with the wrinkles from a sudden old age, were pulling faces by twisting their ex-voto decrepit faces. The manly cowboys, like weakened titans, fallen into utter decay. Small farmers, in the equalitarian toil, had gotten puzzled in that astounded annihilation.

Rather dead than alive. Alive, vivacious only in their glance. Eyes spasmodic from panic, as if frightened by themselves. Anguished concentration of coruscating vitality.

They would smell out the rich scent from the molasses that exacerbated their fasting stomachs. And, instead of eating, they were eaten by their own hunger in an erosive autophagy.

Works

Reflexões de uma Cabra (1922)
A Bagaceira (1928)
O Boqueirão (1935)
Coiteiros (1935)
Ocasos de Sangue (1954)
A Palavra e o Tempo (1965)
O Ano do Nego (1968)
Eu e Eles (1970)
Quarto Minguante (1975)
Antes que me Esqueça (1976)
Sem me Rir, Sem Chorar (1984)

Contact

joeditor@unisys.com.br

JOSÉ CÂNDIDO CARVALHO

Autor de apenas dois romances, o primeiro de 1939 e o segundo publicado após 25 anos de silêncio literário, bastaria *O Coronel e o Lobisomem* para colocar JOSÉ CÂNDIDO CARVALHO entre os melhores romancistas brasileiros de todos os tempos. Partindo do regionalismo de Rachel de Queiroz e José Lins do Rêgo, mas incorporando com radicalidade conquistas do Modernismo e um tratamento de linguagem só comparável ao de Guimarães Rosa, ele se utiliza de um estilo coloquial associado a uma sintaxe nada convencional para, deturpando e torcendo as palavras, mostrar, satiricamente, os valores urbanos, esmagando a sociedade rural do Estado do Rio de Janeiro. Nesse ambiente, surgem os conflitos entre o arcaico e o moderno, entre o poder econômico e o espírito, entre a infância e a maturidade... Os outros livros deste jornalista profissional, que nasceu 24 horas após o início da Primeira Guerra, são compostos de Contados, Astuciados, Sucedidos e Acontecidos, ou seja, textos curtos, crônicas, anedotas e entrevistas originais com personalidades políticas, culturais ou anônimas do povo.

Crítica

O RENOVADOR DA LINGUAGEM
"E tem mais: se a criação literária de J. C. C. é importante, importantíssimo igualmente é o homem na sua linguagem. De tal jeito importante que não sei de ninguém, no momento, que renove o idioma como o renova ele." (Rachel de Queiroz, "É o Gênio da Língua que Baixou")

OBRA-PRIMA
"Lançado *O Coronel e o Lobisomem* [...] a melhor crítica do país veio confirmar meu vaticínio: obra-prima. 'Obra-prima', dizia-se ao Norte. 'Obra-prima', dizia-se ao Sul. E por toda parte, na unanimidade opinativa do público, repetia-se o estribilho consagrador: 'Obra-prima.'" (Herberto Sales, "Boa-Noite, meu Coronel")

Obras

Olha para o Céu, Frederico! (1939)
O Coronel e o Lobisomem (1964)
Porque Lulu Bergantim não Atravessou o Rubicon (1971)
Um Ninho de Mafagafes Cheio de Mafagafinhos (1972)
Ninguém Mata o Arco-Íris (1972)
Manequinho e o Anjo de Procissão (1974)
Discursos na Academia (1976)
Os Mágicos Municipais (1984)

Fragmento

O Coronel e o Lobisomem

Dormi ninado pela chuva. De manhã, água no telhado, quedei na moleza da cama, levanta-não-levanta, cabeça de chumbo, perna de pilão. Uma ponta de dor, nascida na pá, rodeava em abraço dolorido a pessoa toda do coronel. Francisquinha, a par da noite de lobisomem que passei, encheu o seu menino de chá de descarrego e macela limpadeira da entranha. Não satisfeita, procedeu a uma fumegação reforçada de reza, que algum olho-grande podia estar encravado em mim. A custo, já manhã adiantada, larguei a cama para desempenar as juntas no corredor. Da janela, olhei o céu sujo, de nunvens enroladas, cada manta escura mais que outra. Fazia dó presenciar as casuarinas de Janjão Caramujo debulhadas em água, do que resultava uma tristeza de cemitério, de coisa morta. Isso mais amoleceu o coronel. Fui desgastar o peso dessa morrinha, rebatendo na pena as desconsiderações de Dona Isabel Pimenta. O dia todo andei em trabalho de papel — escreve, rasga, emenda. Quem visse o meu proceder, rabo da caneta na testa, no avivamento das idéias, ia cuidar que voltei ao estudo dos livros.

Contato

Lúcia Riff, *agente literária*
lucia@bmsr.com.br

JOSÉ CÂNDIDO CARVALHO

The author of only two novels, the first one published in 1939, and the second one after a literary silence of 25 years. *O Coronel e o Lobisomem (The Colonel and the Werewolf)* would be enough to place JOSÉ CÂNDIDO CARVALHO among the best Brazilian novelist of all times. Starting from the Regionalism of Rachel de Queiroz and José Lins do Rêgo, but incorporating the radical Modernism conquests and a language approach compared only to that of Guimarães Rosa, he makes use of a colloquial style combined with a rather non-conventional syntax with which he distorts and twists the words so as to depict, in a satirical way, the way the rural society in the state of Rio de Janeiro is smashed by urban values. In this atmosphere there appear the conflicts between the archaic and the modern, between the economic power and the spirit, between childhood and maturity... The other books by this professional journalist, born 24 hours after the beginning of the First World War, are composed of *Contados, Astuciados, Sucedidos e Acontecidos* ("Narrated", "Rused", "Befallen", *and* "Happened"), that is, short texts, chronicles, anecdotes, and original interviews with politicians, cultural personalities, or the man in the street.

Review

THE RENEWER OF LANGUAGE

"There is more to it than that: if J.C.C.'s literary creation is important, equally important is the man in his language. It is so important that I cannot tell of anyone, at once, who would be able to renew the language in the way he does." (Rachel de Queiroz, "É o Gênio da Língua que Baixou")

MASTERPIECE

"When *O Coronel e o Lobisomem* [...] was published, the best review in the country only confirmed my forecast: a masterpiece. 'Masterpiece' people said in the North. 'Masterpiece" people said in the South. Everywhere, people repeated their unanimous opinion, the consecrated chorus: 'Masterpiece'. (Herberto Sales, "Boa-Noite, meu Coronel")

Excerpt

O Coronel e o Lobisomem (The Colonel and the Werewolf)

I slept lulled by the rain. In the morning, water on the roof, I remained indolently in the bed: shall I get up or not?, lead-headed, mortar-legged. A small pang, coming from the shoulder, wrapped the colonel in a sore hug. Francisquinha, as she knew about the werewolf night I had gone through, filled her boy with exorcising tea and bowels-cleaning chamomile. Not yet satisfied, she proceeded to burn incense reinforced with a stronger prayer, lest some jinx might have stuck on me. With difficulty, late in the morning, I got out of bed to straighten the joints in the hall. From the window, I looked up at the dirty sky, full of curled clouds, each one a darker blanket than the other. It was to take pity on Janjão Caramujo's beefwoods meeting a watery end, a graveyard sadness coming from them, a sadness of dead stuff. This rendered the colonel even more indolent. I decided to wear off the weight of that sluggishness by striking back with a pen Dona Isabel Pimenta's discourtesy. I drudged all day with a paper — writing, tearing, correcting. Whoever caught a glimpse of my industrious activity, the tail of the pen on the forehead to extricate out the ideas, would have thought I was hitting the books again.

Works

Olha para o Céu, Frederico! (1939)
O Coronel e o Lobisomem (1964)
Porque Lulu Bergantim não Atravessou o Rubicon (1971)
Um Ninho de Mafagafes Cheio de Mafagafinhos (1972)
Ninguém Mata o Arco-Íris (1972)
Manequinho e o Anjo de Procissão (1974)
Discursos na Academia (1976)
Os Mágicos Municipais (1984)

Contact

Lúcia Riff, *literary agent*
lucia@bmsr.com.br

JOSÉ CONDÉ

Poucos escritores conseguem reunir em suas obras universos tão disparatados quanto a pequena cidade de Caruaru, no Pernambuco nordestino, e a metrópole carioca. Tendo nascido naquela e morrido no Rio de Janeiro, JOSÉ CONDÉ transita pela estrada que o leva do romance urbano ao do reencontro com sua terra natal. Enquanto o segundo se caracteriza por uma procura de enraizamento (e sua determinação), o primeiro é necessariamente o lugar de uma perdição, de uma impossibilidade de encontro do ser humano consigo mesmo. Com os dramas noturnos que lhe são característicos, sua Copacabana romanesca é o ambiente por excelência da solidão mais acentuada, que conduz o homem à angústia de sua condição e à decadência intransponível: qualquer intimidade com a metrópole é vedada. Já no lado interiorano de sua ficção, o histórico, o político e o sociológico incorporam uma forte dose de humanismo, cujos conceitos de honra, fidelidade, fraqueza, coragem e tradição caracterizam o homem nordestino. Em ambos os casos, com poesia tensa, é a reflexão acerca das intensidades da vida que sai ganhando.

Crítica

A FIXAÇÃO DA SOLIDÃO URBANA
"*Há um desespero em cada esquina*, disse-me certa vez alguém falando da noite de Copacabana com suas luzes frias de néon, bares e *boites*, seus vultos fugidios, sua espalhafatosa e falsa alegria. Ao atravessar essas ruas, à noite, ao cruzar com certas figuras, pensei sempre: *um dia surgirá um romancista e fixará esses dramas, essa angústia, essa carência de amor.* Nunca pensei, porém, que esse romancista fosse o meu amigo José Condé, homem do agreste pernambucano." (Jorge Amado, "Os Seres Perdidos de José Condé")

A INSATISFAÇÃO REDENTORA
"José Condé vem balizando a sua carreira de escritor pela marca de insatisfação que o tem obrigado a mudanças de tema e de técnicas de composição." (M. Cavalcanti Proença, "O Romance de um Egoísta")

Obras

Caminhos na Sombra (1945)
Onda Selvagem (1950)
Histórias da Cidade Morta (1951)
Os Dias Antigos (1955)
Um Ramo para Luísa (1959)
Terra de Caruaru (1960)
Vento do Amanhecer em Macambira (1962)
Os Sete Pecados Capitais (1964)
Noite contra Noite (1965)
Pensão Riso da Noite: Rua das Mágoas (1966)
Como uma Tarde em Dezembro (1969)
Tempo Vida Solidão (1971)
Obras Escolhidas (1978)

Fragmento

Vento do Amanhecer em Macambira

Na tarde seguinte, estávamos no sertão bruto. Se algumas horas antes era ainda as grandes matas de litoral, as terras úmidas e montanhosas, topávamos agora com o deserto do qual não nos libertaríamos. Solidão constante, sob um céu liso. Nenhuma casa lembrando vida, nenhum povoado, nem mesmo o leito vazio de um rio morto. De chuva nem sinal.
Sim, é como lhe digo: tudo morto, inclusive os molambos de gente que os paus-de-arara conduziam para as cabeceiras do São Francisco. Vivos, apenas os mandacarus, os xiquexiques, as palmatórias.

Contato

record@record.com.br

JOSÉ CONDÉ

Very few writers manage to gather in their works universes that are so nonsensical as the small town of Caruaru, in Northeast Pernambuco, and the metropolis of Rio de Janeiro. Born in the former, JOSÉ CONDÉ died in Rio de Janeiro. The highway he transits through takes him from the urban novel to that providing his reunion with his birthplace. While the latter is characterized by a search for a sense of rooting (and its determination), the former is necessarily the place of damnation, of an impossible encounter with one's own soul. Featuring the night dramas that are peculiar in his work, his romantic Copacabana becomes the propitious environment for the heaviest solitude, leading man to the anguish of his condition and insurmountable decadence: any close relationship with the metropolis is banned. On the other hand, in the back country side of his fiction, the historical, the political, and the sociological incorporate a strong dose of humanism, in which such concepts as honor, fidelity, weakness, courage, and tradition characterize the Northeastern man. In both cases, in a tense poetry, the reflection about the intensities of life gets the better.

Review

THE URBAN SOLITUDE FIXATION

"*There is a despair on each corner*, somebody told me one day as we referred to Copacabana's night and cold neon, its bars and *cabarets*, its fugitive shadowy forms, its gaudy and false happiness. When crossing those streets at night, when passing by certain specimens, I would always say to myself: *one day a novelist will appear who will fix these dramas, this anguish, this lovelessness.* I never thought, though, that such novelist would by my friend José Condé, a man from the rural side of Pernambuco." (Jorge Amado, "Os Seres Perdidos de José Condé")

THE REDEEMING DISSATISFACTION

"José Condé's writer career has been beaconed by the mark of dissatisfaction that has forced him to change theme and composition techniques." (M. Cavalcanti Proença, "O Romance de um Egoísta")

Excerpt

Vento do Amanhecer em Macambira (Daybreak Wind in Macambira)

The following afternoon, we reached the rough backlands. If during the previous few hours we had still been able to see the thick coastal forests, the humid high lands, we were then entering the desert from which we would never come out free. Constant solitude, under a cloudless sky. No life-resembling house, no village, not even the dry bed of a dead river. No trace of rain.

Yes, put faith in my words: everything was dead, including the starveling people transported on pick-up trucks to the São Francisco's headwaters. Living, only the cereus, the pilocereus, the prickly pears.

Works

Caminhos na Sombra (1945)
Onda Selvagem (1950)
Histórias da Cidade Morta (1951)
Os Dias Antigos (1955)
Um Ramo para Luísa (1959)
Terra de Caruaru (1960)
Vento do Amanhecer em Macambira (1962)
Os Sete Pecados Capitais (1964)
Noite contra Noite (1965)
Pensão Riso da Noite: Rua das Mágoas (1966)
Como uma Tarde em Dezembro (1969)
Tempo Vida Solidão (1971)
Obras Escolhidas (1978)

Contact

record@record.com.br

JOSÉ DE ALENCAR

JOSÉ DE ALENCAR foi o maior prosador do Romantismo brasileiro e é, até hoje, o ficcionista continuamente mais lido do país (*Iracema*, em 135 anos de existência, recebeu mais de 100 edições). Vivendo entre 1829 e 1877, ele conseguiu com seus romances uma voltagem poética e uma penetração psicológica desconhecidas até então. O que o caracterizou para sempre foi o fato de ter determinado as linhas de força do romance indianista, que, através da idealização do herói nativo, ameríndio, revelou a valorização de uma origem mítica ansiosamente acatada por um Brasil em plena formação nacional. A obra de Alencar, entretanto, ainda teve outros elementos como escopo; além da tríade indianista (*O Guarani*, *Iracema* e *Ubirajara*), que celebrava as raízes singulares do povo e da paisagem brasileira, ela descreveu a vida e o homem das regiões afastadas dos centros do país, perfis de mulheres, romances históricos e excelentes retratos psicológicos da burguesia carioca. O escritor deixou também um ensaio autobiográfico, no qual abordou sua arte com grande refinamento e agudeza exemplar.

Crítica

"O FUTURO CHAMAR-LHE-Á OBRA-PRIMA"
"Tal é o livro do Sr. José de Alencar, fruto do estudo, e da meditação, escrito com sentimento e consciência. [...] Há de viver este livro, tem em si as forças que resistem ao tempo, e dão plena fiança do futuro. [...] Poema lhe chamamos a este, sem curar de saber se é antes uma lenda, se um romance: o futuro chamar-lhe-á obra-prima." (Machado de Assis, "José de Alencar: Iracema")

O PRIMEIRO GRANDE VÔO DA NOVELÍSTICA BRASILEIRA
"Caberia ao maior prosador, José de Alencar, assegurar à nossa novelística o seu primeiro grande vôo literário." (José Guilherme Merquior, "De Anchieta a Euclides")

Obras

Cinco Minutos (1857)
O Guarani (1857)
A Viuvinha (1857)
Lucíola (1862)
Iracema (1865)
As Minas de Prata (1866)
O Gaúcho (1870)
Guerra dos Mascates (1870)
O Tronco do Ipê (1872)
Ubirajara (1874)
Senhora (1875)
O Sertanejo (1875)
Como e Por Que Sou Romancista (1893)

Copyright

Obras em domínio público
— textos livres para publicação

Fragmento

Iracema

Andira, o velho Andira, bebeu mais sangue na guerra do que já beberam cauim nas festas de Tupã, todos quantos guerreiros alumia agora a luz de seus olhos. Ele viu mais combates em sua vida do que luas lhe despiram a fronte. Quanto crânio de potiguara escalpelou sua mão implacável, antes que o tempo lhe arrancasse o primeiro cabelo? E o velho Andira nunca temeu que o inimigo pisasse a terra de seus pais; mas alegrava-se quando ele vinha, e sentia com o faro da guerra a juventude renascer no corpo decrépito, como a árvore seca renasce com o sopro do inverno. A nação tabajara é prudente. Ela deve encostar o tacape da luta para tanger o membi da festa. Celebra, Irapuã, a vinda dos emboabas e deixa que cheguem todos aos nossos campos. Então Andira te promete o banquete da vitória [...].

JOSÉ DE ALENCAR

JOSÉ DE ALENCAR was the greatest prose writer in the Brazilian romanticism, and he is, even today, the most read fiction author in the country (*Iracema*, after 135 years, got more than a hundred editions). He lived from 1829 to 1877, and his novels acquired a poetic voltage and a psychological penetration that was unknown before him. He was characterized forever by determining the lines of force upon the Indianist novel, which, through the idealization of the native hero, the Amerind, brought about the valorization of a mythical origin eagerly accepted by the nation, as Brazil was in the middle of its national formation. The scope of Alencar's work, however, included also other elements; besides the indianist trilogy (*Guarani*, *Iracema* and *Ubirajara*), celebrating the unique roots of the Brazilian landscape and people, he described both the man and the life in the back country and remote settlements, feminine profiles, historical novels, and excellent psychological portraits of Rio de Janeiro's bourgeoisie. The writer left also an autobiographical essay, in which he approached his own work with great refinement and exemplary acuity.

Review

"FUTURE GENERATIONS WILL CALL IT A MASTERPIECE"
"Such is Mr. José de Alencar's book, fruit of his study and meditation, written with feeling and conscience. [...] This book will live: it embeds in itself the forces that not only withstand time, but also provide full bail for the future. [...] We call it a poem, without minding whether it is a legend, or a novel: the future generations will call it a masterpiece." (Machado de Assis, "José de Alencar: Iracema")

THE FIRST GREAT FLIGHT OF BRAZILIAN NOVEL
"It was bestowed upon José de Alencar, our greatest prose writer, to ensure our novel its first great literary flight." (José Guilherme Merquior, "De Anchieta a Euclides")

Excerpt

Iracema

Andira, elder Andira, drank more blood during the war than all cauim ever drunk during Tupã parties by all the warriors who right now provide the light of his eyes. He saw more combats in the course of his life, than moons ever denuded his forehead. How many potiguara skull did his implacable hand scalped before time pulled out his first hair? And elder Andira was never afraid the enemy could step on his parents' land; but he took pleasure when they came, and felt youth being reborn in his decrepit body as he smelled the approach of war, just like the dried tree blossoms again with the blow of winter. Tabajara nation is careful. The hatchet must be retreated before the membi is played in the party. You may now, Irapuã, celebrate the arrival of the emboabas, and allow they all come near our fields. Then Andira promises you the victory banquet [...].

Works

Cinco Minutos (1857)
O Guarani (1857)
A Viuvinha (1857)
Lucíola (1862)
Iracema (1865)
As Minas de Prata (1866)
O Gaúcho (1870)
Guerra dos Mascates (1870)
O Tronco do Ipê (1872)
Ubirajara (1874)
Senhora (1875)
O Sertanejo (1875)
Como e Por Que Sou Romancista (1893)

Copyright

Works in public domain
— texts available for publication

JOSÉ DE ANCHIETA

Chegado à colônia em 1553 com a Companhia de Jesus, o chamado Apóstolo do Brasil foi o primeiro intelectual a atuar no país: em tupi, português, espanhol e latim, ele escreveu poemas líricos, dramas, cartas sobre filologia, além de ter sido o primeiro e maior educador religioso europeu a catequizar os índios em sua própria terra natal, o que também lhe deu o título de Patrono dos Professores. Essa atividade de JOSÉ DE ANCHIETA, à época, historicamente original, resultou numa aculturação lingüística e espiritual determinante para a formação do futuro povo mestiço nacional. Se, por um lado, as forças do poder colonizador impunham uma nova representação maniqueísta ou dualista do sagrado, por outro, o cristianismo tinha de receber alguns influxos da crença tupi. O jesuíta conseguiu os resultados educacionais mais favoráveis ao objetivo almejado através de um teatro (em língua tupi) que soube se adaptar ao novo ambiente. Nesse princípio de mescla entre o pensamento colonizador e o autóctone, entre essas duas linguagens, nasce a literatura nacional, de um Barroco singularmente moldado às novas exigências do país.

Crítica

TRANSPONDO OCEANOS SIMBÓLICOS
"O projeto de transpor para a fala do índio a mensagem católica demandava um esforço de penetrar no imaginário do outro, e este foi o empenho do primeiro apóstolo. Na passagem de uma esfera simbólica para outra, Anchieta encontrou óbices por vezes incontornáveis. Como dizer aos tupis, por exemplo, a palavra *pecado*, se eles careciam até mesmo de sua noção, ao menos no registro que esta assumira ao longo da Idade Média européia? Anchieta, neste e em outros casos extremos, prefere enxertar o vocábulo português no tronco do idioma nativo." (Alfredo Bosi, "Anchieta ou as Flechas Opostas do Sagrado")

O INFATIGÁVEL
"Fez-se professor de primeiras letras, de latim, não só de irmãos como de sacerdotes, do padre Manuel de Paiva, por exemplo, superior da missão. Para suprir a falta de livros de ensino perdia parte da noite a trasladá-los. Fazia peças manuais próprias ao escambo com os vizinhos que ajudaram a minguar a fome." (J. Capistrano de Abreu, "Ensaios e Estudos")

Obras

Auto da Pregação Universal (1570)
Diálogo do Pe Pero Dias Martir (1571)
Na Festa de Natal ou Pregação (1577)
Na Aldeia de Guapimirim (1580)
Excerto do Auto de S. Sebastião (1584)
Arte de Gramática da Língua Tupi (1595)
Auto da Visitação de Sta. Isabel (1597)
Cartas, Informações e Sermões (1933)
De Beata Virgine (1940)
Capitania de São Vicente (1946)
De Gestis de Men de Sá (1958)
Poesias (1959)
Obras Completas (1985)

Fragmento

Carta ao Geral Diogo Lainez, de São Vicente, a 16 de Abril de 1563

[...] *falamos-lhe que o queríamos batizar para que sua alma não se perdesse, mas que por então não podíamos ensinar-lhe o que era necessário por falta de tempo, e que estivesse preparado para quando voltássemos. Folgou ele tanto com esta notícia, como vinda do Céu, e teve-a tanto em memória, que agora quando viemos e lhe perguntamos se queria ser Cristão, respondeu com muita alegria que sim, e que já desde então o estava esperando* [...] *O que se lhe imprimiu foi o mistério da Ressurreição, que ele repetia muitas vezes dizendo: "Deus verdadeiro é Jesus, que saiu da sepultura e subiu ao Céu, e depois há de vir, muito irado, a queimar todas as cousas"* [...]

Copyright

Obras em domínio público
— textos livres para publicação

JOSÉ DE ANCHIETA

The Apostle from Brazil came to the colony in 1553 with the Society of Jesus. He was the first intellectual to work in the country: in Tupi, Portuguese, Spanish and Latin, he wrote lyrical poems, dramas, epistles, and philology, besides being the first and greatest European religious educator to catechize the Indians in their own homeland. This ensured him the title of Patron of the Teachers. JOSÉ DE ANCHIETA's activity, at the time historically original, resulted in a linguistic and spiritual acculturation that was decisive in the formation of the future national mestizo people. If, on the one hand, the colonizing power imposed a new Manichean or dualist representation of the sacred, on the other hand, Christianity had to receive some influxes from the Tupi faith. Anchieta managed to achieve the educational results most favorable to such objective by means of drama (in Tupi language) befitting the new environment. In that incipient blending between the settler thought and the autochthonous thought, between the two languages, the national literature was born, from a Baroque singularly molded to the new demands of the country.

Review

ACROSS SYMBOLIC OCEANS

"The project of transposing the Catholic message into the Indian speech required an effort to penetrate the another culture's imagery, and such was the first apostle's determination. In the transition from one symbolic sphere onto another, Anchieta found obstacles some times insurmountable. For example, how to explain the word *sin* to the Tupis if they lacked even the notion of such meaning, at least in the sense this word had evolved over the European Middle Age? Achieta, in this and in other extreme cases, chose to introduce the Portuguese word in the native language linguistic trunk." (Alfredo Bosi, "Anchieta ou as Flechas Opostas do Sagrado")

THE INDEFATIGABLE

"He became a Latin first-letter teacher, not only for the brethren, but also for priests, for example, Father Manoel de Paiva, the mission superior. In order to make up for the lack of text books, he would spend part of the night transcribing them. He would produce handicraft pieces suitable for the exchange with his neighbors, and this helped him mitigate the hunger." (J. Capistrano de Abreu, "Ensaios e Estudos")

Excerpt

Carta ao Geral Diogo Lainez, de São Vicente, a 16 de Abril de 1563
(Letter to Prior Diogo Lainez, from São Vicente, on April 16, 1563)

[...] we told him we had the intention to baptize him so that his soul would not be lost, but we also said that for the time being it would not be able to teach him what was necessary because time was too short, and we recommended him to prepare for when we come back. He was so pleased by this news, as if it had come straight from Heaven, and he cherished it so much in his memory, that now, as we came and asked him whether he would like to be Christianized, he gleefully said 'yes,' and added that he had been waiting ever since [...] The mystery of the Resurrection impressed him most, and he would repeat several times by saying: "True God is Jesus, who came out of his grave and arose up to Heaven, and then he must come back, very angry, to burn all things" [...]

Works

Auto da Pregação Universal (1570)
Diálogo do P.e Pero Dias Martir (1571)
Na Festa de Natal ou Pregação (1577)
Na Aldeia de Guapimirim (1580)
Excerto do Auto de S. Sebastião (1584)
Arte de Gramática da Língua Tupi (1595)
Auto da Visitação de Sta. Isabel (1597)
Cartas, Informações e Sermões (1933)
De Beata Virgine (1940)
Capitania de São Vicente (1946)
De Gestis de Men de Sá (1958)
Poesias (1959)
Obras Completas (1985)

Copyright

Works in public domain
— texts available for publication

JOSÉ DO PATROCÍNIO

Tendo vivido entre 1853 e 1905, para a época, JOSÉ DO PATROCÍNIO foi, em si mesmo, uma contradição étnica, civil e social que soube se tornar das mais virtuosas, harmonizando o pensamento da elite intelectual com sua característica pessoal popular. Mulato, filho de pai branco senhor de escravos e de mãe negra, escrava do homem que a engravidou, sua apaixonada luta pela abolição da escravatura sem qualquer indenização aos proprietários estava impregnada de uma carga afetiva vital. Acreditando que a abolição era a condição de possibilidade da República, o popular Zé do Pato, com sua extrema vocação oratória, além de ter sido vereador, soube levar para as ruas uma luta que, até então, se restringia ao parlamento. Assim, com o *coração nos lábios*, agitando as multidões tanto pelos jornais quanto nas praças públicas, ele foi o personagem principal do primeiro grande movimento político popular da história do país, que alcançou êxito definitivo em 1888. Seus romances têm qualidades, mas são os textos abolicionistas que, segundo o poeta Olavo Bilac, reunidos, constituem o *mais belo poema da Justiça*.

Crítica

A RADICALIZAÇÃO EM PROL DA LIBERDADE
"De 1880 a 1889, Patrocínio dedicou-se integralmente à causa da libertação dos escravos e à luta contra os que exigiam indenização. Primeiro na *Gazeta de Notícias* (1878), depois na *Gazeta da Tarde* (1881), finalmente na *Cidade do Rio* (1887), jornal que comprou com a ajuda do sogro. A passagem de um jornal para outro significava sempre uma escalada no radicalismo da luta." (José Murilo de Carvalho, "Com o Coração nos Lábios")

DE DENTRO DA NEGRA MEMÓRIA AFETIVA
"Chegado é o momento em que se deve, primeiro, pedir a atenção de um futuro leitor, devidamente munido de conhecimento etnológico, para estudar a importância que o texto de Patrocínio possa ter dentro da história das idéias no Brasil. O negro aparece aqui, não sob um disfarce branco, mas visto com olhos de *dentro*. Aqui é o momento em que se deve, em seguida, articular uma hipótese: tal conhecimento das coisas negras, por parte de José do Patrocínio, não viria das suas leituras, mas derivava de um trabalho inconsciente ao nível de sua própria *memória afetiva*." (Silviano Santiago, "Desvios da Ficção")

Obras

Os Ferrões (1875)
Mota Coqueiro ou a Pena de Morte (1867)
Os Retirantes (1879)
Manifesto da Confederação Abolicionista (1883)
Pedro Espanhol (1884)
Páginas Escolhidas (1906)
A Campanha Abolicionista (1996)

Copyright

Obras em domínio público
— textos livres para publicação

Fragmento

Semana Política

Estamos em plena aurora. Dentro em três dias vai começar a história moderna do Brasil e fechar-se a triste história dos tempos bárbaros da nossa terra. Não é possível imaginar de um lance de pensamento o que será todo esse iluminado futuro, não obstante o presente fornecer-nos o esboço do que ele será nos largos traços dos acontecimentos que nos surpreendem. O que está por trás do dia 3 de maio não cabe na previsão dos políticos e não é demasiado otimismo profetizar que a nossa evolução nacional será feita com a mesma rapidez da dos Estados Unidos. As estrelas do sul dentro em um quarto de século não invejarão o fulgor da constelação do norte. [...] Nada mais extraordinário: bastaram o atrito da imprensa e o calor da palavra para limar e fundir os grilhões de três séculos de cativeiro. A alma nacional mostrou-se preparada em todas as camadas sociais para praticar e receber a liberdade. Em nenhuma outra história do mundo se encontram páginas como as que se têm escrito ultimamente em nossa terra.

JOSÉ DO PATROCÍNIO

Living between 1853 and 1905, JOSÉ DO PATROCÍNIO was in his time an ethnic, civil, and social contradiction. But he managed to make it very virtuous by harmonizing the thinking of the intellectual elite with his popular personal characteristic. He himself a mulatto, the son of a white slave master and a black mother, slave to the man who made her pregnant, his passionate struggles for the abolition of slavery without any compensation to the masters was impregnated with a vital affectionate zeal. Believing that abolition was the only condition for the Republic, the famous Zé do Pato, with his oratorical skills, besides being an alderman, knew how to take to the streets a struggle that, until then, was restricted to the parliament. This way, *speaking from the heart*, hopping up the crowds, both through the newspapers and speaking from soapboxes, he was the leading character in the first great popular political movement in the history of the country, whose main goal was definitively reached in 1888. His novels proved to have qualities, but his abolitionist texts, according to poet Olavo Bilac, when put together, constitute *the most beautiful poem about Justice*.

Review

RADICALIZATION FOR FREEDOM

"From 1880 to 1889, Patrocínio was fully devoted to the abolitionist cause, and to the fight against those demanding compensation. First in *Gazeta de Notícias* (1878), then in *Gazeta da Tarde* (1881), and eventually in the newspaper he bought in partnership with his father-in-law: *Cidade do Rio* (1887). The moving from one newspaper to the next always meant an escalade in the radicalism of the fight." (José Murilo de Carvalho, "Com o Coração nos Lábios")

FROM THE HEART OF A BLACK AFFECTIONATE MEMORY

"This is the moment to ask, first, the attention from a future reader who, holding the proper ethnological knowledge, is ready to appreciate the full importance a text by Patrocínio may have in the history of ideas in Brazil. The black appears here, not under a white disguise, but seen through the eyes of the *heart*. This is the moment, then, to formulate a hypothesis: such knowledge about black people's issues by José do Patrocínio would not come from his readings, but it would rather flow from an unconscious work at the level of his own *affectionate memory*." (Silviano Santiago, "Desvios da Ficção")

Excerpt

Semana Política (Political Week)

There comes the dawn. In a three-day time we will see the rising of Brazil modern history and the closing of this sad history when barbaric times prevailed on our land. It is not possible to picture in a while what this shining future will be; however, the present days provide us with an outline of what it will be as we consider the squares lines of the events currently amazing us. What lies behind the 3rd of May does not fit in the politicians forecast, and it is not overoptimistic to prophesy that our national development will be as quick as the United States development. Within a fourth of a century, the southern stars won't envy the splendor of the northern constellation. [...] Nothing could be more extraordinary: the attrition from the press and the heat of the word were enough to file and melt the chains of a three-century captivity. The national soul was completely prepared in all social layers to practice and receive freedom. Nowhere in the world history pages like those currently written in our land can be found.

Works

Os Ferrões (1875)
Mota Coqueiro ou a Pena de Morte (1867)
Os Retirantes (1879)
Manifesto da Confederação Abolicionista (1883)
Pedro Espanhol (1884)
Páginas Escolhidas (1906)
A Campanha Abolicionista (1996)

Copyright

Works in public domain — texts available for publication

JOSÉ GUILHERME MERQUIOR

O acadêmico JOSÉ GUILHERME MERQUIOR tem uma passagem fulgurante pelo cenário intelectual brasileiro. Com apenas 19 anos já publica artigos sobre literatura no *Jornal do Brasil* e aos 24 edita seus primeiros ensaios, logo constituindo uma sólida reputação no âmbito literário, chegando mesmo a ser considerado como um dos grandes nomes da crítica contemporânea. Seguindo a carreira diplomática, faz vários cursos universitários no Brasil e no exterior, titulando-se em direito, filosofia, antropologia, letras e sociologia. Destaca-se, sobretudo, pela erudição e por seu caráter sempre polêmico, elegendo como alvos principais de seus ataques a psicanálise, o marxismo e o formalismo estético; também não poupa críticas a nomes como Jacques Lacan, Michel Foucault, Roland Barthes, Theodor Adorno, Martin Heidegger e outras sumidades. Aos 41 anos de idade, é um dos mais jovens escritores a se tornar membro da Academia Brasileira de Letras. Falecendo aos 49 anos, Merquior deixa livros importantes em filosofia, crítica literária e literatura brasileira.

Crítica

DESBRAVANDO A LITERATURA
"Uma das qualidades deste livro de José Guilherme Merquior reside precisamente em devolver ao texto crítico a acessibilidade de que ele vem perigosamente se afastando. Não se trata [...] de ignorar a complexidade da obra literária nem de reduzir a qualidade da análise, mas de, preservando esta e tendo em vista aquela, abrir as picadas necessárias ao conhecimento da obra analisada. Tal método não exclui o aspecto criador e revelador da crítica literária, antes o possibilita, exatamente porque a deixa livre dos esquemas e das idéias preconcebidas..." (Ferreira Gullar, orelha a "De Anchieta a Euclides")

ERUDIÇÃO E ABERTURA
"O que espanta em José Guilherme Merquior não é tanto a quantidade de leitura que tem (que é enorme e espantosa) mas, sim, o fato de ter digerido, assimilado e domesticado tudo aquilo que leu. Começou, assim, o duro ofício do crítico de poesia com uma bagagem cultural definida e com olhos amplos para ver o mundo. Aliviava isto a diretriz intransigente de saber o Brasil poeticamente." (Sérgio Tapajós, orelha a "Marcuse, Adorno e Benjamin")

Obras

O Estruturalismo dos Pobres e outras Questões (1975)
Verso e Universo em Drummond (1976)
De Anchieta a Euclides (1977)
Rousseau and Weber (1980)
O Fantasma Romântico e outros Ensaios (1980)
As Idéias e as Formas (1981)
A Natureza do Processo (1982)
O Elixir do Apocalipse (1983)
O Argumento Liberal (1983)
Michel Foucault, ou o Niilismo de Cátedra (1985)
Crítica (1990)
De Praga a Paris: uma Crítica do Estruturalismo e do Pensamento Pós-Estruturalista (1991)
O Véu e a Máscara (1997)

Contato

sac@novafronteira.com.br

Fragmento

De Anchieta a Euclides: Breve História da Literatura Brasileira

Na literatura ocidental, o simbolismo, que nasceu na França em torno de 1870, e floresceu em quase toda a Europa, juntamente com as correntes "decadentistas" dos anos 80 e 90, integra o complexo estilístico do "Segundo Oitocentos" — o estilo pós-romântico, uno mas heterogêneo. A poética simbolista teve sua maior fonte em Baudelaire, e seus principais modelos em Stéphane Mallarmé (1842-98), Paul Verlaine (1844-96) e Arthur Rimbaud (1854-91). Partilhou com a poesia parnasiana o anti-sentimentalismo, a repulsa à egolatria romântica, o gosto pela palavra rara (que não recuará diante do neologismo) e o culto da forma, substituindo a mística da inspiração, dominante no baixo Romantismo, pelo lavor do verso ou da frase "artística". Mas os simbolistas, insurgindo-se contra o império imediato e positivo em arte, exaltaram o poder de vidência da poesia — embora nem sempre (ao contrário do que geralmente se crê) em termos espiritualistas.

JOSÉ GUILHERME MERQUIOR

The Brazilian Literary Academy member JOSÉ GUILHERME MERQUIOR had a sparkling passage in the Brazilian intellectual scenario. At the age of 19, he was already having his articles on literature published in *Jornal do Brasil*, and at the age of 24 he published his first essays, soon building a solid reputation in the literary context, being regarded as one of the great names in the contemporary critic. Pursuing a diplomatic career, he took a number of university courses both in Brazil and abroad. He received degrees in Law, Philosophy, Anthropology, Letters, and Sociology. He stands out above all for his erudition and for his always controversial character, choosing the psychoanalysis, the Marxism and the aesthetic formalism as main targets for his attacks; he also concentrated his fire on such names as Jacques Lacan, Michel Foucault, Roland Barthes, Theodor Adorno, Martin Heidegger, and other geniuses. At the age of 41, he was one of the youngest writers to be admitted as a member of the Brazilian Literary Academy. He died at the age of 49. Merquior literary legacy includes important books on philosophy, literary critic, and Brazilian literature.

Review

EXPLORING LITERATURE

"One of the qualities of this book by José Guilherme Merquior is precisely to restore in the critical text the accessibility it has been dangerously deflecting from. It is a question [...] of ignoring the literary work complexity, or lessening the quality of the analysis, but rather of, by preserving the latter and bearing the former in mind, opening the paths necessary to understand the work analyzed. Such a method will not exclude the literary critic creative and revealing aspect, it will, rather, make it possible precisely by setting it free from schemes and preconceived ideas." (Ferreira Gullar, flap in "De Anchieta a Euclides")

ERUDITION AND OPENNESS

"The amazing thing about José Guilherme Merquior is not the amount of reading he amassed for himself (which is enormous and astounding) but, rather, the fact that he digested, assimilated, and domesticated all he read. Thus the hard activity of a poetry critic began, with a defined cultural inventory and eyes wide open to see the world. This was attenuated by an uncompromising determination to know Brazil poetically." (Sérgio Tapajós, flap in "Marcuse, Adorno e Benjamin")

Excerpt

De Anchieta a Euclides: Breve História da Literatura Brasileira (From Anchieta to Euclides: a Brief History of Brazilian Literature)

Symbolism, originating in France around 1870 and blooming nearly in the whole Europe, together with the "Decadent" currents of the 1880's and 1890's, make up, in the western literature, the stylistic complex known as the "Second Eight-hundred" — the post-Romantic style, united though heterogeneous. The Symbolist poetry had Baudelaire as its most important source, and Stéphane Mallarmé (1842-98), Paul Verlaine (1844-96) and Arthur Rimbaud (1854-91) as chief models. Besides, it shared with the Parnassian poetry the anti-sentimentality, the repulsion to the romantic self-admiration, the taste for the rare word (which would not withdraw in front of a neologism) and the form cult, replacing the mystic of inspiration that prevailed in the low romanticism, the taste for the painstaking verse or "artistic" sentence. However, the symbolists, rebelling against the immediate and positive empire in art, exalted the poetry's clairvoyance power — although not always (unlike what is usually believed) in spiritualistic terms.

Works

O Estruturalismo dos Pobres e outras Questões (1975)
Verso e Universo em Drummond (1976)
De Anchieta a Euclides (1977)
Rousseau and Weber (1980)
O Fantasma Romântico e outros Ensaios (1980)
As Idéias e as Formas (1981)
A Natureza do Processo (1982)
O Elixir do Apocalipse (1983)
O Argumento Liberal (1983)
Michel Foucault, ou o Niilismo de Cátedra (1985)
Crítica (1990)
De Praga a Paris: uma Crítica do Estruturalismo e do Pensamento Pós-Estruturalista (1991)
O Véu e a Máscara (1997)

Contact

sac@novafronteira.com.br

JOSÉ J. VEIGA

Muitas leituras já foram estabelecidas da obra de JOSÉ J. VEIGA, vinculando-a a uma crítica do poder político ditatorial que se instaurou no Brasil a partir de 1964. Se é possível estabelecê-las, tais interpretações são redutoras de uma literatura alegórica como essa, repleta de múltiplos sentidos em camadas de pensamentos que se vão revelando, inesgotavelmente, umas sob as outras. Suas histórias mostram o que há de mais fantástico nos esconderijos do próprio mundo visível, conquistando a capacidade de serem exemplares, ou seja, paradigmáticas às situações mais distintas. Em qualquer cidade de um interior anônimo e pacato, num tempo histórico indeterminado, a rotina é quebrada pela irrupção do inesperado que carrega consigo uma dinâmica impessoal e poderosa. Diante da impotência completa das pessoas, que têm de se habituar ao desconforto do insólito, qualquer explicação da causalidade do acontecimento é suspensa, assim como se dá gratuitamente a possível dissolução do imprevisto. Os contos, romances e novelas de José J. Veiga adquirem a feição de mitos universais da realidade humana na face da Terra.

Crítica

À COMPLETA REVELIA DAS PESSOAS
"Na origem desconhecida do poder reside o efeito de horror que a ficção de José J. Veiga é capaz de transmitir ao leitor, pois, se tudo é decidido à revelia dos homens, não existem, consolidados e irreconciliáveis, os campos marcados do bem e do mal." (Alcmeno Bastos, "Insondáveis São os Desígnios do Poder: A Ficção de José J. Veiga")

INDAGAÇÕES REFINADAS
"Como a boa literatura em geral, a de José J. Veiga nada explica, tudo indaga. Escritor meticuloso, constrói textos refinados numa linguagem saborosa e lúdica, acessível ao grande público." (Ruy Proença, "A Estranheza Domesticada")

Obras

Os Cavalinhos de Platiplanto (1959)
A Hora dos Ruminantes (1966)
Sombras dos Reis Barbudos (1972)
Os Pecados da Tribo (1975)
Aquele Mundo de Vazabarros (1982)
Torvelinho Dia e Noite (1985)
A Casca da Serpente (1989)
O Risonho Cavalo do Príncipe (1992)
O Relógio Belisário (1995)
Objetos Turbulentos (1997)

Contato

bdnet@ism.com.br

Fragmento

A Hora dos Ruminantes

Às vezes a lua era vedada por uma massa escura de nuvens, mas isso não diminuía o entusiasmo do povo. Meninos acenderam fogueira na porta da igreja, gente grande reuniu-se em volta para aproveitar o calor, apareceram garrafas em várias mãos, até meninos provaram, ninguém censurou porque a noite era de todos, merecida. Os cachorros também, tanto tempo presos em casa, ou amarrados para não espantarem os bois, saíram para comemorar a desocupação, pulavam em volta dos donos, montavam uns nos outros, rosnavam e se mordiam de brincadeira, metiam-se em correrias por entre as pernas das pessoas e não sofriam ralhos nem pancadas, reconhecia-se que eles também tinham o direito de estar alegres. [...] Ainda não era hora de falar, de conferir idéias. A manhã já vinha chegando, voltavam as apreensões. O passado já estava vencido, bem ou mal. Até o medo, agüentado sabe-se lá como, era agora um ganho. Mas os males ainda inéditos, o trabalho de passar a vida a limpo, as revisões, o desentulho... — saberiam eles aproveitar certo as lições?

JOSÉ J. VEIGA

Many readings have been done of JOSÉ J. VEIGA's work associating it with a critic against the dictatorship established in Brazil in 1964 on. If such relationship were true, this interpretation would reduce the value of such an allegoric literature, full of multiple meanings revealed in endless, overlapping layers of thought. Veiga's stories show the most fantastic aspects of the hideouts in the very visible world, being able to become exemplary, that is, paradigms of the most peculiar situations. In any anonymous and peaceful small town, at an undetermined historical time, the routine is broken by the irruption of the unexpected, which brings along an impersonal and powerful dynamic. In view of the total helplessness of people, forced to endure an offbeat discomfort, any explanation to such happenstance is suspended, just as gratuitously as the startling event disappear. José J. Veiga's short stories, novels, and novellas gain the features of human reality universal myths on earth.

Review

WITHOUT PEOPLE'S CONSENT

"In the mysterious origin of power lies the effect of the horror José J. Veiga's fiction is able to convey, for if everything is decided without men's consent, the conspicuous fields of good and evil do not exist consolidated and irreconcilable." (Alcmeno Bastos, "Insondáveis São os Desígnios do Poder: A Ficção de José J. Veiga")

ENTRANCING INQUIRIES

"Like all good literature in general, Jose J. Veiga's explains nothing, but inquiries about everything. A meticulous writer, he builds refined texts by using an entrancing and playful language that is accessible to all kinds of readers." (Ruy Proença, "A Estranheza Domesticada")

Excerpt

A Hora dos Ruminantes (The Turn of the Ruminants)

Sometimes the moon was barred by a dark mass of clouds, but that would not assuage people's enthusiasm. A few boys lit a bonfire in front of the church, grownups gathered around it for the heat, bottles appeared in many hands, even the boys sipped from them, but nobody chided them because that was everybody's night and was well-deserved. Even the dogs, after being confined in the houses for so long or tied lest they would chase away the oxen, were out to celebrate the freedom. They would jump around their masters, climb upon one another, snarl and bite one another playfully, engage in races between people's legs and were not told off or beaten; it was reckoned that they also had the right to be gay. [...] That was not yet the time to speak, to check ideas. Dawning was coming near, worries were coming back. In a way the past had already been defeated. Even fear, endured nobody knows how, was now a boon. But the evil yet to come, the task of starting anew, the reviews, the debris... — would they be able to make good avail of the lessons?

Works

Os Cavalinhos de Platiplanto (1959)
A Hora dos Ruminantes (1966)
Sombras dos Reis Barbudos (1972)
Os Pecados da Tribo (1975)
Aquele Mundo de Vazabarros (1982)
Torvelinho Dia e Noite (1985)
A Casca da Serpente (1989)
O Risonho Cavalo do Príncipe (1992)
O Relógio Belisário (1995)
Objetos Turbulentos (1997)

Contact

bdnet@ism.com.br

JOSÉ LINS DO RÊGO

Sou um literato da cabeça aos pés e nada me arreda de arrancar das entranhas da terra a seiva dos meus romances, é como se autodefine o ficcionista do regionalismo nordestino JOSÉ LINS DO RÊGO, cuja obra, identificada ao seu povo e à sua terra, abarca três ciclos, dois dos quais inteiramente dedicados à frase mencionada: o da cana-de-açúcar e o do cangaço, do misticismo e da seca. Se, em seus livros, a presença da seca, das enchentes e dos perversos fenômenos naturais em geral são extremamente marcantes, calamidade ainda maior é o sistema político-social da região abordada, caracterizado pela origem patriarcal, escravagista, latifundiária e "coronelista". Mostrando o conflito entre os proprietários feudais e os "sem-terra", questão que continua sem solução no país, essa obra de denúncia social investe contra as desigualdades existentes, contra a pobreza, a submissão e o desamparo. José Lins do Rêgo incorpora elementos do Modernismo de 1922 à interpretação freyriana, e, tendo o senhor de engenho como personagem principal, mostra as tensões inerentes às relações entre a casa-grande e a senzala.

Crítica

A PERPLEXIDADE DO ÍNTIMO E DO ESTRANHO
"O sertão de Lins do Rêgo é sobretudo uma *terra de doideira*. Os personagens têm visões tresloucadas uns dos outros. Por isso nada dá certo, e o único caminho é o da fuga. Ainda assim, e de modo curioso, Lins do Rêgo não deixou de apontar aquele traço íntimo e estranho que pode reunir homem e natureza e, em meio a tanta violência, trazer à luz uma perplexidade cheia de reverência diante do fenômeno humano." (Flávio Aguiar, "Veredas Comuns")

ARTE E REALIDADE NA DENÚNCIA SOCIAL
"A sua é quase uma obra sociológica, de denúncia social contra as terríveis desigualdades dos grotões e dos mundéus no semi-árido, escrita por um autor identificado com o seu chão e o seu povo, exuberante, primitivista e telúrico. [...] Ele foi um dos nossos mais ricos e férteis escritores de ficção realista, inspirado nas mais legítimas fontes nordestinas, com uma talentosa combinação entre arte e realidade." (Murilo Melo Filho, "José Lins do Rêgo: Cem Anos")

Obras

Menino de Engenho (1932)
Doidinho (1933)
Bangüê (1934)
Moleque Ricardo (1935)
Usina (1936)
Pureza (1937)
Pedra Bonita (1938)
Riacho Doce (1939)
Fogo Morto (1943)
Eurídice (1947)
Cangaceiros (1953)
Presença do Nordeste na Literatura (1957)
Ficção Completa (1976)

Contato

joeditor@unisys.com.br

Fragmento

Menino de Engenho

As filhas do Tio João, quando chegavam no engenho, revolucionavam os hábitos pacatos da casa-grande. Só viviam trancadas nos banhos mornos, dando trabalho às negras, lendo romances nas cadeiras de balanço. Punham esteiras de piripiri por cima dos quartos delas, porque tinham medo da telha-vã: podia cair bicho de lá. Os moleques passavam o dia inteiro espantando os sapos das calçadas. Elas corriam das baratas, aos gritos. E até em nós esta influência se exercia: não tirávamos os sapatos dos pés, por causa da gente do Recife. A Tia Maria desdobrava-se em cuidados, temendo a língua das parentas civilizadas. Uma delas dissera em carta para uma amiga da cidade que o povo do Santa Rosa só tinha de gente os olhos. E enchiam a casa de chiliques e de cheiros de extrato. Aos domingos iam de chapéu à missa do Pilar. E censuravam o pessoal do engenho, porque, a meia légua da igreja, ficava em casa nos dias de obrigação.

JOSÉ LINS DO RÊGO

I am a writer from head to toe and nothing will ever keep me from wresting the lifeblood of my novels from the bowels of the earth. This is how Northeastern regionalism fictionist JOSÉ LINS DO RÊGO describes himself. His work, identified with his people and his land, encompasses three cycles, two of which entirely dedicated to the quotation above: the sugarcane and outlawry cycle, the mysticism and drought cycle. If it is true that in his books the drought, the flooding, and the wayward nature phenomena in general have a weighty presence, an even weightiest calamity is the predominant political-social system in the region, which is characterized by the patriarchal, proslavery, latifundia, and "chieftain-oriented" origin. By portraying the conflict between the fiefdom proprietors and the "landless laborers", an issue still unsolved in the country, Rego's social accusation work charges against the existing inequalities, against poverty, submission and helplessness. José Lins do Rêgo incorporates elements from 1922's modernism into Freyre's interpretation. As Rêgo's protagonist is the sugarcane mill master, he depicts the tensions inherent to the relationships between the farmhouse and the slaves quarter.

Review

THE PERPLEXITY OF INTIMATE AND STRANGE
"Lins do Rêgo's outback is above all a *madness land*. The characters have crazy perceptions of each other. Therefore, nothing works, and escaping is the only way. Nevertheless, and in a rather intriguing way, Lins do Rêgo did not fail to pinpoint that intimate and strange line that may unite man and nature, and, amid so much violence, to bring to light a perplexity full of reverence in face of the human phenomenon."
(Flávio Aguiar, "Veredas Comuns")

ART AND REALITY IN THE SOCIAL ACCUSATION
His is almost a sociological work, a social accusation against the awful inequalities prevailing in the deep valleys and in the semi-arid vastness, written by an author identified with his native homeland and his people, exuberant, primitivist and tellurian. [...] He was one of our richest and most fertile realistic fiction writers, inspired in the most legitimate Northeastern sources, talentedly combining art with reality." (Murilo Melo Filho, "José Lins do Rêgo: Cem Anos")

Excerpt

Menino de Engenho (Sugar Cane Mill Boy)

Uncle João's daughters would, on arriving at the mill, upheave the peaceful habits in the farmhouse. They would be always locked indoors for the lukewarm baths, bringing about a lot of work to the black handmaids, reading novels in the rocking chairs. They would place piripiri mats over their rooms because they were afraid of the ceilingless roof: a bug could fall from the roof. The little black boys would spend the whole day chasing toads away from the paths. They would scream and take flight at the sight of cockroaches. And even we would feel their influence: we could not take off the shoes because of those people from Recife. Aunt Maria would be all care, fearing the civilized relatives' gossiping. One of them had once written in a letter to a city friend that the only human trait in Santa Rosa's people was their eyes. And they would fill the house with nervous fits and perfumes. On Sundays they would attend mass at Pilar wearing hats. And they would criticize the mill people for staying home in the days of obligation when they lived just a half league from the church.

Works

Menino de Engenho (1932)
Doidinho (1933)
Bangüê (1934)
Moleque Ricardo (1935)
Usina (1936)
Pureza (1937)
Pedra Bonita (1938)
Riacho Doce (1939)
Fogo Morto (1943)
Eurídice (1947)
Cangaceiros (1953)
Presença do Nordeste na Literatura (1957)
Ficção Completa (1976)

Contact

joeditor@unisys.com.br

JOSÉ MURILO DE CARVALHO

Como se sabe pelo menos desde Kant, A *coisa em si* subsiste independentemente de toda representação que se pode dela fazer. Queira-se ou não, portanto, qualquer ser humano que se aventure ao processo do conhecimento está sempre no âmbito da criação. É partindo desse pressuposto filosófico que JOSÉ MURILO DE CARVALHO estabelece seus ensaios de historiador. Preocupado, além de fazer história do Brasil (seguindo uma tradição que remonta a Capistrano de Abreu), fazê-la, qualitativa e autenticamente, no Brasil, o autor trabalha suas temáticas buscando interpretar a dinâmica conflituosa da construção do imaginário político-social através de seus símbolos. Utilizando-se das fontes tradicionais em sua área, esse professor do Instituto de Filosofia e Ciências Sociais da UFRJ, detentor de diversos prêmios, também faz amplo uso do material cultural da nação, como imagens plásticas, música, literatura, charges etc. para se aproximar dos conceitos de nação, cidadania, justiça, liberdade e outras questões de grande importância para o Brasil contemporâneo.

Crítica

A EXCELÊNCIA DO HISTORIADOR
"Nessa linhagem, José Murilo de Carvalho tem publicado ensaios de excelente qualidade. Ele se pergunta sobre a possibilidade ou a conveniência de escrever ou reescrever a 'história geral' de extração varnhageniana e elogia Francisco Iglésias (1923-1999) por ser um 'crítico de história', não um historiador nos moldes convencionais." (Wilson Martins, *O Globo*)

UM EMBATE SIMBÓLICO
"Assim, o que vemos na obra de José Murilo é um embate simbólico, restrito aos grupos políticos formalmente constituídos, com marcada ausência do grosso da população. Esta última, quando surge em cena, desempenha somente papéis decorativos, ou legitimadores do interesse de algum outro grupo." (André Porto Ancona Lopez, *Revista Diálogos*)

Obras

A Escola de Minas de Ouro Preto (1978)
A Construção da Ordem (1980)
Os Bestializados (1987)
Teatro de Sombras (1988)
A Formação das Almas (1990)
A Monarquia Brasileira (1993)
Desenvolvimiento de la Ciudadania en Brasil (1995)
Pontos e Bordados (1999)
Cidadania no Brasil (2001)

Contato

editores@companhiadasletras.com.br

Fragmento

A Construção da Ordem e Teatro de Sombras

Ao estudarmos o Brasil do século XIX deparamos com um fato de cuja importância os contemporâneos brasileiros tinham mais nítida consciência do que os analistas posteriores. Trata-se da grande diferença verificada na evolução das colônias espanhola e portuguesa da América que tão profundamente afetaria o futuro dos países da região. A busca renovada de fatores explicativos do fenômeno poderá contribuir para a melhor apreensão da natureza do processo político brasileiro.
A nível político, a diferença concentra-se em dois pontos principais. O primeiro refere-se à manutenção da unidade política em um caso e à fragmentação no outro. No início do século XIX a colônia espanhola dividia-se administrativamente [...]. Em contraste, as 18 capitanias gerais da colônia portuguesa, existentes em 1820, formavam, já em 1825, vencida a Confederação do Equador, um único país independente. O segundo aspecto da diferença diz respeito ao tipo de sistema político implantado. Ao passo que a grande maioria dos países oriundos da ex-colônia espanhola passava por longo período anárquico e muitos só chegavam a organizar o poder em bases mais ou menos legítimas através de lideranças de estilo caudilhesco, a ex-colônia portuguesa, se não evitou um período inicial de instabilidade e rebeliões, não chegou a ter uma única mudança irregular e violenta de governo, e conservou sempre a supremacia do governo civil.

JOSÉ MURILO DE CARVALHO

As it is known at least since Kant, the *thing in itself* subsists regardless of any representation that may be offered about it. Whether we like it or not, therefore, any human being who ventures in the process of knowledge will always be within the realm of creation. Starting from this philosophical assumption, JOSÉ MURILO DE CARVALHO establishes his historian's essays. His concern was, in addition to providing a history of Brazil (after a tradition that traces back to Capistrano de Abreu), to do so qualitatively and genuinely in Brazil. The author works his themes in an attempt to interpret the conflicting dynamics behind the construction of a political-social imaginary through its symbols. Professor and Lecturer at UFRJ's Philosophy and Social Sciences Institute, having won a number of awards, he uses the traditional sources in his area, in addition to such national cultural material as plastic images, music, literature, political cartoons etc., to approach the concepts of nation, citizenship, justice, freedom, and other issues of great importance in contemporary Brazil.

Review

THE EXCELLENCE OF A HISTORIAN

"In this line, José Murilo de Carvalho has been publishing essays of excellent quality. He wonders on the possibility or the convenience of writing or rewriting a Varnhagenian 'general history', and it eulogizes Francisco Iglésias (1923-1999) for being a 'history critic', and not a conventional historian." (Wilson Martins, *O Globo*)

A SYMBOLIC COLLISION

"So, what we see in José Murilo's work is a symbolic collision, restricted to the political groups formally constituted, with a significant absence of grass roots. The latter, is called only to play figurative representations, or else to legitimate the interests of some other group." (André Porto Ancona Lopez, *Revista Diálogos*)

Excerpt

A Construção da Ordem e Teatro de Sombras (The Arrangement of Order and Shadows Drama)

As we study Brazil in the 19th century, we ran across a fact whose importance was much more evident to contemporary Brazilian than it was to later analysts. We are talking about the huge difference in the evolution of Spanish and Portuguese colonies in America, which deeply affected the future of the countries in the hemisphere. A renewed search for explanatory factors to this phenomenon may contribute to better understanding the nature of the political process in Brazil.

At the political level, this difference intensifies in two main points. The first refers to the maintenance of a political unity in one case, and to the fragmentation in the other. In the early 19th century, the Spanish colony was administratively divided [...]. In contrast, the 18 general provinces forming the Portuguese colony, already formed in 1820, had become, in 1825, after the Ecuador Confederation, one single independent country.

The second aspect of the difference concerns the type of political system implanted. At the same time when the majority of the countries originating from the former Spanish colony was going through a long anarchical period, and many of them only managed to organize a more-or-less legitimate power under the leaderships of a caudillo, the former Portuguese colony, although facing an initial period of instability and rebellions, did not have one single irregular and violent government overthrow, and managed to preserve the supremacy of a civil government.

Works

A Escola de Minas de Ouro Preto (1978)
A Construção da Ordem (1980)
Os Bestializados (1987)
Teatro de Sombras (1988)
A Formação das Almas (1990)
A Monarquia Brasileira (1993)
Desenvolvimiento de la Ciudadania en Brasil (1995)
Pontos e Bordados (1999)
Cidadania no Brasil (2001)

Contact

editores@companhiadasletras.com.br

JOSÉ VERÍSSIMO

Juntamente com Sílvio Romero e com Araripe Júnior, JOSÉ VERÍSSIMO faz parte da chamada trindade crítica da literatura do período compreendido entre a segunda metade do século XIX e início do século XX. Adepto do lema "criticar é compreender", afasta-se do cientificismo naturalista que tanto empolga o pensamento crítico de sua época. Se é fato que sua obra se destaca também pela tonalidade nacionalista que procura dar às suas análises, ele não chega ao ponto de privilegiar o fator sociológico, como é o caso de Romero. Para Veríssimo, o valor literário superior deve ser sempre o da finalidade artística. Apesar de seus estudos não se primarem por grande fundamentação filosófica, José Veríssimo produz uma historiografia dotada de muito equilíbrio e de boa sensibilidade, procurando sempre evidenciar o caráter estético da obra literária — ressaltando critérios como coerência narrativa, organização da obra, a lógica do personagem, a pertinência da linguagem etc. — o que lhe permite, inclusive, perceber a importância e a dimensão da obra machadiana.

Crítica

CRÍTICA REALISTA

"Veríssimo, mais do que seus companheiros de grupo crítico e de geração, foi um espírito eminentemente realista. Realista no sentido de procurar mais as obras que seus autores [...] evitar toda adjetivação encomiástica ou depreciativa [...] e atender sempre aos dois pratos da balança, os prós e os contras da obra estudada." (Alceu Amoroso Lima, prefácio a "História da Literatura Brasileira")

MARCO DA CRÍTICA LITERÁRIA

"No caso de José Veríssimo, ninguém poderá esconder a importância do papel desempenhado por ele na história crítica literária brasileira. [...] Os reflexos de sua presença chegam até nossos dias, como demonstram as reedições de seus livros [...]."(Luiz Carlos Alves, "Últimos Estudos — Introdução")

Obras

Estudos Brasileiros. 2 Séries (1889-1904)
Estudos de Literatura. 6 Séries (1901-1907)
Homens e Coisas Estrangeiras. 3 Séries (1902-1908)
História da Literatura Brasileira (1916)
Que é Literatura e outros Escritos (1916)
Letras e Literatos (1936)
Últimos Estudos de Literatura Brasileira (1979)

Copyright

Obras em domínio público
— textos livres para publicação

Fragmento

História da Literatura Brasileira

A literatura que se escreve no Brasil é já expressão de um pensamento e sentimento que não se confundem mais com o português, e em forma que, apesar da comunidade da língua, não é mais inteiramente portuguesa. É isto absolutamente certo desde o Romantismo, que foi a nossa emancipação literária, seguindo-se naturalmente à nossa independência política. Mas o sentimento que o promoveu e principalmente o distinguiu, o espírito nativista primeiro e o nacionalista depois, esse se veio formando desde as nossas primeiras manifestações literárias, sem que a vassalagem ao pensamento e ao espírito português lograsse jamais abafá-lo. É exatamente essa persistência no tempo e no espaço de tal sentimento, manifestado literariamente, que dá à nossa literatura a unidade e lhe justifica a autonomia.

A nossa literatura colonial manteve aqui tão viva quanto lhe era possível a tradição literária portuguesa. Submissa a esta e repetindo-lhe as manifestações, embora sem nenhuma excelência e antes inferiormente, animou-a todavia desde o princípio o nativo sentimento de apego à terra e afeto às suas coisas. Ainda sem propósito acabaria este sentimento por determinar manifestações literárias que em estilo diverso do da metrópole viessem a exprimir um gênero nacional que paulatinamente se diferençava.

JOSÉ VERÍSSIMO

Together with Sílvio Romero and Araripe Júnior, JOSÉ VERÍSSIMO is part of the so-called literature critical trinity in the period between the second half of the 19th century and early 20th century. Adhering to the motto "criticizing is understanding," he sidestepped the naturalistic scientism that had thrilled the critical thinking in his time. If it is true that his work stands out also because of the nationalist shade he tries to introduce in his analyses, he doesn't do so to the extent of privileging the sociological factor, as it is the case of Romero. According to Veríssimo's conception, the superior literary value should always be that of an artistic purpose. Although his studies are not largely based on philosophical grounds, José Veríssimo provides a balanced historiography full of sensibility, and always trying to make evident the literary work aesthetic character — by highlighting such criteria as narrative coherence, work organization, logic in the character, pertinence of language, etc. — which allows him, on the other hand, to grasp the importance and the dimension of Machado's work.

Review

A REALIST CRITIC

"Veríssimo, more than his critical group and generation peers, was an eminently realist spirit. Realist in the sense of seeking more the works that their authors [...] of avoiding all encomiastic or derogatory adjectival use [...] and always meeting the two plates on the balance, the pros and the cons of the work studied." (Alceu Amoroso Lima, foreword to "História da Literatura Brasileira")

A LANDMARK IN THE LITERARY CRITIC

"In the case of José Veríssimo, nobody is in a position to belittle the role he played in the history of literary critic in Brazil. [...] The aftereffect of his presence is readily perceived today, as clearly shown by the reprinting of his books [...]." (Luiz Carlos Alves, "Últimos Estudos — Introdução")

Excerpt

História da Literatura Brasileira (History of Brazilian Literature)

The literature produced in Brazil is already the expression of a thinking and feeling that cannot be mistaken any more for the Portuguese, and in such a way that, despite the language community, is not entirely Portuguese any more. This is altogether true since Romanticism, which marked our literary emancipation, naturally following our political independence. However, the feeling promoting it and, mainly, distinguishing it, first the nativistic spirit and then the nationalist spirit, has been forming since our first literary manifestations. The most significant is the fact that the vassalage to the Portuguese spirit and thinking has never managed to suppress it. It was precisely the persistence of such a feeling in time and space, literarily manifested, that gave our literature its unity and justified its autonomy.

Our colonial literature kept alive here the Portuguese literary tradition as much as possible. It submitted itself to the power of Portuguese literary tradition, repeating its manifestations, even if lacking the minimal degree of excellence and, in a rather substandard way. Yet, our literature was encouraged from the beginning by the native feeling of attachment to the land and by the affection to local things. Even without a purpose, this feeling would end up generating literary manifestations that, in a style diverging from that in the metropolis, came to express a national style that started little by little to differ.

Works

Estudos Brasileiros. 2 Séries (1889-1904)
Estudos de Literatura. 6 Séries (1901-1907)
Homens e Coisas Estrangeiras. 3 Séries (1902-1908)
História da Literatura Brasileira (1916)
Que é Literatura e outros Escritos (1916)
Letras e Literatos (1936)
Últimos Estudos de Literatura Brasileira (1979)

Copyright

Works in public domain — texts available for publication

JOSUÉ DE CASTRO

Partindo da constatação de que a fome era a menos estudada das calamidades do mundo, menos que as guerras e as epidemias, por exemplo, JOSUÉ DE CASTRO se dispôs a enfrentá-la em sua obra, na qual uniu os dois lados de sua formação acadêmica, em medicina e filosofia. Em meados do século XX, graças ao caráter inovador dos estudos que empreendia, conquistou projeção internacional como um dos grandes especialistas no assunto. Em decorrência disso, exerceu vários cargos de relevo, entre os quais o de presidente do conselho da Organização de Alimentação e Agricultura (FAO) das Nações Unidas. Entre suas teses, sobressai a que estabelece o efeito degradante das deficiências de proteína sobre os caracteres antropológicos. Populações subalimentadas, como as do Nordeste brasileiro, que ele examinou bem de perto, revelariam pela baixa estatura os índices de mortalidade e a propensão a doenças as conseqüências devastadoras da fome.

Crítica

ERROS, GANÂNCIA, IMPREVIDÊNCIA
"Os neomalthusianos ofereceram soluções pessimistas ao problema da alimentação. O livro de Josué de Castro é um extenso requisitório, apaixonante e apaixonado, contra essas doutrinas que diminuem a humanidade. Ele culpa os erros dos homens, o espírito de ganância, a imprevidência, como responsáveis por todo o mal." (Max Sorre, prefácio da ed. francesa de "Geopolítica da Fome")

A FOME E A MANUTENÇÃO DA SAÚDE
"A palavra *fome* usada pelo autor precisa ser bem definida. No passado, empregava-se a palavra *fome* para exprimir a falta de alimentos para a satisfação do apetite, e o número de mortos pela fome restringia-se então aos indivíduos esquálidos que morriam por completa inanição. O autor, porém, usa essa palavra no seu sentido moderno, no sentido da falta de quaisquer dos quarenta ou mais elementos nutritivos indispensáveis à manutenção da saúde." (Lord John Boyd Orr, prefácio da ed. inglesa de "Geopolítica da Fome")

Obras

O Problema da Alimentação no Brasil (1933)
Condições de Vida das Classes Operárias no Recife (1935)
Alimentação e Raça (1935)
Documentário do Nordeste (1937)
Fisiologia dos Tabus (1939)
Geografia Humana (1939)
Alimentação nos Trópicos (1946)
Geografia da Fome 1946)
Geopolítica da Fome (1951)

Contato

Lúcia Riff, *agente literária*
lucia@bmsr.com.br

Fragmento

Geopolítica da Fome

Diante da evidência dos fatos apresentados, já não é possível admitir-se ser a fome um fenômeno natural, uma vez que ela é condicionada muito mais por fatores de natureza econômica do que pelos de natureza geográfica. A verdade, difícil de ser ocultada, é que o mundo dispõe de recursos suficientes para permitir o uso de tipos adequados de alimentação por parte de todas as coletividades. E se, até hoje, muitos dos Hóspedes da Terra *continuam sem participar do seu banquete, é que todas as civilizações, inclusive a nossa, se têm estruturado e mantido à base de uma extrema desigualdade econômica.*

JOSUÉ DE CASTRO

Based on the demonstrated fact that hunger was the least investigated of all world calamities, less than the wars and epidemics, for instance, JOSUÉ DE CASTRO decided to deal with it in his work, combining the two sides of his academic formation: medicine and philosophy. In middle 20th century, thanks to the innovative character of the researches he undertook, he achieved international recognition as one of the great specialists in this subject. As a result, he was assigned many relevant commissions, including the office of UN Food and Agriculture Organization (FAO) Board Chairman. One of his theories establishes the degrading effect of protein deficiencies on the anthropological characters. Low stature, high mortality rate, and a propensity to diseases in undernourished populations, such as the Brazilian Northeast population, which he examined very closely, would reveal the devastating consequences of hunger.

Review

MISTAKES, GREED, IMPROVIDENCE

"The neomalthusians offered pessimistic solutions to the feeding problem. Josué de Castro's book is an extensive requisitory, at a time captivating and passionate, against those such humanity debasing doctrines. He blames men's mistakes, men's greed proneness, and improvidence for all evil." *(Max Sorre,* foreword to the French edition of "Geopolítica da Fome")

HUNGER AND THE PRESERVATION OF HEALTH

"The word hunger, as used by the author, has to be properly defined. In the past, the word hunger was used to express the insufficiency of food to satisfy one's need, then the number of starved people was limited to those squalid individuals who had died from total lack of food. The author, however, uses this word according to its modern meaning, i.e., meaning the lack of any of the forty or more nutritious elements indispensable to the preservation of health." (Lord John Boyd Orr, foreword to the English edition of "Geopolítica da Fome")

Excerpt

Geopolítica da Fome (Geopolitics of Hunger)

Before the evidence of the facts presented, it is no longer possible to assume hunger as a natural phenomenon, seeing that it is conditioned by factors of an economical nature rather than by factors of a geographical nature. The self-evident truth is that the world has enough resources to allow the implementation of appropriate means of feeding by all collectivities. If, as we see today, many of the Earth Guests go on without participating in the banquet, this is because all civilizations, including ours, have been structured and sustained base on an extreme economical inequality.

Works

O Problema da Alimentação no Brasil (1933)
Condições de Vida das Classes Operárias no Recife (1935)
Alimentação e Raça (1935)
Documentário do Nordeste (1937)
Fisiologia dos Tabus (1939)
Geografia Humana (1939)
Alimentação nos Trópicos (1946)
Geografia da Fome 1946)
Geopolítica da Fome (1951)

Contact

Lúcia Riff, *literary agent*
lucia@bmsr.com.br

JOSUÉ MONTELLO

Alguns escritores se caracterizam pela publicação de apenas um livro ao longo de suas vidas, conseguindo, com isso, demarcar uma diferença que lhes destina um lugar ao sol na história literária; JOSUÉ MONTELLO pertence a um grupo distinto: daqueles que escrevem pelo excesso. Com mais de 100 obras publicadas e conseguindo, como poucos, anexar uma extrema qualidade à alta produtividade que lhe é característica, o maranhense se mudou para o Rio de Janeiro com 20 anos e, em 1954, se tornou membro da Academia Brasileira de Letras. Ele é autor de romances, ensaios, novelas, peças teatrais, livros destinados ao público infanto-juvenil, crônicas, críticas e diários, nos quais retrata inúmeros acontecimentos da vida artística, política e cotidiana brasileira através de um estilo claro e elegante. Jornalista e considerado pela crítica um dos maiores narradores da moderna ficção brasileira, ele também se aventurou pela política, tendo sido chefe da Casa Civil durante o governo Juscelino Kubitschek, sobre quem, aliás, escreveu um livro, e embaixador da Unesco. *Os Tambores de São Luís* é uma de suas obras-primas.

Crítica

A MEDITAÇÃO ROMANESCA
"Este *Aleluia* é e não é um romance. Parece-me, acima de tudo, uma pausa para meditar. Não uma meditação metafísica ou mística, mas uma meditação propriamente romanesca, dentro da veia-mestra de sua verve criadora." (Tristão de Athayde, "Um Dia que Mudou a História do Mundo")

O CICLO MARANHENSE
"O ciclo maranhense de Josué Montello combina de maneira sóbria e numa linguagem estritamente literária a fixação da velha São Luís e o cuidado do retrato psicológico nas fronteiras do psicanalítico." (Alfredo Bosi, "História Concisa da Literatura Brasileira")

Obras

Janelas Fechadas (1941)
A Luz da Estrela Morta (1948)
O Fio da Meada (1955)
Os Degraus do Paraíso (1965)
Cais da Sagração (1971)
Os Tambores de São Luís (1975)
Noite sobre Alcântara (1978)
Aleluia (1982)
Antes que os Pássaros Acordem (1987)
O Baile da Despedida (1992)
A Viagem sem Regresso (1993)
A Mulher Proibida (1996)
Os Inimigos de Machado de Assis (1998)

Contato

sac@novafronteira.com.br

Fragmento

Os Tambores de São Luís

Ela se deixou cair numa cadeira ao seu lado, ainda ofegante. E de mãos frias, os olhos assustados:
– Ah, meu filho, nem te conto. Aqui em São Luís, ontem de noite, houve um crime medonho. Morreram duas pessoas. Imagina que foi assassinado o dono daquele botequim da Rua Grande que faz esquina com a Rua do Passeio e também um preto, de meia-idade, que tinha acabado de desembarcar, vindo de Liverpool, para fazer surpresa ao pai, que não via desde que saiu daqui. Ele desceu do vapor já meio bêbado, com muito dinheiro na carteira, e foi para o botequim da Rua Grande, levado por um espanhol. Lá o espanhol matou ele com uma punhalada, para lhe roubar a carteira, e depois matou o dono do botequim com uma paulada. Um horror. Me contaram tudo na igreja. Na cidade, não se fala de outra coisa.
Damião tinha deixado cair as mãos sobre as pernas, tomado de um pressentimento terrível, que era quase uma certeza. Preto? De meia-idade? Que vinha ver o Pai? E vindo de Liverpool? E se fosse mesmo seu filho? Ficou uns momentos em silêncio, o olhar parado, sem coragem de comunicar o seu temor à companheira. A tragédia pareceu-lhe brutal demais para o seu fim de vida. E ainda atordoado, com uma sensação repentina de secura queimando-lhe a boca, pediu à Benigna que lhe fosse buscar um copo d'água.

JOSUÉ MONTELLO

Some writers are characterized by having just one book published in the course of their lives, managing thereby to mark off a difference that assures them a place in the history of literary; JOSUÉ MONTELLO belongs to a different group: those who write overabundantly. He had more than a hundred works published and managed, as very few did, to attach a degree of excellence to his high productivity. This man from Maranhão moved to Rio de Janeiro when he was twenty years old. In 1954, he was admitted as a member of the Brazilian Literary Academy. He wrote novels, essays, novellas, plays, books for children, feature stories, critic, and diaries, where he recounts a number of events in Brazil's artistic, political, and quotidian life with a clear and elegant style. A journalist, and regarded by the critic as one of the greatest storyteller in the modern Brazilian fiction, he also ventured in politics, having held the office of Chief of Staff during Juscelino Kubitschek's government. As a matter of fact, he wrote a book about President Juscelino. Besides, he served as the Brazilian ambassador to Unesco. *Os Tambores de São Luís (São Luís Drums)* is one of his masterpieces.

Review

THE ROMANTIC MEDITATION

"*Aleluia (Hallelujah)* is and is not a novel. It seems to be, before anything else, a break for meditation. Not a metaphysical or mystic meditation, but a properly romantic meditation, within the mother lode of his creative verve." (Tristão de Athayde, "Um Dia que Mudou a História do Mundo")

THE MARANHÃO CYCLE

Josué Montello's Maranhão cycle combines, in a sober way and in a strictly literary language, the obsession about old São Luís with the care with the psychological picture in the threshold of psychoanalysis." (Alfredo Bosi, "História Concisa da Literatura Brasileira")

Excerpt

Os Tambores de São Luís (São Luís Drums)

She sank herself on a chair next to him, still breathless. She had cold hands and showed fear in her eyes:
'Ah, my son, I'd better not tell you. Last night a hideous murdering was committed right here in São Luís. Two people were killed. Can you believe that the owner of that bar, on the corner of Rua Grande with Rua do Passeio, was murdered, and also a middle-aged black man, who had just arrived from Liverpool to give his father a surprise? He hadn't seen his father since he left. He was already half-shot when he got off the steamer, and had quite a lot of money in his wallet. Then he accompanied a Spaniard to the bar on Rua Grande. As they got there, the Spaniard murdered him with a stab to steal his wallet. Then he spanked the owner of the bar to death with a stick. Dreadful. I was told the story in the church. This is the talk now in the city. Damião rested his hands on his legs, taken by a terrible premonition, almost a certainty. A black man? Middle-aged? Coming to see his Father? Coming from Liverpool? What if he was his son? He kept silent for a while, a staring gaze on his face, lacking the courage to share his fear with his companion. The tragedy seemed to him to be too brutal for his old age. Stunned, with a sudden sensation of dryness burning his mouth, he asked Benigna to get him a glass of water.

Works

Janelas Fechadas (1941)
A Luz da Estrela Morta (1948)
O Fio da Meada (1955)
Os Degraus do Paraíso (1965)
Cais da Sagração (1971)
Os Tambores de São Luís (1975)
Noite sobre Alcântara (1978)
Aleluia (1982)
Antes que os Pássaros Acordem (1987)
O Baile da Despedida (1992)
A Viagem sem Regresso (1993)
A Mulher Proibida (1996)
Os Inimigos de Machado de Assis (1998)

Contact

sac@novafronteira.com.br

JÚLIO RIBEIRO

Raro são os livros que foram tão combatidos pela crítica quanto *A Carne*: Álvaro Lins o expulsou da história da literatura brasileira, José Veríssimo disse que ele era o *parto monstruoso de um cérebro artisticamente enfermo* e p. Sena Freitas, à época, abrindo forte polêmica com o autor, afirmou *Carne pútrida, exibida a 3$000 a posta nos açougues literários de São Paulo*. Paralelamente, seu sucesso popular foi estrondoso, a ponto de, ao longo dos anos, o livro ter ganho três adaptações cinematográficas e, apesar da tentativa de proibição dos mais velhos, ter sido lido insistentemente pela juventude. Pode-se realmente imaginar o que significou, em 1888, a abordagem de temas como a menstruação, casamentos falidos, divórcios, amor livre, sadismos escravocratas, novo papel da mulher e conteúdo erótico obsceno. Seguindo a escola naturalista no que ela tinha de mais tecnicista, JÚLIO RIBEIRO buscou um hibridismo entre arte e ciência, com viés ensaístico e didático, nomeando, inclusive, com todo seu conhecimento de lingüista, inúmeras espécies da fauna e da flora brasileira descritas por ele com tanta plasticidade.

Crítica

A REDENÇÃO PELO OLHAR
"Impõe-se, mesmo, e às vezes soberbamente, como um romancista do olhar, como se o preceito do romance realista e naturalista, e que converte a ficção de Flaubert e Zola em verdadeiras visões e imagens, correspondesse, nele, a um instinto pessoal, a um dom nativo. E é por esta vertente — a do olhar clandestino sobre os seres e as coisas, as paisagens e as situações — que ele se pode redimir e justificar." (Ledo Ivo, "O Olhar Clandestino de Júlio Ribeiro")

O POLEMISTA MODERNIZADOR
"Adepto de idéias progressistas, o autor escreveu *A Carne* com o objetivo de contribuir para a transformação da mentalidade caturra do Brasil do século XIX, dentro de um programa ideológico que incluía ao advento da República, o fim do escravismo, a separação entre Igreja e Estado, além de reformas educacionais — a modernização do país, em suma." (Valentim Faccioli, "A Crueza do Naturalismo")

Obras

O Padre Belchior de Pontes (1877)
Traços Gerais de Lingüística (1880)
Gramática Portuguesa (1880)
Cartas Sertanejas (1885)
Questão Gramatical —
Polêmica com Augusto Freire da Silva (1887)
Procelárias (1887)
Escola Normal (1888)
A Carne (1888)
Nova Gramática Latina (1895)
Uma Polêmica Célebre (1935)

Fragmento

A Carne

Lenita ouviu um murmurar confuso de vozes intercortadas, viu agitarem-se uns ramos e, pelos interstícios dos troncos, por entre o emaranhado dos galhos, lobrigou indistintamente uma como luta breve, seguida pelo tombar desamparado, pelo som baço de dois corpos a bater a um tempo no solo arenoso do matagal.
Lenita mais compreendeu do que viu. Era a reprodução do que se tinha passado, havia momentos, mas em escala mais elevada: à cópula instintiva, brutal, feroz, instantânea dos ruminantes, seguia-se o coito humano meditado, lascivo, meigo, vagaroso.
Abalada profundamente em seu organismo, com a irritação de nervos aumentada por essas cenas cruas da natureza, torturada pela CARNE, mordida de um desejo louco de sensações completas, que não conhecia, mas que adivinhava, Lenita recolheu-se titubeando, fraquíssima.

Copyright

Obras em domínio público
— textos livres para publicação

JÚLIO RIBEIRO

Very few books were attacked by the critic like *A Carne (Flesh)* was: Álvaro Lins banned the book from the history of Brazilian literature; according to José Veríssimo, the book was *the hideous childbirth of an artistically sick brain;* and Father Sena Freitas, who started at the time a ruthless controversy with the author, called it *Putrid meat, displayed at 3$000 the piece in São Paulo's literary butcher shops.* Conversely, popular success was overwhelming, to the extent that, over the years, the book was dramatized three times and, despite the elders attempt to ban it, the book was persistently read by the youth. It is easy to imagine the repercussion, in 1888, of approaching such themes as menstruation, failed marriages, divorces, free love, slavocrat sadism, the new woman's role, and obscene erotic content. Following the most technicist of the naturalistic school approach, JÚLIO RIBEIRO sought for a hybridism between art and science, with an essayistic and didactic tendency. Besides, he took advantage of his linguist knowledge to give names to a number of species in the Brazilian fauna and flora, which he described with unusual plasticity.

Review

REDEMPTION BY GLANCING

"He imposes himself, and sometimes superbly, as a glancing novelist, as if the realistic and naturalistic novel precept, which besides converts Flaubert and Zola fiction into true visions and images, would correspond, in him, to a personal instinct, to a native talent. And it is because of this vein — that of a clandestine glancing over people and things, landscapes and situations — he can be redeemed and justified." (Ledo Ivo, "O Olhar Clandestino de Júlio Ribeiro")

THE POLEMICIST MODERNIZER

"An adherent of progressive ideas, the author wrote *A Carne (Flesh)* with the purpose of contributing to a transformation in the stubborn mentality prevailing in 19th century Brazil, within an ideological program which included the advent of Republic, the end of slavery, the split between Church and State, besides educational reforms — in short, a modernization in the country." (Valentim Faccioli, "A Crueza do Naturalismo")

Excerpt

A Carne (Flesh)

Lenita heard an indistinct murmur of disconnected voices, she saw some branches being agitated and, through the interstices of the limbs, through the entangled offshoots, she faintly glimpsed what could be a short fight, followed by a helpless tumbling, by the dull sound of two bodies hitting at the same time the sandy ground in the bush.
Lenita understood more than she saw. That was the reproduction of what had happened a moment ago, but now in a larger scale: to the instinctive, brutal, ferocious, instantaneous sexual intercourse of the ruminants, followed the meditated, lewd, sweet, slow human coitus. Deeply shaken in her organism, with her irritation increased by those raw scenes of nature, tortured by the FLESH, bitten by a crazy desire of complete sensations, which she had never known, but had guessed, Lenita tottered back, in extreme weakness.

Works

O Padre Belchior de Pontes (1877)
Traços Gerais de Lingüística (1880)
Gramática Portuguesa (1880)
Cartas Sertanejas (1885)
Questão Gramatical — Polêmica com Augusto Freire da Silva (1887)
Procelárias (1887)
Escola Normal (1888)
A Carne (1888)
Nova Gramática Latina (1895)
Uma Polêmica Célebre (1935)

Copyright

Works in public domain — texts available for publication

LAURA DE MELLO E SOUZA

Professora da Universidade de São Paulo desde 1983, LAURA DE MELLO E SOUZA, uma das historiadoras mais importantes em atividade no Brasil, foi uma das primeiras pesquisadoras a introduzir a moderna perspectiva das mentalidades e da cultura no país, abrindo, com isso, todo um novo horizonte de investigação. Para ela, apesar da desigualdade social, que é o grande obstáculo a ser superado, o pluriculturalismo é o trunfo nacional para o século que se inicia. Ratificando que além de étnica, a mestiçagem é cultural, sua obra traça, sobretudo, uma travessia pelo conceito de alteridade. *O Diabo e a Terra de Santa Cruz* é um livro seminal em sua trajetória: com ele, através de uma pesquisa sobre a ambiência do sagrado no princípio da colonização, tempo em que as crenças européias têm de se ajustar às autóctones e essas àquelas, a autora busca compreender a sociedade brasileira pelo sincretismo, que, sob ponto de vista inquisitorial, foi acusado de feitiçaria e cultos diabólicos. Num país que prima por diversas manifestações religiosas, sua escolha atinge um dos pontos nevrálgicos da civilização brasileira.

Crítica

HISTORIADORA PIONEIRA
"Laura de Mello e Souza é, sem dúvida, pesquisadora de ponta em nossa historiografia, e uma das primeiras a adotar a perspectiva das mentalidades e da história cultural na investigação das religiosidades coloniais luso-brasileiras." (Ronaldo Vainfas, "Inferno Atlântico")

ABRINDO OS HORIZONTES
"A história cultural tem em Laura de Mello e Souza um de seus expoentes, que, ao introduzir os estudos sobre cultura popular no Brasil a partir da década de 80, inaugurou um novo campo de pesquisa." (Fátima Toledo, "História do Brasil")

Obras

Opulência e Miséria das Minas Gerais (1981)
Desclassificados do Ouro (1982)
O Diabo e a Terra de Santa Cruz (1986)
A Feitiçaria na Europa Moderna (1987)
Inferno Atlântico (1993)
Norma e Conflito (1999)

Fragmento

O Diabo e a Terra de Santa Cruz

No cotidiano da colônia, Céu e Inferno, sagrado e profano, práticas mágicas primitivas e européias ora se aproximavam, ora se apartavam violentamente. Na realidade fluida e fugidia da vida colonial, a indistinção era, entretanto, mais característica do que a dicotomia. Esta, quando se mostrava, era quase sempre devida ao estímulo da ideologia missionária e da ação dos nascentes aparelhos de poder, empenhados em decantar as partes para melhor captar as heresias. O que quase sempre sobrenadou foi o sincretismo religioso.
Como vimos na passagem do Peregrino, o sincretismo era uma das faces do inferno. Crenças africanas e indígenas viam-se constantemente demonizadas pelo saber erudito, incapaz de dar conta da feição cada vez mais multifacetada da religiosa colonial.

Contato

Textos protegidos — em caso de interesse para publicação, fazer contato com o Departamento Nacional do Livro da FBN

LAURA DE MELLO E SOUZA

LAURA DE MELLO E SOUZA, a lecturer at São Paulo University since 1983 and one of the most important historians in activity in Brazil, was one of the first researchers to introduce the modern mentality and cultural perspective in Brazil, thereby opening an entirely new horizon for investigation. She believes pluriculturalism, despite the social inequality, the main obstacle to be overcome, will be the national trump card in the newly started century. Ratifying that hybridization is not only ethnical but also cultural, her work outlines, above all, a crossing through the concept of otherness. *O Diabo e a Terra de Santa Cruz* (*The Devil and Santa Cruz Land*) is a seminal book in her career: in this book, the author provides an understanding of the Brazilian society through syncretism, which had been charged with sorcery practice and diabolical cults under an inquisitorial point of view. The book offers a research on the ambience of the sacred in the beginning of colonization, a time when European beliefs had to be adapted to the autochthonous ones and vice versa. In a country that is noted for several religious manifestations, her choice touches one of the pivotal points in the Brazilian civilization.

Review

A PIONEER HISTORIAN

"Laura de Mello e Souza is, doubtlessly, a foremost researcher in our historiography and one of the first to adopt the mentality and cultural history perspective to investigate the Portuguese-Brazilian colonial religiosity." (Ronaldo Vainfas, "Inferno Atlântico")

OPENING UP NEW HORIZONS

" In Laura de Mello e Souza cultural history finds one of its exponents. Starting in 1980's, she opened up a new field of investigation by introducing the studies on the Brazilian popular culture." (Fátima Toledo, "História do Brasil")

Excerpt

O Diabo e a Terra de Santa Cruz (The Devil and Santa Cruz Land)

In the colony's everyday life, Heaven and Hell, sacred and profane, primitive and European witchery would sometimes come very close to each other, and would sometimes diverge violently. In the fluid and swiftly passing reality of the colonial life, however, indistinctiveness used to be more characteristic than dichotomy. The latter, when present, was usually due to the missionary ideology stimulus and the action of rising power instruments, engaged in decanting the parts in order to better savvy the heresies. Religious syncretism spread through most of the time.

As we saw in the passage about Peregrino, *syncretism was one of the hell's faces. African and indigenous beliefs was often charged with demoniac influences by the learned people, who were incapable to perceive the more and more multifaceted feature of the colonial religiosity.*

Works

Opulência e Miséria das Minas Gerais (1981)
Desclassificados do Ouro (1982)
O Diabo e a Terra de Santa Cruz (1986)
A Feitiçaria na Europa Moderna (1987)
Inferno Atlântico (1993)
Norma e Conflito (1999)

Contact

Protected texts — in case of interest for publication, get in contact with National Book Office (DNL) of the Biblioteca Nacional Foundation (FBN)

LEONARDO FRÓES

Ao longo de 30 anos de um percurso que vai de *Língua Franca* (1968) a *Quatorze Quadros Redondos* (1998), LEONARDO FRÓES, unindo forte conhecimento da tradição literária a uma intensidade da própria vida, realiza uma das poéticas brasileiras de maior vigor e singularidade dos últimos anos. A perfeição, o impacto e a densidade de muitos de seus poemas é arrebatadora. Entre as questões fundamentais de sua obra, manifesta-se a do poeta que, lançado em busca de si mesmo, encontra sempre o constante devir. Dissolvendo a subjetividade no comunitário, ou, mais freqüentemente, na natureza, ele caminha em uma ambiência de *desrespeito aos limites*: reflete, assim, uma experiência de despersonalização extática. Sua poesia também busca a confluência entre o "literário" e o "não-literário", expressa na tensão entre expressões cultas e populares, citações em línguas estrangeiras e grafites, palavras-valise e gírias... A possibilidade de alternância entre o verso e a prosa é outra das características marcantes desse escritor, também ensaísta e considerado um dos melhores tradutores do momento.

Crítica

A INVENÇÃO DE UM NOVO GÊNERO POÉTICO
"*Introdução à Arte das Montanhas*, *A Revolução e O Rato* ou o estupendo *O Reinado da Rainha Perpétua*, por exemplo, o atestam de forma cabal, e pode-se até dizer que criam um gênero novo em nossa poesia: o daquele que chamaríamos aqui, não propriamente de uma outra espécie de poema em prosa, mas de poema em fábula. E é nesse poema em fábula que mais se acentuam e parecem cristalizar-se as matrizes seminais de sua poesia." (Ivan Junqueira, "A Poesia como Fábula")

A NATUREZA: UM REMÉDIO CONTEMPLATIVO
"Atento a seus ritmos nunca monótonos, Fróes se entrega a uma verdadeira ode à independência da Natureza, misturando-se com ela, contemplando-a e dotando-a de uma sabedoria implícita. [...] A imagem do nascimento contínuo da natureza vegetativa atravessa os poemas de Leonardo Fróes como um remédio contemplativo e sublime." (José Thomaz Brum, "Natureza e Consolação em Leonardo Fróes")

Obras

Língua Franca (1968)
A Vida em Comum (1969)
Esqueci de Avisar que Estou Vivo (1973)
Anjo Tigrado (1975)
Sibilitz (1981)
Assim (1986)
Um Outro. Varella (1989)
Argumentos Invisíveis (1995)
Um Mosaico Chamado a Paz do Fogo (1997)
Quatorze Quadros Redondos (1998)

Fragmento

Introdução à Arte das Montanhas

Um animal passeia nas montanhas.
Arranha a cara nos espinhos do mato, perde o fôlego
mas não desiste de chegar ao ponto mais alto.
De tanto andar fazendo esforço se torna
um organismo em movimento reagindo a passadas,
e só. Não sente fome nem saudade nem sede,
confia apenas nos instintos que o destino conduz.
Puxado sempre para cima, o animal é um ímã,
numa escala de formiga, que as montanhas atraem.
Conhece alguma liberdade, quando chega ao cume.
Sente-se disperso entre as nuvens,
acha que reconheceu seus limites. Mas não sabe,
ainda, que agora tem de aprender a descer.

Contato

leonardofroes@uol.com.br

LEONARDO FRÓES

Over the thirty-year span between *Língua Franca* (1968) and *Quatorze Quadros Redondos (Fourteen Round Pictures)* (1998), LEONARDO FRÓES brings off, by combining a deep knowledge of literary tradition with the great intensity of his own life, one of the most singular and vigorous poetic work in contemporary Brazil. The perfection, the impact, and the density of some of his poems are simply ravishing. The fundamental themes in his work include the poet who, hurled into the search for himself, will always find the eternal becoming. Blending subjectivity into community, or, more often, into nature, he walks through an ambiance of *disregard for limits:* thus, his work lays bare an experience of ecstatic depersonalization. His poetry also seeks the confluence between the "literary" and the "non-literary," which appears in the tautness between educated and popular expressions, quotations in foreign languages and graffiti, bus words and slang... The possibility of alternating between the verse and the prose is another of the outstanding characteristics of this writer, who is also an essayist and regarded as one of the best translators currently in activity.

Review

THE INVENTION OF A NEW POETIC STYLE

"*Introdução à Arte das Montanhas (Introduction to the Art of the Mountains), A Revolução (Revolution)* and *O Rato (The Mouse)*, or the amazing *O Reinado da Rainha Perpétua (The Reign of Queen Perpétua)*, for instance, uprightly validate him, and veritably create a new style in our poetry: the style we would call here, not exactly another proselike poem, but rather a fablelike poem. And it is in this fable poem that the seminal matrix of his poetry is more stressed and seems to be crystallized." (Ivan Junqueira, "A Poesia como Fábula")

NATURE: A CONTEMPLATIVE MEDICINE

"Mindful of his always diversified rhythms, Fróes plunges into an authentic ode to Nature independence, getting blended with it, contemplating it and endowing it with an implicit wisdom. [...] The image of a continuous birth of vegetative nature pervades Leonardo Fróes's poems like a contemplative and sublime medicine." (José Thomaz Brum, "Natureza e Consolação em Leonardo Fróes")

Excerpt

Introdução à Arte das Montanhas (Introduction to the Art of the Mountains)

An animal straggles on the mountains.
It gets the snout scratched in the thorns of the bush, loses breath
but never gives up reaching the highest point.
As a result of struggling so much to move forward it becomes
a motile organism jerking upwards,
and that's all. It is neither hungry, nostalgic, nor thirsty
it just trusts the destiny-driven instincts.
Pulled always upward, the animal is a magnet,
a tiny ant attracted by the mountains.
On conquering the summit, it meets freedom.
Feels scattered among the clouds,
believes its limits have been picked out. But it doesn't know,
yet, it gotta learn to go down.

Works

Língua Franca (1968)
A Vida em Comum (1969)
Esqueci de Avisar que Estou Vivo (1973)
Anjo Tigrado (1975)
Sibilitz (1981)
Assim (1986)
Um Outro. Varella (1989)
Argumentos Invisíveis (1995)
Um Mosaico Chamado a Paz do Fogo (1997)
Quatorze Quadros Redondos (1998)

Contact

leonardofroes@uol.com.br

LIMA BARRETO

A passagem do século XIX ao XX foi decisiva para a literatura brasileira, instaurando aspectos que serão consolidados de maneira definitiva. Vivendo esse momento que recolhe o passado para lançá-lo ao futuro, a vida de LIMA BARRETO se distende pelos dois séculos, findando justamente no ano simbólico da Semana de Arte Moderna de 1922. Ao lado da de Machado de Assis, sua prosa é das mais representativas da ficção urbana brasileira, que se afirma nessa época e tem o Rio de Janeiro, capital recente do país, como principal fonte instigadora. Talvez apenas Nélson Rodrigues, décadas mais tarde, tenha conseguido narrar o cotidiano humilde da pequena classe média do subúrbio com elementos tão vivos e disparatados quanto esse mestiço que se transformou num crítico ferrenho da perversa hipocrisia social. Marcado por uma vida trágica e maldita, Lima Barreto deixa para a posteridade um *Diário do Hospício*, impactantes narrativas confessionais e fragmentárias que são exemplos estarrecedores da fusão entre literatura e vida.

Crítica

POR UMA IDENTIDADE URBANA
"Diante desta cidade fragmentada, Lima Barreto assume a tarefa de, como escritor e intelectual, costurar a identidade de uma cidade ainda não completamente formada e já em dilaceração." (Beatriz Resende, "Lima Barreto e o Rio de Janeiro em Fragmentos")

UM CURTO-CIRCUITO CRÍTICO NO UFANISMO
"A ficção de Lima Barreto seria o elemento que irromperia na cadeia discursiva nacional ufanista, causando um curto-circuito crítico que é implacável. É o primeiro e histórico curto-circuito operado na cadeia." (Silviano Santiago, "Vale quanto Pesa")

Obras

Recordações do Escrivão Isaías Caminha (1909)
Triste Fim de Policarpo Quaresma (1911)
Numa e a Ninfa (1915)
Vida e Morte de M. J. Gonzaga de Sá (1919)
Histórias e Sonhos (1920)
Os Bruzundangas (1922)
Bagatelas (1923)
Clara dos Anjos (1923-1924)
Vida Urbana (1956)
Marginália (1956)
Diário Íntimo (1956)
Diário do Hospício (1956)

Copyright

Obras em domínio público
— textos livres para publicação

Fragmento

Triste Fim de Policarpo Quaresma

De fato, ele estava escrevendo ou mais particularmente: traduzia para o 'clássico' um grande artigo sobre 'Ferimentos por armas de fogo'. O seu último truque intelectual era este do clássico. Buscava nisto uma distinção, uma separação intelectual desses meninos por aí que escrevem contos e romances nos jornais. Ele, um sábio, e sobretudo um doutor: não podia escrever da mesma forma que eles. A sua sabedoria superior e o seu título 'acadêmico' não podiam usar da mesma língua, dos mesmos modismos, da mesma sintaxe que esses poetastros e literatos. Veio-lhe então a idéia do clássico. O processo era simples: escrevia do modo comum, com as palavras e o jeito de hoje, em seguida invertia as orações, picava o período com vírgulas e substituía incomodar por molestar, ao redor por derredor, isto por esto, quão grande ou tão grande por quamanho, sarapintava tudo de ao invés, empós, e assim obtinha o seu estilo clássico que começava a causar admiração aos seus pares e ao público em geral.

LIMA BARRETO

The turning of the 19th century to the 20th century was decisive for the Brazilian literature, as some aspects, which would be definitely consolidated, were established. Spanning the two centuries, LIMA BARRETO's life bears witness of a time when the past is collected and then thrown into the future, and comes to an end precisely in the symbolic year when the 1922's Modern Art Week took place. Together with Machado de Assis' work, his prose is among those best representing the Brazilian urban fiction, which becomes consolidated at that time and takes Rio de Janeiro, the young capital of the country, as main abetment source. Maybe only Nélson Rodrigues, decades later, managed to use so many vivid and nonsensical elements to narrate the humble daily life of the incipient suburban middle class as that mestizo who became an inflexible critic of the perverse social hypocrisy. Marked by a tragic and accursed life, Lima Barreto bequeaths to posterity a *Diário do Hospício (Diary from the Madhouse)*, impacting confessional and fragmentary narratives providing bewildering examples of the blending between literature and true life.

Review

FOR AN URBAN IDENTITY

"Before this fragmented city, Lima Barreto, as a writer and intellectual, undertakes the task of seaming the identity of a city not yet completely formed but already in laceration." (Beatriz Resende, "Lima Barreto e o Rio de Janeiro em fragmentos")

A STINGING SHORT CIRCUIT ON THE FLAG-WAVING

Lima Barreto's fiction would be the element breaking out in the flag-waving discursive national chain, bringing about a implacably stinging short circuit. It was the first and historical short circuit inflicted on the chain." (Silviano Santiago, "Vale quanto Pesa")

Excerpt

Triste Fim de Policarpo Quaresma (The Grivous Fate of Policarpo Quaresma)

In fact, he was writing, or more precisely: translating into 'classic' a lengthy article on 'Wounds by firearms.' This was his last intellectual trick from the classic. He was seeking distinction, an intellectual segregation from those lads around who wrote stories and novels for the newspapers. He, a wise person, and above all a doctor: could in no way write in the same fashion they did. His superior wisdom and 'academic' title could not use the same language, the same idioms, the same syntax as those rhymesters and literates. He was then struck by the idea of classic. The process was rather simple: he would write in the ordinary way, using daily words and fashion, and then he would invert the clauses, insert parenthetical sentences between commas, and replace words by synonyms, such as, upsetting by inconvenience, on by about, with this by hereupon, big or huge by enormous; he would speckle everything with lots of 'in lieu of', aftermath, etc., and in this way he would obtain his classic style that was already beginning to raise the admiration of his peers and the readers in general.

Works

Recordações do Escrivão Isaías Caminha (1909)
Triste Fim de Policarpo Quaresma (1911)
Numa e a Ninfa (1915)
Vida e Morte de M. J. Gonzaga de Sá (1919)
Histórias e Sonhos (1920)
Os Bruzundangas (1922)
Bagatelas (1923)
Clara dos Anjos (1923-1924)
Vida Urbana (1956)
Marginália (1956)
Diário Íntimo (1956)
Diário do Hospício (1956)

Copyright

Works in public domain
— texts available for publication

LÚCIA MIGUEL PEREIRA

Mais de 40 anos depois de sua morte prematura, a romancista e ensaísta LÚCIA MIGUEL PEREIRA continua a ser considerada como uma das grandes vozes da crítica literária no século XX. Autodidata, sem sequer ter freqüentado a universidade, seu trabalho notabiliza-se principalmente por uma visão sempre clara e atual da literatura produzida entre as décadas de 30 e 50, período que convive com a nata dos escritores e críticos brasileiros no Rio de Janeiro. Dotada de análises sempre corajosas e contundentes, ela é, sobretudo, conhecida pelo estudo crítico-biográfico de Machado de Assis — obra que a consagra no meio literário como a autora da mais perspicaz e bem fundamentada biografia do Bruxo do Cosme Velho — e pela descoberta e resgate do romancista do século XIX Manuel de Oliveira Paiva, fato que ela própria considera ser sua maior contribuição às letras do Brasil. Lúcia Miguel Pereira é também autora de três romances, todos publicados nos anos 30. As recentes coletâneas de artigos extraídos dos grandes jornais da época dão ainda mais importância a seu trabalho crítico.

Crítica

HARMONIA CRÍTICA
"Machado de Assis, como o conheci, está todo no livro de Lúcia Miguel Pereira. [...]. Sente-se, nesse estudo, a par de senso crítico incomum, a imaginação de romancista tudo penetrando, tudo vivificando. Crítica e biografia, conduzidas a par e passo, equilibram-se através de todo o volume. No gênero, não me lembro de outra obra em nossa literatura que dê maior impressão de harmonia." (Manuel Bandeira, orelha de "Machado de Assis")

UMA ANALISTA ARGUTA
"Lúcia Miguel Pereira consegue captar de longe o sentido de certas tendências da literatura e da cultura em geral." (Rubens Figueiredo, *Jornal do Brasil*)

Obras

Maria Luísa (1933)
Em Surdina (1933)
Machado de Assis (1936)
Amanhecer (1938)
A Vida de Gonçalves Dias (1943)
Prosa de Ficção (1950)
Cinqüenta Anos de Literatura (1952)
Cabra-Cega (1954)
Adolfo Caminha (1960)
A Leitora e seus Personagens (1992)
Escritos da Maturidade (1994)

Contato

Textos protegidos — em caso de interesse para publicação, fazer contato com o Departamento Nacional do Livro da FBN

Fragmento

A Leitora e seus Personagens

Qual de nós não alimenta diante de si o ideal de um livro inteiramente sincero, livre, de um livro gerado nas raízes da personalidade, carregado de mistério vital? De um livro que penetrasse muito fundo na alma dos homens, e os acordasse do marasmo em que se atolam?
Diante de uma nova obra, pensamos: "Essa será a obra decisiva, a essencial." Mas logo sentimos a impossibilidade de levar adiante a empreitada; mil liames nos tolhem os movimentos, a sedução da facilidade nos inocula seu veneno. E a coragem nos falta. A nossa literatura, que desconhece o pudor, é, entretanto, uma literatura de tímidos. Ladeamos os problemas essenciais, quando não recuamos diante de um pormenor escabroso... E todavia, sentimos que não podemos parar de escrever. Vamos acumulando livro sobre livros porque em cada um encaixamos, disfarçada, desfigurada, uma parcela do que deveríamos dizer. Todos os romances de qualquer autor moderno [...] são, em rigor, um único livro, com muitos enxertos. E um livro que tem por título o velhíssimo preceito sempre novo: "Conhece-te a ti mesmo." Porque a verdade é que, malgrado todo o sociologismo objetivo que se vem insinuando no romance, tudo gira, em arte, em torno do eu e de suas relações com o mundo exterior.

LÚCIA MIGUEL PEREIRA

More than forty years after her premature death, novelist and essayist LÚCIA MIGUEL PEREIRA is still regarded as one of the great voices in the 20th century literary critic. Self-taught, without any university degree, her work became widely known mainly because of her clear and up-to-date vision about the literature produced between the 30's and the 50's, the period when the cream of Brazilian critics and writers in Rio de Janeiro were in full activity. Providing dauntless and hard-hitting analyses, she is known above all both by the critical-biographical study about Machado de Assis — a work that consecrated her in the literary scenario as being the author of the sharpest and best grounded biography of the Wizard of Cosme Velho — and by discovering and revivifying 19th century novelist Manuel de Oliveira Paiva, which she herself deems to be her most important contribution to Brazilian Literature. Lúcia Miguel Pereira wrote three novels, all published in the 1930's. The recent compilation of articles from major newspapers of the time confers additional importance to her critical work.

Review

CRITICAL HARMONY

"Machado de Assis, as I met him, is whole in Lúcia Miguel Pereira's book. [...]. In addition to a rare critical sense, one finds in this study the typical novelist's imagination, penetrating and vivifying everything. Critic and biography, conducted abreast, counterpoise each other throughout the book. In this category, I don't remember having seen any other work in our literature providing such a unique feeling of harmony." (Manuel Bandeira, flap in "Machado de Assis")

A WITTY ANALYST

"Lúcia Miguel Pereira manages to capture from far the general course of certain tendencies in the literature and in the culture in general." (Rubens Figueiredo, *Jornal do Brasil*)

Excerpt

A Leitora e seus Personagens (The Reader and her Characters)

Who of us will not nurture the ideal of an entirely sincere and free book, of a book generated in the roots of the personality, charged with vital mystery? The ideal of a book capable to penetrate deeply into men's soul, and wake them up from the dormancy they have bogged in? Before setting about a new work, we think: "This is going to be conclusive, the essential work." But soon we realize the task is infeasible; a thousand ties hold us back, the seduction of easiness inoculates its poison into our souls. And we fall short of courage. Our literature, although ignorant of pudency, is, notwithstanding, a literature of bashful writers. We sidestep the essential issues, if otherwise we don't withdraw from an unbecoming detail… And yet we feel we cannot give up writing. We keep on piling up books, because in each of them we fit, under a disguise, deformed, a portion of what we are expected to say. All novels by any modern author […] are, in truth, one single book crammed with many grafts. And the title of this book is the old, yet continually up-to-date, precept: "Get to know yourself." Because the truth is that, despite all the objective sociologism that has been pushing into the novel, in art everything revolves around the self and its relationship with the outer world.

Works

Maria Luísa (1933)
Em Surdina (1933)
Machado de Assis (1936)
Amanhecer (1938)
A Vida de Gonçalves Dias (1943)
Prosa de Ficção (1950)
Cinqüenta Anos de Literatura (1952)
Cabra-Cega (1954)
Adolfo Caminha (1960)
A Leitora e seus Personagens (1992)
Escritos da Maturidade (1994)

Contact

Protected texts — in case of interest for publication, get in contact with National Book Office (DNL) of the Biblioteca Nacional Foundation (FBN)

LÚCIO CARDOSO

Apenas aqueles para quem a arte é necessariamente vital fazem com ela um pacto tal qual o estabelecido por LÚCIO CARDOSO, um ficcionista monumental que se utilizou, simultaneamente, de diversos recursos narrativos (diários, memórias, cartas, confissões, poesia, depoimentos...) para, articulando a suposta fragmentação, fazer surgir a tragédia humana com toda sua carga de paixão, angústia, erotismo, solidão e desespero. Em um universo ontologicamente dilacerado, com uma prosa cuja poesia dá vazão ao desejo transgressivo, os personagens se desnudam em tensões recriadoras da objetividade do mundo. Ao lado de Clarice Lispector e Cornélio Pena, ele foi o principal nome do romance intimista brasileiro, e realizou, com Paulo César Sarraceni, o primeiro longa-metragem do Cinema Novo, além de seus romances terem sido adaptados para as telas. Ao ter de abandonar a escrita por causa de um derrame cerebral, recusou o afastamento da criação, passando a pintar belos quadros, ainda que com os poucos movimentos que lhe restaram.

Crítica

A SUBTERRÂNEA ESTAÇÃO DO SER
"Palavras / tramadas em papel, soando em palco, problemas falantes, / movediços em preto-e-branco, / projeção em tela ou parede, / em cor quase som, mensagens da mais subterrânea estação, / retratos espectrais do ser / para além da radiografia, / e um hálito de amor pedindo / espaços claros, praias de ouro / que se vão modelando em sonho / acordado, escrito, pintado." (Carlos Drummond de Andrade, "A Lúcio Cardoso, na Casa de Saúde")

A IRREFREÁVEL BUSCA DO DESCONHECIDO
"Um escritor que nenhum preconceito e nenhum escrúpulo perturbam no seu propósito de revelar, em profundidade, as forças íntimas e mais desconhecidas que movimentam os homens, os seus sentimentos, os seus atos." (Álvaro Lins, "Os Mortos de Sobrecasaca")

Obras

Maleita (1934)
Salgueiro (1935)
A Luz no Subsolo (1936)
Mãos Vazias (1938)
O Desconhecido (1940)
Poesias (1941)
Dias Perdidos (1943)
Novas Poesias (1944)
O Anfiteatro (1946)
Crônica da Casa Assassinada (1959)
Diário Completo (1961)
O Viajante (1970)

Contato

record@record.com.br

Fragmento

Crônica da Casa Assassinada

Ah, era inútil relembrar o que ela fora — mais do que isto, o que havíamos sido. A explicação se achava ali: dois seres tirados à voragem de um acontecimento excepcional, e subitamente detido — ela, crispada em seu último gesto de agonia, eu, de pé ainda, sabia Deus até quando, o corpo ainda vibrando ao derradeiro eco da experiência. Nada mais me apetecia senão vagar pelas salas e corredores, tão tristes quanto uma cena de que houvesse desertado o ator principal — e todo o cansaço dos últimos dias apoderava-se do meu espírito, e a sensação do vazio me dominava, não um vazio simples, mas esse nada total que substitui de repente, e de modo irremissível, tudo o que em nós significou impulso e vibração. Cego, com gestos manobrados por uma vontade que não me pertencia, abria as portas, debruçava-me às janelas, atravessava quartos: a casa não existia mais.

LÚCIO CARDOSO

Only those to whom art is a vital necessity can make a pact with art, just LÚCIO CARDOSO, did. He was a monumental fictionist who used simultaneously several narrative resources (diaries, memoirs, letters, confessions, poetry, statements...) in order to, by articulating the apparent fragmentation, lay bare the human tragedy with its entire load of passion, anguish, eroticism, solitude, and despair. In an ontologically lacerated universe, in a prose where poetry is the outlet for sinful desires, his characters strip themselves in tensions thereby re-creating the world objectivity. Together with Clarice Lispector and Cornélio Pena, he was the most prominent name in the Brazilian intimate novel. He produced, in partnership with Paulo César Sarraceni, the first Cinema Novo full-length film. His novels were adapted to the screens. When he was forced to give up writing because of a brain hemorrhage, he refused to quit creating and took to painting beautiful pictures, in spite of the few body mobility left.

Review

THE BEING'S UNDERGROUND STATION

"[...] words / woven on a piece of paper, sounding on stages, spoken problems, / moving in black and white, / projection on a screen or a wall, / in a color that is nearly sound, messages from the most underground station, / ghastly pictures of the being / beyond the x-ray / and the breath of love in suspension / clear spaces, golden beaches / that model themselves in a dream / woken, written, painted." (Carlos Drummond de Andrade, "A Lúcio Cardoso, na Casa de Saúde")

THE UNRESTRAINABLE SEARCH FOR THE UNKNOWN

"A writer that cannot be disturbed by any prejudice or scruple in his endeavor to unveil, in depth, the most intimate and ignored forces moving the man, man's feelings and actions." (Álvaro Lins, "Os Mortos de Sobrecasaca")

Excerpt

Crônica da Casa Assassinada (The Chronicle of the Murdered House)

Ah, it was useless to recall what she had been — even more than that, what we had been. The explanation was right there: two human beings thrown into the maelstrom of an exceptional event, and suddenly withheld — she, twitched in her last agony gesture; myself, still standing, only God knew until when, my body still vibrating under the last echo of the experience. Nothing could please me any more, except wandering through the rooms and corridors, which seemed them as sad as a scene deprived of the main actor — and the fatigue of the last few days took possession of my spirit; and a deep emptiness took me over. Not a simple emptiness, but that total nothingness that suddenly and unfailingly replaces everything that had meant impulse and vibration in us. Blind, gestures driven by a wish that was not mine, I would open the doors, lean over the windows, walk across rooms: the house no longer existed.

Works

Maleita (1934)
Salgueiro (1935)
A Luz no Subsolo (1936)
Mãos Vazias (1938)
O Desconhecido (1940)
Poesias (1941)
Dias Perdidos (1943)
Novas Poesias (1944)
O Anfiteatro (1946)
Crônica da Casa Assassinada (1959)
Diário Completo (1961)
O Viajante (1970)

Contact

record@record.com.br

LUÍS DA CÂMARA CASCUDO

Lendas e mitos, hábitos alimentares, folguedos, modos de falar e vestir-se, jogos infantis, práticas funerárias, superstições e costumes, tudo que constitui e enriquece a cultura popular brasileira foi alvo das pacientes pesquisas de LUÍS DA CÂMARA CASCUDO, cujos mais de 100 livros publicados conferiram-lhe a reputação de maior folclorista do país. Coletados os dados, ora em campo, ora em arquivos, punha-se o autor a relacioná-los aos índios, à África, a Portugal e à Idade Média européia, ou até mesmo a tradições asiáticas, para mostrar como as raízes do cotidiano do povo vêm com freqüência projetadas desde estratos remotos. Sua obra etnográfica e antropológica, estando sempre em sintonia com os avanços teóricos, foi, porém, toda realizada em linguagem criativa e saborosa, o que a põe ao alcance do leitor comum, sem prejuízo de manter-se como fonte obrigatória de consulta.

Crítica

UM DESCOBRIDOR DO BRASIL

"Ninguém escreveu tanto e tão bem sobre o Brasil e sobre os brasileiros como Câmara Cascudo. Os seus estudos etnográficos são o que existe de melhor para a compreensão do que é nosso. Gilberto Freyre e Cascudo são duas faces da mesma moeda. Eles estudaram e revelaram o Brasil de forma insuperável — Gilberto com visão sociológica, Cascudo com visão antropológica. Fizeram a verdadeira interpretação social. Enquanto Gilberto Freyre parte do regional para fixar o brasileiro no mundo (*Casa Grande e Senzala*), Câmara Cascudo parte do homem no universo para fixar o brasileiro (*Civilização e Cultura*). Suas obras são paralelas, às vezes convergentes e sempre complementares uma da outra. Os dois descobriram o Brasil." (Diógenes da Cunha Lima, "Câmara Cascudo, um Brasileiro Feliz")

Obras

Alma Patrícia (1921)
O Homem Americano e seus Temas (1933)
Uma Interpretação da Couvade (1936)
Peixes no Idioma Tupi (1938)
Seis Mitos Gaúchos (1942)
Lendas Brasileiras (1945)
Geografia dos Mitos Brasileiros (1947)
Simultaneidade de Ciclos Temáticos Afro-Brasileiros (1948)
Literatura Oral (1952)
Dicionário do Folclore Brasileiro (1954)
Superstições e Costumes (1958)
História da Alimentação no Brasil (1967-68)
Prelúdio da Cachaça (1968)
Civilização e Cultura (1973)

Contato

global@dialdata.com.br

Fragmento

Anúbis e outros Ensaios — Mitologia e Folclore

Os anjos ou anjinhos para o Povo são as crianças mortas batizadas. O nome é dado até uma determinada idade. Até dois anos merecem o título. A característica do Anjo da terra é não ter "uso de razão". Morrendo batizado vai para o Céu com uma passagem rápida no Purgatório, a fim de deixar ficar aí os alimentos ingeridos na terra. Mesmo uma criança de meses só alcançará o Paraíso depois de vomitar o leite materno que mamou. Da terra nada se leva para o Céu. Há a classe dos que não se batizaram, menino pagão, sem pecado e sem virtude. Esses ficarão no Limbo, lugar sombrio e tranqüilo, monótono pela igualdade no tempo. Esses espíritos de meninos pagãos não abandonam o desejo do santo batismo e vêm constantemente ao Mundo rodear quem os pode dar as santas águas. Ficam em certos lugares, chorando fino, um choro estranho e típico, choro de menino pagão. No Recife há um lugar denominado "Chora-menino" cujo topônimo provinha dessa preferência.

LUÍS DA CÂMARA CASCUDO

Legends and myths, alimentary habits, frolics, ways of speaking and dressing, children games, burial practices, superstitions and habits, everything that constitutes and enriches the Brazilian popular culture was the object of LUÍS DA CÂMARA CASCUDO's patient researches. More than a hundred books published assured him the reputation of most prominent folklorist in the country. After collecting the data, some times in field, some times by researching in archives, he would then start relate them to the Indians, to Africa, to Portugal, and to the European Middle Age, or even to Asian traditions, to show how people's quotidian roots are often projected from remote strata. His ethnographical and anthropological work, always tuned with the theoretical advancements, was, notwithstanding, accomplished in a creative and tasty language, which makes it accessible for the common reader, while still being regarded as an obligatory reference source.

Review

A DISCOVERER OF BRAZIL

"Nobody has ever written so much and so well about Brazil and the Brazilians as Câmara Cascudo has. His ethnographic researches are the best source to understand ourselves. Gilberto Freyre and Cascudo are the two faces of a same coin. They studied and unveiled Brazil in an unbeatable way — Gilberto providing a sociological view, Cascudo providing an anthropological one. They provided a true social interpretation. While Gilberto Freyre starts from the regional to settle the Brazilian in the world context (*Casa Grande e Senzala*), Câmara Cascudo starts from the man's role in the universe to settle the Brazilian (*Civilização e Cultura*). The two works run parallelly, sometimes converging but always complemental to each other. The two of them discovered Brazil." (Diógenes da Cunha Lima, "Câmara Cascudo, um Brasileiro Feliz")

Excerpt

Anúbis e outros Ensaios — Mitologia e Folclore (Anúbis and other Essays — Mythology and Folklore)

In the People's imagery, the angels or heavenly children are those children who died after being christianized. The name is given until a certain age. Before two years of age, they deserve the title. The characteristic of the earthly Angel is not being endowed with the "use of reason". If the child dies after being christianized, they go to Heaven after a quick stay in the Purgatory in order to get rid of the food ingested while on the earth. Even a newborn infant will only reach the Paradise after vomiting the mother's milk suckled. Nothing can be taken from the earth to Heaven. There is also the category of those who were not christianized, the unbaptized infants, without sin and without virtue. Those will stay in the Limbo, a somber and quiet place, monotonous because of the equality in time. The spirits of those unbaptized infants do not give up the desire to receive the saint baptism, and they often come to the World to accost whoever is in a position to give them the holy sprinkling. They usually stay at certain places, wailing an odd and typical cry, a pagan baby's cry. In Recife, there is a place called "Chora-menino" ("cry-baby") which was so called as a reference to the preference by such infants to hang about there.

Works

Alma Patrícia (1921)
O Homem Americano e seus Temas (1933)
Uma Interpretação da Couvade (1936)
Peixes no Idioma Tupi (1938)
Seis Mitos Gaúchos (1942)
Lendas Brasileiras (1945)
Geografia dos Mitos Brasileiros (1947)
Simultaneidade de Ciclos Temáticos Afro-Brasileiros (1948)
Literatura Oral (1952)
Dicionário do Folclore Brasileiro (1954)
Superstições e Costumes (1958)
História da Alimentação no Brasil (1967-68)
Prelúdio da Cachaça (1968)
Civilização e Cultura (1973)

Contact

global@dialdata.com.br

LUÍS FERNANDO VERÍSSIMO

Um dos testes mais difíceis para a criatividade de qualquer escritor é o exercício profissional da crônica jornalística. Como conseguir ser, diária e simultaneamente, comunicativo, original, leve, arguto...? Pois foi exatamente nesse domínio que LUÍS FERNANDO VERÍSSIMO se consagrou, para, só bem posteriormente, ter-se aventurado como romancista. Com excelente domínio técnico da arte de escrever e um extraordinário senso de humor que se singulariza pela sutileza, ele faz questão de desmistificar sua relação com a literatura dizendo que, para ele, escrever *não é nem uma compulsão nem um alívio*, mas uma tarefa profissional visando puramente ao entretenimento de qualidade. Talvez por isso seus dois romances tenham sido escritos por encomendas editoriais, e não por projetos unicamente pessoais. Criador e desenhista das tiras *As Cobras* e *Família Brasil*, além de personagens como o analista de Bagé e a velhinha de Taubaté, entre outras, Veríssimo, autor também de romance policial, é um dos maiores retratistas da classe média e da política brasileira.

Crítica

UMA FÁBRICA DE HUMOR

Veríssimo é uma fábrica de fazer humor. Muito e bom. Meu consolo — comparando meu artesanato de chistes e cartuns com sua fábrica — era que, enquanto eu rodo pelaí com minha grande capacidade ociosa pelos bares da vida, na busca insaciável do prazer (B. I. P.), o campeão do humor trabalha como um mouro (se é que os mouros trabalham). Pensava que, com aquela vasta produção, ele só podia levantar os olhos da máquina de escrever para pingar colírio, como dizia o Stanislaw Ponte Preta. Boêmia, papos-furados pela noite adentro, curtir restaurantes malocados, lazer em suma, nem pensar. De manhã à noite, sempre com a placa *Homens Trabalhando* pendurada no pescoço." (Jaguar, "Luís Fernando Veríssimo")

HUMOR SOB MEDIDA

"Depois e com o tempo, descobri as armas que tão poucos profissionais do humor (e mesmo do jornalismo) têm, além dele, no Brasil: o senso apurado de avaliar a importância e o grau de atenção de um assunto. Não lembro de uma única vez ter notado exagero ou escassez de humor e de crítica num cartunzinho que fosse ou num texto mais pesado." (Fraga, "Prefácio")

Obras

O Popular (1973)
As Cobras (1975)
Ed Mort e outras Histórias (1979)
Sexo na Cabeça (1980)
O Analista de Bagé (1981)
A Velhinha de Taubaté (1983)
O Jardim do Diabo (1987)
Comédias da Vida Privada (1994)
Comédias da Vida Pública (1996)
Histórias de Humor (1998)
O Clube dos Anjos (1999)
As Mentiras que os Homens Contam (2000)
Borges e os Orangotangos Eternos (2000)

Fragmento

O Analista de Bagé

Nisso, o quê? Qual a coisa mais insólita que pode acontecer num recital de um quarteto de cordas? Passar uma manada de zebus pelo palco, por trás deles? Não. Uma manada de zebus passa, parte da platéia pula das suas poltronas e procura as saídas em pânico, outra parte fica paralisada e perplexa, mas depois tudo volta ao normal. O quarteto, que manteve-se firme em seu lugar até o último zebu — são profissionais e, mesmo, aquilo não pode estar acontecendo — começa a tocar. Nenhuma explicação é pedida ou oferecida. Segue o Mozart.
Não. É preciso instalar-se no acontecimento, como a semente da confusão, uma pequena incongruência. Algo que crie apenas um mal-estar, de início e chegue lentamente, em etapas sucessivas, ao caos. Um morcego que posa na cabeça do segundo violinista durante um pizzicato. Não. Melhor ainda. Entra no palco um homem carregando uma tuba.

Contato

Lúcia Riff, *agente literária*
lucia@bmsr.com.br

LUÍS FERNANDO VERÍSSIMO

One of the most difficult tests for any writer's creativity is the professional exercise of writing feature stories. How can anyone be at a time, and on a daily basis, communicative, original, light, witty...? LUÍS FERNANDO VERÍSSIMO distinguished himself precisely in this domain. Only afterwards he ventured as a novelist. Endowed with an excellent technical mastering over the art of writing and an extraordinary sense of humor characterized by being subtle, he makes a point on demystifying his relationship with literature by saying that, in his opinion, writing is *neither a compulsion nor a relief*, but rather a professional task purely targeting a high quality entertainment. This may be the reason why his two novels were written to meet a request from the publishers, and not out of a personal project. He created and draws the comic strips *As Cobras (The Snakes)* and *Família Brasil*, besides his famous characters: the analyst from Bagé; and the old lady from Taubaté, among others. Having also written detective stories, Veríssimo is one of the major portraitists of the middle class and the Brazilian politics.

Review

A FACTORY OF HUMOR

"Veríssimo is a factory of humor. Plenty and good. My relief — comparing my craft of jokes and cartoons with his factory — was that, while I aimlessly ramble from bar to bar carrying my huge idle capacity, insatiably searching pleasure (I.S.P.), the humor champion works like a Moor (if it is true that the Moors ever work). I fancied that, to knock off that vast production, he could only lift the eyes from the typewriter to drip eye drops, as Stanislaw Ponte Preta would say. Nightclubgoing, overnight hobnobbing, enjoying tucked-away restaurants, in short, leisure was out of question. From morning to evening, carrying the placard *Men Working* hanging from the neck." (Jaguar, "Luís Fernando Veríssimo")

HUMOR MADE TO ORDER

"Afterwards, I found out the weapons that just a few humor professionals (and even journalists) in Brazil, besides him, have: a refined sense to evaluate the importance and the degree of attention of a subject. I don't remember noticing, not even once, any exaggeration or humor and critic shortage, neither in a single cartoon nor in a lengthier text." (Fraga, "Prefácio")

Excerpt

O Analista de Bagé (The Analyst from Bagé)

Then, what? Which is the most unusual thing that could happen during a string quartet recital? A herd of zebus getting across the stage, behind them? No. A herd of zebus passes by, half of the audience jump from their seats and in panic search the exits, the other half gets paralyzed and astonished, but then everything gets back to normal. The quartet, in their places up to the last zebu — they are professional and, after all, that could not be happening — resumes playing. No explanation is asked for or offered. Mozart comes next.

No. It is necessary to dwell on the event, like the seed of the mess, a minor incongruity. Something that brings about some uneasiness at the beginning and slowly leads, in successive stages, to chaos. A bat alighting on the second violinist's head during a pizzicato. No. Better still. A man comes on the stage carrying a tuba.

Works

O Popular (1973)
As Cobras (1975)
Ed Mort e outras Histórias (1979)
Sexo na Cabeça (1980)
O Analista de Bagé (1981)
A Velhinha de Taubaté (1983)
O Jardim do Diabo (1987)
Comédias da Vida Privada (1994)
Comédias da Vida Pública (1996)
Histórias de Humor (1998)
O Clube dos Anjos (1999)
As Mentiras que os Homens Contam (2000)
Borges e os Orangotangos Eternos (2000)

Contact

Lúcia Riff, *literary agent*
lucia@bmsr.com.br

LUIZ COSTA LIMA

Se a crítica literária brasileira conhece um franco desenvolvimento no século XX, tendo expoentes dignos da literatura que comenta, o mesmo não acontece com a teoria literária no Brasil. Há uma espécie de enrijecimento das fronteiras entre disciplinas que não corresponde ao movimento real não só da literatura como de qualquer área do saber e da cultura contemporâneos. No caso da literatura, a única exceção talvez seja a da importância do argumento sociológico, sobretudo no período anterior à queda do comunismo mundial. Essa visão compartimentada impede análises de maior alcance, principalmente no que tange ao aspecto filosófico da literatura. LUIZ COSTA LIMA é uma das raras exceções a essa tendência. Estudioso da *mimesis*, que está na base do fazer não apenas poético, mas de qualquer criação propriamente dita, e que, paradoxalmente, é também fonte de tanta incompreensão, em virtude da tradução latina como *imitatio*, Costa Lima não respeita essas barreiras disciplinares e restitui à literatura toda tensão filosófica a que tem direito.

Crítica

CRÍTICA DIALÓGICA
"Considero da maior importância a contribuição que Luiz Costa Lima vem dando, entre nós, aos estudos de teoria literária, há já quase três décadas. [...] Costa Lima tem (um dos raros!) conseguido manter o alto nível de sua reflexão teórica e o seu interesse dialógico na discussão crítica, sem descurar de seguir, com o olhar de arguta e envolvida atenção, a produção do novo em poesia e em nossa prosa." (Haroldo de Campos, "O Lugar de Luiz Costa Lima")

FICÇÃO VIDA
"O livro de Costa Lima [*Pensando nos Trópicos*] se insere na tradição daqueles grandes estudos que fazem ver como a vida, por ser visível, tem necessidade da ficção." (K. Ludwig Pfeiffer, posfácio a "Die Kontrolle des Imaginären")

Obras

Dispersa Demanda (1981)
O Livro do Seminário (1983)
O Controle do Imaginário (1984)
Sociedade e o Discurso Ficcional (1986)
O Fingidor e o Censor: no Ancien Régime, no Iluminismo e Hoje (1988)
A Aguarrás do Tempo: Estudos sobre a Narrativa (1989)
Pensando nos Trópicos (1991)
Limites da Voz: Montaigne, Schlegel (1993)
Limites da Voz: Kafka (1993)
Vida e Mimesis (1995)
Terra Ignota (1997)
Mimesis: Desafio ao Pensamento (2000)
Euclides da Cunha: Contrastes e Confrontos do Brasil (2000)

Contato

rocco@rocco.com.br

Fragmento

Vida e Mimesis

A estranheza do destino não toca apenas a certos homens; ainda envolve certas obras.
Que estranho o destino da Poética Aristotélica*. Uma esfinge não pareceria despertar maiores equívocos. Ignorada na antigüidade, onde poderia ter sido mais fluente seu entendimento, não se tornou melhor conhecida do* Cinquecento*, que, entretanto, nela tanto se apoiou. Não é hoje segredo que sua apropriação pelos tratadistas italianos teve um equívoco por base:* mimesis *entendida como* imitatio*. Menos responsável por esse desentendimento teria sido o caráter de seu autor, muitas vezes acusado de impermeável à ambiência mítico-religiosa da tragédia, do que à falsificação da própria letra da* Poética*. É o que mostrava, em tese publicada em 1954, a competência filológica de Homem Koller. Um comentarista do peso de Geral Else, embora, a propósito de 47a 16-7, ressaltasse que "*mimésis*, como* poiésis *acima, tenha um sentido verbal ativo: não 'imitações' ou sequer 'modos de imitação', conforme os tradutores, mas 'processos de imitação', 'imitantes'" (Else, G.: 1957, 12), termina por manter, ainda que atenue, a lição tradicional.*

LUIZ COSTA LIMA

If it is true that Brazilian literary critic achieves full development in the 20th century, providing exponents that are worthy the literature they comment on, the same cannot be said about literary theory in Brazil. The boundaries between disciplines undergo a kind of hardening that fails to correspond to the real movement not only of literature but also of any contemporary knowledge and culture area. In the case of literature, the only exception is maybe the importance of sociological argumentation, especially in the period preceding the world communism downfall. That compartmentalized view prevents broader analyses, especially concerning literature philosophical aspect. LUIZ COSTA LIMA represents a rare exception to this tendency. A researcher of mimesis, which is in the basis of doing, not only of poetry, but of any creation, and is, paradoxically, a source of misunderstanding because of the Latin translation as imitatio, Costa Lima does not respect such discipline boundaries and restores to literature all philosophical tension it deserves.

Review

DIALOGIC CRITIC

"I regard Luiz Costa Lima contribution to literary theory research over the last three decades as of the utmost importance. [...] Costa Lima has managed (one of the rare ones!) to sustain the high level of his theoretical reflection as well as his dialogic interest in the critical discussion, without failing to follow, with his glance of subtle and committed attention, the production of the new in poetry and in our prose." (Haroldo de Campos, "O Lugar de Luiz Costa Lima")

LIFE FICTION

"Costa Lima's Book [*Pensando nos Trópicos*] belongs in the tradition of those great studies that show how life, being visible, needs fiction." (K. Ludwig Pfeiffer, postface to "Die Kontrolle des Imaginären")

Excerpt

Vida e Mimesis (Life and Mimesis)

The strangeness of destiny is not restricted to a few men; it also envelops a few works.
How strange the Aristotelian Poetry's *destiny is. A sphinx would not seem to bring about as much misunderstanding. Ignored in ancient times, where its understanding could have been more fluent, it was not better understood in the* Five-hundred, *which, notwithstanding, drew so much on it. It is not a secret today that its appropriation by the Italian treatise writers built on a misunderstanding:* mimesis *understood as* imitatio. *The character of its author, often times accused of being more impervious to the tragedy's mythical-religious ambiance than to the falsification of the very* Poetry *letter, would have been deemed less responsible for such misunderstanding. This is what the philological competence of Homem Koller was showing in his thesis published in 1954. A commenter with the stature of a Geral Else, although, highlighted, in relation to 47a 16-7, that "mimésis, as* poiésis *above, has an active verbal meaning: not 'imitations' or even 'imitation manners,' according to the translators, but rather 'imitation processes', 'imitators'" (Else, G.: 1957, 12), ends up maintaining, even if attenuated, the traditional lesson.*

Works

Dispersa Demanda (1981)
O Livro do Seminário (1983)
O Controle do Imaginário (1984)
Sociedade e o Discurso Ficcional (1986)
O Fingidor e o Censor: no Ancien Régime, no Iluminismo e Hoje (1988)
A Aguarrás do Tempo: Estudos sobre a Narrativa (1989)
Pensando nos Trópicos (1991)
Limites da Voz: Montaigne, Schlegel (1993)
Limites da Voz: Kafka (1993)
Vida e Mimesis (1995)
Terra Ignota (1997)
Mimesis: Desafio ao Pensamento (2000)
Euclides da Cunha: Contrastes e Confrontos do Brasil (2000)

Contact

rocco@rocco.com.br

LYGIA FAGUNDES TELLES

Com a certeza de que a função do escritor é testemunhar seu tempo, e privilegiando a tessitura urbana, essa paulista da geração do pós-guerra aborda como poucos a questão das fissuras dos laços sociais e desencontros subjetivos do espírito humano. Nos romances e contos de LYGIA FAGUNDES TELLES, a impossibilidade de conciliação com o real deflagra momentos de angústia e incerteza naqueles que presenciam o absurdo do mundo. Assim, tudo conduz a uma transformação interior dos personagens, propiciada pela aprendizagem possível. Dentro de uma vasta galeria de tipos, que podem ir de prostitutas a atrizes, de milionários a miseráveis, de um físico peculiar a uma menina rica e infeliz, há um predomínio de protagonistas femininos em sua obra, que também se pode caracterizar pela construção do próprio feminino em situações que vão da infância à velhice e ao encontro com a solidão. A melhor definição de sua poética é dada pela própria autora: "A minha preocupação é justamente com aqueles que estão abrindo um caminho duro, áspero, com as unhas que sangram, é a vontade do ser humano de romper com tanta coisa."

Crítica

A PUNGENTE AMARGURA DO MEL
"Recentemente, estava eu a folhear alguns dos livros de Lygia Fagundes Telles que desde há muito me acompanham na vida, a afagar com os olhos páginas tantas vezes soberbas, quando me detive nessa verdadeira obra-prima que é o conto 'Pomba Enamorada'. Reli-o uma vez mais, palavra a palavra, sílaba a sílaba, saboreando ao de leve a pungente amargura daquele mel." (José Saramago, *Cadernos de Literatura Brasileira*)

A DIGNIDADE DA LÍNGUA PORTUGUESA
"*A Noite Escura e Mais Eu*, entre todos os livros de contos de Lygia, talvez seja a sua obra-prima. Pela unidade, pela densidade, pela extraordinária dignidade que confere à língua portuguesa, mesmo quando trata de temas ou situações sórdidas, perversas, violentas." (Caio Fernando Abreu, *Zero Hora*)

Obras

Praia Viva (1944)
Ciranda de Pedra (1954)
Histórias do Desencontro (1958)
Verão no Aquário (1963)
Antes do Baile Verde (1970)
As Meninas (1973)
Seminários dos Ratos (1977)
Mistérios (1981)
As Horas Nuas (1989)
A Estrutura da Bolha de Sabão (1991)
A Noite Escura e Mais Eu (1995)
Invenções e Memória (2000)

Contato

Lúcia Riff, *agente literária*
lucia@bmsr.com.br

Fragmento

As Meninas

Quando voltou a luz, houve em torno uma certa paz, a paz da contagem, da verificação. No telhado, a chuvinha modesta. Apaziguadora. Achei que o chá se fazia mesmo necessário para armar uma certa atmosfera de confiança, condicionei o amor ao chá. Mas não tem um saci que entra na chaleira e fica soprando a água? Despejei o chá antes da fervura, não que tivesse me afobando, imagine, mas já disse que o chá não fica bom em água fervida. Quando afinal nos olhamos de frente sem chá e sem palavras, adivinha quem chegou. Nunca ela me pareceu tão grande como naquela noite com seu impermeável velhíssimo e cabeleira de tempestade. Trazia debaixo do braço os jornais e uma pasta de estatísticas, estava na fase das estatísticas. Sentou-se no seu lugar preferido que é o tapete, pediu um uísque e tirou as alpargatas pesadas de água. Dei-lhe uma toalha para enxugar os pés depois de oferecer-lhe um banho. Recusou o banho. Adoro me enfiar num chuveiro bem quente depois da chuva, ah, a sensação de bem-estar com o talco e colônia e roupa seca, fico feliz até às lágrimas.

LYGIA FAGUNDES TELLES

Believing the writer's job is to bear witness of their time, and privileging the urban tessitura, this post-war generation São Paulo born writer approaches in a very unique way such issues as the fissures in the social ties and the human spirit's subjective incongruencies. In LYGIA FAGUNDES TELLES's novels and short stories, the impossibility of any conciliation with reality triggers moments of anguish and uncertainty in whoever witnesses the absurdity of the world. Thus, everything leads to an inner change in the characters, made possible by the attainable learning. Within a vast gallery of types, which may range from prostitutes the actresses, from the millionaire to the penniless, from a kooky physicist to a rich and unhappy girl, there is a predominance of female protagonists in her work, which may also be characterized by the construction of feminine in situations going from childhood to old age, and coming upon to meet solitude. The best definition of her poetical work is provided by the author herself: "My true concern is for those who are drudging daily, hacking a hard path with their bleeding nails; it is the determination of human beings to break through so many things."

Review

THE HEARTBREAKING BITTERNESS OF HONEY
"Recently, I was just browsing some of Lygia Fagundes Telles' books that have been accompanying me for quite a long time, caressing with my eyes those more-than-superb pages, when I lingered over this short story that is a true masterpiece: 'Pomba Enamorada' (The Bewitched Dove). I read it once again, word by word, syllable by syllable, tenderly savoring the heart-breaking bitterness of that honey." (José Saramago, *Cadernos de Literatura Brasileira*)

THE DIGNITY OF THE PORTUGUESE LANGUAGE
"*A Noite Escura e Mais Eu (Dark Night Plus Myself)*, among all Lygia's books of short stories, may easily be her masterpiece. Judging by the unity, the density, the extraordinary dignity it bestows upon the Portuguese language, even when it deals with themes or situations that are sordid, perverse, violent." (Caio Fernando Abreu, *Zero Hora*)

Excerpt

As Meninas (The Girls)

When the outage was over, there was sort of peace around, the peace of counting, of checking. A discreet rain drumming on the roof. Pacifying. I thought some tea was indeed necessary to bring about an atmosphere of trust; I conditioned love to the tea. But, isn't it true that there is a black one-legged goblin who enters the teakettle to blow the water? I poured the tea before it boiled; that did not mean I was flustering, fancy! but I've always said the tea is ruined in boiled water. When we eventually looked at each other in the eye, without tea or words, just guess who arrived. She had never looked so big like in that evening, in her age-old raincoat and stormy hair. She brought the newspapers and a folder full of statistics under her arm, she was in the phase of statistics. She sat down on the rug, her favorite place, asked for some whiskey and took off the soaked canvas shoes. I gave her a towel to dry her feet after offering her a shower. She declined the shower. I myself take the most pleasure in going under a heated shower after the rain; ah, the joyous sensation of talcum powder and eau de Cologne and dry clothes, I get happy to the tears.

Works

Praia Viva (1944)
Ciranda de Pedra (1954)
Histórias do Desencontro (1958)
Verão no Aquário (1963)
Antes do Baile Verde (1970)
As Meninas (1973)
Seminários dos Ratos (1977)
Mistérios (1981)
As Horas Nuas (1989)
A Estrutura da Bolha de Sabão (1991)
A Noite Escura e Mais Eu (1995)
Invenções e Memória (2000)

Contact

Lúcia Riff, *literary agent*
lucia@bmsr.com.br

MACHADO DE ASSIS

Nascendo em 1839 e morrendo em 1908, MACHADO DE ASSIS é o grande clássico que, ao acolher toda a tradição da escrita ocidental, leva a literatura brasileira às grandes e decisivas descobertas do século XX. A introdução de um olhar filosófico atualizado o faz romper, ainda no século XIX, com a linearidade da narrativa, introduzindo em sua obra o fragmentário, o elíptico e o incompleto. Criando um estilo inteiramente pessoal que não se deixa reduzir por nenhuma escola literária e atravessado por uma fina ironia pessimista, esse romancista, contista, poeta, dramaturgo, cronista e ensaísta irá conjugar, como ninguém até então, o equilíbrio entre nacionalidade e universalidade. Superando uma visão romântica que buscava um Brasil autêntico através da incorporação da paisagem brasileira e de elementos explicitamente não-europeus, Machado de Assis conquista a autonomia definitiva da ficção do país privilegiando uma paisagem urbana, cujos personagens estão repletos de ambigüidades e contradições insolúveis. Partindo de assuntos locais, manifestando a realidade em seu aspecto cru e não-retórico, ele se faz um escritor de seu tempo e atemporal, de seu país e universal... um dos maiores, enfim, de todo o mundo.

Crítica

Do Brasil Profundo à ASPEREZA URBANA E MODERNA
"Machado de Assis faz o difícil itinerário do Brasil profundo à aspereza urbana. [...] O Bruxo do Cosme Velho, como o chamavam, vinculando-o ao nome do bairro do Rio de Janeiro, onde viveu seus últimos anos, o cultor do dilema ou do enigma, inaugurou precocemente a suspeita, o duplo, o múltiplo, estes emblemas da cidade moderna." (Eduardo Portella, "Machado de Assis, Cronista do Rio de Janeiro")

A MODERNIDADE DO AMBÍGUO
"A sua técnica consiste essencialmente em sugerir as coisas mais tremendas da maneira mais cândida; ou em estabelecer um contraste entre a normalidade social dos fatos e a sua anormalidade essencial; ou em sugerir, sob aparência do contrário, que o ato excepcional é normal, e anormal seria o ato corriqueiro. Aí está o motivo de sua modernidade, apesar do seu arcaísmo de superfície." (Antonio Candido, "Esquema de Machado de Assis")

Obras

Contos Fluminenses (1869)
A Mão e a Luva (1874)
Helena (1876)
Iaiá Garcia (1878)
Memórias Póstumas de Brás Cubas (1881)
Papéis Avulsos (1882)
Quincas Borba (1891)
Várias Histórias (1896)
Dom Casmurro (1899)
Poesias Completas (1901)
Esaú e Jacó (1904)
Memorial de Aires (1908)

Copyright

Obras em domínio público
— textos livres para publicação

Fragmento

Memórias Póstumas de Brás Cubas

Com efeito, um dia de manhã, estando a passear na chácara, pendurou-se-me uma idéia no trapézio que eu tinha no cérebro. Uma vez pendurada, entrou a bracejar, a pernear, a fazer as mais arrojadas cabriolas de volatim, que é possível crer. Eu deixei-me estar a contemplá-la. Súbito, deu um grande salto, estendeu os braços e as pernas, até tomar a forma de um X: decifra-me ou devoro-te. *Essa idéia era nada menos que a invenção de um medicamento sublime, um emplastro anti-hipocondríaco, destinado a aliviar a nossa melancólica humanidade. Na petição de privilégio que então redigi, chamei a atenção do governo para esse resultado, verdadeiramente cristão. Todavia, não neguei aos amigos as vantagens pecuniárias que deviam resultar da distribuição de um produto de tamanhos e tão profundos efeitos. Agora, porém, que estou cá do outro lado da vida, posso confessar tudo: o que me influiu principalmente foi o gosto de ver impressas nos jornais, mostradores, folhetos, esquinas, e enfim nas caixinhas do remédio, estas três palavras:* Emplastro Brás Cubas. *Para que negá-lo? Eu tinha a paixão do arruído, do cartaz, do foguete de lágrimas. Talvez os modestos me arguam esse defeito; fio, porém, que esse talento me hão de reconhecer os hábeis. Assim, a minha idéia trazia duas faces, como as medalhas, uma virada para o público, outra para mim. De um lado, filantropia e lucro; de outro lado, sede de nomeada. Digamos: — amor da glória.*

MACHADO DE ASSIS

Born in 1839 and died in 1908, MACHADO DE ASSIS is the great classic who, harboring all the western writing tradition, takes the Brazilian literature to the great and decisive discoveries of the 20th century. The introduction of an updated philosophical view led him to break off, still in the 19th century, with the narrative linearity, embedding into his work what is fragmentary, elliptical, and incomplete. While creating an entirely personal style that was not affected by any literary school, although pervaded by a fine pessimistic irony, this novelist, story writer, poet, playwright, columnist, and essayist combined, like anybody else before, the balance between nationality and universality. Going beyond the romantic view that sought for an authentic Brazil by incorporating the Brazilian landscape and explicitly non-European elements, Machado de Assis wins definitive autonomy for the Brazilian fiction by privileging an urban landscape, whose characters are full of ambiguities and insoluble contradictions. Starting from local themes, unveiling reality in its raw and non-rhetorical aspect, he became a writer tuned with his time and yet atemporal, national and yet universal... ultimately, one of the greatest in the world.

Review

FROM DEEP BRAZIL TO URBAN AND MODERN ROUGHNESS
"Machado de Assis travels the difficult road from deep Brazil to urban roughness. [...] The wizard from Cosme Velho, as he was often called, in a way to link him to the name of the neighborhood in Rio de Janeiro where he lived his last years, a partisan of dilemma or enigma, he anticipated the suspicion, the double-dealing, the multiplicity, such modern city emblems." (Eduardo Portella, "Machado de Assis, Cronista do Rio de Janeiro")

THE CONTEMPORANEITY OF AMBIGUITY
His technique consists essentially in hinting at the most amazing things in the whitest way; or in establishing a contrast between social normality of facts and its essential abnormality; or in suggesting, under the disguise of the contrary, that the exceptional action is normal, and that the commonplace would be abnormal. This is why he is modern, in spite of the archaism in the surface." (Antonio Cândido, "Esquema de Machado de Assis")

Excerpt

Memórias Póstumas de Brás Cubas (Posthumous Memoirs of Brás Cubas)

As a matter of fact, one morning, as I walked in the villa, an idea got hung on the trapeze I used to have in the brain. Once it got hung, it started to wave the arms, to stamp the feet, to caper in the boldest leaps one can possibly believe. I was just there watching it. In all of a sudden, it sprang up in a great jump, extended the arms and legs and took the shape of an X: make out my meaning or I'll eat you. This idea was nothing less than the contrivance of a sublime medicine, an anti-hypochondriac poultice, concocted to bring a relief to our melancholic humankind. In the letters patent application I then wrote, I called the government's attention to this truly Christian result. However, I didn't conceal from my friends the financial advantages that could result from the distribution of a product with such sizeable and deep effects. But now, as I came here to this other side of life, I can admit everything: what influenced me most was the gratification of seeing these three words printed in the newspapers, display cases, pamphlets, corners, and eventually in the medicine boxes: Brás Cubas' Poultice. *Why should I deny it? I had a lust for bustle, for the poster, for the rocket of tears. Maybe the modest ones will reproach this blemish; I believe, however, that this talent will be recognized by the skilled ones. Thus, my idea had two faces, just like the medals, one facing the public, the other facing myself. On the one side, philanthropy and profit; on the other side, the thirst for renown. Let's put like this: — love for glory.*

Works

Contos Fluminenses (1869)
A Mão e a Luva (1874)
Helena (1876)
Iaiá Garcia (1878)
Memórias Póstumas de Brás Cubas (1881)
Papéis Avulsos (1882)
Quincas Borba (1891)
Várias Histórias (1896)
Dom Casmurro (1899)
Poesias Completas (1901)
Esaú e Jacó (1904)
Memorial de Aires (1908)

Copyright

Works in public domain
— texts available for publication

M. CAVALCANTI PROENÇA

Em um mundo intelectual que prima pela especialização e pelo desinteresse por tudo o que é alheio, poucas são as pessoas que burlam as demandas do excesso de velocidade do tempo, encontrando disponibilidade para variados assuntos e, ainda, criar uma obra de grande significação. Amante da zoologia, da ciência, da botânica e das matemáticas, M. CAVALCANTI PROENÇA se tornou um marco da crítica literária com obras que demonstram extremo conhecimento e propiciam grande prazer. Se, por exemplo, *Macunaíma*, de Mário de Andrade, é um dos livros mais importantes da ficção brasileira, *Roteiro de Macunaíma*, por sua vez, se caracteriza por ser uma das teorizações de maior relevância na história da interpretação da arte da palavra do país. Além de ter escrito sobre autores como Guimarães Rosa e Augusto dos Anjos, Proença destacou em diversos livros a força e as características fundamentais da literatura popular, dividida por ele em poesia narrativa, poesia didática e poemas de forma convencional. Em seus textos, o que se manifesta é, sobretudo, a determinação de uma expressão singularmente nacional.

Crítica

O GRANDE INTÉRPRETE DO 'HERÓI SEM NENHUM CARÁTER'
"Proença viu, em Macunaíma, um hipodigma. O herói lhe daria a língua se escutasse esta palavra, que em zoologia significa 'um tipo imaginário no qual estão contidos todos os caracteres encontrados nos indivíduos da espécie até então conhecidos'. Um espécime destes é necessariamente artesanal. A fim de comprovar a sua autenticidade, este *roteiro* teve por balizas a rapsódia, a gesta e a fala 'impura' com que Mário de Andrade compôs 'a figura do brasileiro comum.'" (Edison Carneiro, "Os Elementos da Rapsódia")

CLARIFICADOR E MONUMENTAL
"Graças ao monumental trabalho de Manuel Cavalcanti Proença, *Roteiro de Macunaíma*, podemos acompanhar como o escritor paulista foi reelaborando as narrativas colhidas na obra do alemão, mesclando-a a outras fontes, como livros de Capistrano de Abreu, Couto Magalhães, Pereira da Costa ou mesmo relatos orais, como o que o grande compositor Pixinguinha lhe fez de uma cerimônia de macumba, para ir tecendo sua rapsódia." (Dácio Antônio de Castro, "Macunaíma")

Obras

Ribeira do São Francisco (1944)
Roteiro de Macunaíma (1950)
Uniforme de Gala (1953)
Ritmo e Poesia (1955)
Nove Anos de Praça (1956)
Trilhas no Grande Sertão (1958)
Augusto dos Anjos e Outros Ensaios (1958)
Manuscrito Holandês (1960)
Rio de toda Gente (1962)
Literatura Popular em Verso (1964)
Mangueira (1965)
José de Alencar na Literatura Brasileira (1966)
O Alferes (1967)

Contato

Textos protegidos — em caso de interesse para publicação, fazer contato com o Departamento Nacional do Livro da FBN

Fragmento

Roteiro de Macunaíma

Um traço bem definido de Macunaíma é a preocupação de autenticidade. Como vimos antes, nele a fantasia é dirigida, tem liberdade relativa, pois não se afasta dos processos coletivos do folclore. E tudo é autêntico. O vocabulário e as frases feitas. [...] Ele é uma condensação das características brasileiras, todos nós somos um pouco Macunaíma. Ainda os que detestaram o livro, por incompreensão, hão de ter um momento qualquer em que se sintam atraídos por alguma aventura, algum episódio. Em cada um de nós ficará uma frase, um trecho preferido fixo na memória, vindo à tona ao comentar a obra de Mário de Andrade. É esse o trecho em que nos tornamos Macunaíma, é essa a maravilhosa força do livro, e, não digo sem pensar, do gênio de Mário de Andrade.
Uns mais, outros menos, todos somos Macunaíma, esse ilógico Macunaíma indivíduo, terrivelmente lógico como conjunto, verdadeira colcha de retalhos de seda, de cambraia, de chita, mas com a finalidade comum de cobrir. Mário de Andrade é várias vezes Macunaíma.

M. CAVALCANTI PROENÇA

Within an intellectual world that stands out by the specialization and the indifference for whichever is alien, very few people manage to trick the imperatives of an excessively fast time, finding enough spare time to dedicate to several subjects and, besides, creating a work of foremost significance. A lover of zoology, science, botany and mathematics, M. CAVALCANTI PROENÇA became himself a landmark in the literary critic by providing works revealing deep knowledge and offering great pleasure. If, for instance, *Macunaíma*, by Mário of Andrade, is one of the most important books in the Brazilian fiction, *Roteiro de Macunaíma (Macunaíma Guidebook)*, in turn, is characterized by being one of the most important theorization work in the history of word art interpretation in the country. Besides having written about authors like Guimarães Rosa and Augusto dos Anjos, Proença called attention, in many books, to the powerfulness and the fundamental characteristics of popular literature, which he divided into narrative poetry, didactic poetry, and conventional poems. The determination of a singularly national expression stands out in his texts.

Review

THE GREAT INTERPRETER OF THE 'HERO WITHOUT ANY CHARACTER'

"Proença saw a hypodigma in Macunaíma. The hero would make a grimace to him if he happened to hear this word. The word means, in zoology, 'an imaginary specimen containing all of the characteristics found in all known individuals belonging to that species'. Such a specimen is necessarily manmade. In order to establish its genuineness, this *guidebook* had took as beacon the rhapsody, the gest, and the 'impure' speech with which Mário de Andrade composed 'the ordinary Brazilian psyche'."

(Edison Carneiro, "Os Elementos da Rapsódia")

CLARIFIER AND MONUMENTAL

"Thanks to Manuel Cavalcanti Proença's monumental work, *Roteiro de Macunaíma (Macunaíma Guidebook)*, we can follow how the writer from São Paulo rebuilt the narratives he picked up in the German's work, mixing with different sources, such as books by Capistrano de Abreu, Couto Magalhães, Pereira da Costa, or even oral accounts, such as that provided by composer Pixinguinha about a voodoo ceremony, to weave his rhapsody."

(Dácio Antônio de Castro, "Macunaíma")

Excerpt

Roteiro de Macunaíma (Macunaíma Guidebook)

A well-defined Macunaíma *trait is his concern about authenticity. As we have seen, his fantasy is guided, it has a relative freedom because never deflects from the collective processes of folklore. And everything is authentic. Both the vocabulary and the catchphrases. [...] He is a condensation of Brazilian characteristics, we all are Macunaíma to a certain extent. Even those who hated the book, for misunderstanding it, will meet a certain time when they will feel attracted by an adventure, an episode. In each one of us a sentence, a specific passage will persist in the memory, which will come to the surface when we make any comment about Mário de Andrade's work. This is the passage where we became Macunaíma, this is the wonderful powerfulness of this book, and, I only say this after pondering, the genius of Mário de Andrade.*
Some more, some less, we all are Macunaíma, this illogical Macunaíma individual, terribly logical as a group, a true patchwork quilt made from silk, from cambric, from calico, but all serving the same purpose of with blanketing. Mário de Andrade is Macunaíma many times.

Works

Ribeira do São Francisco (1944)
Roteiro de Macunaíma (1950)
Uniforme de Gala (1953)
Ritmo e Poesia (1955)
Nove Anos de Praça (1956)
Trilhas no Grande Sertão (1958)
Augusto dos Anjos e Outros Ensaios (1958)
Manuscrito Holandês (1960)
Rio de toda Gente (1962)
Literatura Popular em Verso (1964)
Mangueira (1965)
José de Alencar na Literatura Brasileira (1966)
O Alferes (1967)

Contact

Protected texts — in case of interest for publication, get in contact with National Book Office (DNL) of the Biblioteca Nacional Foundation (FBN)

MANOEL DE BARROS

Contrariamente aos pensamentos característicos da razão, a poesia não é uma conquista sobre a obscuridade, através da tentativa de torná-la clara, mas um percurso através de seu cerne dirigido pela aventura da palavra. O que flui de MANOEL DE BARROS resguarda, invariavelmente, uma *escureza* inerente à sua compreensão acerca de poesia, de linguagem, de homem, de natureza; é na encruzilhada dessas ambiências que se revela a experiência do poeta, acenando para uma dinâmica de manifestação da própria realidade. Caracterizado por muitos como poeta pantaneiro, por tomar dessa exuberante região do Brasil, na qual ele vive, os elementos de sua poética, ele leva o *superficial fotográfico* a uma *transfiguração epifânica*. O Pantanal Mato-Grossense passa a ser, assim, um (não-) lugar de fundamentação que, transpassando todos os lugares, não se esgota em geografias. Privilegiando o insignificante e a fragmentação sintática, esse poeta, cujos livros são os mais vendidos no Brasil em sua área, intensifica, nesse começo de século, a radicalidade da poesia brasileira e mundial.

Crítica

UMA CONTÍNUA TRANSFUSÃO
"É difícil ler os poemas de Manoel de Barros sem que a imagem de uma contínua transfusão ocupe o nosso espírito: a lagartixa e a parede, o homem e a água, a boca e a terra, a criança e a árvore, a rã e a pedra decorrem tão fluidamente um do outro, e tão generosamente revertem do homem ao animal, vegetal, mineral e vice-versa, que somos levados a habitar um tempo sem rupturas nem contrastes, anterior ao domínio da máquina sobre toda a natureza." (Berta Waldman, "Poesia ao Rés-do-Chão")

OS LITORAIS DA ESCRITA
"Ali, nos litorais da escrita, um lápis atravessa a paisagem da memória: corta, recorta, assinala, sublinha, rasura. São epígrafes, citações, referências, notas de pé de página que oferecem falsas pistas ao leitor, traçando o movimento de uma segunda mão que escreve, nos espaços paratextuais, o desnome desse sujeito poético desacontecido." (Lucia Castello Branco, "Livro sobre Nada")

Obras

Poemas Concebidos sem Pecado (1937)
Compêndio para Uso dos Pássaros (1960)
Matéria de Poesia (1970)
Arranjos para Assobio (1980)
Livro de Pré-Coisas (1985)
O Guardador de Águas (1989)
Gramática Expositiva do Chão
(poesia quase toda) (1990)
Concerto a Céu Aberto para Solos de Ave (1991)
O Livro das Ignorãças (1993)
Livro sobre Nada (1996)
Retrato do Artista quando Coisa (1998)
Ensaios Fotográficos (2000)
Tratado Geral das Grandezas do Ínfimo (2001)

Contato

record@record.com.br

Fragmento

Prefácio

Assim é que elas foram feitas (todas as coisas) —
sem nome.
Depois é que veio a harpa e a fêmea em pé.
Insetos errados de cor caíam no mar.
A voz se estendeu na direção da boca.
Caranguejos apertavam mangues.
Vendo que havia na terra
dependimentos demais
E tarefas muitas —
Os homens começaram a roer unhas.
Ficou certo pois não
Que as moscas iriam iluminar
o silêncio das coisas anônimas.
Porém, vendo o Homem
Que as moscas não davam conta de iluminar
o silêncio
das coisas anônimas —
Passaram essa tarefa para os poetas.

MANOEL DE BARROS

Contrarily to the characteristic thinking of reason, poetry is not a conquest over obscurity through an attempt of make it more luminous, but rather a trajectory through its core following the guidance from word adventure. That which flows out of MANOEL DE BARROS is something that invariably shields a *blackness* that is inherent to his understanding of poetry, of language, of man, of nature; it is right at such ambiences' crossroads that the poet's experience unveils itself, speaking of a reality manifestation dynamics. Described by many as a marshland poet for taking from his exuberant homeland in Brazil the elements for his poetry, he makes the *photographic landscape* to become an *epiphanic transfiguration*. Thus, Mato Grosso's Marshlands become the underpinning (not-) place that, pervading throughout every places, is not constrained by geographies. By privileging the insignificances and syntactic fragmentation, this poet, who is the Brazilian poetry best-seller, intensifies, in this dawning century, the uncompromisingness of Brazilian and world poetry.

Review

AN UNCEASING TRANSFUSION

'It is difficult to read Manoel de Barros poems without having the image of an unceasing transfusion occupying our spirit: the gecko and the wall, the man and the water, the mouth and the earth, the child and the tree, the frog and the stone, so fluidly stemming from each other, and so generously revert from the man to the animal, vegetable, mineral, and vice versa, that we are taken to inhabit a ruptureless or contrastless time, prior to the mastering of machine over the whole nature."
(Berta Waldman, "Poesia ao Rés-do-Chão")

THE COASTS OF WRITING

"There, in the coasts of writing, a pencil crosses the landscapes of memory: clips, cuts out, marks, underlines, blots out. They are like epigraphs, citations, references, footnotes providing the reader with false clues, as if they drew the gesture of a second hand that is writing in the paratext spaces, the namelessness of this unhappened poetic subject. (Lúcia Castello Branco, "Livro sobre Nada")

Excerpt

Foreword

This is how things were made (everything) —
nameless.
Then the harp and the standing female appeared.
wrong-color insects would fall into the sea.
voice reached out to the mouth.
Crabs compressed swamps.
As they saw that too much dependency
existed on earth
and too many tasks —
Men started gnawing nails.
it was settled then
That the flies would light up
the silence of the anonymous things.
However, as Man saw
That the flies were not enough to light up
the silence
of the anonymous things —
They assigned this task over to the poets.

Works

Poemas Concebidos sem Pecado (1937)
Compêndio para Uso dos Pássaros (1960)
Matéria de Poesia (1970)
Arranjos para Assobio (1980)
Livro de Pré-Coisas (1985)
O Guardador de Águas (1989)
Gramática Expositiva do Chão (poesia quase toda) (1990)
Concerto a Céu Aberto para Solos de Ave (1991)
O Livro das Ignorãças (1993)
Livro sobre Nada (1996)
Retrato do Artista quando Coisa (1998)
Ensaios Fotográficos (2000)
Tratado Geral das Grandezas do Ínfimo (2001)

Contact

record@record.com.br

MANUEL ANTÔNIO DE ALMEIDA

Em meio à massa de livros similares que uma época produz, surgem, eventualmente, algumas obras inconformistas que primam pela diferença. Nascidas à margem do que vige de mais preponderante, essas escritas se direcionam para o futuro, que, reconhecendo seu valor, passa a acolher as inovações instauradas. Esse é exatamente o caso de *Memórias de um Sargento de Milícias*, o romance que, reagindo contra o romantismo, inaugura a literatura urbana brasileira através de uma aventura picaresca acontecida no princípio do século XIX no Rio de Janeiro. MANUEL ANTÔNIO DE ALMEIDA se aproveita de tudo o que é popular. Seus personagens são mendigos, cegos, soldados, barbeiros, comadres, mestres de rezas, meirinhos... saídos diretamente da vivacidade típica da sociedade média da época. Simultaneamente, há uma utilização dos elementos lingüísticos correspondentes aos tipos que habitam seu romance, operacionando toda uma rede de brasileirismos, modismos, ditos populares, frases feitas etc., além de um vasto repertório de músicas, danças e costumes do povo nacional às vésperas da Independência do país.

Crítica

ORIGINAL E EXTRAORDINÁRIO
"Em 1852, levado pelo seu trabalho de jornalista em busca de assunto, forçado pelas exigências da publicação periódica, mas dominando agilmente essas condições, Manuel Antônio de Almeida iniciava em folhetins semanais do *Correio Mercantil* as suas *Memórias de um Sargento de Milícias*. Estes folhetins iriam constituir um dos romances mais interessantes, uma das produções mais originais e extraordinárias da ficção americana." (Mário de Andrade, "Memórias de um Sargento de Milícias")

À FRENTE DE SEU TEMPO
"É original como nenhum outro dos até então e ainda imediatamente posteriores, aparecidos, pois foi concebido e executado sem imitação ou influência de qualquer escola ou corrente literária que houvesse atuado a nossa literatura, [...]. Em pleno Romantismo, aqui sobreexcessivamente idealista, romanesco e sentimental também em excesso, o romance de Manoel de Almeida é perfeitamente realista, ainda naturalista, muito antes do advento, mesmo na Europa, das doutrinas literárias que receberam estes nomes." (José Veríssimo, "História da Literatura Brasileira")

Obras

Memórias de um Sargento de Milícias (1855)
Dois Amores (1861)

Fragmento

Memórias de um Sargento de Milícias

Lá para as bandas do mangue da Cidade Nova havia, ao pé de um charco, uma casa coberta de palha da mais feia aparência, cuja frente suja e testada enlameada bem denotavam que dentro o asseio não era muito grande. Compunha-se ela de uma pequena sala e um quarto; toda a mobília eram dois ou três assentos de pau, algumas esteiras em um canto, e uma enorme caixa de pau, que tinha muitos empregos; era mesa de jantar, cama, guarda-roupa e prateleira. Quase sempre estava vazia essa casa fechada, o que a rodeava de um certo mistério. Esta sinistra morada era habitada por uma personagem talhada pelo molde mais detestável; era um caboclo velho, de cara hedionda e imunda, e coberto de farrapos. Entretanto, para a admiração do leitor, fique-se sabendo que este homem tinha por ofício dar fortuna!

Copyright

Obras em domínio público
— textos livres para publicação

MANUEL ANTÔNIO DE ALMEIDA

Amid the mass of similar books produced at a given time, there sooner or later appear a few nonconformist works that outstand because of their distinctive quality. Springing up on the periphery of what is regarded as the most preponderant, these texts are heading for a future time that, recognizing their value, starts to harbor the innovations so established. That is precisely the case of *Memórias de um Sargento de Milícias (Memoirs of a Militia Sergeant)*. This novel, by reacting against romanticism, starts the Brazilian urban literature by introducing a picaresque adventure that took place in the early 19th century in Rio de Janeiro. MANUEL ANTÔNIO DE ALMEIDA takes advantage of everything that is popular. His characters are beggars, blind men, soldiers, barbers, godmothers, shamans, bailiffs... all drawn directly from the typical vivacity of the average society of the time. Simultaneously, linguistic elements are used to match the specimens inhabiting the story, making use of an entire set of Brazilianisms, idioms, popular sayings, catch phrases, etc., besides a wide repertoire of songs, dances, and habits peculiar to the local people on the eve of Independence.

Review

ORIGINAL AND EXTRAORDINARY

"In 1852, pressed by his work as journalist in search of stories, forced by the demands of a periodic publication, however nimbly mastering those conditions, Manuel Antônio de Almeida began publishing his *Memórias de um Sargento de Milícias* on *Correio Mercantil* in the format of a weekly serial. This serial would later constitute one of the most interesting novels, one of the most original and extraordinary productions of the American fiction." (Mário de Andrade, "Memórias de um Sargento de Milícias")

AHEAD OF HIS TIME

"It is original, differently from any of the other books concurrently published or even shortly later, because it had been worked out and executed without any imitation or influence from any of the school or literary current that had driven our literature; [...]. In the middle of the Romanticism wave, here Manuel de Almeida's novel, although overexcessively idealistic, romantic, and also excessively sentimental, is perfectly realist, even naturalistic, preceding for a long time the appearance, even in Europe, of those literary doctrines that received such names." (José Veríssimo, "História da Literatura Brasileira")

Excerpt

Memórias de um Sargento de Milícias (Memoirs of a Militia Sergeant)

In the vicinities of Cidade Nova's marsh lands, adjacent to a puddle, there used to stand a thatched house of the ugliest appearance, whose dirty façade and muddy front indicated that inside it cleanliness was not to be expected. The house consisted of a small living-room and a bedroom; the furniture comprised two or three wooden seats, a few mats lying in a corner of the room, and a huge multipurpose wooden chest; it served as a dining table, bed, wardrobe, and shelf. The house, almost always unoccupied, was locked most of the time, which gave it an atmosphere of mystery. This ominous home was inhabited by a character marked off by the most detestable mold; he was an old mestizo, with a wretched and filthy face, and covered with rags. However, for the reader's astonishment, it is to be said that that man's occupation was to provide fortune!

Works

Memórias de um Sargento de Milícias (1855)
Dois Amores (1861)

Copyright

Works in public domain
— texts available for publication

MANUEL BANDEIRA

Tendo estreado em 1917, logo MANUEL BANDEIRA incorpora o pensamento modernista para, singularmente, levar a poesia do país a inúmeras conquistas e ampliações de repertório, tornando-se, então, um dos mais importantes poetas brasileiros de todos os tempos. Em 1930, com *Libertinagem*, sua poética abre caminhos extremamente renovadores. Com o lema *abaixo os puristas* e interessado na criação de um lirismo da *libertação*, ele tira sua matéria dos elementos mais corriqueiros, como uma pensão familiar, um camelô, um porquinho-da-índia, além de criar um sentimento brasileiro nada nacionalista, calcado na festa e na simplicidade. A essa utilização do cotidiano, acatando dicções jamais tidas por poéticas, ele anexa uma trama intertextual: seus poemas passam a se basear numa notícia de jornal, num bilhete suicida, numa piada, numa conversa de rua, numa embriaguez carnavalesca, num texto científico alheio etc. Um dos poetas com maior conhecimento da poesia brasileira e universal, Bandeira lecionou, organizou diversas antologias, escreveu textos, traduziu... enfim, uma vida dedicada integralmente à literatura.

Crítica

ASPEREZA E TERNURA DA VIDA COTIDIANA
"A poesia de um [Manuel Bandeira], com seu apurado senso do momento poético e da realidade humana, moderniza nossa sensibilidade, libera o verso, dá-lhe novas medidas e ritmos — sobretudo os inumeráveis —, aproximando-o do homem comum, da vida cotidiana. Poesia áspera, intratável e bela, mas também terna e sentida." (Adriano Espínola, "Casa-Grande e Pasárgada")

OS PEQUENOS ALUMBRAMENTOS
"Com raras exceções, [...] o poeta mantém, ao longo de sua obra, um compromisso com o cenário e os pequenos alumbramentos do cotidiano, ao lado de um ouvido sempre atento para os registros da oralidade e uma fina ironia que se revela ao permitir, em muitos de seus versos, a contaminação de rasgos estilísticos da prosa." (Cláudio Murilo Leal, "As Abstrusas Palavras de Manuel Bandeira")

Obras

A Cinza das Horas (1917)
Carnaval (1919)
Poesias (1924)
Libertinagem (1930)
Estrela da Manhã (1936)
Mafuá do Malungo (1948)
Opus 10 (1952)
Poesia e Prosa (1958)
Estrela da Tarde (1960)
Pasárgada (1960)
Alumbramentos (1960)
Preparação para a Morte (1965)
Estrela da Vida Inteira (1966)

Contato

joeditor@unisys.com.br

Fragmento

Vou-me Embora pra Pasárgada

Vou-me embora pra Pasárgada
Lá sou amigo do rei
Lá tenho a mulher que eu quero
Na cama que escolherei
Vou-me embora pra Pasárgada

Vou-me embora pra Pasárgada
Aqui eu não sou feliz
Lá a existência é uma aventura
De tal modo inconseqüente
Que Joana a Louca de Espanha
Rainha e falsa demente
Vem a ser contraparente
Da nora que nunca tive

E como farei ginástica
Andarei de bicicleta
Montarei em burro brabo
Subirei no pau-de-sebo
Tomarei banhos de mar!
E quando estiver cansado
Deito na beira do rio
Mando chamar a mãe-d'água
Pra me contar as histórias
Que no tempo de eu menino
Rosa vinha me contar
Vou-me embora pra Pasárgada

MANUEL BANDEIRA

After publishing his first book in 1917, MANUEL BANDEIRA would soon take in the modernist thinking to, singularly, lead Brazilian poetry to innumerable conquests and repertoire improvements, thereby becoming one of the most important Brazilian poets of all times. In 1930, with *Libertinagem (Libertinism)*, his poetry opened up utterly renovating ways. By applying the slogan *Down with the purists!* and interested in the creation of a *liberation* lyricism, his work draws on commonplace elements, such as a family hostel, a street vendor, a guinea pig, besides creating a Brazilian feeling that is not nationalist at all, building on feasts and simplicity. To this use of the daily, accepting dictions that could never be regarded as poetic, he adds an intertextual plot: he starts basing his poems on newspaper reports, on a suicide letter, on a joke, on a street conversation, on a carnival spree, on a strange scientific text, etc. Being one of the poets who best mastered the Brazilian and the universal poetry, Bandeira taught, complied several anthologies, wrote texts, translated... finally, a life fully dedicated to literature.

Review

DAILY LIFE ROUGHNESS AND TENDERNESS

The poetry of [Manuel Bandeira], with his refined sense of the poetic moment and of the human reality, modernizes our sensibility, liberates the verse, gives it new metrics and new rhythms — above all the innumerables —, bringing it closer to the ordinary man, to daily life. Rough, intractable, and beautiful poetry, but also tender and heartfelt." (Adriano Espínola, "Casa-Grande e Pasárgada")

LITTLE ENLIGHTENMENTS

"With rare exceptions, [...] the poet keeps in his work the commitment with the scenery and the little enlightenments of daily life, in addition to an ear always attentive to the registers of spoken language, as well as a fine irony that is perceived when he allows, in not a few of his verses, the contamination by stylistic shades of prose." (Cláudio Murilo Leal, "As Abstrusas Palavras de Manuel Bandeira")

Excerpt

Vou-me Embora pra Pasárgada (I am Off to Pasárgada)

I am off to Pasárgada
There I am good friends with the king
There I have the woman I want
In the bed that I will choose
I am off to Pasárgada

I am off to Pasárgada
Here I am not happy
There living is such an inconsequent adventure
That Joana, the Lunatic from Spain,
Queen and false demented
Comes to be a distant relative
Of the daughter-in-law I never had

And I will practice gymnastics
Will ride the bicycle
Will ride a bronco donkey
Will climb the greased pole
Will bathe in the sea!
And when I am tired
I'll lie down at the river bank
And send for a water sprite
to tell me the same stories
Which in my boyhood
Rose would come to tell me
I am off to Pasárgada

Works

A Cinza das Horas (1917)
Carnaval (1919)
Poesias (1924)
Libertinagem (1930)
Estrela da Manhã (1936)
Mafuá do Malungo (1948)
Opus 10 (1952)
Poesia e Prosa (1958)
Estrela da Tarde (1960)
Pasárgada (1960)
Alumbramentos (1960)
Preparação para a Morte (1965)
Estrela da Vida Inteira (1966)

Contact

joeditor@unisys.com.br

MANUEL BOMFIM

No princípio do século XX, grande parte dos estudiosos europeus, cientificista, dizia, entre outros preconceitos que manifestavam a ideologia dos colonizadores, serem a raça e o clima os motivos do subdesenvolvimento brasileiro e latino-americano. Foi preciso o aparecimento de MANUEL BOMFIM, em 1905, como o grande teórico das origens do povo do país e do continente, para fundamentar a teoria, contrária a da inferioridade racial, de que nosso atraso não era decorrente da presença do índio e do negro no sangue e na cultura nacionais, mas da inepta classe governante que, até então, dirigira o país. O deslocamento do problema para a política autorizou Manuel Bomfim a criar um novo pensamento nacionalista que manifestava a solidariedade mestiça em prol da liberdade e da independência. Nessa busca de *como surgiu o nosso povo* e *como ele veio a ser o que é*, o estudioso, congregando a diversidade e mostrando que a mestiçagem não era apenas a soma de elementos individuais, mas uma diferença radical das singularidades preexistentes, antecipou em 15 ou 20 anos as questões que se tornariam definitivamente aceitas.

Crítica

O MAIOR PENSADOR LATINO-AMERICANO
"Mas minha maior surpresa, meu encantamento, foi encontrar um dia, ao acaso, atraído pelo título, esse livro extraordinário que é *A América Latina — Males de Origem*, de Manuel Bomfim. Lendo-o, me vi diante de todo um pensador original, o maior que geramos, nós, latino-americanos. Um pensador plenamente maduro em 1905, que foi quando publicou seu livro. (Darci Ribeiro, "Manuel Bomfim, Antropólogo")

UM PENSAMENTO DEMOCRÁTICO
"Manuel Bomfim pensou o Brasil democraticamente. Não pretendeu nos arianizar. Não fez do negro o culpado pelo nosso atraso. Este, ele o debitou ao que chamou de 'parasitismo social' — esbulho econômico do nosso trabalho, responsável pela fome e pela miséria." (Franklin de Oliveira, "Manuel Bomfim, O Nascimento de uma Nação")

Obras

Prática da Língua Portuguesa (1899)
O Progresso pela Instrução (1904)
Livro de Leitura para o Curso Complementar das Escolas Primárias (1904)
Elementos de Zoologia e Botânica (1904)
A América Latina (1905)
O Respeito à Criança (1906)
A Obra do Germanismo (1915)
Noções de Psicologia (1916)
Pensar e Dizer (1923)
O Brasil na História (1930)
O Brasil Nação (1931)
O Brasil (1940)
O Brasil na América (1997)

Fragmento

O Brasil Nação

Existimos incorporados a uma pátria; reconhecemo-nos como — consciência impregnada de uma tradição nacional; aspiramos justiça, clamamos pelo progresso consubstanciado em reivindicações precisas: justiça contra os privilégios em que se avilta essa pátria que conhecemos. É a reivindicação de progresso, em que a tradição nacional humanamente se possa expandir. O patriotismo que assim reclama, não pode convir com esse, que é dos nossos dirigentes, em que a pátria se avilta, odienta, como eles mesmos. Nem há maior inimigo desta nacionalidade e mais forte obstáculo ao amor de todos nós pelo Brasil. Um tal afeto, sem reservas, não pode ganhar os corações, quando já os encontra tomados de asco — pelas formas em que os dirigentes realizam o Estado Brasileiro. Este é o grande mal que eles fazem a esta pátria: o mal supremo. Como exaltação, de amor ao Brasil, quando a moldura em que o mostram é isto que aí está?

Contato

Textos protegidos — em caso de interesse para publicação, fazer contato com o Departamento Nacional do Livro da FBN

MANUEL BOMFIM

At the beginning of the 20th century, a great many European scientistic pundits used to say, among other prejudices manifesting the colonizers' ideology, that both the race and the climate were responsible for the Brazilian and Latin-American underdevelopment. Only after MANUEL BOMFIM came into scene, in 1905, as the great theorist of the origins of the country and the continent people, supporting a theory that opposed that of racial inferiority, by which our backwardness was not due to the presence of the Indian and the black in the blood and in the national culture, but rather to the inept ruling class that, until then, had governed the country. By displacing the problem to the political field, Manuel Bomfim created a new nationalist thinking that manifested the hybridized solidarity in favor of freedom and independence. In searching *how our people appeared* and *how we became what we are*, the specialist, by congregating the diversity and showing that the hybridization was not the mere sum of individual elements, but a radical difference between preexisting singularities, anticipated by fifteen or twenty years the issues that would become definitively accepted.

Review

THE GREATEST LATIN-AMERICAN THINKER

"But my overwhelming surprise, my fascination, was finding one day, haphazardly, attracted by the title, this extraordinary book, namely *A América Latina — Males de Origem (Latin America — Origin Misfortunes)*, by Manuel Bomfim. As I read t, I found myself in front of a really original thinker, the greatest ever generated in Latin America. A full-grown thinker in 1905, when his book was published. (Darci Ribeiro, "Manuel Bomfim, Antropólogo")

A DEMOCRATIC THINKING

"Manuel Bomfim figured out Brazil in a democratic way. He did not mean to Aryanize us. He did not blame our backwardness on the black. He rather debited it to what he called 'social parasitism' — economic spoils of our work, responsible for hunger and poverty." (Franklin de Oliveira, "Manuel Bomfim, O Nascimento de uma Nação")

Excerpt

O Brasil Nação (Brazil, the Nation)

We only exist while incorporated to a nation; we recognized ourselves as — conscience impregnated with a national tradition; we aspire for justice, we hanker after progress consubstantiated in precise claims: justice against the privileges in which this nation we know debases itself. It is a claim for progress, within which the national tradition may humanly be expanded. The so complaining patriotism will not match with that one, namely the patriotism of our leaders, in which the nation debases itself, as hatefully as themselves. This nationality will never find a worse enemy, and our love for Brazil will never face a tougher obstacle. Such a reserveless affection cannot win the hearts, when they are already found to be full of repugnance — for the way our leaders have accomplished the Brazilian State. This is the big evil they do to this nation: the supreme evil. How can we extol our love for Brazil, when the frame in which they display the nation is the one we have in front of us?

Works

Prática da Língua Portuguesa (1899)
O Progresso pela Instrução (1904)
Livro de Leitura para o Curso Complementar das Escolas Primárias (1904)
Elementos de Zoologia e Botânica (1904)
A América Latina (1905)
O Respeito à Criança (1906)
A Obra do Germanismo (1915)
Noções de Psicologia (1916)
Pensar e Dizer (1923)
O Brasil na História (1930)
O Brasil Nação (1931)
O Brasil (1940)
O Brasil na América (1997)

Contact

Protected texts — in case of interest for publication, get in contact with National Book Office (DNL) of the Biblioteca Nacional Foundation (FBN)

MANUEL DA NÓBREGA, P.e

Se hoje já se tem visão crítica do que significou o dito "descobrimento" do Brasil e o concomitante processo "civilizatório" dos povos que habitavam essa terra, fatos que se tornam bárbaros aos olhos modernos, não se pode negar que os textos produzidos naquela época são o melhor testemunho não apenas dos eventos que deram origem ao que, no futuro, se tornaria o Estado brasileiro, mas que, principalmente, revelam o pensamento político e religioso que estava na base de todo o colonialismo. Os escritos do PADRE MANUEL DA NÓBREGA formam um marco literário genuinamente produzido no Brasil. Nas cartas de Nóbrega encontra-se o início da história do povo brasileiro, dentro, é claro, do ponto de vista de um catequizador. Está ali, por exemplo, a luta entre cristãos e índios: os primeiros consideravam os segundos como "um papel branco" onde se podia escrever "as virtudes mais necessárias". Ainda que Nóbrega não tenha a estatura lírica de José de Anchieta, seu *Diálogos sobre a Conversão do Gentio*, primeiro texto em prosa escrito no Brasil, tem grande valor literário.

Crítica

O BOM CATEQUIZADOR
"Nenhum outro o excedeu em zelo, no senso da oportunidade e na avaliação dos recursos intelectuais e morais disponíveis para grande obra de trazer à fé cristã as almas dos jesuítas [...]." (Austregésilo de Athayde, "O Grande Roupeta")

ÉTICA ORIGINAL
"Os documentos jesuíticos não são apenas história do Brasil: são essenciais à ética brasileira. [...] Publicamos agora, como era devido, o primeiro e o igual aos maiores — o grande Padre Manuel da Nóbrega." (Afrânio Peixoto, introdução a "Cartas do Brasil")

Obras

Cartas do Brasil (1931)
Diálogos sobre a Conversão do Gentio (1954)
Novas Cartas Jesuítas (1957)

Fragmento

Ao Padre Mestre Simão Rodrigues de Azevedo (1549)

A graça e o amor do Nosso Senhor Jesus Cristo seja sempre em nosso favor e ajuda. Amém.
Somente darei conta a Vossa Reverendíssima de nossa chegada a essa terra, e do que nela fizermos e esperarmos fazer em Senhor Nosso, deixando os fervores de nossa próspera viagem aos Irmãos que mais em particular a notaram.
Chegamos a esta Bahia a 29 dias do mês de março de 1549. Andamos na viagem oito semanas. Achamos a terra de paz e quarenta ou cinqüenta moradores na povoação que antes era; receberam-nos com grande alegria e achamos uma maneira de igreja, junta da qual logo nos aposentamos os Padres e Irmãos em umas casas a par dela, que não foi pouca consolação para nós dizermos missas e confessarmos. E nisso nos ocupamos agora.

Copyright

Obras em domínio público
— textos livres para publicação

MANUEL DA NÓBREGA, Fr.

If today we have a critical view of what the so-called "discovery" of Brazil meant, as well as the concomitant "civilizatory" process for the local inhabitants, which becomes barbaric to modern eyes, it cannot be denied that the texts produced at that time are the best testimony not only of the events that generated that which in the future would become the Brazilian State, but also, and mainly, that which would reveal the political and religious thinking underlying the colonialism. FATHER MANUEL DA NÓBREGA's writings make up a literary landmark genuinely produced in Brazil. Nóbrega's letters narrate the early history of the Brazilian people from the standpoint of a catechizer. It includes, for instance, the fight between the Christians and the Indians: the former regarded the latter as "a blank paper" where "the most necessary virtues" could be written. Although Nóbrega cannot be compared to José de Anchieta as for lyric stature, his *Diálogos sobre a Conversão do Gentio (Dialogues on the Conversion of the Heathen)*, the first text in prose written in Brazil, has a significant literary value.

Review

A GOOD CATECHIZER

"Nobody was more zealous in regards to the sense of opportunity and in the evaluation of the intellectual and moral resources available for the great task of bringing the souls of the Jesuits to the Christian faith [...]."
(Austregésilo de Athayde, "O Grande Roupeta")

ORIGINAL ETHICS

"The Jesuit papers are not only the history of Brazil: they are essential to the Brazilian ethics. [...] We are publishing now, as most deserved, the first and the equal among the greatest — Father Manuel da Nóbrega."
(Afrânio Peixoto, foreword to "Cartas do Brasil")

Excerpt

Ao Padre Mestre Simão Rodrigues de Azevedo (1549) [To Master Father Simão Rodrigues de Azevedo (1549)]

May the mercy and the love of Our Lord Jesus Christ be always to our favor and help. Amen.
I shall only provide an account to Your Venerable of our arrival to this land, and of whatever we do and hope to do in the name of Our Lord, leaving the fervors of our prosperous trip to be accounted for by our Brethren who took more particular note.
We arrived to this Bahia on the 29th day of the month of March of 1549. Our trip took eight full weeks. We found the land in peace, as well as forty or fifty residents living in the old settlement; they welcomed us with great joy, and we found a kind of church, where we, Fathers and Brethren, soon sheltered in some houses nearby, which proved to be not little consolation for us to say masses and hear confessions. And we were engaged in this now.

Works

Cartas do Brasil (1931)
Diálogos sobre a Conversão do Gentio (1954)
Novas Cartas Jesuítas (1957)

Copyright

Works in public domain
— texts available for publication

MANUEL DE OLIVEIRA PAIVA

Não fossem a persistência e a intuição da historiadora literária Lúcia Miguel Pereira, além de uma série fortuita de eventos, MANUEL DE OLIVEIRA PAIVA seria hoje um escritor desconhecido não só do grande público, mas mesmo dos professores e estudiosos de literatura. Morto aos 31 anos de idade e tendo publicado o seu primeiro romance *A Afilhada* apenas em folhetim, além de alguns contos esparsos em jornais, seu percurso tinha tudo para fadá-lo ao anonimato. Resgatado do limbo, revela-se que seu livro *D. Guidinha do Poço*, publicado mais de 60 anos depois de sua morte, pode ser encarado como o primeiro romance — e um antecipador — do regionalismo brasileiro, obra cuja densidade só viria a ser superada, três décadas mais tarde, por um Graciliano Ramos. A escrita pioneira de Oliveira Paiva, contida e despojada, onde prevalece o discurso indireto livre, é também marcada pela grande excentricidade e por uma insubmissão aos valores literários de sua época, quando valores românticos e realista-naturalistas estavam plenamente implantados no romance brasileiro.

Crítica

SUTILEZA DESCRITIVA
"O que [...] parece constituir a maior excelência desse escritor é a mestria com que fundiu os elementos emocionais e materiais, isto é, a arte de tornar sugestiva qualquer minúcia, de valer-se de indicações objetivas para reforçar indiretamente o sentido da narrativa ou insinuar o caráter de uma personagem." (Lúcia Miguel Pereira, prefácio a "D. Guidinha do Poço")

A SECA COMO PERSONAGEM
"[...] Manuel de Oliveira Paiva antecipa a presença de um tema que será um dos tópicos fortes do romance modernista brasileiro. A seca, no romance, se configura como um pano de fundo, através da presença e da atuação dos retirantes arranchados na fazenda e das referências à situação geral do campo e das propriedades." (Domício Proença Filho, prefácio a "D. Guidinha do Poço")

Obras

A Afilhada [em folhetim] (1889)
D. Guidinha do Poço (1952)
A Afilhada [em livro] (1961)
Contos (1976)

Contato

artiumeditora@openlink.com.br

Fragmento

D. Guidinha do Poço

De primeiro havia na ribeira do Curimataú, afluente do Jaguaribe, uma fazenda chamada Poço da Moita. Situada no século passado pelo português Reginaldo Vanceslau de Oliveira, passou a filhos e netos. Se não fora o desgraçado acontecimento que serve de assunto principal dessa narrativa, ainda hoje estaria de pé com ferro e sinal.
À margem esquerda do impetuoso escoadouro hibernino, a casa grande amostrava-se num alto, de onde se enxergava grande distância em derredor, principalmente pela seca. Durante o inverno, a superabundância de folhagem restringia sensivelmente o campo de visão. Para leste via-se uma série de colinas que faziam o Sol aparecer mais tarde. Divulgava-se para o sul, que era o lado da frente, um pico azul, o serrote da Meruanha; e para o ocaso, bem no horizonte, mais uns três ou quatro dentes das serras do Batista e do Papagaio, que abriam um boqueirão ao rio Curimataú.
Poço da Moita por último passara para Margarida, a primeira neta de Reginaldo, filha do Capitão-Mor, casada com o Major Joaquim Damião de Barros, um homenzarrão alto e grosso, natural de Pernambuco — uma boa alma. Viera do Ceará à compra de cavalos, e por cá se ficou amarrado aos amores e aos possuídos da muito conhecida Guidinha do Poço. Tinha o preto-do-olho amarelo, com a menina esverdeada, semelhando a um tupuru.

MANUEL DE OLIVEIRA PAIVA

If it were not for literary historian Lúcia Miguel Pereira's persistence and intuition, besides a fortuitous chain of events, MANUEL DE OLIVEIRA PAIVA would be today an obscure writer, not only for the larger audience, but even for literature teachers and researchers. When he died at the age of 31, he had published his first novel, *A Afilhada (The God-daughter)*, only in serial format, besides a few short stories in newspapers. His path was bound to predestine him to anonymity. Rescued from limbo, it became evident that his book, *D. Guidinha do Poço*, published more than sixty years after his death, may be regarded as the first novel — and a precursor — of Brazilian regionalism. The density of this work would only be beaten thirty years later by Graciliano Ramos's work. Oliveira Paiva's pioneering contained and temperate text, where free indirect speech prevails, is also marked by idiosyncrasy and by an insurgence against the literary values of his time, when romantic and realist-naturalist values had taken deep roots in the Brazilian novel.

Review

DESCRIPTIVE SUBTLETY

"What [...] seems to constitute the most significant feature in this writer is his mastery with which he combined emotional and material elements, that is, the art of making suggestive whichever detail, of utilizing objective indications to indirectly reinforce the narrative's point of compass, or to insinuate the personality of a character." (Lúcia Miguel Pereira, foreword to "D. Guidinha do Poço")

DROUGHT AS A CHARACTER

"[...] Manuel de Oliveira Paiva anticipates the presence of a theme that would become one of the strongest topics in the Brazilian modernist romance. The drought, in the novel, is used as background, through the presence and the performance of migrants taking up lodge in the farm and the references to the farm and properties general situation." (Domício Proença Filho, foreword to "D. Guidinha do Poço")

Excerpt

D. Guidinha do Poço

In the beginning, there used to exist a farm called Poço da Moita which was located on the banks of Curimataú, a tributary to Jaguaribe river. Established during the last century by a Portuguese gentleman called Reginaldo Vanceslau de Oliveira, it was handed down to children and grandchildren. Should the unfortunate event that provides the main subject for this narrative have not occurred, it would still be upright today with its iron and sign.

Standing on the left bank of the impetuous hibernal canal, the farm house had been erected on top of a hill, from where one could see a large extension around, especially during the dry season. During the winter, the overabundance of foliage would restrict the range of sight. Towards east, a chain of hills could be seen in the distance, which would cause the Sun to appear rather later. Southward, which happened to be the house front, a blue mountain could be seen, Meruanha hill; and towards sunset, right on the horizon line, three or four teeth more could be seen in the Batista and Papagaio mountains, which would open a large hole to the Curimataú river.

Poço da Moita had recently been passed on to Margarida, Reginaldo's first granddaughter, who happened to be the Militia Chief's daughter and married to Major Joaquim Damião de Barros, a tall and blunt giant, born in Pernambuco — a good guy. He had come from Ceará to buy horses, and eventually stayed, as he fell in love with and got hung on Guidinha do Poço's fine attributes. His iris was yellow, with a greenish pupil, which made him resemble a tupuru.

Works

A Afilhada [em folhetim] (1889)
D. Guidinha do Poço (1952)
A Afilhada [em livro] (1961)
Contos (1976)

Contact

artiumeditora@openlink.com.br

MANUELA CARNEIRO DA CUNHA

A professora da Universidade de Chicago MANUELA CARNEIRO DA CUNHA, especialista em história indígena e estudos de identidade étnica, é hoje uma das mais respeitadas antropólogas brasileiras. Seus estudos sobre as etnias indígenas brasileiras, além de analisar as condições e as causas do massacre colonizador que subjugou os povos nativos desde que foram "descobertos" — eram milhões de índios distribuídos em mais de 1.000 etnias contra cerca de 300 mil repartidos em 210 etnias atuais —, querem principalmente chamar a atenção para a presença do índio na cultura brasileira, examinando, inclusive, aspectos legais da questão, como direito à propriedade, demarcação de reservas etc. Para a antropóloga, contrariamente ao que vaticinaram muitas profecias pretensamente científicas, os índios sobreviveram à barbárie européia e participaram de nossa história, ainda que de acordo com uma lógica própria. Seus trabalhos mostram que a cultura indígena, não apenas faz parte do passado e do presente da realidade brasileira como tem direito a um futuro no país que um dia foi só deles.

Crítica

O BRASIL DOS ÍNDIOS
"Professora da Universidade de Chicago, Manuela Carneiro da Cunha não é historiadora, mas antropóloga. Suas obras [...] ajudaram a rever um ponto importante da história do Brasil: o papel dos índios. Mostrou-se que as sociedades indígenas são agentes, não meras vítimas de um destino traçado pelo colonizador." (Renato Sztutman, *Folha de S. Paulo*)

Obras

Os Mortos e os Outros: uma Análise do Sistema Funerário e da Noção de Pessoa entre os Índios Krahó (1978)
Negros, Estrangeiros: os Escravos Libertos e sua Volta à África. (1985)
Antropologia do Brasil: Mito, História, Etnicidade (1986)
Os Direitos do Índio: Ensaios e Documentos (1987)
História dos Índios do Brasil (1992)
O Futuro da Questão Indígena (1993)

Contato

Textos protegidos — em caso de interesse para publicação, fazer contato com o Departamento Nacional do Livro da FBN

Fragmento

História dos Índios do Brasil

Ao chegarem às costas brasileiras, os navegadores pensaram que haviam atingido o paraíso terreal: uma região de eterna primavera, onde se vivia comumente por mais de cem anos em perpétua inocência. Deste paraíso assim descoberto, os portugueses eram o novo Adão. A cada lugar conferiram um nome — atividade propriamente adâmica — e a sucessão de nomes era também a crônica de uma gênese que se confundia com a mesma viagem. A cada lugar, o nome do santo do dia: Todos os Santos, São Sebastião, Monte Pascoal. Antes de se batizarem os gentios, batizou-se a terra encontrada. De certa maneira, desta forma, o Brasil foi simbolicamente criado. Assim, apenas nomeando-o, se tomou posse dele, como se fora virgem.
Assim também a História do Brasil, a canônica, começa invariavelmente pelo "descobrimento". São os "descobridores" que a inauguram e conferem aos gentios uma entrada — a de serviço — no grande curso da História.

MANUELA CARNEIRO DA CUNHA

MANUELA CARNEIRO DA CUNHA, a lecturer at Chicago University and a specialist in indigenous history and ethnic identity studies, is today one of the most respected Brazilian anthropologists. Her studies on Brazilian indigenous ethnic groups not only analyze the conditions and the causes of the slaughter imposed by the colonizers over the native people after the "discovery" — they used to be millions of Indians distributed in more than 1,000 ethnic groups as opposed to some 300 thousand distributed in 210 ethnic groups today —, but constitute an effort to bring up to light the presence of the Indian in the Brazilian culture, by examining even the legal aspects of the issue, such as the right to property, marking-off of reservations, etc. For the anthropologist, contrarily to what the supposedly scientific prophecies had predicted, the Indians survived the European cruelty and had a role in our history, although according to their own logic. Her works show that the indigenous culture has not only become part of the past and the present in the Brazilian reality, but is also entitled a right to have a future in this country that once belonged only to them.

Review

BRAZIL, THE INDIANS' HOMELAND

"A Lecturer at Chicago University, Manuela Carneiro da Cunha is not a historian, but an anthropologist. Her works [...] helped to review an important point in the Brazilian history: the Indians' role. It was laid bare that the indigenous societies are the agents, not mere victims of a destiny drawn by the colonizer."
(Renato Sztutman, *Folha de S. Paulo*)

Excerpt

História dos Índios do Brasil (Brazilian Indians' History)

As soon as they reached Brazil seashore, the navigators believed they had arrived at an earthly paradise: a place of eternal spring, where it was common to live for more than a hundred years in pure innocence. The Portuguese became the new Adam in this paradise. They gave each place a name — an Adamic task indeed — and the succession of names was the chronicle of a genesis that would mix with the very journey. The saint-of-the-day's name was given to each place: All Saints, San Sebastian, Paschal Mount. Prior to baptizing the heathens, they baptized the discovered land. To a certain extent, this is how Brazil was symbolically created. Ownership was taken by merely giving names to the different places, as if they were virgin.

Likewise, the History of Brazil, the canonic history, invariably begins with the "discovery". The "discoverers" touch off the nation and let the heathens have an entrance — through the back door — into the great course of History.

Works

Os Mortos e os Outros: uma Análise do Sistema Funerário e da Noção de Pessoa entre os Índios Krahó (1978)

Negros, Estrangeiros: os Escravos Libertos e sua Volta à África. (1985)

Antropologia do Brasil: Mito, História, Etnicidade (1986)

Os Direitos do Índio: Ensaios e Documentos (1987)

História dos Índios do Brasil (1992)

O Futuro da Questão Indígena (1993)

Contact

Protected texts — in case of interest for publication, get in contact with National Book Office (DNL) of the Biblioteca Nacional Foundation (FBN)

MÁRCIO SOUZA

Apesar da censura política, ou talvez justamente por causa dela, os anos 1970 viram nascer toda uma geração de ficcionistas que teve seu público ampliado e conseguiu se profissionalizar rapidamente. Foi o que aconteceu a MÁRCIO SOUZA: *Galvez — Imperador do Acre*, seu segundo romance, permaneceu durante meses na lista dos mais vendidos, tendo-se tornado unanimidade crítica no Brasil e no mundo. Os livros desse romancista incorporam o lado teórico do cientista social, da antropologia e estão fundamentados em detalhadas pesquisas históricas que recuperam, inclusive, os modos de falar de épocas e comunidades específicas. Baseando as histórias em sua região de origem, a Amazônia, Márcio Souza, com grande experiência como crítico de cinema, cineasta e roteirista, oferece um mundo de aventuras na selva, mas, sobretudo, na selva política brasileira. Esse autor, que já participou de inúmeras leituras, seminários e palestras em diversas universidades dos EUA e da Europa, ocupou cargos importantes como diretor do Departamento Nacional do Livro (DNL) da Fundação Biblioteca Nacional e presidente da Funarte.

Crítica

UM BARROCO MODERNO E DISSONANTE
"A particularidade da produção literária de Márcio Souza reside na combinação de formas tradicionais e modernas: o fruto é um complexo barroco, dissonante, ao mesmo tempo tradicional e muito sofisticado." (Angel Rama, *Amérique Latine*)

A DELÍCIA DE UMA LEITURA
"Que os amantes dos romances romanescos fiquem certos! O texto existe independente de qualquer referência literária, e sem qualquer outra ajuda que a delícia da leitura. Nada obriga o leitor a fazer ginásticas de mitos cruzados ou a recorrer a complicados artifícios da literatura comparada. Ainda assim, Márcio Souza tem uma visão do mundo nada convencional." (*Le Monde*)

Obras

Mostrador de Sombras (1969)
Galvez — Imperador do Acre (1976)
Operação Silêncio (1978)
A Resistível Ascensão de Boto Tucuxi (1982)
O Brasileiro Voador (1985)
O Empate contra Chico Mendes (1986)
O Fim do Terceiro Mundo (1989)
Breve História da Amazônia (1992)
A Caligrafia de Deus (1993)
Lealdade (1997)
Silvino Santos, o Cineasta do Ciclo da Borracha (1999)
Entre Moisés e Macunaíma (2000)
Desordem (2001)

Contato

www.editoramarcozero.com.br

Fragmento

Galvez — Imperador do Acre

Estava se formando um temporal e ouvi um barulho vindo do rio. Barulho de remos que se aproximavam. Fiquei alegre e pensei que fossem ribeirinhos se dirigindo para alguma festa. Mas, por prudência, contive a alegria e resolvi me esconder. Um aventureiro prudente vale por dois. Senti um frio quando descobri que eram selvagens. Eu tinha me escondido numa árvore bem alta e vi umas dez ubás lotadas de índios exageradamente felizes com padres e freiras. Desembarcaram e trouxeram os religiosos para a praia como mercadorias preciosas. E eram. Arrumaram os religiosos numa elevação de areia e vi que algumas freiras choravam. O selvagem que comandava a caravana dirigiu-se ao bispo e disse algumas palavras. O bispo não se mexeu e logo se ajoelhou numa oração de mártir resignado. Alguns selvagens começavam a improvisar grelhas de galhos de árvores e estavam entrando e saindo da mata. Fiquei com a respiração suspensa. Eles bem podiam me farejar lá em cima da árvore. Levaram quase o dia inteiro arrumando as grelhas e preparando fogueiras.

MÁRCIO SOUZA

Despite the political censorship, or maybe exactly because of it, the 1970s witnessed the zero hour of an entire generation of fictionists who quickly became increasingly popular and professional. This is what happened to MÁRCIO SOUZA. *Galvez — The Emperor of Acre*, his second novel, remained in the major bestsellers list for months, getting unanimously favorable reviews within Brazil and abroad. His books incorporate the social scientist's theoretical and anthropological sides, and build on detailed historical researches that parenthetically recover the way of speaking at specific times and communities. By basing his stories on his place of origin, the Amazon, and holding a large experience as a cinema critic, film director, and scriptwriter, Márcio Souza offers a whole world of adventures in the jungle, especially in the Brazilian political jungle. This author has been invited to provide innumerable readings, seminars and lectures in several universities in the USA and Europe, has held such important offices as the director of the National Book Office (DNL) of the National Library Foundation (FBN) and chairman of the National Foundation for the Arts (Funarte).

Review

A MODERN AND DISSONANT BAROQUE

"What makes Márcio Souza's literary production peculiar is the combination of traditional and modern forms: the result is a complex, dissonant Baroque, at the same time traditional and fairly sophisticated." (Angel Rama, *Amérique Latine*)

THE DELIGHT OF A READING

"The enthusiasts of romantic novels may be sure! The text exists regardless of any literary reference, and without any help other than the delight of reading. Nothing will force the reader to come to grips with crossed myths or resort to complicated artifices of compared literature. Nevertheless, Márcio Souza's *weltanschauung* is far from being conventional." (*Le Monde*)

Excerpt

Galvez — Imperador do Acre (Galvez — The Emperor of Acre)

Storm clouds were gathering in the sky when I heard a noise coming from the river — a noise of approaching paddles. Pleased, I thought they could be riverbed people going to a party. However, I prudently held my happiness back and decided to hide. A well-advised adventurer lives longer. I froze when I saw they were Indians. I was hiding on a very tall tree and I saw about ten canoes packed with overjoyed Indians carrying priests and nuns. They went ashore and took the clergies onto the beach as though they were precious merchandise. And in a sense they were. They arranged the group on a sand hill and I could see that some of the nuns were crying. The Indian leading the group addressed to the bishop and uttered a few words. The bishop did not move, but soon went down on his knees in a prayer like a resigned martyr. A group of Indians started improvising grills from tree branches, toing-and-froing in the forest. I held my breath for a while. They could easily sniff me out on the tree. They spent most of the day arranging the grills and preparing bonfires.

Works

Mostrador de Sombras (1969)
Galvez — Imperador do Acre (1976)
Operação Silêncio (1978)
A Resistível Ascensão de Boto Tucuxi (1982)
O Brasileiro Voador (1985)
O Empate contra Chico Mendes (1986)
O Fim do Terceiro Mundo (1989)
Breve História da Amazônia (1992)
A Caligrafia de Deus (1993)
Lealdade (1997)
Silvino Santos, o Cineasta do Ciclo da Borracha (1999)
Entre Moisés e Macunaíma (2000)
Desordem (2001)

Contact

www.editoramarcozero.com.br

MÁRIO CHAMIE

As vanguardas brasileiras ganham nova força com a chegada dos anos 60, renovando possibilidades de pensamento e exercendo grande influência em todo panorama cultural do país, como o cinema, a música popular, as artes gráficas e demais manifestações. Dentro desse contexto, surge MÁRIO CHAMIE, o poeta-ensaísta criador da "Instauração Praxis", que tem como uma de suas principais características fazer com que a arte se deixe contaminar por diversos aspectos, até então tidos como não artísticos, da concretude do mundo. Nessa prática vinculadora da experiência lingüística às questões sociais ou à realidade como um todo, o poeta se mistura a trabalhadores rurais ou urbanos para fazer um levantamento de discursos que são recriados em poemas que passam a incorporar a intensidade da fala de uma comunidade que só se reconhece pelas palavras trocadas entre seus membros. Com a escrita transgressora dessa poética da ação, e contra o intelectualismo de uma arte pela arte, a poesia-praxis se abre às contradições históricas e existenciais do homem brasileiro, desconstruindo um conjunto de sistemas estabelecidos.

Crítica

NOVA EXPRESSÃO NA LÍNGUA PORTUGUESA
"A originalidade em Mário Chamie é plural. Não se repete, tão diversa se apresenta. [...] Nunca se banaliza. Seu verbo é incisivo e unicamente seu. É de tal modo singular que a poesia, por vezes, é transpoesia e não poesia. É uma expressão nova em língua portuguesa." (Gilberto Freyre, *Jornal da Tarde*)

A POTÊNCIA DO AUTÊNTICO
"O método de Chamie é potente. Rasga o próprio tecido do pensamento ao manipulá-lo. É um constante abrir de fendas no edifício do pensamento, porque elimina os seus elementos redundantes. E simultaneamente acrescenta ao pensamento novos elementos, compostos dos detritos eliminados. Trata-se, pois, de uma reestruturação do universo pensável, por eliminação do gasto e introdução do novo. Trata-se de autêntica poesia." (Vilém Flusser, *O Estado de S. Paulo*)

Obras

Espaço Inaugural (1955)
Lavra Lavra (1962)
Palavra Levantamento (1963)
Indústria (1967)
A Transgressão do Texto (1972)
Planoplenário (1974)
Instauração Práxis (1974)
A Linguagem Virtual (1976)
Objeto Selvagem (1977)
A Quinta Parede (1986)
Natureza da Coisa (1993)
Caravana Contrária (1998)

Contato

mariochamie@uol.com.br

Fragmento

Rural

Medir é a medida/ mede
a terra, medo do homem, a lavra;
lavra/ duro campo, muito cerco, vária várzea.

Medir é a medida
mede
o sítio, dote do homem, o sêmen;
some
capim seco, muito buço, tosca sebe.

Medir é a medida
mede
a área, fundo do homem, a sombra;
soma
torto galho, muito valo, frágil cana.

MÁRIO CHAMIE

The Brazilian vanguard movements got renewed strength as the 60's arrived, bringing new the thinking possibilities and exerting a great influence on the entire cultural scenario in the country, such as cinema, pop music, graphic arts, and other manifestations. Within this context, MÁRIO CHAMIE had his debut. He is the poet-essayist who started the "Praxis Set-Up," with the main characteristic of allowing art to be contaminated by several aspects of the concrete world so far regarded as non-artistic. In this practice, which links the linguistic experiences to socials issues or to reality as a whole, the poet intermingles with rural and urban workers to survey their discourses, which are then transposed into poems incorporating the speech intensity of a community that can only recognize its members by the words they interchange. By incorporating the transgressive text drawn from this action's poetics, and by investing against the intellectualism of an art done merely for the sake of art, praxis poetry opens up to the historical and existential contradictions of the Brazilian man, thereby disassembling the array of long-established systems.

Review

A NEW EXPRESSION IN THE PORTUGUESE LANGUAGE
"Mário Chamie has a plural originality. It is so diverse that it does not repeat itself. [...] It never becomes banal. His verb is incisive and is his own. It is so unique that poetry becomes at times transpoetry and not poetry alone. It is a new expression in the Portuguese language."
(Gilberto Freyre, *Jornal da Tarde*)

THE POWER OF AUTHENTICITY
"Chamie's method is powerful. He tears the tissue of thinking as he handles it. It is the never-ending act of cutting slits in the building of thought as it eliminates its redundant elements. Simultaneously, new elements, formed by the disposed waste, are added to the thoughts,. It is, then, the act of restructuring the universe of thought by eliminating what is worn out and introducing what is new. It is all about authentic poetry."
(Vilém Flusser, *O Estado de S. Paulo*)

Excerpt

Rural

Measuring is the measure
it measures
the land, the fear of man, the farming
it farms
hard field, much fence, broad meadow

Measuring is the measure
it measures
the ranch, man's endowment, the semen;
it vanishes
dry grass, much fuzz, rough hedge.

Measuring is the measure
it measures
the area, the deepest of man, the shadow; it adds
crooked branch, much ditch, weak cane.

Works

Espaço Inaugural (1955)
Lavra Lavra (1962)
Palavra Levantamento (1963)
Indústria (1967)
A Transgressão do Texto (1972)
Planoplenário (1974)
Instauração Práxis (1974)
A Linguagem Virtual (1976)
Objeto Selvagem (1977)
A Quinta Parede (1986)
Natureza da Coisa (1993)
Caravana Contrária (1998)

Contact

mariochamie@uol.com.br

MÁRIO DE ANDRADE

Ao lado de Oswald de Andrade, MÁRIO DE ANDRADE é o principal fundador do Modernismo brasileiro, criando uma ruptura como jamais acontecida no pensamento do país. Escrevendo sobre música, dança, folclore, artes plásticas e literatura, esse poeta e ficcionista atuou em todas as frentes da cultura e foi decisivo para as formulações da Semana de Arte Moderna de 1922. Se absorveu, por um lado, os movimentos europeus de vanguarda, inaugurando o desvairismo urbano em seu importante manifesto poético, por outro, derrubou a europeização tradicional do país afirmando que "é só sendo brasileiro que nos universalizaremos". Sua proposta de estabelecer uma modernidade através da síntese de símbolos nacionais o direcionou à escrita de *Macunaíma*, um dos grandes mitos da ficção universal. O personagem representa, com humor, a independência mental brasileira, forjada por uma linguagem que se afasta da sintaxe lusitana para instaurar uma outra que se quer autenticamente nacional, como é necessário ao projeto de um dos mais importantes intelectuais do país.

Crítica

UM BRASIL BRASILEIRO
"Brasilizar o brasileiro num sentido total, patrializar a pátria ainda tão despatriada, quer dizer, influir para a unificação psicológica do Brasil — tal lhe pareceu que devia ser sempre a finalidade de sua obra." (Manuel Bandeira, "Apresentação da Poesia Brasileira")

A LIBERTAÇÃO DA ALMA BRASILEIRA
"Esse movimento de libertação da alma brasileira deve muito a muita gente, mas deve muitíssimo sobretudo àquele que se sacrificou como pessoa e como artista e que, segundo o creio, morreu por ele. Refiro-me aqui a Mário de Andrade." (Ivan Junqueira, "Modernismo: Tradição e Ruptura")

Obras

Há uma Gota de Sangue em cada Poema (1917)
Paulicéia Desvairada (1922)
A Escrava que não É Isaura (1925)
Amar, Verbo Intransitivo (1927)
Macunaíma (1928)
Remate dos Males (1930)
O Baile das Quatro Artes (1943)
Aspectos da Literatura Brasileira (1943)
Lira Paulistana (1947)
Poesia Completa (1955)
Danças Dramáticas do Brasil (1959)

Fragmento

Macunaíma

Enfim roxo de pancada sangrando pelo nariz pela boca pelos ouvidos caiu desmaiado no chão. E era horroroso... Macunaíma ordenou que o eu do gigante fosse tomar um banho salgado e fervendo e o corpo de Exu fumegou molhando o terreno. E Macunaíma ordenou que o eu do gigante fosse pisando vidro através dum anto de urtiga e agarra-compadre até as grunhas da serra dos Andes pleno inverno e o corpo de Exu sangrou com lapos de vidro, unhadas de espinhos e queimaduras de urtiga, ofegando de fadiga e tremendo de tanto frio. Era horroroso. E Macunaíma ordenou que o eu de Venceslau Pietro Pietra recebesse o guampaço dum marrá, o coice dum bagual, a dentada dum jacaré e os ferrões de quarenta vezes quarenta mil ferroadas de formiga na pele já invisível, com a testa quebrada pelo casco dum bagual e um furo de aspa aguda na barriga. A saleta se encheu dum cheiro intolerável.

Contato

info@martinsfontes.com.br

MÁRIO DE ANDRADE

Together with Oswald de Andrade, MÁRIO DE ANDRADE is the main initiator of Brazilian Modernism, setting off a rupture as had never been seen before in the country's thinking. A poet and a fictionist, he wrote about music, dance, folklore, plastic arts, and literature, and played a key role in all culture fronts, contributing in a decisive way to the accomplishment of the 1922's Modern Art Week. If, on one side, he absorbed the European vanguard movements, introducing the urban delirium in his key poetic manifesto; on the other side, he overthrew the traditional Europeanization then prevailing in the country by proclaiming that "being genuinely Brazilian is the only way to become universal". His proposal of establishing modernity through synthesizing national symbols led him to write *Macunaíma*, which became of the greatest myths of universal fiction. The character wittily represents the mental independence of Brazil, forged in a language that sidesteps the Lusitanian syntax in order to establish another language meant to be genuinely national, as required to suit the project of one of the most important Brazilian intellectuals.

Review

BRAZIL TRULY BRAZILIAN

"To *'brazilize'* Brazilians in a global sense, to make the nationality-stripped country a true homeland, that is to say, to exert an influence on the psychological unification of Brazil — this seemed to him to be the ultimate aim of his work." (Manuel Bandeira, "Apresentação da Poesia Brasileira")

THE LIBERATION OF THE BRAZILIAN SOUL

"That movement to liberation the Brazilian soul owes a lot to many people, but above all it owes a lot to that who sacrificed himself both personally and as an artist and who, to my belief, died for it. I am talking about Mário de Andrade"... (Ivan Junqueira, "Modernismo: Tradição e Ruptura")

Excerpt

Macunaíma

At last black-and-blue all over bleeding through his nose mouth and ears he fainted on the ground. And it was all hideous... Macunaíma commanded the giant's Self to take a boiling salty bath and Exu's body exhaled wetting the floor through. And Macunaíma commanded the giant's Self to go stepping on glass shards through a nettle bush up to the craters on the Andes in the middle of the winter and Exu's body bled from the glass shard, thorn scratches and nettle stings, panting from fatigue and shivering from the cold. It was all hideous. And Macunaíma commanded Venceslau Pietro Pietra's Self to receive a horn blow from a young sow, a kick from a horse, a bite from an alligator and forty times forty thousand ant stings in the already invisible skin, having the forehead already broken by the paw of an unbroken horse and a deep hole in the belly from a horn slash. The small room was filled with an unbearable stink.

Works

Há uma Gota de Sangue em cada Poema (1917)
Paulicéia Desvairada (1922)
A Escrava que não É Isaura (1925)
Amar, Verbo Intransitivo (1927)
Macunaíma (1928)
Remate dos Males (1930)
O Baile das Quatro Artes (1943)
Aspectos da Literatura Brasileira (1943)
Lira Paulistana (1947)
Poesia Completa (1955)
Danças Dramáticas do Brasil (1959)

Contact

info@martinsfontes.com.br

MÁRIO PALMÉRIO

Muitos são os políticos que se dedicam à atividade literária, fazendo dela uma ocupação secundária em suas vidas públicas. Não é o caso de MÁRIO PALMÉRIO, que, se educador e deputado federal com três mandatos consecutivos (1950-1962), além de embaixador do Brasil no Paraguai, onde, próximo ao popular, compôs diversas guarânias, a partir de seus 40 anos passou a ter grande e merecido destaque como autêntico escritor. Em seus romances, em vez de a literatura estar subjugada ao político, é esse que se submete àquela. Incorporando toda a rede de corrupções, humores e a ausência de consciência política da população, *Vila dos Confins* aborda as eleições em uma pequena cidade perdida no interior do país. *Chapadão do Bugre*, sua outra obra-prima, intensifica as questões políticas e ecológicas da história anterior, acrescentando a paixão trágica pela mulher. Buscando o peculiar do interior do país, tanto no que diz respeito à terra quanto à linguagem, o autor, antes de escrever suas ficções, pesquisava amplamente o material lingüístico e os costumes regionais, para transfigurar o sertão no centro das questões humanas universais.

Crítica

O AUTÊNTICO CHEIRO DA TERRA

"A primeira qualidade que me impressionou no escritor Mário Palmério foi este cheiro de terra, que o seu livro traz, tão autêntico. A gente tem a impressão de que ele nos entrega para ver, na sua integridade primitiva, aquele rio, aquela mata, aqueles bichos, aqueles caboclos, aquelas histórias de caçada e pescaria, que parecem histórias de mentiroso, de tão saborosas. Essa poesia de floresta e rio, tão difícil de captar, sem cair na ênfase." (Rachel de Queiroz, "Nota")

UM DOS MELHORES DO GÊNERO

"Ora, em *Chapadão do Bugre*, a vitória do romancista, do criador, é completa. Pode-se dizer mesmo que é uma das mais brilhantes a que temos assistido. Todas as altas qualidades de *Vila dos Confins* ressurgem aqui, mas os elementos novos com que deparamos são aqueles justamente que caracterizam, acima de tudo, o grande romancista. Trata-se de um dos melhores livros publicados no gênero, nestes últimos tempos." (Otávio de Faria, "Chapadão do Bugre")

Obras

Vila dos Confins (1956)
Chapadão do Bugre (1965)

Fragmento

Chapadão do Bugre

— ... de beber mijo, nem de me ajoelhar nos pés dum outro bandido mais ordinário ainda que o Capitão Eucaristo, esse carola do Dr. Damasceno... 'ocê conhece o passado dele? O Tancredinho não lhe contou? Pois foi, ele já foi Juiz em Açaflor, foi Juiz no Campanário... É juiz curtido, do tempo do Dr. Asdrúbal, do tempo do Dr. Pessoa, do tempo do Dr. Tenório... Foi contra o jogo, contra rapariga, contra jagunço nesses lugares todos? Moralizou alguma cidade dessas? O que ele vem fazendo não é bancar o pau-mandado de Governo? Vir falar que Santana do Boqueirão é foco de banditismo?! 'cê conhece a política do Campanário, pois já morou por perto, zona donde ocê veio... 'ocê não teve um cunhado que assassinaram lá, dentro dum circo, a mando dos Inácios e dos Gusmões? E quem é que está dominando ainda no Campanário — não são ainda eles mesmos, ainda até hoje? E mandam a poder de quê? Não é de jagunço, a poder da polícia que o Governo deixa eles manobrarem à vontade? E esse fingido desse Juiz de Direito, esse Dr. Damasceno, não prestigiou sempre eles? E em Açaflor: os Araújos, os Cunhas, os Silvas?

Contato

joeditor@unisys.com.br

MÁRIO PALMÉRIO

Not a few politicians engage in the literary activity and make it a side occupation in her in their public lives. This was not the case of MÁRIO PALMÉRIO. An educator and a congressman in three consecutive legislatures (1950-1962), he was also the Brazilian ambassador to Paraguay, where, nearly popular, he composed a number of *guaranias*. After his forties, he became a major and deservedly prestigious writer. In his novels, literature is not subdued by the politician; instead, the latter is subdued by literature. *Vila dos Confins (Boondocks Village)*, incorporating the entire net of corruption, humors, and absence of political awareness in the population, deals with the elections in a remote small village in the back country. *Chapadão do Bugre (Indian's Plain)*, his second masterpiece, deepens the political and ecological issues from the previous novel, increased by the tragic passion for a woman. Searching for what is peculiar in the back country, regarding both the land and the language, the author, before writing his stories, used to carry out a thorough research on the linguistic material and the local habits in order to transfigure the backlands into the core of universal human questions.

Review

AN AUTHENTIC SMELL OF EARTH

"The first quality to impress me in writer Mário Palmério was this so genuine smell of earth in his book. We are under the impression of being offered to see, in its primitive integrity, that river, that forest, those animals, those mestizos, those hunting and fishing histories, so tasteful that even sound like a storyteller's trivial falsehood. That poetry of forest and river, so difficult to capture without falling into oversizing."
(Rachel de Queiroz, "Nota")

ONE OF THE BEST IN HIS CATEGORY

"Now, in *Chapadão do Bugre (Indian's Plain)*, the novelist, the creator, wins an out-and-out victory. One could even aver it is one of the most brilliant we have ever seen. All of the conspicuous qualities of *Vila dos Confins (Boondocks Village)* reappear here; however, the new elements we meet with are exactly those characterizing, above all, the great novelist. It is one of the best books lately published in this category."
(Otávio de Faria, "Chapadão do Bugre")

Excerpt

Chapadão do Bugre (Indian's Plain)

— ... of drinking pee, or kneeling down before a crook even cheaper than Captain Eucaristo, this pietist Dr. Damasceno... d'ya know his past? Didn't Tancredinho tell you? Believe me, he used to be a Judge in Açaflor, he was a Judge in Campanário... He is a seasoned judge, since the time of Dr. Asdrúbal, from the time of Dr. Pessoa, from the time of Dr. Tenório... He bucked against gambling, against mistress, against gunman in all those places? Did he redress anything in any of these cities? Is he doing any other thing than acting the Government's yes man? And he dares say Santana do Boqueirão is a banditry's lair?! You know how politics operates in Campanário, because you lived not far, that place you came from... Is it true your brother-in-law was murdered there, inside a circus, by order of the Inácios and the Gusmões? And who is currently ruling in Campanário — I heard they are still wielding power there, until today? And where does their power come from? It comes from the gunmen, from the patrol, isn't it? that's why the Government allows them to maneuver as they please? And isn't it true that this sham law judge, this Honorable Judge Damasceno, has always sanctioned them? And in Açaflor: the Araújos, the Cunhas, the Silvas?

Works

Vila dos Confins (1956)
Chapadão do Bugre (1965)

Contact

joeditor@unisys.com.br

MÁRIO QUINTANA

Alguns poetas escrevem poemas; outros, através dos poemas, escrevem uma obra cujo conjunto unitário se torna ainda mais importante do que a singularidade de cada um dos textos. Nesses, se a união das peças individuais compõe o todo, o todo, por sua vez, ilumina o fragmentário. MÁRIO QUINTANA é um desses escritores cujas frases, líricas, estão submetidas a um mesmo espírito que segue a proposta baudelairiana de "a infância reencontrada". O jogo lúdico da banalidade de um cotidiano singelo sem finalidade é visto, entretanto, pela sensibilidade do poeta como um jogo lúcido, dentro do qual se extraem os espantos decorrentes de um mundo que, se simples, é, sobretudo, desconcertante. Como já foi visto, em uma aparente ingenuidade formal se esconde uma rede de sentidos, elipses, alusões, sutilezas verbais e rítmicas que revelam a grandeza desse poeta. Sendo a tarefa da poesia resguardar na linguagem o mistério do dia-a-dia, celebrá-lo em palavras, não é à toa que inúmeros versos de Quintana se incorporam à sabedoria popular, sem que as pessoas nem desconfiem de sua autoria.

Crítica

QUINTANIDADE
"Essa obra é bastante peculiar por sua estreita unidade, cada poema é um fragmento do poema geral que Mário Quintana vem compondo ao longo de toda a sua vida. Dos sonetos de *A Rua dos Cataventos*, passando pela prosa lírica do *Caderno H*, até os livros como *A Vaca e o Hipogrifo* e *Esconderijos do Tempo*, sua obra mantém uma qualidade, marca, timbre, ressonância ou maneira que só posso definir como *quintanidade*." (Fausto Cunha, "O Último Lírico Mário Quintana")

O MAIS COTIDIANO, O MAIS POÉTICO
"Os objetos que te impressionam são comuns: a caneta com que escreves, os telhados, as tabuletas, a vitrine do bric. [...] As sensações que te fazem pulsar são as mais cotidianas: como a de um gole d'água bebido no escuro. Os sons que te empolgam são os ritornelos da infância ou o fundo suspiro que se some no ralo misterioso da pia. Como fazer desses elementos uma grande poesia? Só há um jeito: deles reproduzindo, não o traço descritivo, mas o contorno de uma contra-imagem. E isso é a tua poesia." (Paulo Mendes Campos, "Os Melhores Poemas de Mário Quintana")

Obras

A Rua dos Cataventos (1940)
Sapato Florido (1947)
Antologia Poética (1966)
Nariz de Vidro (1975)
Apontamentos de História Sobrenatural (1976)
A Vaca e o Hipogrifo (1977)
Na Volta da Esquina (1979)
Esconderijos do Tempo (1980)
Nova Antologia Poética (1981)
Baú de Espantos (1987)
A Cor do Invisível (1989)
Velório sem Defunto (1990)
Antologia Poética Mário Quintana (1997)

Contato

Lúcia Riff, *agente literária*
lucia@bmsr.com.br

Fragmento

O Auto-Retrato

No retrato que eu faço
— traço a traço —
Às vezes me pinto nuvem
Às vezes me pinto árvore...

Às vezes me pinto coisas
De que nem há mais lembrança...
Ou coisas que não existem
Mas que um dia existirão...

E, desta lida, em que busco
— pouco a pouco —
Minha eterna semelhança,

No final, que restará? Um desenho de criança...
Corrigido por um louco!

MÁRIO QUINTANA

Some poets write poems; others, through their poems, write a work whose conjoined set becomes more important than the singularity of each individual texts. In the case of these authors, if the unity of the individual parts makes up the whole, the latter, on its turn, illuminates the fragmentary. MÁRIO QUINTANA is one of those writers whose lyric sentences are submitted to the same spirit that follows Baudelaire's proposal of a "childhood recovered". The ludic game in the banality of an aimless, simple quotidian is seen, however, by the poet's sensibility as a lucid game, within which the amazement resulting from a world which, if simple, is above all disconcerting is extracted. As already seen, within an apparent formal ingenuousness a net of senses, ellipses, allusions, verbal and rhythmic subtleties is concealed, which reveal the magnitude of the poet. As the task of poetry is to safeguard in the language the mystery of the daily life, celebrating it in words, it is not by chance that Quintana's innumerous verses incorporate into the popular wisdom, without people being aware of his authorship.

Review

QUINTANA'S WAY

"This work is quite peculiar for its tighten unity, each poem is a fragment of the overall poem that Mário Quintana has been composing along his whole life. From the sonnets of *A Rua dos Cataventos*, passing by the lyrical prose of *Caderno H*, up to such books as *A Vaca e o Hipogrifo* and *Esconderijos do Tempo*, his work keeps a quality, mark, tone, resonance, or manner that can only be defined as *Quintana's way*." (Fausto Cunha, "O Último Lírico Mário Quintana")

THE MOST QUOTIDIAN, THE MOST POETICAL

"The objects that cause an impression on you are ordinary: the pen with which you write, the roofs, the signs, the bric's window. [...]. The sensations that give you the tingling are the most ordinary ones: like a sip of water taken in the dark. The sounds that thrill you are the childhood's melodies or the deep sigh that vanishes through the mysterious sink drain. How to create a great poem out of such elements? There is only one way: to reproduce not their descriptive traces, but the outline of a counter-image. And that is your poetry." (Paulo Mendes Campos, "Os Melhores Poemas de Mário Quintana")

Excerpt

O Auto-Retrato (The Self-Portrait)

In the portrait that I paint
— stroke by stroke —
I sometimes portray myself as a cloud
Sometimes as a tree...

Sometimes I portray myself as things
Of which no remembrance remains...
Or things that do not exist.
But will exist some day ...

And, out of this struggle in which I pursue
— little by little —
My eternal resemblance,

What will remain in the end? A child's drawing...
Reviewed by a lunatic!

Works

A Rua dos Cataventos (1940)
Sapato Florido (1947)
Antologia Poética (1966)
Nariz de Vidro (1975)
Apontamentos de História Sobrenatural (1976)
A Vaca e o Hipogrifo (1977)
Na Volta da Esquina (1979)
Esconderijos do Tempo (1980)
Nova Antologia Poética (1981)
Baú de Espantos (1987)
A Cor do Invisível (1989)
Velório sem Defunto (1990)
Antologia Poética Mário Quintana (1997)

Contact

Lúcia Riff, *literary agent*
lucia@bmsr.com.br

MARLY DE OLIVEIRA

A poesia de MARLY DE OLIVEIRA apresenta um percurso poético que vai de uma lírica impregnada do sentimento do belo até uma defrontação mais objetiva com as asperezas e inclemência da realidade. Se num primeiro momento de sua poética há um predomínio da procura do sublime e do puro, logo se inicia um progressivo movimento de objetivação traduzido tanto numa maior concretude da linguagem quanto na dureza de seus objetos: o real passa a ser visto como algo que está constantemente escapando ao mesmo tempo em que impõe suas fatalidades. Embora a vida se manifeste em seu esplendor e majestade, a existência vai-se deparar sempre com o absurdo da incompletude, da falta, do distanciamento e da ausência. Ainda que sua poética venha a tentar produzir uma aliança com a natureza, essa relação será de submissão e sem qualquer indulgência. A grande marca da escrita de Marly de Oliveira, entretanto, é a forte preponderância de uma indagação de cunho filosófico acerca da vida e da morte, permeada pela emoção e pela angústia decorrentes da experiência do real.

Crítica

POÉTICA DA AUSÊNCIA
"Tema incomum na literatura: o leitor se recorda das cartas de Madame de Sévigné à sua filha, no século XVII, no que diz respeito ao calor, à distância, à ânsia de proteção incorrespondida e muda que Marly de Oliveira está agora a protagonizar. Eis o caso de uma poeta que, querendo sempre ser 'poética', finalmente encontrou seu assunto, seu objeto, ou melhor, a falta desse objeto, e tira dessa falta, dessa ausência, desse sofrimento, aquilo de que a poesia é capaz." (Marcelo Coelho, *Folha de S. Paulo*)

RITUALIZAÇÃO E REFLEXÃO
"Seus livros são como espelhos que se integram e se refletem. A intertextualidade [...] é um jogo constante de Marly de Oliveira. Mais do que mero recurso sobre o qual se debruça o leitor-crítico ávido de chaves para compreender, essa combinatória temática é quase uma espécie de rito, com o qual Marly vai tecendo suas obsessões numa seqüência entrecortada de imagens." (Lúcio Agra, *Jornal do Brasil*)

Obras

Cerco da Primavera (1957)
Explicação de Narciso (1960)
A Suave Pantera (1962)
A Vida Natural / O Sangue na Veia (1967)
Contato (1975)
Invocação de Orfeu (1978)
Aliança (1979)
O Banquete (1987)
Poesia Reunida (1989)
Obra Poética Revivida (1989)
O Deserto Jardim (1991)
Mar de Permeio (1998)
Uma Vez Sempre (2001)

Contato

sac@novafronteira.com.br

Fragmento

Eu, tão prepositiva, desfaleço,
na contorção do que se me propõe:
o mundo não se esquiva à inquisição,
o medo não é bom amigo, o medo
indica a minha forma de não ver
a vã provocação.
Que estreito este caminho, que murado!
Tão pouco que eu ousasse e já seria
talvez o passo necessário
no sentido de ter ou de abster-me,
mas sempre um passo, um movimento,
a voz, um surdo grito, sussurrando
o enleio que o amor conhece,
entretecendo com a hera que cobre o corpo
a matéria do meu espírito,
o seu sigilo, a disputa, os meus dispersos sentidos.

MARLY DE OLIVEIRA

MARLY DE OLIVEIRA's poetical work has an itinerary that goes from a lyric suffused with the feeling of what is beautiful up to a more objective confrontation with the harshness and inclemency of reality. If at first her poetical work was greatly marked by the search of the sublime and the pure, it soon becomes progressively more objective, not only through the use of a more concrete language, but also because of the severity of the objects: reality is now perceived as something which is constantly evading at the same time that it imposes its fatalities. Although life shows itself in all its splendor and majesty, existence will always be facing the absurdity of incompleteness, of dearth, of distancing, and of absence. Although Marly's work tries to generate an alliance with nature, this relationship will be of submission, bearing no trace of indulgency. The great trait of Marly's texts, though, is the strong preponderance of a philosophical conjecture about life and death, permeated by emotion and anguish deriving from experiencing reality.

Review

POETRY OF ABSENCE

An uncommon theme in literature: the reader is reminded of Madam de Sévigné's letters to her daughter, in the 17th century, because of the warmth, the distance, the unreturned and silent protection yearning of which Marly de Oliveira is now a protagonist. Here is the case of a poetess who, in her desire to be always 'poetic,' has eventually found her subject, her object, or better still, the lack of such object, and extracts from this lack, from this absence, from this suffering, everything poetry can offer." (Marcelo Coelho, *Folha de S. Paulo*)

RITUALIZATION AND REFLECTION

"Her books are like merging and mutually-reflecting mirrors. Intertextuality [...] is a constant game played by Marly de Oliveira. More than a mere resource over which the critic-reader concentrates, avid for keys to understand that thematic combination, it is almost a kind of rite, with which Marly weaves her obsessions in an intermittent sequence of images." (Lúcio Agra, *Jornal do Brasil*)

Excerpt

I, prepositive as I am, faint,
in the contortion of what is proposed to me:
the world does not dodge inquisition,
fear is not a good friend, fear
indicates my way of overlooking
the vain provocation.
Such a narrow and walled road!
Little as I dare and perhaps this would already be
the necessary step
towards having or refraining,
but always a step, a movement,
the voice, a voiceless scream, whispering
the tyings of love,
interweaving with the ivy covering the body
the matter of my spirit,
its secrecy, the straggle, my dispersed senses.

Works

Cerco da Primavera (1957)
Explicação de Narciso (1960)
A Suave Pantera (1962)
A Vida Natural / O Sangue na Veia (1967)
Contato (1975)
Invocação de Orfeu (1978)
Aliança (1979)
O Banquete (1987)
Poesia Reunida (1989)
Obra Poética Revivida (1989)
O Deserto Jardim (1991)
Mar de Permeio (1998)
Uma Vez Sempre (2001)

Contact

sac@novafronteira.com.br

MARQUES REBELO

MARQUES REBELO está no centro de uma linhagem romanesca carioca que instaurou a escrita urbana brasileira. Se Manuel A. de Almeida, Machado de Assis e Lima Barreto, entre outros, o precederam, ele, escritor do momento presente, com o Rio de Janeiro tendo passado por inúmeras transformações decorrentes do amplo processo de industrialização e o mundo sendo surpreendido pelas guerras mundiais, sabe que seu tempo é outro. Em sua ficção, a cidade não é um mero cenário para a realização das ações, mas a própria destinação do homem contemporâneo que, conhecendo a explosão demográfica transformadora da coletividade, vê surgir uma ativa classe proletária consciente de sua condição, uma classe média cada vez maior e uma recente leva de industriais e banqueiros que compõem a elite econômica do país. Aproveitando-se de toda essa mudança, a respectiva novelística manifesta os segredos do espírito carioca que, por sua vez, com seus dramas e alegrias, tem uma voz a configurar sua maneira de ser. Marques Rebelo atualiza a herança dos grandes escritores mencionados, legando mais um caminho a seus sucessores.

Crítica

O ROMANCISTA DA ERA DA INDUSTRIALIZAÇÃO
"Marques Rebelo bem que pode (e bem que deve) ser apontado como o romancista contemporâneo mais representativo (e também mais importante) do Rio de Janeiro que eclodiu com a Revolução de 1930. É ele, sem dúvida, o romancista carioca de todas as repúblicas e ditaduras subseqüentes ao movimento liberal que iniciou a era de Vargas, ou, se preferirem, a era da industrialização da cidade, que se confunde de resto com a industrialização do próprio país." (Francisco de Assis Barbosa, "Marques Rebelo e o Romance Carioca")

A FORÇA HUMANA E LITERÁRIA
"Na novelística carioca, assim tão ampla em sua variação temática e sua cobertura estilística, efetivamente poderosa como espaço da ficção brasileira, talvez responsável pela linha psicológica de nosso romance, Marques Rebelo ergueu o pequeno mundo — vivo, cotidiano, sofrido —, e mundo extraordinário precisamente porque humano em sua força literária." (Adonias Filho, "Introdução")

Obras

Oscarina (1931)
Três Caminhos (1933)
Marafa (1935)
A Estrela Sobe (1939)
Estela me Abriu a Porta (1942)
Cenas da Vida Brasileira (1943)
Conversa do Dia (1954)
Cortina de Ferro (1956)
O Espelho Partido (1959)
O Trapicheiro (1959)
A Mudança (1962)
O Simples Coronel Madureira (1967)
A Guerra Está em Nós (1968)

Contato

sac@novafronteira.com.br

Fragmento

A Estrela Sobe

A noite foi fatal para Leniza. No silêncio do quarto solteiro, Oliveira procurou pensar melhor. Tinha vergonha de pedir aquilo a um colega. Nabuco, Sotero, Palhares, Jorge, o Mendoncinha, qualquer deles não se recusaria. Mas haveriam de obrigá-lo a confissões. É teu o pimpolho? Que haveria de dizer? Seria estranho que ele se interessasse pelo feto dos e a outros. Mais que estranho, seria vergonhoso. E Leniza era pessoa conhecida agora. Sua publicidade estava sendo feita regularmente... Não. Não pediria nada. Mesmo, pedir por quê?! Que tinha a ver com a história? Como Leniza tratara-o sempre?! Como um moleque, um verdadeiro moleque! Nunca lhe dera importância. Nunca! Só quando precisava... Mas a verdade é que a amava. Sempre humilhado, sempre desprezado, sempre ludibriado, vencido... Mas por que ceder?! A agonia era densa, no quarto estreito. Andava, sentava-se, levantava-se, andava... Devia ter rompido definitivamente com Leniza. Rompido! Que merecia ela senão o desprezo? Que se arrumasse! Cigarro sobre cigarro, a noite avança.

MARQUES REBELO

MARQUES REBELO is in the core of the Carioca romantic lineage that led off the Brazilian urban writing. If it is true that Manuel A. de Almeida, Machado de Assis, and Lima Barreto, among others, came before him, he, a writer of the present time, of a Rio de Janeiro that had undergone all the industrialization process changes, and of a world that had been struck by the world wars, knows he lives a different time. In his fiction, the city is not merely the setting for the actions, but rather the very destination for the contemporary man who, aware of the demographic boom changing the community, witnesses the rise of an active proletarian class cognizant of its condition, an ever increasing middle class, as well as a recent group of industrial and bankers making up the country's economical elite. Taking advantage of all such changes, his novel-writing unveils the Carioca spirit's secrets who, on their turn, drawing on their dramas and happiness, has a voice to configure their personality. Marques Rebelo updates the legacy of those great writers mentioned above, bequeathing another road to his successors.

Review

THE INDUSTRIALIZATION ERA NOVELIST

"Marques Rebelo may (and he deserves that) be referred to as the Rio de Janeiro's most representative contemporary novelist (and also the most important), emerging with the 1930 Revolution. He is, doubtlessly, the Carioca novelist of all republics and dictatorships subsequent to the liberal movement that started the Vargas era, or else, the city industrialization era, which commixes with the country industrialization." (Francisco de Assis Barbosa, "Marques Rebelo e o Romance Carioca")

THE HUMAN AND LITERARY FORCE

"In the Carioca novel-writing, so broad in its thematic variation and stylistic range, truly powerful as a space for the Brazilian fiction, maybe responsible for the psychological line in our novel, Marques Rebels raised the small world — alive, quotidian, painful —, and an extraordinary world precisely because human in his literary force." (Adonias Filho, "Introdução")

Excerpt

A Estrela Sobe (The Rising of a Star)

The night had been fatal for Leniza. In the silence of his bachelor's bedroom, Oliveira tried to think twice. He was embarrassed at asking that from a friend. Nabuco, Sotero, Palhares, Jorge, Mendoncinha, none of them would say no. But they would surely force him to confessions. Is the infant your child? What would he say? It would seem strange that he would be interested in somebody else's fetus. More than strange, it would be shameful. And Leniza was very popular now. She was regularly on the media ... No. He would not ask for anything. Besides, why should he ask?! What did he have to do with the story? How had Leniza always treated him?! As a urchin, a true urchin! She had never regarded him. Never! Except when she needed him... But the truth is that he was in love with her. Always humiliated, always despised, always deceived, beaten... But why should him give in?! Anguish was dense in the small bedroom. He would walk, sit down, then get up, walk... He should have broken up definitively with Leniza. Broken up! What else did she deserve than contempt? Just let her get along by herself! One cigarette after the other, the night passing fast.

Works

Oscarina (1931)
Três Caminhos (1933)
Marafa (1935)
A Estrela Sobe (1939)
Estela me Abriu a Porta (1942)
Cenas da Vida Brasileira (1943)
Conversa do Dia (1954)
Cortina de Ferro (1956)
O Espelho Partido (1959)
O Trapicheiro (1959)
A Mudança (1962)
O Simples Coronel Madureira (1967)
A Guerra Está em Nós (1968)

Contact

sac@novafronteira.com.br

MARTINS PENA

Em MARTINS PENA, considerado o fundador do teatro e da comédia brasileiros, há dois aspectos fundamentais. Escrita em pleno Romantismo, sua obra escapa aos cânones do movimento, tendendo já às soluções realistas pelo empenho em retratar tipos e costumes da vida cotidiana. Por outro lado, ele foi o primeiro grande autor do país a escrever somente para o palco, quando outros viam na criação teatral uma espécie de ramo secundário da literatura mais séria. Ao fazer um humor verbal, com trocadilhos e jogos de palavras, suas peças se afastaram da tradição lusitana, valorizando o modo de falar brasileiro, adotando expressões populares e repondo-as muitas vezes em uso com nova picardia e mais força. Sempre montado e remontado com absoluto sucesso, este comediógrafo é até hoje um mestre, pela perícia ao combinar suas cenas, ao dispor seus efeitos e ao arquitetar seus diálogos. É um caricaturista em palavras, que vergasta a sociedade ao desnudar-lhe os ridículos.

Crítica

TROPICALIDADE SEM FREIO

"Imediato o cômico de Martins Pena, porque desintelectualizado, exigindo a participação antes sensorial que intelectual do auditório, e porque manipula recursos de efeito certo, apesar de óbvios e constantes. Cômico à brasileira, puxado à farsa, à chalaça, ao carnavalesco, ao desabrimento comedido de uma sociedade que, posto se imagine européia, é agitada por acessos de tropicalidade sem freio. Humor da piada de salão, que estruge em riso desopilante, malicioso e, durando um instante fugaz, morre sem conseqüências. Cômico que relaxa as tensões, deflagra as vinganças inofensivas, geradas por desejos contidos de inconformismo ou rebelião."(Massaud Moisés, "História da Literatura Brasileira")

Obras

Um Sertanejo na Corte (1833-37)
O Juiz de Paz da Roça (1842)
O Judas em Sábado de Aleluia (1846)
O Cigano (1845)
As Casadas Solteiras (1845)
O Noviço (1845)
O Namorador ou A Noite de São João (1845)
O Caixeiro da Taverna (1845)
Os Meirinhos (1845)
Os Ciúmes de um Pedestre
ou O Terrível Capitão do Mato (1846)
Os Irmãos das Almas (1846)
O Diletante (1846)
Quem Casa Quer Casa (1847)

Contato

record@record.com.br

Fragmento

O Noviço

AMBRÓSIO — *Naquele quarto?*
MESTRE — *Sim, senhor, e ali mandou-nos esperar em silêncio. Chamou pelo noviço, e assim que ele saiu lançamo-nos sobre ele e à força o arrastamos para o convento.*
AMBRÓSIO, assustado — *Mas a quem, senhor, a quem?*
MESTRE — *A quem?*
FLORÊNCIA — *Que trapalhada é essa?*
AMBRÓSIO — *Depressa!*
MESTRE — *Cheguei ao convento, apresentei-me diante do D. Abade, com o noviço prisioneiro, e então... Ah!*
AMBRÓSIO — *Por Deus, mais depressa!*
MESTRE — *Ainda me coro de vergonha. Então conheci que tinha sido vilmente enganado.*
AMBRÓSIO — *Mas quem era o noviço preso?*
MESTRE — *Uma mulher vestida de frade.*

MARTINS PENA

Two fundamental aspects appear in MARTINS PENA, who is considered to be the founder of the Brazilian theater and comedy. Written in the middle of Romanticism, his work does not fit the canons of that movement, already tending to the realistic solutions, judging by the effort to portray quotidian types and habits. On the other hand, he was the first major Brazilian author to write only for the stage, at a time when others would see the theatrical creation as a kind of secondary branch in a more serious literature. Because of a verbal humor, including puns and games of words, his plays deflected from the Portuguese tradition, placing the emphasis on the Brazilian way of speaking, adopting popular expressions, and often restoring them to use by giving them a new roguery and more force. This comedy writer, whose plays are staged over and over again, always meeting absolute success, is regarded today as a full master, for his skill to deploy his scenes, for the way he arranges his effects and builds his dialogues. He is a caricaturist in words, whipping the society as he lays bare what is ludicrous in it.

Review

BRAKELESS TROPICALITY

"Comedian Martins Pena is straightforward, because unintellectualized, requiring from the audience a participation that is rather sensorial than intellectual, and also because he handles resources of forthright effect, in spite of being obvious and constant. A comedian in the Brazilian style, prone to farce, to parody, to merrymaking, to the moderate sullenness of a society that, while fancying itself European, is agitated by fits of a brakeless tropicality. Humor of white joke, bursting into cheering-up, malicious laughter and, lasting but a fleeting instant, dies without consequences. A comedian who eases the stress, triggers those harmless revenges generated by nonconformism or rebellion contained desires." (Massaud Moisés, "História da Literatura Brasileira")

Excerpt

The Novice

AMBRÓSIO — *In that room?*
MASTER — *Yes, sir, and there he ordered us to wait in silence. He called the novice, and as soon as he left we rushed on him and forced him to follow us to the monastery.*
AMBRÓSIO, scared — *But to whom, sir, to whom?*
MASTER — *To whom?*
FLORÊNCIA — *What is this mess all about?*
AMBRÓSIO — *Hurry up!*
MASTER — *I got to the monastery, called at D. Abbot's office, bringing the novice in restraint, and then... Ah!*
AMBRÓSIO — *For God's sake, hurry up!*
MASTER — *I still blush from shame. Then I realized it had been vilely deceived.*
AMBRÓSIO — *But who was the novice under arrest?*
MASTER — *A woman dressed as a friar.*

Works

Um Sertanejo na Corte (1833-37)
O Juiz de Paz da Roça (1842)
O Judas em Sábado de Aleluia (1846)
O Cigano (1845)
As Casadas Solteiras (1845)
O Noviço (1845)
O Namorador ou A Noite de São João (1845)
O Caixeiro da Taverna (1845)
Os Meirinhos (1845)
Os Ciúmes de um Pedestre ou O Terrível Capitão do Mato (1846)
Os Irmãos das Almas (1846)
O Diletante (1846)
Quem Casa Quer Casa (1847)

Contact

record@record.com.br

MENOTTI DEL PICCHIA

Ao lado de Oswald de Andrade, MENOTTI DEL PICCHIA é o primeiro grande conspirador contra os valores literários parnasianos do princípio do século e um insistente popularizador de princípios vanguardistas. Já em sua estréia, nove anos antes da revolução da Semana de 22, ele prenuncia o porvir. Acompanhando a transformação de um Brasil agrário em um novo país acolhedor da era industrial que abalaria os alicerces do regionalismo, o autor transita por essas duas dinâmicas históricas. Se *Juca Mulato* já foi visto como o *poema da raça* e o *canto de despedida da era agrária*, *Salomé*, sua última ficção, é um retrato da cidade de São Paulo, também caracteristicamente brasileira pela presença de enorme diversidade sociocultural em suas misturas; em ambos os casos, trata-se do acolhimento das *100 raças* [que] *se debatem no xadrez etnológico* brasileiro. Dessa maneira, à pergunta filosófica de para que poetas em tempos decadentes, a resposta de Menotti del Picchia é, num mundo de crescente mecanização e dilapidação cultural, presentificar, em qualquer tempo, o mítico e o ontológico de uma nação.

Crítica

A FORÇA QUE COMOVE
"Quero referir-me a Menotti Del Picchia, forte, saboroso e original poeta paulistano [...], cuja obra *Juca Mulato*, poesia de quarenta páginas apenas, acaba de revelar um artista de raça, eloqüente, sóbrio, às vezes lapidar nos conceitos, pintando com uma largueza e uma justeza de valores surpreendentes, e possuindo tão excepcionais dotes de comunicativa emoção, que eu próprio, endurecido no ofício de escrever, senti, ao ler os seus versos, que os olhos se me enevoavam e umedeciam de lágrimas." (Júlio Dantas, "Juca Mulato")

NA ENCRUZILHADA DE UMA VIRADA
"A poética de Menotti del Picchia é vitalmente lírica. Retrata com fidelidade a feição íntima de seu autor. É um arremesso dionisíaco de comunhão do rapsodo com a terra e com os elementos, através de suas raízes semânticas." (Paulo Bonfim, "Máscaras")

Obras

Poemas do Vício e da Virtude (1913)
Juca Mulato (1917)
Moisés (1917)
Máscaras (1920); *Flama e Argila* (1920)
O Pão de Moloch (1921)
O Homem e a Morte (1922)
Dente de Ouro (1923)
O Crime daquela Noite (1924)
Chuva de Pedra (1925)
O Amor de Dulcinéia (1926)
No País das Formigas (1939)
Salomé (1940)

Contato

joeditor@unisys.com.br

Fragmento

Juca Mulato

I
Nuvens voam pelo ar como bandos de garças,
Artista boêmio, o sol, mescla na cordilheira
pinceladas esparsas
de ouro fosco. Num mastro, apruma-se a bandeira
de São João, desfraldando o seu alvo losango.
Juca Mulato cisma. A sonolência vence-o
Vem, na tarde que expira e na voz de um curiango,
o narcótico do ar parado, esse veneno
que há no ventre da treva e na alma do silêncio.
Um sorriso ilumina o seu rosto moreno.
No piquete relincha um poldro; um galo álacre
tatala a asa triunfal, ergue a crista de lacre,
clarina a recolher entre varas de cerdos e
mexem-se ruivos bois processionais e lerdos
e, num magote escuro, a manada se abisma na treva.
Anoiteceu.
Juca Mulato cisma.

MENOTTI DEL PICCHIA

Together with Oswald de Andrade, MENOTTI DEL PICCHIA is the first great conspirator against the Parnassian literary values, prevailing in the beginning of the 20th century, and an emphatic pusher of avant-garde principles. As soon as in his debut, nine years before the 1922's Art Week revolution, he predicted the future. Following up the change of an agrarian Brazil into a new nation ready for the industrial era that would affect the foundations of the regionalism, the author transits through these two historical dynamics. If *Juca Mulato* has already been referred to as *the poem of the race* and the *agrarian era farewell song*, *Salomé*, his last fiction book, is a picture of São Paulo, a city that is also characteristically Brazilian because of the enormous sociocultural diversity present in its population; in both cases, it is all about the acceptance of all 100 races [that] *struggle in the Brazilian ethnological chess*. Thus, Menotti del Picchia's answer to the philosophical question of *why poets in decadent times*, is, in a world of increased mechanization and cultural dilapidation, *to presentify*, at any time, what is mythical and ontological in the nation.

Review

THE TOUCHING FORCE

"I want to refer to Menotti Del Picchia, a strong, tasty, and original poet from São Paulo [...], whose book, *Juca Mulato*, a forty-page poetry, has just revealed a brave, eloquent, sober artist, sometimes terse in his concepts, but portraying with an amazing broadness and fairness of values, and possessing such an exceptional gift of communicative emotion, that I myself, hardened in the métier of writing, felt my eyes getting clouded and wet with tears as I read his verses." (Júlio Dantas, "Juca Mulato")

ON THE CROSSROADS OF A TURNING

"Menotti del Picchia's poetical work is vitally lyrical. It faithfully portrays his author's core feature. It is a Dionysian hurl of a communion between the rhapsodist with the earth and the elements, through their semantic roots." (Paulo Bonfim, "Máscaras")

Excerpt

Juca Mulato

I

Clouds hover on the air like flocks of herons,
An unconventional artist, the sun mixes on the cordillera
scattered brushstrokes
of opaque gold. On a mast, Saint John flag is erected,
unfurling its white lozenge.
Juca Mulato ponders. Drowsiness overcomes him
There comes, in the vanishing afternoon and in the goatsucker's singing,
the still air narcotic, this poison
present in the blackness womb and in the soul of silence.
A smile lights up his brunet face.
A colt neighs in the pen; a cheerful rooster
triumphantly flutters his wing, raises his crest,
trumpets and shoots through herds of hogs, and
red-haired processional and slow oxen move along
and, in a dark heap, the herd falls into the dimness.
Night falls.
Juca Mulato ponders.

Works

Poemas do Vício e da Virtude (1913)
Juca Mulato (1917)
Moisés (1917)
Máscaras (1920); *Flama e Argila* (1920)
O Pão de Moloch (1921)
O Homem e a Morte (1922)
Dente de Ouro (1923)
O Crime daquela Noite (1924)
Chuva de Pedra (1925)
O Amor de Dulcinéia (1926)
No País das Formigas (1939)
Salomé (1940)

Contact

joeditor@unisys.com.br

MILTON HATOUM

Nascido em 1952, esse professor de literatura francesa da Universidade Federal da Amazônia e professor visitante de literatura brasileira na Universidade da Califórnia iniciou a carreira de escritor com um livro vencedor de um dos mais importantes prêmios literários do Brasil. A projeção nacional de MILTON HATOUM foi imediata, assim como as traduções de seus livros para diversas línguas. O autor situa as tramas dos romances na cidade em que nasceu, uma Manaus rodeada pela imensidão da floresta amazônica. Aproveitando-se da origem libanesa de sua família, ele reconstrói o mundo dos respectivos imigrantes chegados à cidade no princípio do século. O que lhe interessa, entretanto, na saga familiar, é o desmoronamento de seu próprio universo, que acaba por representar a derrocada dos valores tradicionais na era da globalização. Como o passado só existe símile à linguagem do presente, é na narrativa da reinvenção do vivido que se localiza a força poética dessas histórias que, como nas *Mil e Uma Noites*, levam umas às outras. Por esses dois romances, a crítica o considera uma das vozes mais importantes de sua geração.

Crítica

UMA PROSA MUITO PESSOAL
"O romance delicado e sutil de Milton Hatoum [...] foge dos romances enroscados e da verborragia do realismo mágico em favor de uma prosa que busca uma compreensão mais profunda desta história altamente pessoal." (*The New York Times Book Review*)

UMA PROFUNDIDADE IMPRESSIONANTE
"O romance de Milton Hatoum é de uma profundidade notável e magnífica." (*Le Monde*)

Obras

Relato de um certo Oriente (1989)
Dois Irmãos (2000)

Contato

Krup Literary Agency, *agente literária*
Agnes.krup@kruplit.com

Fragmento

Relato de um certo Oriente

A lavadeira começou a viver como uma serviçal que impõe respeito e não mais como escrava. Mas essa regalia súbita foi efêmera. Meus irmãos, nos freqüentes deslizes que adulteravam este novo relacionamento, eram dardejados pelo olhar severo de Emilie; eles nunca suportaram de bom grado que uma índia passasse a comer na mesa da sala, usando os mesmos talheres e pratos, e comprimindo com os lábios o mesmo cristal dos copos e a mesma porcelana das xícaras de café. Uma espécie de asco e repulsa tingia-lhes o rosto, já não comiam com a mesma saciedade e recusavam-se a elogiar os pastéis de picadinho de carneiro, os folheados de nata e tâmara, e o arroz com amêndoas, dourado, exalando um cheiro de cebola tostada. Aquela mulher, sentada e muda, com o rosto rastreado de rugas, era capaz de tirar o sabor e o odor dos alimentos e de suprimir a voz e o gesto como se o seu silêncio ou a sua presença que era só silêncio impedisse o outro de viver.

MILTON HATOUM

Born in 1952, a French literature teacher at Universidade Federal da Amazônia (Federal University of Amazon) and a Brazilian literature guest lecturer at University of California, MILTON HATOUM's first book won one of the most important Brazilian literary awards. National projection came immediately, just as quickly as his books were translated into many languages. The author sets the plots of his novels in his hometown Manaus, in the middle of the huge Amazon forest. Taking advantage of his family's Lebanese descent, he recollects the world of those immigrants who arrived in the beginning of the 20th century. What interests him most in the family saga, however, is the collapse of his own universe, which comes to represent the defeat of traditional values in the globalization era. Since the past can only exist as a "present's language," it is narrating the rebuilding of a past life that the stories gain poetical strength. Just like in the *Arabian Nights*, one story leads directly to the others. Because of these two novels he is regarded by the critics as one of the major voices in his generation.

Review

A VERY PERSONAL PROSE
"Milton Hatoum's delicate and subtle novel [...] shuns the tangled romances and parlor tricks of magic realism in favor of a prose that seeks a deeper understanding of this highly personal history." (*The New York Times Book Review*)

A REMARKABLE DEPTH
"Milton Hatoum's novel is of a remarkable and magnificent depth." (*Le Monde*)

Excerpt

Relato de um certo Oriente (Reporting a certain East)

The laundress began to live as a servant to be respected, not as a slave any more. But that sudden privilege was ephemeral. My siblings, whenever they relapsed into disrupting this new relationship, were darted by Emilie's severe glance; they never willingly put up with the idea that an Indian would start eating at the dinning-room table, using the same silverware and plates, and compressing with her lips the same crystal of the glasses and the same porcelain of the coffee cups. A sort of disgust and rejection covered their faces. They no longer ate with the same satisfaction, and they refused to praise the minced mutton pastries, the rolled-out cream-and-date pastries, or the golden rice with almonds, smelling toasted onion. That woman, seated and mute, her face traced with wrinkles, had the ability to take away the flavor and the odor of the food, and to suppress the voice and the gesture as if her silence or her silent presence were enough to keep everybody from living.

Works

Relato de um certo Oriente (1989)
Dois Irmãos (2000)

Contact

Krup Literary Agency, *literary agent*
Agnes.krup@kruplit.com

MOACYR FÉLIX

Para alguns poetas, o poema é um objeto meramente formal, destinado apenas ao culto de uma harmonia ou de algum valor lírico. Esse não é o caso de MOACYR FÉLIX, poeta que se serve do poema como instrumento maior de combate e de transformação do mundo. Sua abordagem funda-se na conquista dos valores humanos; seus versos cantam a liberdade através da palavra, isto é, investem essa palavra de uma função libertadora. O poeta, para ele, é um ser solidário, em busca da contundência que possa não somente iluminar um caminho igualitário para o Homem, como também desafiar os enclausuramentos que põem em xeque sua dignidade. A poesia de Moacyr Félix, além dessa dimensão de profundo mergulho na turbulência do fenômeno social, vai ao encontro das fatalidades com que esbarra a existência: a contingência do amor, a certeza da morte, a indagação incessante acerca do próprio destino e, principalmente, o inconformismo diante da violência, da miséria, da tortura, da escravidão, do obscurantismo e da tirania.

Crítica

POESIA DE COMBATE
"Moacyr Félix, bem se vê, não passou ao largo da história. Fez e sofreu história. Com a beleza radiante de sua poesia mediu forças com os poderosos. Tal como ainda hoje faz e sofre a história — para retomar uma expressão de Marx — nesses tempos de refluxo das utopias. Donde a presença de *Singular Plural* na mais invejável contramão da história (que muitos julgam terminada)." (Marco Lucchesi, *Jornal do Brasil*)

ESTIRPE ENGAJADA
"Poeta do discurso numa época em que pouco valor se deu à poesia discursiva, seus pares estão muito próximos: Thiago de Mello, Ferreira Gullar, Geir Campos, Affonso Romano de Sant'Anna. Uma linhagem muito bem situada na literatura contemporânea. Entre todos, Moacyr Félix é o que mais e melhor se entregou àquilo que podemos (com ele) chamar de militância poético-social. Nesse aspecto, foi sempre e continua sendo fiel a si mesmo." (André Seffrin, *Jornal do Brasil*)

Obras

Cubo de Treva (1948)
Lenda e Areia (1950)
Itinerário de uma Tarde (1953)
O Pão e o Vinho (1959)
Canto para as Transformações do Homem (1964)
Um Poeta na Cidade e no Tempo (1966)
Canção do Exílio Aqui (1977)
Neste Lençol (1977)
Invenção de Crença e Descrença (1978)
Em Nome da Vida (1981)
Encontros com a Civilização Brasileira (1981)
Singular Plural (1988)
Introdução a Escombros (1998)

Contato

record@record.com.br

Fragmento

Canto para as Transformações do Homem

É inútil querer parar o Homem,
o que transforma pedra em piso,
o piso em casa e a casa em fonte
de novas músicas da carne.
A andar em forma de palavras
sob os arvoredos da vida
o sonho do Homem caminhará
do pensamento para as mãos
e das mãos para o pensamento,
noite e dia caminhará.
Até tornar as mãos em pássaros
livres, inteiramente livres, para amar
o azul ou as várias almas do céu
dentro do Homem que se movimenta
na liberdade, no amor e no desejo
em que a si próprio inventa.

MOACYR FÉLIX

For some poets, the poem is a merely formal object, intended only for to the cult of a harmony or some lyrical value. This is not the case of MOACYR FÉLIX, a poet who uses the poem as major instrument to fight and change the world. His approach builds on the conquest of human values; his verses use the word to extol freedom, that is, they assign a liberating function to that word. To him, the poet is a solidary being in search of a hard-hitting effect capable not only to illuminate an equalitarian road for Man, but also to challenge the seclusiveness that jeopardizes his dignity. Moacyr Félix's poetry, besides this dimension of a deep dive into the social phenomenon turbulence, also opposes the fatalities existence dashes against: the contingency of love, the inevitability of death, the ceaseless inquiry about one's own destiny, and especially the nonconformity before violence, poverty, torture, slavery, obscurantism, and tyranny.

Review

A COMBATIVE POETRY

"Moacyr Félix, unmistakably, was not oblivious to history. He made and he suffered history. With the radiant beauty of his poetry, he faced up to the high-power. Just like he still does today and suffers the history — to repeat a Marx's remark — in these times of Utopia flow back. Hence the presence of *Singular Plural* enviably flowing upstream history (which many deem finished)." (Marco Lucchesi, *Jornal do Brasil*)

ENGAGED LINEAGE

"A poet of the speech in a time when the discursive poetry was very little valued, his peers are very close: Thiago de Mello, Ferreira Gullar, Geir Campos, Affonso Romano de Sant'Anna. A lineage very well settled in the contemporary literature. Among them, Moacyr Félix is the one who most and best plunged himself into that which we may (echoing him) call a poetic-social militancy. In this aspect, he was and still is faithful to himself." (André Seffrin, *Jornal do Brasil*)

Excerpt

Canto para as Transformações do Homem (A Song for Man's Changings)

It is useless to try to stop Man,
the one who changes stone into floor,
the floor into a house and the house into the source
of new flesh music.
Wandering in the form of words
under the groves of life
Man's dream will go on
from the thought to the hands
and from the hands to the thought,
he will wander night and day.
Until changing the hands into birds
free, wholly free, to love
the blue or the many souls of the sky
inside the Man who wanders
inside freedom, inside love and inside desire
where he conceives himself.

Works

Cubo de Treva (1948)
Lenda e Areia (1950)
Itinerário de uma Tarde (1953)
O Pão e o Vinho (1959)
Canto para as Transformações do Homem (1964)
Um Poeta na Cidade e no Tempo (1966)
Canção do Exílio Aqui (1977)
Neste Lençol (1977)
Invenção de Crença e Descrença (1978)
Em Nome da Vida (1981)
Encontros com a Civilização Brasileira (1981)
Singular Plural (1988)
Introdução a Escombros (1998)

Contact

record@record.com.br

MOACYR SCLIAR

Mais de 50 livros publicados com grande sucesso, textos adaptados para cinema, televisão, teatro e rádio, colunista de jornais, importantes prêmios nacionais e internacionais... esse mestre do conto contemporâneo, um profissional da palavra elegante, conhece como poucos a dificuldade de seu labor: "Às vezes a gente descobre, bem na profundidade, entre a areia e o cascalho, o veio fino da ficção." Essa é a sutil tarefa de quem quer apalpar a vida com as palavras para que elas possam sondar a própria realidade em sua crueza. Mas a realidade, como se sabe, é movediça e não se deixa agarrar tão facilmente. Por isso, o humor, o paradoxo, a concisão e o absurdo, que nos mantêm a dimensão aberta da realidade, de onde somos conduzidos a exclamações e questionamentos ininterruptos, são os elementos que, entrecruzados, dão unidade à vasta obra de MOACYR SCLIAR, um judeu para quem a pergunta sobre o judaísmo é, no fundo, a pergunta pelo ser humano. Nascido em 1937 no Rio Grande do Sul, esse escritor, já comparado ao pintor Marc Chagall, não pára de criar excelentes parábolas do mundo contemporâneo.

Crítica

A MISTURA DO SUCESSO
"Scliar combina, com sucesso, jocosidade, fantasia e um sério comprometimento com a dolorida condição humana." (Howard M. Fraser, *Modern Language Journal*)

O COLOQUIAL DESCONCERTANTE
"Suas histórias são freqüentemente fantásticas, tratando situações improváveis com uma desarmante linguagem coloquial." (Jon Tolman, *The Literary Review*)

Obras

O Carnaval dos Animais (1968)
O Exército de um Homem Só (1973)
Os Deuses de Raquel (1975)
Os Mistérios de Porto Alegre (1976)
A Balada do Falso Messias (1976)
O Centauro no Jardim (1980)
A Estranha Nação de Rafael Mendes (1983)
Cenas da Vida Minúscula (1991)
Histórias Fantásticas (1996)
O Amante da Madona & Outras Histórias (1997)
Os Leopardos de Kafka (2000)
A Mulher que Escreveu a Bíblia (2000)
Ataque do Comando P. Q. (2001)

Contato

Ray-Güde-Mertin Literarische Agentur, *agente literária*
mertin@em.uni-frankfurt.de

Fragmento

Histórias Fantásticas

O profeta Eliseu está a caminho de Betel. O dia é quente. Insetos zumbem no mato. O profeta marcha em passo acelerado. Tem missão importante, em Betel.
De repente, muitos rapazinhos correm-lhe no encalço, gritando:
— Sobe, calvo! Sobe, calvo!
Volta-se Eliseu e amaldiçoa-os em nome do Senhor; pouco depois, saem da mata duas grandes ursas e devoram quarenta e dois meninos: doze a menor, trinta a maior.
A ursa menor tem digestão ativa; os meninos que caem em seu estômago são atacados por fortes ácidos, solubilizados, reduzidos a partículas menores. Somem-se.
O mesmo não acontece aos trinta meninos restantes. Descendo pelo esôfago da grande ursa, caem no enorme estômago. Ali ficam. A princípio, transidos de medo, abraçados uns aos outros, mal conseguem respirar; depois, os menores começam a chorar e a se lamentar, e seus gritos ecoam lugubremente no amplo recinto. "Ai de nós! Ai de nós!"
Finalmente, o mais velho acende uma luz e eles se vêem num lugar semelhante a uma caverna, de cujas paredes anfractuosas escorrem gotas de um suco viscoso. O chão está juncado de resíduos semi-apodrecidos de antigas presas: crânios de bebês, pernas de meninas. "Ai de nós!" — gemem. "Vamos morrer!"

MOACYR SCLIAR

More than fifty books published with great success, texts adapted to movies, television, theater and radio, a newspaper columnist, important national and international prizes awarded... this master of the contemporary short story, the whiz at the elegant word, is fully cognizant of the hardships of his craft: "Sometimes we discover, deep down, between the sand and the gravel, the fine vein of fiction." This is the subtle task of whoever wants to touch life with words so that they can probe reality in its full rawness. But reality, as we know, is always unsteady, and cannot be easily caught. Therefore, the humor, the paradox, the conciseness, and the absurdity that reveal us the open dimension of reality, from where we are led to endless exclamations and questionings, are the elements that, when intermingled, provide the oneness of MOACYR SCLIAR's vast work. He is a Jewish to whom the question about Judaism is, deep down, the question about human beings. Born in 1937 in Rio Grande do Sul, this writer, who has already been compared to painter Marc Chagall, is unceasingly creating excellent parables about the contemporary world.

Review

A SUCCESSFUL BLENDING
"Scliar successfully blends jocosity, fantasy, and a serious commitment with the painful human condition."
(Howard M. Fraser, *Modern Language Journal*)

A DISCONCERTING COLLOQUIALISM
"His stories are nearly always fantastic, dealing with unlikely situations in a disarming colloquial language."
(Jon Tolman, *The Literary Review*)

Excerpt

Histórias Fantásticas (Amazing Stories)

Prophet Elisha is on his way to Bethel. It is a hot day. Insects buzz in the wood. The prophet tramps in accelerated step. He has an important mission in Bethel.
Suddenly, many boys shout as they run after him:
— Go up, bald man! Go up, bald man!
Elisha turns around and curses them in the name of the Lord; soon after, two big female bears come out of the forest and devour forty-two boys: the smallest bear, twelve of them, the largest one, thirty. The smaller bear has an active digestion; the boys that fall into her stomach are attacked by strong acids, are liquefied, reduced to smaller particles. They disappear.
The same doesn't happen to the thirty remaining boys. As they slide down by the esophagus of the big bear, they fall into her huge stomach. There they remain. At first, paralyzed in fear, hugged to each other, they can hardly breathe; then, the younger ones begin to cry and mourn, and their screams echo gloomily in the wide enclosure. "Alas! Alas!" At last, the eldest one turns on a light and they find themselves in a place that is similar to a cave; droplets of a viscous juice dripping from the anfractuous walls. The floor is covered with semi-rotten residues from former preys: baby skulls, girl legs. "Alas"! — they moan. "We will die!"

Works

O Carnaval dos Animais (1968)
O Exército de um Homem Só (1973)
Os Deuses de Raquel (1975)
Os Mistérios de Porto Alegre (1976)
A Balada do Falso Messias (1976)
O Centauro no Jardim (1980)
A Estranha Nação de Rafael Mendes (1983)
Cenas da Vida Minúscula (1991)
Histórias Fantásticas (1996)
O Amante da Madona & Outras Histórias (1997)
Os Leopardos de Kafka (2000)
A Mulher que Escreveu a Bíblia (2000)
Ataque do Comando P. Q. (2001)

Contact

Ray-Güde-Mertin Literarische Agentur, *literary agent*
mertin@em.uni-frankfurt.de

MONTEIRO LOBATO

MONTEIRO LOBATO é o fundador e, inquestionavelmente, o maior nome brasileiro da literatura infanto-juvenil brasileira. Com o intuito de criar livros "onde as nossas crianças possam morar", ele atinge plenamente o seu objetivo, tornando-se não só o primeiro autor constantemente lido com imenso prazer pelas crianças, mas aquele que tem suas histórias narradas por pais e avós para quem ainda, de tão novo, nem pode ler. Sua obra manifesta uma revolução compatível com a dos modernistas para a literatura adulta, possibilitando que inúmeras gerações tenham, desde cedo, contato com questões caracteristicamente brasileiras. É ele quem instaura uma indústria brasileira do livro, ao se tornar editor e publicar, entre 1918 e 1925, 250 títulos praticamente só de autores nacionais. Homem de ação, alimenta o sonho de estabelecer a primeira empresa de prospecção de petróleo em solo nacional, assunto sobre o qual, inclusive, escreve um livro. Mais tarde, a existência de uma série televisiva baseada em suas narrativas só aumenta o fascínio que causa no coração da infância brasileira, fazendo-o uma presença quase mítica no imaginário do país.

Crítica

UM ESTILO INIMITAVELMENTE BRASILEIRO
"Livrando-se dos pruridos da prosa de arte que praticara na ficção adulta, Lobato alcançou desenvolver, na literatura para crianças e jovens, um inimitável estilo de narrar, despojado, vivaz, entranhadamente brasileiro." (José Paulo Paes, "O Escritor que Fugia de Si Mesmo")

UM MODERNISTA ANTES DO TEMPO
"A palavra ainda não estava na moda, mas a vanguarda intelectual lutava claramente contra a *alienação*, como, em particular, Monteiro Lobato nesse livro de 1919 que se chama *Idéias de Jeca Tatu* e já contém todo o ideário do Movimento Modernista." (Wilson Martins, "História da Inteligência Brasileira")

Obras

Urupês (1918)
Idéias de Jeca Tatu (1919)
Narizinho Arrebitado (1921)
O Saci (1921)
Fábulas de Narizinho (1921)
O Marquês de Rabicó (1922)
As Caçadas de Pedrinho (1933)
Memórias de Emília (1936)
Histórias de Tia Anastácia (1937)
O Pica-Pau Amarelo (1939)
A Barca de Gleyre (1944)
A Chave do Tamanho (1945)

Fragmento

Memórias de Emília

Quando ouvi Dona Benta contar a estória de Dom Quixote, meu coração doeu várias vezes, porque aquele homem ficou louco apenas por excesso de bondade. O que ele queria era fazer o bem para os homens, castigar os maus, defender os inocentes. Resultado: pau, pau e mais pau no lombo dele. Ninguém levou tanta pancadaria como o pobre cavaleiro andante — e estou vendo que é isso que acontece a todos os bons. Ninguém os compreende. Quantos homens não padecem nas cadeias do mundo só porque quiseram melhorar a sorte da humanidade? Aquele Jesus Cristo que Dona Benta tem no oratório, pregado numa cruz, foi um. Os homens do seu tempo que só cuidavam de si, esses viveram ricos e felizes. Mas Cristo quis salvar a humanidade e que aconteceu? Não salvou coisa nenhuma e teve que agüentar o maior dos martírios.

Contato

brasilienseedit@uol.com.br

MONTEIRO LOBATO

MONTEIRO LOBATO is the initiator and, doubtlessly, the most important name in the Brazilian juvenile literature. Setting as an aim the creation of books "where our children can dwell", he fully attains his goal, and becomes not only the first author children read over and over enthralled in immense pleasure, but also the storyteller whose stories are told by parents and grandparents to those who cannot read yet, so young they are. His work reflects the same revolution found in the modernist literature for adults, making it possible for many generations, from an early age, to have contact with typically Brazilian issues. He started the true Brazilian book industry when he became a publisher and published 250 titles virtually including only national authors between 1918 and 1925. A man of action, he nourished the dream of establishing the first oil-drilling company in national soil. He wrote a book about this issue. Later on, a television serial based on his stories added up to the fascination over the spellbound heart of all Brazilian children, which made him to become an almost mythical character in the country's imaginary.

Review

A UNIQUE BRAZILIAN STYLE

"Getting rid of the prurigo from the art prose he had practiced in adult fiction, Lobato managed to develop in the juvenile literature an inimitable, plain, lively, intrinsically Brazilian narrative style." (José Paulo Paes, "O Escritor que Fugia de Si Mesmo")

AN EARLY MODERNIST

The word was not yet fashionable, but the intellectual vanguard was clearly struggling against *alienation*. So did Monteiro Lobato, especially in a book from 1919 called *Idéias de Jeca Tatu (A Hillbilly's Thinking)* which already enfolds all the Modernist Movement's ideas." (Wilson Martins, "História da Inteligência Brasileira")

Excerpt

Memórias de Emília (Emília's Memoirs)

When I heard Dona Benta tell Dom Quixote's story, my heart was broken several times, because that man had gone out of his mind because he was too kind. All he wanted was to do good to everybody, to punish the bad, to defend the innocent. Result: whipping, whipping, and more whipping on his back. Nobody has ever been beaten so mercilessly as the poor errant knight — and I can see that's what happens to the good ones. Nobody understands them. How many men suffer in jail just because they wanted to improve the fate of humankind? That Jesus Christ that Dona Benta has in his oratory, nailed to the cross, was one of them. The men of his time who only took care of themselves were rich and happy. But Christ wanted to save humankind, and what happened? He didn't save anything and, further, had to go through all that terrible martyrdom.

Works

Urupês (1918)
Idéias de Jeca Tatu (1919)
Narizinho Arrebitado (1921)
O Saci (1921)
Fábulas de Narizinho (1921)
O Marquês de Rabicó (1922)
As Caçadas de Pedrinho (1933)
Memórias de Emília (1936)
Histórias de Tia Anastácia (1937)
O Pica-Pau Amarelo (1939)
A Barca de Gleyre (1944)
A Chave do Tamanho (1945)

Contact

brasilienseedit@uol.com.br

MURILO MENDES

Pouco depois do primeiro instante heróico do movimento modernista, as letras brasileiras geraram uma série de poetas que, desde então, passaram a determinar a produção literária do país. Distintamente daqueles para quem a ruptura da Semana de Arte Moderna de 1922 havia sido uma meta conquistada, para esses novos desbravadores, ela já se colocava como um ponto de partida direcionado a explorações ainda desconhecidas. Entre os mais importantes dessa geração, tendo estreado em 1930, se encontra MURILO MENDES, que soube, como poucos, se apossar de elementos surrealistas e uma religiosidade heterodoxa para criar uma fundamentação mítica na qual o contingente se alia ao atemporal, o místico ao erotismo, o poético ao coloquial, a tradição à vanguarda, o visível ao invisível... Superando essas dualidades restritivas e dando voz a um novo mundo que se quer como um fragmento cósmico onde o ser humano possa habitar, sua poesia se fez repleta de intensidades, dissonâncias e desregramentos, tornando-se uma das que se mantém com maior vitalidade no panorama poético contemporâneo.

Crítica

A DIONISAÇÃO DO MOTIVO ÓRFICO
"Em definitiva, subjacente à garra libertária de seus livros, nutriz dessa arte verbal colocada sob o signo maior da *poesia liberdade*, pulsa um orfismo invariavelmente escatológico, um orfismo de ressurreição. Mais: um orfismo vitalizado pelo gosto bacante da dança e do carnaval." (José Guilherme Merquior, "Notas para uma Muriloscopia")

A HARMONIZAÇÃO DILACERANTE DOS FUNDAMENTOS HUMANOS
"Murilo Mendes concentra em si mesmo aquele momento antigo da história humana, no qual entendimento, emoção e sentidos encontraram seu puro equilíbrio objetivo. Chega a esse ponto, atravessando seu mundo barroco; chega a esse ponto com a angústia que o dilacera, do mesmo modo como dilacera todos os seus contemporâneos." (Giuseppe Ungaretti, "Siciliana")

Obras

Poemas (1930)
História do Brasil (1932)
Tempo e Eternidade (1935)
A Poesia em Pânico (1937)
O Visionário (1941)
As Metamorfoses (1944)
Mundo Enigma (1945)
Poesia Liberdade (1947)
Tempo Espanhol (1959)
Poliedro (1966)
A Idade do Serrote (1968)
Convergência (1970)
Poesia Completa e Prosa (1994)

Fragmento

Mapa

Me colaram o tempo, me puseram
uma alma viva e um corpo desconjuntado. Estou
limitado ao norte pelos sentidos, ao sul pelo medo,
a leste pelo Apóstolo São Paulo, a oeste pela minha educação.
Me vejo numa nebulosa, rodando, sou um fluido,
depois chego à consciência da terra, ando como os outros, me pregam
[numa cruz, numa única vida.
Colégio. Indignado, me chamam pelo número, detesto a hierarquia.
Me puseram o rótulo de homem, vou rindo, vou andando,
[aos solavancos.
Danço. Rio e choro, estou aqui, estou ali, desarticulado.

Contato

Lúcia Riff, *agente literária*
lucia@bmsr.com.br

MURILO MENDES

Soon after the first heroic jiffy of the modernist movement, the Brazilian literature generated a number of poets who, in the spin-off of the movement, gave direction to the literary production of the country. Unlikely those to whom the schism from the 1922's Modern Art Week had been an achieved goal, those new explorers saw it put as starting point from which to set out to unknown explorations. Among the most important poets of that generation, MURILO MENDES, whose first book was published in 1930, knew very well how to take possession of surrealist elements and a heterodox religiosity to create a mythical grounding in which the contingent allies with the atemporal, the mystic with the eroticism, the poetic with the colloquial, the tradition with the vanguard, the visible with the invisible... By overcoming such restrictive dualities and voicing the new world that is aspired as a cosmic fragment likely to shelter the human being, Murilo Mendes poetry became replete with intensities, dissonances, and disorders, thereby becoming one of those to keep on vigorous in the contemporary poetic panorama.

Review

DIONYSATION OF ORPHEUS' AFFLATUS
"Underlying the libertarian guts of his books, and acting as the definitive matrix of that verbal art marked by the superordinate sign of the *liberty poetry*, throbs an invariably scatological orphism, a resurrection orphism. Plus: an orphism that is revitalized by the bacchante taste of dance and carnival." (José Guilherme Merquior, "Notas para uma Muriloscopia")

THE SHATTERING HARMONIZATION OF HUMAN FOUNDATIONS
"Murilo Mendes aggregates that old moment in human history in which understanding, emotion, and senses found their pure objective balance. He reaches this point by crossing through his Baroque world; he reaches this point under the anguish that lacerates him, just as it lacerates all Murilo's contemporaries." (Giuseppe Ungaretti, "Siciliana")

Excerpt

Map

Time was glued on me, I was given
an living soul and a disjointed body. I border
senses to the north, fear to the south,
Paul the Apostle to the east, my education to the west.
I see Myself in a nebula, spinning round, I am a fluid,
then I realize the earth, I walk like any other, I am nailed to a cross,
[in one single life.
School. Angry, they call me by the number, I abhor hierarchy.
I was given a man label, I go away laughing, I go away walking,
[jolting away.
I Dance. I laugh and cry, I am here, I am there, disjointed.

Works

Poemas (1930)
História do Brasil (1932)
Tempo e Eternidade (1935)
A Poesia em Pânico (1937)
O Visionário (1941)
As Metamorfoses (1944)
Mundo Enigma (1945)
Poesia Liberdade (1947)
Tempo Espanhol (1959)
Poliedro (1966)
A Idade do Serrote (1968)
Convergência (1970)
Poesia Completa e Prosa (1994)

Contact

Lúcia Riff, *literary agent*
lucia@bmsr.com.br

MURILO RUBIÃO

Há muito, o pensamento exclusivamente lógico da razão não responde às perplexidades do ser humano diante da existência. Para isso, tornou-se necessária a criação de alternativas que buscassem uma nova interpretação da realidade, revelando o que, antes, permanecia oculto. O realismo fantástico ou mágico no Brasil teve em MURILO RUBIÃO seu fundador, o que o tornou precursor de uma nova abordagem daquilo que, no cerne da vida, é percebido por poucos. Por paradoxal que possa parecer, o autor salienta que o que lhe interessa é justamente o real, claro que de uma maneira não reduzida pelos seus apelos funcionais do cotidiano. O "fantástico" aparece como um desconstrutor das cadeias de causa e efeito, nas quais o meio se rebela contra o fim e a circularidade do tempo é privilegiada, a mostrar para as pessoas o espantoso absurdo da existência que vivemos. Essa desobediência às regras do olhar viciado é exercida por uma linguagem de extremo rigor, afirmativamente ambígua, que, pela fragmentação das histórias, dá ao leitor a ilusão de uma infindável continuação que nunca se deixa apreender completamente.

Crítica

AS METAMORFOSES TRANSGRESSIVAS

"Uma rápida olhadela sobre os seus contos revelará que a modificação, ou seja, a metamorfose é também um dos temas obsessivos desse contista sempre insatisfeito. Na verdade, ela é, aqui, uma espécie de matriz temática onde se desenvolvem as diferentes transgressões características da literatura fantástica: as rupturas do princípio de causalidade, do tempo, do espaço, da dualidade entre sujeito e objeto, do próprio ser." (Davi Arrigucci, "O Mágico Desencantado ou As Metamorfoses")

A FANTÁSTICA CONDIÇÃO HUMANA

"A perplexidade em face dos acontecimentos é o fio tenso que conduz a narrativa para a radicalização do absurdo da condição humana." (Jorge Schwartz, "Do Fantástico como Máscara")

Obras

O Ex-Mágico (1947)
A Estrela Vermelha (1953)
Os Dragões e Outros Contos (1965)
O Pirotécnico Zacarias (1974)
A Casa do Girassol Vermelho (1978)
O Homem do Boné Cinzento & Outras Histórias (1990)
Mário e o Pirotécnico Aprendiz — Cartas de Mário de Andrade e Murilo Rubião (1995)
Contos Reunidos (1998)

Contato

Textos protegidos — em caso de interesse para publicação, fazer contato com o Departamento Nacional do Livro da FBN

Fragmento

O Pirotécnico Zacarias

Alguns dias transcorridos, perdurava o mesmo caos. Pelos cantos, a tremer Teleco se lamuriava, transformando-se seguidamente em animais os mais variados. Gaguejava muito e não podia alimentar-se, pois a boca, crescendo e diminuindo, conforme o bicho que encarnava na hora, nem sempre combinava com o tamanho do alimento. De seus olhos, então, escorriam lágrimas que, pequenas nos olhos miúdos de um rato, ficavam enormes na face de um hipopótamo. Ante a minha impotência em diminuir-lhe o sofrimento, abraçava-me a ele, chorando. O seu corpo, porém, crescia nos meus braços, atirando-me de encontro à parede.
Não mais falava: mugia, crocitava, zurrava, guinchava, bramia, trissava. Por fim, já menos intranqüilo, limitava as suas transformações a pequenos animais, até que se fixou na forma de um carneirinho, a balir tristemente. Colhi-o nas mãos e senti que seu corpo ardia em febre, transpirava.
Na última noite, apenas estremecia de leve e, aos poucos, se aquietou. Cansado pela longa vigília, cerrei os olhos e adormeci. Ao acordar, percebi que uma coisa se transformara nos meus braços. No meu colo estava uma criança encardida, sem dentes. Morta.

MURILO RUBIÃO

Since a very long time, the exclusively logical thought of reason has not answered the human being's perplexities before the existence. To accomplish that, it became necessary to create alternatives to find a new interpretation of reality, unveiling that which had always be concealed. MURILO RUBIÃO founded the fantastic or magic realism in Brazil, becoming the precursor of a new approach to that which is perceived for but a few in the core of life. Paradoxically enough, the author sustains that reality is precisely what interests him most, provided that it is not reduced by the quotidian functional appeals. The "fantastic" appears as a demolisher of cause and effect chains, in which the means rebels against the ends, and the circularity of time is privileged, showing the people the amazing absurdity of our existence. This disregard for the vicious insight's rules is carried out by an extremely rigid language, affirmatively ambiguous, which, due to the fragmentation of histories, gives the reader the illusion of an endless continuation that is never completely apprehended.

Review

TRANSGRESSIVE METAMORPHOSES

"A quick browse over his short stories will reveal that change, in other words, metamorphosis is also one of the obsessive themes approached by this always unsatisfied story writer. As a matter of fact, it is, here, a type of thematic matrix where the different fantastic literature's characteristic transgressions develop: the ruptures in the principles of causality, in time, in space, in the duality between subject and object, in the very being." (Davi Arrigucci, "O Mágico Desencantado ou As Metamorfoses")

THE FANTASTIC HUMAN CONDITION

"The perplexity in face of the events is the tight thread guiding the narrative for the radicalization of the human condition absurdity." (Jorge Schwartz, "Do Fantástico como Máscara")

Excerpt

O Pirotécnico Zacarias (Pyrotechnic Zacarias)

After a few days, the same chaos persisted. Quailing in the corners of the rooms, Teleco shivered and whined, transforming continuously into the most varied animals. He was stuttering a lot and could not feed because his mouth, growing and diminishing according to the animal he had metamorphosed at the moment, not always matched with the size of the food. Tears would shed from his eyes; small in the small eyes of a mouse, but huge on the muzzle of a hippopotamus.

As I felt powerless to mitigate his suffering, I hugged him and cried. His body, however, would grow in my arms, throwing me against to the wall.

He could not speak any more: he would rather moo, croak, bray, scream, bellow, whoop.

Finally, as he calmed down, he would restrict his metamorphoses to small animals, until he remained in the form of a lamb, bleating sadly. I picked him in my arms and felt that his body was burning from fever, and he was sweating.

In the last night, he would just tremble slightly. Little by little, he quieted down. Tired from the long vigil, I closed my eyes and I fell asleep. When I woke up, I noticed that something had transformed in my arms. A soiled teethless child was lying on my lap. Dead.

Works

O Ex-Mágico (1947)
A Estrela Vermelha (1953)
Os Dragões e Outros Contos (1965)
O Pirótécnico Zacarias (1974)
A Casa do Girassol Vermelho (1978)
O Homem do Boné Cinzento & Outras Histórias (1990)
Mário e o Pirotécnico Aprendiz — Cartas de Mário de Andrade e Murilo Rubião (1995)
Contos Reunidos (1998)

Contact

Protected texts — in case of interest for publication, get in contact with National Book Office (DNL) of the Biblioteca Nacional Foundation (FBN)

NÉLIDA PIÑON

Primeira mulher presidente da Academia Brasileira de Letras, NÉLIDA PIÑON, nascida em 1937 no Rio de Janeiro, vai dos fragmentos à saga, do individual ao coletivo, do canônico ao experimental, do sagrado ao sensual e do cotidiano ao mítico com a mesma familiaridade com que recebe prêmios ou dá cursos e palestras pelos quatro cantos do mundo. Tratando das questões universais como o amor, o fracasso, a esperança e a morte, a escritora busca, em seu ofício de paixão pela palavra, a desregulamentação dos sentimentos humanos banalizados pela vida cotidiana. *A República dos Sonhos*, obra-prima considerada pela própria autora como sua "suma teológica", relata, pela ótica de sua família de imigrantes galeses, uma ampla história do Brasil do século XX e as utopias nacionais e européias da mesma época. Alimentando-se de inúmeros fatos históricos (políticos, culturais, econômicos...) e das intensidades das emoções causadas pela aventura dos que buscam um novo país para viver, a tentativa de construção de um futuro da família-personagem se confunde com a do próprio país.

Crítica

LINGUAGEM DO PENSAMENTO
"A prosa de Nélida Pinõn inscreve-se entre os textos literários que associam reflexão e domínio seguro da criação na linguagem." (Domício Proença Filho, *Folha de S. Paulo*)

UMA DAS MAIORES ORIGINALIDADES BRASILEIRAS
"Nélida Piñon aparece, sem contestação, como um dos maiores temperamentos da cultura brasileira, não hesitando jamais em se engajar em todas as formas de luta para consolidar sua originalidade." (*Le Monde*)

Obras

Guia Mapa de Gabriel Arcanjo (1961)
Madeira Feita Cruz (1963)
Tempo das Frutas (1966)
Fundador (1969)
A Casa da Paixão (1972)
Sala de Armas (1973)
Tebas do meu Coração (1974)
A Força do Destino (1977)
O Calor das Coisas (1980)
A República dos Sonhos (1984)
A Doce Canção de Caetana (1987)
O Pão de Cada Dia (1994)
Até Amanhã, Outra Vez (1999)

Fragmento

A República dos Sonhos

No início, Madruga assustou-se. Solto na América, com o corpo em brotação, os primeiros fios de barba ainda lhe surgindo, havia que aprender desde o começo. A cada dia empenhava-se em causa própria. As derrotas provisórias deixando de assustá-lo. Assim como os distúrbios sociais ou as revoluções. Esses movimentos não imprimiam graves seqüelas no corpo social. Não havia, pois, que temer em excesso os efeitos aparentes do destino, quando as ocorrências públicas eram tão rapidamente absorvidas e esquecidas. Ao mesmo tempo em que as instituições pregavam, como melhor remédio para combater a realidade adversa, que a população se inibisse diante dos fatos.

Contato

Carmem Balcells, *agente literária*
administracion@ag.balcells.redestb.es

NÉLIDA PIÑON

First woman to chair the Brazilian Literature Academy, NÉLIDA PIÑON, born in 1937 in Rio de Janeiro, goes from fragments to the saga, from the individual to the collective, from the canonical to the experimental, from the sacred to the sensual, and from the quotidian to the mythical with just the same familiarity as she gets prizes or gives courses and lectures all over the world. Dealing with such universal issues as love, failure, hope, and death, the writer seeks through her passion for the word to deregulate the human feelings vulgarized by the daily life. *A República dos Sonhos (The Republic of the Dreams)*, masterpiece regarded by the author herself as her "theological summary," tells, through the outlook of her Welsh-immigrant kindred, a broad history of the 20th century Brazil, as well as the Brazilian and European Utopia of the time. Building on a number historical facts (political, cultural, economical...) and on the intensity of the emotions risen by the adventures of those who tried to find a new country to live in, the attempt to envisage a future for the family-character merges with the future of the country.

Review

THE LANGUAGE OF THE THOUGHT
Nélida Pinõn's novels stand out amongst the literary texts combining reflection and secure mastering of creation through language." (Domício Proença Filho, *Folha de S. Paulo*)

ONE OF THE GREATEST BRAZILIAN INGENUITIES
"Nélida Piñon unrefutably stands out as one of the greatest personalities in the Brazilian culture, she is never reluctant to engage in all forms of fight to consolidate her ingenuity." (*Le Monde*)

Excerpt

Republic of Dreams

Madruga got scared at first. Fully unattached in the America, his body still in the blossoming, the first beard threads just coming out, he was to learn from scratch . He would dedicate every new day to work for his own cause. Temporary defeats would not scare him any more. Neither would social uproars or revolutions. Such turmoils would not imprint any serious sequels on the social body. There was no reason, therefore, to cringe at the apparent effects of destiny, when public agitations would so quickly be digested and forgotten. At the same time, the official institutions were preaching that people should draw back as the best way to fight the adverse reality.

Works

Guia Mapa de Gabriel Arcanjo (1961)
Madeira Feita Cruz (1963)
Tempo das Frutas (1966)
Fundador (1969)
A Casa da Paixão (1972)
Sala de Armas (1973)
Tebas do meu Coração (1974)
A Força do Destino (1977)
O Calor das Coisas (1980)
A República dos Sonhos (1984)
A Doce Canção de Caetana (1987)
O Pão de Cada Dia (1994)
Até Amanhã, Outra Vez (1999)

Contact

Carmem Balcells, *literary agent*
administracion@ag.balcells.redestb.es

NÉLSON RODRIGUES

Apesar de ele ter dito que *toda unanimidade é burra* (uma de suas inúmeras frases antológicas), não resta a menor dúvida de que NÉLSON RODRIGUES é uma das mais inteligentes do país. Esse jornalista, que transformou as páginas futebolísticas em verdadeiro épico nacional, as crônicas diárias em manifestações do ser do temperamento do povo brasileiro e suas próprias memórias em um drama envolvente e desconcertante, causou a maior revolução no teatro nacional, levando-o, pela primeira vez, a uma dimensão a um só tempo cosmopolita, universal e contemporânea. Introduzindo inúmeras inovações capazes de surpreender a crítica e o público, sua linguagem coloquial chocou os beletristas da época. Com grande coesão temática e estrutural, além de um amplo espectro de questões existenciais, sua dramaturgia foi dividida em três grupos: o mítico, o psicológico e o das tragédias cariocas. Por entre peças, contos, romances e crônicas, o escritor nos legou um elenco de frases e personagens cravados na memória brasileira como arquétipos dos abismos da condição humana.

Crítica

NO CERNE DA RENOVAÇÃO DAS ARTES
"Seria mais adequado dizer que o teatro, como espetáculo, se universalizava à maneira das outras artes modernas, e Nélson Rodrigues representava para o palco o que trouxeram Villa-Lôbos para a música, Portinari para a pintura, Niemeyer para a arquitetura e Carlos Drummond de Andrade para a poesia. O certo é que a estréia de *Vestido de Noiva* fez que o teatro brasileiro perdesse o complexo de inferioridade." (Sábato Magaldi, "Introdução ao Teatro Completo")

DESFIGURAÇÃO E METAMORFOSE
"Com Nélson Rodrigues, deslizamos ladeira abaixo na corrente das convicções. Não podemos crer nos postulados da política, da história, da moral, da literatura. Tudo é e ao mesmo tempo não é. O que é se superpõe ao que era com velocidade e fugacidade, o presente sufoca o passado num processo de desfiguração e metamorfose. Nada nos assegura, nem as armas." (Ronaldo Lima Lins, "Nélson Rodrigues Outra Vez: O Bandido e o Felino Predador")

Obras

Vestido de Noiva (1943)
Álbum de Família (1945)
Bonitinha, mas Ordinária (1961)
Toda Nudez Será Castigada (1965)
Teatro Completo (1981)
A Vida como ela É: O Homem Fiel e outros Contos (1992)
O Óbvio Ululante (1993)
A Coroa de Orquídeas (1993)
A Menina sem Estrelas (1993)
À Sombra das Chuteiras Imortais (1993)
A Pátria em Chuteiras (1994)
O Reacionário (1995)
O Remador de Ben-Hur (1996)

Contato

editores@companhiadasletras.com.br

Fragmento

Vestido de Noiva

(Começa o terceiro ato com o teatro em trevas. Clessi e Alaíde ao microfone.)
Clessi (microfone) — *Talvez você não tenha assassinado seu marido.*
Alaíde (microfone) — *Mas eu me lembro! Foi com um ferro — bati na base do crânio! Aqui.*
Clessi (microfone) — *Às vezes, pode ter sido sonho!*
Alaíde (microfone, com um acento doloroso) — *Sonho — será? Estou com a cabeça tão virada! Pode ser que tudo tenha ficado só na vontade!*
Clessi (microfone) — *Então aconteceu o quê, na igreja?*
(Luz no plano da memória. Estão Clessi e o seu namorado vestidos à maneira de 1905.)
Alaíde (microfone) — *Estou sempre com a idéia que seu namorado tinha a cara de Pedro.*
(Clessi e Pedro sentados, num *récamier*.)
Clessi (com o mesmo vestido, mas sem chapéu) — *Quer ver meus coelhinhos no quintal?*
Namorado (frio) — *Não.*
Clessi (meiga) — *Tem uns tão bonitos!* (Levantam-se os dois. Ele olha-a, depois senta-se de costas para ela. Clessi anda e volta.)

NÉLSON RODRIGUES

In spite of having said that *all that is unanimous is stupid* (one of his many anthological sentences), NÉLSON RODRIGUES is doubtlessly one of the most brilliant unanimity in the country. As a journalist, he changed the soccer pages into true national epic, his daily column into manifestations of the Brazilian people's innermost temperament, and his own memoirs into an involving and disconcerting drama. He brought about the deepest revolution ever in the national dramaturgy, leading it, for the first time, to a dimension that was at the same time cosmopolitan, universal, and contemporary. By introducing a number of innovations capable to take both the critic and the audience aback, his colloquial language shocked the belletrists of his time. Showing a cogent thematic and structural cohesion, besides a wide spectrum of existential themes, his dramaturgy was divided into three categories: the mythical, the psychological, and the *carioca* tragedies. Permeating his plays, stories, novels, and newspaper columns, the writer bequeathed a collection of sentences and characters that remained nailed to the Brazilian memory like archetypes of the human condition abysses.

Review

IN THE CORE OF ARTS RENEWAL

"It would be more appropriate to say that the drama, as a show, was becoming universal just like all other modern arts, and Nélson Rodrigues meant for the stage what Villa-Lôbos meant for the musical composition, Portinari for painting, Niemeyer for architecture, and Carlos Drummond de Andrade for poetry. As a matter of fact, the premiere of *Vestido de Noiva (Wedding Dress)* caused the Brazilian dramaturgy to outgrow its inferiority complex." (Sábato Magaldi, "Introdução ao Teatro Completo")

DISTORTION AND METAMORPHOSIS

"Nélson Rodrigues took us downhill in the flow of convictions. We cannot trust the postulates of politics, history, morals, literature any more. Everything *is* and at the same time *is not*. What *is* quickly and fugaciously superimposes over what *used to be*, the present suffocates the past in a process of distortion and metamorphosis. Nothing may assure us, not even the weapons." (Ronaldo Lima Lins, "Nélson Rodrigues Outra Vez: O Bandido e o Felino Predador")

Excerpt

Vestido de Noiva (Wedding Dress)

(Third act begins as the theater is in darkness. Clessi and Alaíde speaking on the microphone.)
Clessi (microphone) — *Maybe you didn't murder your husband.*
Alaíde (microphone) — *But I remember quite well! I used an iron bar — I hit him on the head! Right here.*
Clessi (microphone) — *It may have been just a dream!*
Alaíde (microphone, in a painful tone) — *A dream — May it be? My mind was thrown into a disorder! No wonder if all this was nothing more than my desire!*
Clessi (microphone) — *What actually happened then at the church?*
(Light in the plan of memory. Clessi and her boyfriend are dressed after 1905's fashion.)
Alaíde (microphone) — *Your boyfriend always looked like Pedro to me.*
(Clessi and Pedro while sitting on a *récamier*.)
Clessi (wearing the same dress, but wearing no hat) — *Do you want to see my rabbits in the back yard?*
Boyfriend (coldly) — *No.*
Clessi (sweetly) — *Some of them are truly pretty!* (They get up. He looks at her, then sits down again but turning his back to her. Clessi walks around then comes back.)

Works

Vestido de Noiva (1943)
Álbum de Família (1945)
Bonitinha, mas Ordinária (1961)
Toda Nudez Será Castigada (1965)
Teatro Completo (1981)
A Vida como ela É: O Homem Fiel e outros Contos (1992)
O Óbvio Ululante (1993)
A Coroa de Orquídeas (1993)
A Menina sem Estrelas (1993)
À Sombra das Chuteiras Imortais (1993)
A Pátria em Chuteiras (1994)
O Reacionário (1995)
O Remador de Ben-Hur (1996)

Contact

editores@companhiadasletras.com.br

NÉLSON WERNECK SODRÉ

A originalidade de NÉLSON WERNECK SODRÉ foi ter unido a carreira militar, na qual chegou a general-de-brigada, à formação como sociólogo e historiador de orientação marxista. Por esse prisma, e sempre admitindo na base de todos os fenômenos seus fundamentos econômicos, ele sempre enfatizou, em seus muitos e multifacetados livros, a importância da ideologia do colonialismo como fator de atraso que se opunha à civilização no Brasil. Alguns títulos de sua bibliografia, como a *História da Imprensa no Brasil*, a *História da Literatura Brasileira* e a *História Militar do Brasil*, tornaram-se obras essenciais de referência, quer pelas particularidades temáticas, quer pelas criteriosas pesquisas que o levaram à coleta de dados de supremo interesse. Nas décadas de 50 e 60, o autor compartilhou das teses nacionalistas defendidas pelo Instituto Superior de Estudos Brasileiros, cujo departamento de história chefiou.

Crítica

A COERÊNCIA INTELECTUAL

"Eis o forte de Nélson Werneck Sodré, cujo volume de 1938 [a *História da Literatura Brasileira*], comparado com o atual [a 4ª ed., de 1964], testemunha os acrescentamentos oriundos de uma pesquisa contínua e permanente, sempre na mesma direção, patenteando uma coerência que define a sua atividade intelectual, que jamais se desviou nem interrompeu, embora, algumas vezes, tivesse que pagar por ela." (M. Cavalcanti Proença, "História da Literatura Brasileira")

Obras

História da Literatura Brasileira (1938)
Panorama do Segundo Império (1939)
Oeste — Ensaio sobre a Grande Propriedade Pastoril (1941)
Formação da Sociedade Brasileira (1944)
O que se Deve Ler para Conhecer o Brasil (1945)
A Ideologia do Colonialismo (1961)
Formação Histórica do Brasil (1962)
História Militar do Brasil (1965)
As Razões da Independência (1965)
História da Imprensa no Brasil (1966)
Fundamentos da Economia Marxista (1968)
Fundamentos do Materialismo Histórico (1969)
Memórias de um Escritor (1970)

Contato

graphiaeditorial@terra.com.br

Fragmento

História da Imprensa no Brasil

Os holandeses, dominando a área mais rica da colônia, no século XVII, introduziram no Brasil alguns elementos característicos da atividade burguesa, de que foram pioneiros. Não a imprensa, porém. Apesar de lhe terem dado singular desenvolvimento, na área metropolitana, na proporção do avanço de sua burguesia, não se empenharam em trazer ao seu novo domínio americano a arte tipográfica. Inúteis foram os esforços de Nassau nesse sentido. É curioso o fato, porque mostra como as condições da colônia constituíam obstáculo mais poderoso ao advento da imprensa do que os impedimentos oficiais que caracterizaram a atitude portuguesa. Claro que estes, na sua vigilância permanente, concorreram também para o retardo com que conhecemos a imprensa. Mas a razão essencial estava nas condições coloniais adversas: o escravismo dominante era infenso à cultura e à nova técnica de sua difusão.

NÉLSON WERNECK SODRÉ

NÉLSON WERNECK SODRÉ originality consisted in combining a military career, he achieved the rank of brigadier general, with a Marxism-oriented sociologist and historian education. Under this point of view, and always assuming the economy fundamentals as underlying all phenomena, his many and multifaceted books always highlighted the significant role of the colonialism ideology as a backwardness factor acting against civilization in Brazil. Some of the titles in his bibliography, such as *História da Imprensa no Brasil (History of Press in Brazil)*, *História da Literatura Brasileira (History of Brazilian Literature)* and *História Militar do Brasil (Military History of Brazil)*, became essential reference works, either because of the thematic particularities or because of the painstaking researches that required a judicious selection of the most relevant data. During the 1950's and 1960's, the author shared the nationalist theories supported by the Superior Institute of Brazilian Studies, whose history department he headed.

Review

THE INTELLECTUAL COHERENCE

"This is Nélson Werneck Sodré's forte. The 1938's volume [the *History of Brazilian Literature*], compared with the current one [4th edition, of 1964] reflects the additions originated from a continuous and permanent research, always in the same direction, making thereby patent the coherence that defines his intellectual activity, never deflecting nor being discontinued, although he had sometimes to pay for it." (M. Cavalcanti Proença, "História da Literatura Brasileira")

Excerpt

História da Imprensa no Brasil (History of Press in Brazil)

During the 17th century Dutch domination over the richest area in the colony, some of the characteristic bourgeois activity elements they pioneered were introduced in Brazil. Not the press, however. In spite of levering a singular development in the metropolitan area, proportional to their bourgeoisie progress, they made no effort to bring the typographic art to their new American domain. Nassau's efforts in this sense were useless. This is rather intriguing as it shows that the conditions in the colony would constitute a more powerful obstacle to the advancement of press than the official impediments that characterized the Portuguese attitude. The latter, of course, in their permanent surveillance, also played a role in the press backwardness. But the essential reason lied in the adverse colonial conditions: the prevailing proslavery was impervious to culture and to the new technique to disseminate it.

Works

História da Literatura Brasileira (1938)
Panorama do Segundo Império (1939)
Oeste — Ensaio sobre a Grande Propriedade Pastoril (1941)
Formação da Sociedade Brasileira (1944)
O que se Deve Ler para Conhecer o Brasil (1945)
A Ideologia do Colonialismo (1961)
Formação Histórica do Brasil (1962)
História Militar do Brasil (1965)
As Razões da Independência (1965)
História da Imprensa no Brasil (1966)
Fundamentos da Economia Marxista (1968)
Fundamentos do Materialismo Histórico (1969)
Memórias de um Escritor (1970)

Contact

graphiaeditorial@terra.com.br

OLAVO BILAC

Ora (direis) ouvir estrelas! Certo / Perdeste o senso... é o início de um dos poemas mais famosos do país. Difícil encontrar um brasileiro que não saiba esses primeiros versos de cor, ou, ao menos, que jamais os tenha escutado. Tanto no meio erudito quanto no popular, o sucesso alcançado pelo livro *Poesias*, lançado em 1888, foi imediato. Com ele, o movimento parnasiano atinge seu ápice, consolidando a tão almejada superação do Romantismo, visto, a essa época, com seu apelo à espontaneidade e a um sentimentalismo fácil, como decadente. Influenciado pelos mestres franceses (sobretudo Théophile Gautier e Leconte de Lisle) e pela tradição lusitana, OLAVO BILAC valorizou a perfeição técnica, cujas manifestações se caracterizam por uma sintaxe conforme à gramática portuguesa, pela rima rica e pelas formas fixas escultóricas: raramente, sua ourivesaria poética foi igualada. Eleito, em 1913, por um colegiado de escritores, o Príncipe dos Poetas Brasileiros, ele teve a alegria de ver seus poemas serem os mais lidos nos saraus e salões literários da virada do século XIX para o XX, o que mostrava a grande popularidade de seus versos.

Crítica

A POESIA COM GRANDE PÚBLICO
"Ao contrário dos seus gloriosos companheiros, que tatearam com indecisões a cidadela da forma, Bilac, ao estrear com o seu volume de *Poesias*, aos vinte e três anos, se apresentava no maior rigor da nova escola, e, no entanto, com uma fluência na linguagem e na métrica, uma sensualidade à flor da pele que o tornavam muito mais acessível ao grande público." (Manuel Bandeira, "Apresentação da Poesia Brasileira")

UM DOS ÁPICES DA POESIA NACIONAL
"Olavo Bilac foi a figura culminante de uma das fases mais ricas da poesia nacional, a parnasiana. [...] O Parnasianismo e Bilac continuam a viver na admiração de apreciável parcela do povo brasileiro, como comprovam as sucessivas reedições de seus livros. Muitos de seus versos se tornaram proverbiais, citados até por pessoas que jamais os leram e só os conhecem de oitiva, de citações." (R. Magalhães Júnior, "O Autor e Sua Obra")

Obras

Poesias (1888)
Crônicas e Novelas (1894)
Crítica e Fantasia (1904)
Conferências Literárias (1906)
Tratado de Versificação (1910)
Dicionário de Rimas (1913)
Discursos (1915)
Ironia e Piedade (1916)
Tarde (1919)
Últimas Conferências e Discursos (1924)
Poesia (1957)

Copyright

Obras em domínio público
— textos livres para publicação

Fragmento

Língua Portuguesa

Última flor do Lácio, inculta e bela,
És, a um tempo, esplendor e sepultura:
Ouro nativo, que na ganga impura
A bruta mina entre os cascalhos vela...

Amo-te assim, desconhecida e obscura,
Tuba de alto clangor, lira singela,
Que tens o trom e o silvo da procela,
E o arrolo da saudade e da ternura!

Amo o teu viço agreste e o teu aroma
De virgens selvas e de oceano largo!
Amo-te, ó rude e doloroso idioma,

Em que da voz materna ouvi: 'Meu filho!',
E em que Camões chorou, no exílio amargo,
O gênio sem ventura e o amor sem brilho!

OLAVO BILAC

Ora (direis) ouvir estrelas! Certo / Perdeste o senso... [Bah!, (you'll say) listening to stars! Fine / You're out of your mind...] is the beginning of one of the most popular poems in the country. You'll hardly find a Brazilian who fails to know by heart these first verses, or has never, at least, heard them. Among both the erudite and the popular, the book *Poesias (Poems)*, published in 1888, achieved immediate success. With this book, the Parnassian movement reached the apex, then consolidating the long-yearned overshadowing over romanticism, whose appeal to spontaneity and an easy sentimentality was seen, at that time, as decadent. Influenced by the French masters (especially Théophile Gautier and Leconte de Lisle) as well as by the Portuguese tradition, OLAVO BILAC valued the technical perfection, whose syntax was characterized by a strict compliance with the Portuguese grammar, by a rich rhyme, and by the sculptural fixed forms: his poetic jewelry was rarely paralleled. In 1913, a committee of writers elected him *the Prince of the Brazilian Poets*. He had the gratification of seeing that his poems were the most read in the *soirées* and literary gatherings at the turning of the 20th century, which made the popularity of his verses evident.

Review

POETRY WITH A LARGE AUDIENCE

"Unlike his notable peers, who hesitantly groped the citadel of Form, Bilac, making his literary debut at the age of 23 by publishing the book *Poesias (Poems)*, appeared engaged in the strictest rigidity of the new school, and yet showing such a fluency in language and metric, a barely covert sensuality that made him much more accessible for the general audience." (Manuel Bandeira, "Apresentação da Poesia Brasileira")

ONE OF THE NATIONAL POETRY'S ZENITH

"Olavo Bilac was the culmination of one of the richest phases in the national poetry, namely the Parnassian. [...] Parnassianism and Bilac are still alive in the admiration of a considerable portion of the Brazilian people, as attested by the successive reprintings of his books. Not a few of his verses became proverbial, quoted even by people who never read them and only got to know them by allusion or citations." (R. Magalhães Júnior, "O Autor e Sua Obra")

Excerpt

Língua Portuguesa (The Portuguese Language)

Last blossom of Latium, uncouth and beautiful,
You are, at a time, splendor and grave:
Homegrown gold that, in the impure gangue
Among the gravels keeps vigil over the raw veinstone...

I love you like this, ignored and obscure,
A high-clang tuba, a modest lyre,
Having the roar and the whistle of the tempest,
And he cooing of nostalgia and tenderness!

I love your bloom and your fragrance
Of virgin forests and wide ocean!
I love you, my raw and painful language,

In whose sounds the maternal voice I heard: 'My son!',
And in whose words Camões cried, from the grievous exile,
The misfortuned genius and the shineless love

Works

Poesias (1888)
Crônicas e Novelas (1894)
Crítica e Fantasia (1904)
Conferências Literárias (1906)
Tratado de Versificação (1910)
Dicionário de Rimas (1913)
Discursos (1915)
Ironia e Piedade (1916)
Tarde (1919)
Últimas Conferências e Discursos (1924)
Poesia (1957)

Copyright

Works in public domain
— texts available for publication

OLIVEIRA LIMA

Autor de uma obra capital da historiografia brasileira, *Dom João VI no Brasil,* OLIVEIRA LIMA, ao percorrer o mundo todo, na condição de diplomata, pôde também escrever notáveis páginas sobre impressões de viagens. Serviu em Berlim, Londres, Tóquio, Caracas, Estocolmo, Bruxelas, Washington. Em 1901, com 35 anos, chegou ao Japão como encarregado de negócios. Seu livro sobre esse país, quer pela limpidez do estilo, quer pelo frescor das observações sobre a cultura nipônica, que começava então a abrir-se à influência ocidental, é uma obra-prima. Na Europa, fez incansáveis peregrinações por arquivos, à procura de documentos de interesse para o conhecimento do Brasil. Em 1921, ao prever em sua *História da Civilização* que "o conflito entre brancos e amarelos, se tiver que ser liquidado pelas armas, sê-lo-á algum dia no Pacífico entre os Estados Unidos e o Japão", foi um autor premonitório. No fim da vida, radicou-se em Washington, onde lecionou na Universidade Católica, à qual doou sua biblioteca de 40 mil volumes.

Crítica

SINCERIDADE E SIMPATIA

"As suas observações sobre o Japão e a sua interpretação do curioso império, feitas com sinceridade e simpatia evidentes, e sem rebuscadas psicologias, calam em nosso espírito como verdadeiras. Merece sobretudo ser notada a bem-sucedida insistência com que ele nos mostra o Japão ao mesmo tempo voltado por completo à imitação da civilização ocidental, adotando-a ou adaptando-a em todas as suas feições, e, entretanto, permanecendo fundamentalmente japonês." (José Veríssimo, "Vida Literária", revista *Kosmos*)

ESPÍRITO UNIVERSAL

"O espírito largo e universal de Oliveira Lima, aliado à sua invulgar erudição histórica, soube compreender as contribuições do confucionismo em muitos países do Extremo Oriente, e o fundamental papel do xintoísmo e do budismo japoneses convivendo nas mesmas pessoas, como fatores essenciais que davam ao povo japonês ligações perenes com seu passado." (Paulo Yokota, "Um Olhar Brasileiro Sobre o Japão")

Obras

Pernambuco e seu Desenvolvimento Histórico (1894)
Aspectos da Literatura Colonial Brasileira (1896)
Nos Estados Unidos (1899)
No Japão — Impressões da Terra e da Gente (1904)
Evolução Histórica da América Latina Comparada com a América Inglesa (1914)
Na Argentina — Impressões, 1818-1819 (1919)
História da Civilização (1921)
O Movimento da Independência (1922)
Aspectos da História e da Cultura do Brasil (1923)
Memórias (1938)
Obra Seleta (1971)
Estudos Literários (1975)

Contato

topbooks@topbooks.com.br

Fragmento

No Japão — Impressões da Terra e da Gente

As raças do Oriente são atrasadas nos seus pensamentos, quando os medimos pela nossa presunçosa craveira; desconhecem tanto a nossa concepção de conforto físico como os nossos ambiciosos conflitos intelectuais, e mostram-se alheias à nossa anarquia moral. Para elas a metafísica e a ética são imutáveis, e os preceitos assim tornados inalteráveis ganham em rigidez o que perdem em progressividade. O budismo, embora atabafado por liturgias, rituais e simbolismos que, rebentando da primitiva doutrina moral, acabaram por quase desfigurá-la, ensina a essas raças que o aperfeiçoamento progressivo, não pela fé mas pelo conhecimento adquirido dos segredos da natureza, conduz o homem pelo caminho da prática das melhores virtudes, sobretudo da caridade, à suprema aniquilação ou libertação da ignorância e das paixões do mundo.

OLIVEIRA LIMA

Author of a Brazilian historiography masterpiece, *Dom João VI no Brazil (Dom João VI in Brazil)*, OLIVEIRA LIMA, travelling all over the world as a diplomat, managed also to write remarkable pages with trip impressions. He served in Berlin, London, Tokyo, Caracas, Stockholm, Brussels, and Washington. In 1901, at the age of 35, he arrived in Japan as *chargé d'affaires*. His book about this country is a masterpiece, not only because of the limpidity of his style, but also because of his fresh observations about the Japanese culture, which was by then just becoming accessible to the western influence. In Europe, he carried out tireless explorations through files, in search of documents that might be of interest for the knowledge of Brazil. Because in 1921 he wrote in his book *História da Civilização (History of Civilization)* the prediction that "if the conflict between white people and yellow people is to be settled by means of weapons, it will take place some day in the Pacific between the United States and Japan", he was regarded as a premonitory author. By the end of his life, he settled in Washington and lectured at the Catholic University, to which he donated his 40 thousand books private library.

Review

SINCERITY AND WARMTH

"His observations about Japan and his interpretation of that peculiar empire, conveyed with evident sincerity and warmth, avoiding farfetched psychology, deeply impress our spirit as true. Above all, his successful insistence to provide a portrait of Japan, at the same time entirely devoted to imitating the western civilization by adopting it or adapting its features, and, nevertheless, remaining fundamentally Japanese is noteworthy." (José Veríssimo, "Vida Literária", *Kosmos* magazine)

UNIVERSAL SPIRIT

Oliveira Lima's broad and universal spirit, combined with his uncommon historical erudition, enabled him to understand the contributions of Confucianism in many Far East countries, as well as the fundamental role of Shinto and Japanese Buddhism living together in the same people. These are essential factors that provide the Japanese people with a perennial connections with their past." (Paulo Yokota, "Um Olhar Brasileiro Sobre o Japão")

Excerpt

No Japão — Impressões da Terra e da Gente (Japan — Impressions about Land and People)

Eastern races are backward in their thinking when measured by our arrogant size stick; they ignore not only our conception of physical comfort, but also our ambitious intellectual conflicts, and show indifference for our moral anarchy. They see metaphysics and ethics as unalterable; such unchangeable precepts gain in rigidity what they lose in progressiveness. Buddhism, although oppressed by liturgies, rituals and symbolisms that, deriving from the primitive moral doctrine ended up almost deforming it, teaches those races that the progressive perfecting, not through faith but rather through acquiring knowledge about the secrets of nature, guides man along the road of best virtues practice, especially charity, up to the utmost annihilation or liberation from worldly ignorance and passions.

Works

Pernambuco e seu Desenvolvimento Histórico (1894)
Aspectos da Literatura Colonial Brasileira (1896)
Nos Estados Unidos (1899)
No Japão — Impressões da Terra e da Gente (1904)
Evolução Histórica da América Latina Comparada com a América Inglesa (1914)
Na Argentina — Impressões, 1818-1819 (1919)
História da Civilização (1921)
O Movimento da Independência (1922)
Aspectos da História e da Cultura do Brasil (1923)
Memórias (1938)
Obra Seleta (1971)
Estudos Literários (1975)

Contact

topbooks@topbooks.com.br

ORÍGENES LESSA

Diversos prêmios literários contemplaram a obra múltipla desse romancista, contista, jornalista, ensaísta, biógrafo, autor de livros infantis, tradutor e publicitário que foi membro da Academia Brasileira de Letras. Uma das características mais marcantes de ORÍGENES LESSA é uma aguda observação do cotidiano que, transfigurada pela ironia e pela fantasia, mas, ainda assim, sem qualquer tipo de artificialismo, assinala os dramas da vida com um profundo sentimento humanitário. Assumindo a voz de personagens como uma pobre prostituta que se arranja pela cidade do Rio de Janeiro, por exemplo, o autor, com seu estilo ágil, se insere na tradição da ficção urbana brasileira. *O Feijão e o Sonho*, um de seus livros de maior repercussão, trata da existência de um poeta, o *sonho*, contrabalançada pela de sua mulher, o *feijão*, ou seja, a representação do cotidiano com suas imposições mais cruéis. Conhecendo como poucos a arte de seu ofício, Orígenes Lessa sempre oferece um olhar solidário aos acontecimentos singelos marcantes das pessoas simples. Sua obra, muito vendida no Brasil, é traduzida para diversos idiomas.

Crítica

POR TODOS OS LUGARES
"Não houve crítico ou colunista literário que a ele não se referisse. Mais: escapuliu, quase que imediatamente, da área da literatura, para invadir outros setores da informação jornalística. Artigos de fundo, sueltos, tópicos, comentários, reboques, *leads*, cabeçalhos de telegramas, manchetes do noticiário esportivo, notadamente o relativo ao futebol, ou alusivo à carestia, apareciam, nos jornais do tempo, em São Paulo e nos outros Estados, com o título 'O Feijão e o Sonho'" (Mário da Silva Brito, "Trinta Anos Depois")

A DIFÍCIL SIMPLICIDADE
"O autor não parte para o requinte meio palaciano, extroversão de virtuosismo formal, nem para psicologismos, e eus interiores intricados, o que se poderia imaginar a partir do núcleo temático. Nada disso. Antes, simples. Estilo despojado, espontâneo, mas, sabendo nós, artesanato muito cuidado, chegando àquela 'difícil aparente facilidade' de escrever e de ser entendido, como convém a evangelhos, romanceados ou não, nem tão só alegóricos, nem tão comprometidos". (Ivan Cavalcanti Proença, "Meta-Evangelho")

Obras

O Escritor Proibido (1929)
Garçon, Garçonette, Garçonnière (1930)
Passa-Três (1935)
O Joguete (1937)
O Feijão e o Sonho (1938)
Omelete em Bombaim (1946)
Rua do Sol (1955)
Histórias Urbanas (1963)
Zona Sul (1964)
O Evangelho de Lázaro (1972)
Beco da Fome (1978)
Memórias de um Cabo de Vassoura (1984)
Um Rosto Perdido (1988)

Contato

joeditor@unisys.com.br

Fragmento

O Feijão e o Sonho

E muito vermelho, trêmulo, o rapaz lhe estendeu uma folha. Era um poema. O pai sentiu uma turvação na vista, percebeu que o coração lhe batucava no peito. Correu os olhos pelo poema, versos livres, linguagem nova, imagens febris, uma revelação inquietante de poeta, voltado para os problemas que eram a angústia da sua geração. Seu filho era poeta. Um arrepio de orgulho e de emoção percorreu-lhe a pelo. Afinal de contas, tinha sido aquele o seu sonho toda a vida. Um filho que o perpetuasse, que valesse por si, que lhe continuasse a obra. E teve o impulso de abraçá-lo. Sentiu que os seus olhos se enublavam de lágrimas. Lembrou-se, porém, de sua vida. Dos anos de luta, de sonho, de tormento e de agonia criadora. Da vida árdua, humilde, sacrificada e dolorosa que vivera. Da existência que dera à família, dominado pelo seu devotamento exclusivo à arte. Da vida que dera ao próprio filho. Era essa, a vida que ele tinha diante de si. Que teriam os filhos de seu filho. E que seria talvez pior, porque não era somente a arte a chamá-lo. Outras insídias e outros desenganos o esperavam.
— Prestam? Continuo?
Campos Lara sorriu. E batendo um cigarro, o pensamento melancólico no vazio da vida, ficou olhando o filho, sem achar resposta.

ORÍGENES LESSA

Many literary awards laureled the many-sided work of this novelist, story writer, journalist, essayist, biographer, author of books for children, translator, and publicist who was a member of Brazilian Literary Academy. One of ORÍGENES LESSA's most outstanding characteristics is a sharp observation on the quotidian which, transfigured by irony and fantasy, though free from any kind of artificiality, highlights the day-to-day dramas with a deep humanitarian feeling. By voicing the emotions of such characters as a poor prostitute who makes her living in the city of Rio de Janeiro, for instance, the author, through his nimble style, has become part of the Brazilian urban fiction tradition. *O Feijão e o Sonho (The Black Bean and the Dream)*, one of his most read books, deals with the life of a poet, *the dream*, counterbalanced by the life of his wife, *the black bean*, in other words, a representation day-to-day life under the most merciless impositions. Fully mastering the secrets of his métier, Orígenes Lessa always offers a sympathetic glance on the outstanding simple acts of simple people. His work, best seller in Brazil, has been translated to quite a few languages.

Review

EVERYWHERE

"He was referred to by all literary critics or columnists in activity. Plus: he sprang nearly at once from the literature section to move into other sections in the newspaper. Cover stories, sueltos, topics, comments, trailers, leads, telegram headers, headlines for sports news section, especially those referring to soccer or allusive to cost of living, would appear in the newspapers of the time, both in São Paulo and in many other States, under the title 'O Feijão e o Sonho.'" (Mário da Silva Brito, "Trinta Anos Depois")

THE DIFFICULT SIMPLICITY

"The author refrains from taking up swanky refinements, extroversion of formal virtuosity, or parapsychology and knotty selves, as it could be expected if one looks into the themes. Instead, everything is downright and simple. Plain, spontaneous style, but we know it is about very careful craftsmanship, verging on that 'difficult apparent easiness' of writing and being understood, as it is well-suited to Gospels, either novelized or not, not only allegorical, nor too committed." (Ivan Cavalcanti Proença, "Meta-Evangelho")

Excerpt

O Feijão e o Sonho (The Black Bean and the Dream)

Blushing and trembling, the boy handed in a sheet of paper. It was a poem. The father felt like a turbidity before his eyes, and noticed that his heart was beating madly in the chest. He ran the eyes over the poem, free verses, new language, feverish images, a disturbing revelation of a poet, dealing with the issues that most anguished his generation.

His son was poet. A chill of pride and emotion gave him the creeps. After all, that had always been his lifetime dream. A son who could perpetuate him, who were worth for himself, who could continue his work. And he felt an impulse to hug the boy. His eyes got clouded with tears. However, he recalled his life. His years of fight, dream, torment, and creative agony. Recollected the arduous, humble, sacrificed, and painful life he had endured. The hardship he had inflicted upon his family, dominated by his exclusive commitment to art. The life he had imposed upon his own son. That was the life his son had in store to himself. And to his son's children. Which could be even worse, because it was not going to be only art calling him. Other ambushes and other disappointments waited for him.

— Are they worth anything? Shall I persist?

Campos Lara smiled. Licking a cigarette and melancholically thinking about the emptiness of life, he gazed at his son, but couldn't find any answer.

Works

O Escritor Proibido (1929)
Garçon, Garçonette, Garçonnière (1930)
Passa-Três (1935)
O Joguete (1937)
O Feijão e o Sonho (1938)
Omelete em Bombaim (1946)
Rua do Sol (1955)
Histórias Urbanas (1963)
Zona Sul (1964)
O Evangelho de Lázaro (1972)
Beco da Fome (1978)
Memórias de um Cabo de Vassoura (1984)
Um Rosto Perdido (1988)

Contact

joeditor@unisys.com.br

OSMAN LINS

Avalovara, *Nove, Novena* e *A Rainha dos Cárceres da Grécia* asseguram a OSMAN LINS um lugar próprio na literatura brasileira. Com essas obras de grande singularidade, ele extrapola a condição de escritor que teria contribuído para a média da produção literária do século XX, e, realizando uma poética fundada na tensão entre a inserção do homem no cosmos e seu enraizamento histórico, destaca-se de seus pares. Aspectos comuns unem essas obras, mas os elos entre *Nove, Novena* e *Avalovara* são mais fortes. Em ambos, enquanto poesia e prosa se misturam, assim como imaginação e cerebralismo, lirismo e crítica, indagações e reflexões, cultura erudita e popular, descrições pictóricas e eventos prosaicos, dissertações e trechos insólitos, metalinguagem e invenção, qualquer ilusão da realidade está banida. Com uma rigorosa construção da estrutura narrativa, esse escritor transforma seu regionalismo introspectivo inicial, fiel às raízes nordestinas e ao contexto social, em um experimentalismo fortemente calcado em uma ficção do pensamento, em que se destaca, sobretudo, o romance *Avalovara*.

Crítica

O TODO E A PARTE

"Romance? Poesia? Tratado da narrativa? Visão do mundo? No universo sem gêneros literários da literatura contemporânea, o livro de Osman Lins se situa numa ambigüidade ilimitada. A começar pela linguagem, que varia também com o movimento da espiral, indo da simplicidade das expressões correntes até à paráfrase do Cântico dos Cânticos, do tom de arrolamento metódico aos vôos largos da poesia. Para se encontrar nessa ambigüidade, o leitor deveria munir-se de um sentimento duplo, que poderia ser chamado de sentimento do todo, ou da espiral, e sentimento da parte, ou dos quadrados. Há uma visão do todo, que se desvenda lentamente, custando a ganhar forma em nosso espírito. Não faz mal, porque o livro parece feito para ser lido também nas suas partes." (Antonio Candido, "A Espiral e o Quadrado")

Obras

O Visitante (1955)
Os Gestos (1957)
O Fiel e a Pedra (1961)
Lisbela e o Prisioneiro (1961)
Marinheiro de Primeira Viagem (1963)
Nove, Novena (1966)
Guerra do "Cansa Cavalo" (1967)
Capa Verde e o Natal (1967)
Guerra sem Testemunha (1974)
Santa, Automóvel e Soldado (1975)
Lima Barreto e o Romanesco (1975)
Avalovara (1975)
A Rainha dos Cárceres da Grécia (1976)
Do Ideal e da Glória —
Problemas Inculturais Brasileiros (1977)

Contato

editora@melhoramentos.com.br

Fragmento

Avalovara

Ouço, ante a janela aberta, o mar nas pedras próximas? Uma criança, em pranto, cruzou com leves sapatos o mal iluminado corredor do hotel? Respiro o ar imóvel? Fala a alguém, em algum quarto próximo, turbada pelas ondas, uma voz de homem? Tem resposta? Minha grinalda pende de um cabide alto. Itanhaém é o nome da cidade e tudo surge — tudo: paredes, móveis, vestes, movimentos, sons — nas inumeráveis palavras com que narro, horas e horas, até perder a voz e continuar a falar dentro de mim, as minhas próprias núpcias e tantos outros eventos, sem perceber sempre o nexo do meu discurso. De um modo convulso, aos saltos, descrevo o progresso diário e insensato do meu amor sem amor. Meus sentimentos e atos são os de quem ama? Contudo este amor é enganoso, um sortilégio. Descrevo-o e descrevo os ofuscantes dias em que me faço de alheia ante o mecanismo há muito destinado a mim, descrevo o apartamento da Avenida Angélica [...].

OSMAN LINS

Avalovara, Nove, Novena (Avalovara, Nine, Novena) and *A Rainha dos Cárceres da Grécia (The Queen of the Jails of Greece)* assure OSMAN LINS his deserved place in the Brazilian literature. With those greatly singular works, he goes beyond the condition of a writer who would have contributed to the average of the literary production in the 20th century and, by producing a poetic work that builds on the tension between man's place in the cosmos and his historical roots, he stands out among his peers. Those works have common characteristics, but the links between *Nove, Novena* and *Avalovara* are the strongest. In both works, while poetry and prose get intermingled, as well as imagination and brains, lyricism and critic, inquiries and reflections, erudite and popular culture, pictorial descriptions and prosaic events, dissertations and unusual passages, metalanguage and invention, any illusion of reality is banished. By using a meticulous construction of narrative structure, he changes his initial introspective regionalism, faithful to his Northeastern roots and to the social context, into an experimentalism strongly built on a fiction of thought, where the novel *Avalovara* stands out above all.

Review

THE WHOLE AND THE PORTION

"Novel? Poetry? Narrative treatise? Weltanschauung? In the contemporary literature's universe without literary genera, Osman Lins' work oscillates between limitless ambiguities. Starting by the language, which also varies with the spiral movement, going from the simplicity of the day-to-day expressions to the paraphrase of the Song of Solomon, from the methodical enrollment tune to the broad flights of poetry. To find such an ambiguity, the reader should be provided with a double feeling, which could be called the feeling of the whole, or the feeling of the spiral, and the feeling of the portion, or the feeling of the squares. There is a vision of the whole which is slowly unveiled, hardly gaining form in our spirit. But this doesn't matter indeed, because the book seems to have been written to be read also in its parts."

(Antonio Candido, "A Espiral e o Quadrado")

Excerpt

Avalovara

Do I hear, before the open window, the sea against the nearby stones? Did a weeping child cross in light shoes the poorly lit corridor in the hotel? Do I breathe the motionless air? Does a man's voice, muffled by the waves, speak to somebody inside a nearby room? Does he get an answer? My garland is hanging on a high hanger. Itanhaém is the name of the city and everything comes up — everything: walls, furniture, garments, movements, sounds — from the countless words with which I narrate, for hours on end, until I lose my voice and keep on speaking within, my own nuptials and so many other events, without ever grasping the connection of my speech. In a convulsive way, in jerks, I describe the daily and senseless progress of my loveless love. Are my feelings and actions the feelings and actions of a lover? This love is a deceiving, however, a spell. I describe it and I describe the dazzling days when I become an outsider before the mechanism that since a long time has been destined to me; I describe Avenida Angélica's apartment [...].

Works

O Visitante (1955)
Os Gestos (1957)
O Fiel e a Pedra (1961)
Lisbela e o Prisioneiro (1961)
Marinheiro de Primeira Viagem (1963)
Nove, Novena (1966)
Guerra do "Cansa Cavalo" (1967)
Capa Verde e o Natal (1967)
Guerra sem Testemunha (1974)
Santa, Automóvel e Soldado (1975)
Lima Barreto e o Romanesco (1975)
Avalovara (1975)
A Rainha dos Cárceres da Grécia (1976)
Do Ideal e da Glória — Problemas Inculturais Brasileiros (1977)

Contact

editora@melhoramentos.com.br

OSWALD DE ANDRADE

Há 400 anos, o Brasil havia sido "descoberto" pelos portugueses, que, impondo sua própria cultura, iniciaram o processo de colonização através da catequização e escravização dos índios nativos e dos negros trazidos da África. A força latente dessas duas culturas ficaram, assim, recalcadas na história brasileira. A genialidade maior de OSWALD DE ANDRADE foi, através do símbolo do ritual antropofágico, propor uma redescoberta do Brasil, dessa vez incorporando os valores mestiços nascidos dos povos sufocados. *O dia em que os aimorés comeram o bispo Sardinha deveria constituir para nós a grande data*, escreveu o criador mais provocativo da Semana de Arte Moderna de 1922. Não se trata de negar os costumes europeus nem, tampouco, absorvê-los de maneira colonizada, mas de misturar sua força às originárias da terra, criando uma cultura diferenciada, mais rica e com temperamento nacional. Calcado na transformação da pergunta shakespeariana (*Tupi or not tupi that is the question*), o poeta, ensaísta, romancista e dramaturgo propõe uma literatura de exportação, passando, desde então, a influir decisivamente em toda a cultura do país.

Crítica

A COMPLEXIDADE MAIOR
"A obra de Oswald de Andrade é muito complexa, contém muita informação, é extremamente rica. Cada peça deste autor praticamente corresponde a uma dramaturgia completa de qualquer teatrólogo. Assim sendo, cada peça tem que ser abordada meticulosamente, com uma precisão muito grande." (José Celso Martinez Corrêa, "Em Torno de 'Três Tempos de Oswald'")

O DEMOLIDOR DO RETRÓGADO
"Pra começo de conversa, Oswald é o grande antídoto contra esse lado doutor da cultura brasileira. Essa paixão cretina pela erudição pura e simples, mesmo que não haja por trás dela uma sombra sequer de pensamento. Contra a falsa erudição, Oswald propõe uma espécie de Eros-dicção, uma palavra incendiária, apaixonada e demolidora. Talvez a lição de Oswald seja sobretudo uma demolição." (Geraldo Carneiro, "A Influência da Obra Oswaldiana na Poesia dos Anos 70 e no Tropicalismo")

Obras

Os Condenados (1922)
Memórias Sentimentais de João Miramar (1924)
Manifesto da Poesia Pau-Brasil (1925)
Pau-Brasil (1925)
1º Caderno de Poesia do Aluno de Poesia O. A. (1927)
A Estrada de Absinto (1927)
Serafim Ponte Grande (1933)
A Escada Vermelha (1934)
O Homem e o Cavalo (1934)
O Rei da Vela (1937)
A Morta (1937)
A Utopia Antropofágica (1990)
Estética e Política (1991)

Contato

www.editoraglobo.com.br

Fragmento

Manifesto Antropófago

Só a antropofagia nos une. Socialmente. Economicamente. Filosoficamente.
Única lei do mundo. Expressão mascarada de todos os individualismos, de todos os coletivismos. De todas as religiões. De todos os tratados de paz.
Tupi or not Tupi that is the Question.
Contra todas as catequeses. E contra a mãe dos Gracos.
Só me interessa o que não é meu. Lei do homem. Lei do antropófago.
Estamos fatigados de todos os maridos católicos suspeitosos postos em drama. Freud acabou com o enigma mulher e com outros sustos da psicologia impressa.
O que atropelava a verdade era a roupa, o impermeável entre o mundo interior e o mundo exterior. A reação contra o homem vestido. O cinema americano informará.
Filhos do sol, mãe dos viventes. Encontrados e amados ferozmente, com toda a hipocrisia da saudade, pelos imigrados, pelos traficados e pelos touristes. No país da cobra grande.
Foi porque nunca tivemos gramáticas, nem coleções de velhos vegetais [...].

OSWALD DE ANDRADE

Four-hundred years ago, Brazil was "discovered" by the Portuguese who, by imposing their own culture, set off a colonization process that included the catechization and enslavement of the first-nation people and black people brought from Africa. The latent strength of those two cultures was, thus, restrained in the Brazilian history. OSWALD DE ANDRADE's ingeniousness consisted in proposing the rediscovering of Brazil through the anthropophagic ritual's symbol, this time incorporating the half-bred values born from the suffocated peoples. The day on which the Aimorés ate bishop Sardinha should be celebrated as the great date for us, as wrote the most provoking initiator of the 1922's Modern Art Week. It is not a question of denying the European custom, nor absorbing them in a colonized way, but rather of mixing its strength with the natives' strength to create a differentiated culture that is richer and embeds the national temperament. Based on the pun with Shakespeare's question (*Tupi* or not *tupi* that is the question), the poet, essayist, novelist, and playwright proposes a literature to be exported, and has since then decisively influenced the entire culture in the country.

Review

PARAMOUNT COMPLEXITY

"Oswald de Andrade's work is very complex, full of information, and extremely rich. Each play he wrote virtually corresponds to a complete dramaturgy by any playwright. Thus, each play has to be carefully approached, with great accuracy." (José Celso Martinez Corrêa, "Em Torno de 'Três Tempos de Oswald'")

DEMOLISHING THE RETROGRESSIVE

"To begin with, Oswald is a great antidote against this elitist side of Brazilian culture. This brazen passion for what is erudite, even if not a jot of thinking lies behind it. Against this false erudition, Oswald proposes a kind of *Eros-diction*, a flaming, passionate and devastating word. Perhaps Oswald's lesson is a demolition above all." (Geraldo Carneiro, "A Influência da Obra Oswaldiana na Poesia dos Anos 70 e no Tropicalismo")

Excerpt

Manifesto Antropófago (Anthropophagic Manifest)

Only Anthropophagy unites us. Socially. Economically. Philosophically. The only law in the world. Masked expression of all individualism, of all collectivism. Of all religions. Of all peace treaties.
Tupi or not Tupi, that is the question.
Against all catechism. Also against the Gracos' mother.
Only that which is not mine interests me. Man's law. Anthropophagous' law.
We are fed-up with all those suspect catholic husbands placed in a drama. Freud put and end to the enigma called woman and other scares of the printed psychology.
What knocked truth down was the clothing, the mackintosh between the inner and the outer worlds. The reaction against the dressed man. The American movie will tell us. Children of the sun, mother of the living human beings. Found and fiercely loved, with all the homesickness hypocrisy, by the immigrants, by the enslaved, and by the tourists. In the country of the big snake.
That was because we never had neither grammar books nor collections of old vegetables [...].

Works

Os Condenados (1922)
Memórias Sentimentais de João Miramar (1924)
Manifesto da Poesia Pau-Brasil (1925)
Pau-Brasil (1925)
1º Caderno de Poesia do Aluno de Poesia O. A. (1927)
A Estrada de Absinto (1927)
Serafim Ponte Grande (1933)
A Escada Vermelha (1934)
O Homem e o Cavalo (1934)
O Rei da Vela (1937)
A Morta (1937)
A Utopia Antropofágica (1990)
Estética e Política (1991)

Contact

www.editoraglobo.com.br

OSWALDO FRANÇA JÚNIOR

A literatura mundial contemporânea é escrita, em quantidade expressiva, por pessoas oriundas das universidades ou que trabalham profissionalmente com a escrita. No Brasil, sobretudo, é raro um corretor de capitais ou de imóveis, vendedor de carros usados, comerciante de cereais, gerente de empresa de ônibus, proprietário de banca de revistas e barracas de pipocas se tornar escritor. Esse é o caso de OSWALDO FRANÇA JÚNIOR, homem de ação que, depois de trabalhar em todas essas profissões, se transformou em excelente ficcionista. Seus livros foram traduzidos para diversas línguas, além de *Jorge, um Brasileiro* ter sido transformado no seriado televisivo, de enorme sucesso, *Carga Pesada*. A partir de fatos corriqueiros, pequenos incidentes e gestos insignificantes, o autor constrói uma obra de grande impacto existencial e dramático, calcada no cotidiano do país. Entendendo a função da literatura como transmitir emoção através da palavra escrita, seu objetivo é atingir, com toda autenticidade possível, os aspectos mais profundos do brasileiro, esse ser que vive uma realidade repleta de contrastes e diferenças.

Crítica

NO CORAÇÃO DA VIDA
"A mim me espanta esse poder que Oswaldo possui de construir uma história inteiramente à vontade, como quem respira, capaz de num relance atingir a verdade da vida — ele tem, sim, o dom que é próprio do ficcionista, de recriar a vida, de pôr diante de nós, inteiras, de pé, independentes, personagens que são gente de fato porque existem por si mesmas, semoventes." (Antônio Carlos Villaça, *Jornal do Brasil*)

UM DOS MAIS IMPORTANTES
"Esse surpreendente escritor vem compondo discretamente uma obra romanesca que acaba sendo das mais importantes de nossa literatura." (Fernando Sabino, *O Globo*)

Obras

O Viúvo (1965)
Jorge, um Brasileiro (1967)
Um Dia no Rio (1969)
O Homem de Macacão (1972)
A Volta para Marilda (1974)
Os Dois Irmãos (1976)
Aqui e em outros Lugares (1980)
À Procura dos Motivos (1982)
O Passo-Bandeira (1984)
Recordações de Amar em Cuba (1986)
No Fundo das Águas (1988)
De Ouro e Amazônia (1989)

Contato

sac@novafronteira.com.br

Fragmento

Jorge, um Brasileiro

Pode estar dormindo na barraca ou na cabina do seu [caminhão], parado na margem da estrada, que mesmo assim você conhece e sabe que é um dos seus. Sabe pelo barulho do motor, ou pelo chiado do pneu, ou até pelo modo do motorista fazer a mudança. E tudo neles você conhece. E isto é sem forçar para conhecer, porque todo mundo é assim. E vi, quando eu ia encher o caminhão de terra, que aquele que havia passado era um dos nossos. E vi, na hora, que era o do Jocimar que estava chegando. Mesmo estando pintado de novo, como estava, não me deu dúvidas. E ele estava indo na direção do escritório da Companhia. Não carreguei. Saí da fila e entrei no acostamento, e, sem parar o volante, fiz a volta e fui atrás dele. Passei pelo Antunes e só no modo dele olhar para mim, vi que também já havia visto o carro. Quando cheguei perto, ele já estava na corrente do pátio da Companhia, e aí deu para eu reparar na pintura bem-feita, toda verde, e nos pneus novos, e na caçamba que nem parecia que era para carregar terra. Estava bonito com aquele verde limpo e novo, diferente dos outros que já estavam sujos e com a pintura queimada. Ele cruzou a corrente e estacionou debaixo da árvore que havia ao lado do galpão do almoxarifado. Entrei e parei ao seu lado.

OSWALDO FRANÇA JÚNIOR

The contemporary world literature is written, to a great extent, by people from the universities or professionally engaged in writing. In Brazil, above all, it is markedly uncommon for a money market or real estate broker, a second-hand car dealer, a cereals retailer, a bus company manager, a newsstand owner, and a popcorn pushcart owner to become a writer. That is what happened to OSWALDO FRANÇA JÚNIOR, a man of action who, after working in all those activities, became an excellent fictionist. His books have been translated into a number of languages. *Jorge, um Brasileiro (Jorge, a Brazilian)* was dramatized and adapted to become the successful TV serial *Carga Pesada (Heavy Cargo)*. Drawing on day-to-day events, small incidents and trifling gestures, the author builds a work of great existential and dramatic impact, founded on the country's everyday life. Understanding that the function of literature is conveying emotion through written word, his objective is reaching, as genuinely as possible, the deepest aspects of the Brazilian people, a people living a reality full of contrasts and differences.

Review

IN THE HEART OF LIFE

"I was struck by Oswaldo's ability to build a story entirely at easy, just like breathing, capable to grasp the truth of life in a glance — he has, indeed, the fictionist gift of recreating life, of putting before us, whole, standing, independent, characters that are people indeed because they live an independent life, they are autonomous."
(Antônio Carlos Villaça, *Jornal do Brasil*)

ONE OF THE MOST IMPORTANT

"That amazing writer has been discreetly composing a romantic work that ends up being among the most important ones in our literature."
(Fernando Sabino, *O Globo*)

Excerpt

Jorge, um Brasileiro (Jorge, a Brazilian)

He may be sleeping in the hut or in the driver's cabin, parked on the border alongside the road, that even so you will recognize and know it is one of yours. You will recognize by the engine noise, or by the screech of the tire, or even by the way the driver change the gear. And you know everything in them. And it requires no effort to recognize because everybody is like this. And I saw, when I was loading the truck with earth, that the one passing by was one of ours. And I recognized at once that Jocimar's was arriving. Even painted in a different color, as it had been, I recognized easily. And it was going to the Company's office. I gave up loading, drove my truck out of the line and onto the shoulder, and, without stopping the steering wheel, turned around and drove after him. I overtook Antunes and by his glance I realized he also had seen the car. As I approached, he was already crossing the yard's gate, and then I could see the beautiful green of the new painting, and the new tires, and the dumper, so beautiful that nobody would say it was to carry earth. The truck was beautiful in that clean and new green, different from the dirty and burned painting of the others. He crossed the gate and parked under a tree next to the storeroom. I parked beside him.

Works

O Viúvo (1965)
Jorge, um Brasileiro (1967)
Um Dia no Rio (1969)
O Homem de Macacão (1972)
A Volta para Marilda (1974)
Os Dois Irmãos (1976)
Aqui e em outros Lugares (1980)
À Procura dos Motivos (1982)
O Passo-Bandeira (1984)
Recordações de Amar em Cuba (1986)
No Fundo das Águas (1988)
De Ouro e Amazônia (1989)

Contact

sac@novafronteira.com.br

PATRÍCIA MELO

A velocidade dos acontecimentos e a violência são duas das características mais marcantes das metrópoles de qualquer país contemporâneo. Poucos são aqueles que conseguem transformar a modulação nervosa das grandes cidades em arte: entre eles, está PATRÍCIA MELO. Com uma visão corrosiva da realidade urbana, ela se apropria das novas linguagens para construir seus romances. A primeira constatação de quem lê os escritos da autora talvez seja a de que eles incorporam a fragmentação rítmica não apenas do videoclipe ou do cinema mas aquela, ainda mais excitada, do *zapping*. As frases são rápidas, muitas vezes compostas de um somatório de palavras separadas por vírgulas, como se fosse o barulho de uma metralhadora ou um fuzil em plena atividade. Utilizando-se da violência, da pobreza, da ruína dos valores éticos e da ausência de perspectiva, a escritora investiga a sordidez humana, enfatizando também a determinação do acaso no destino de cada um de nós. Traduzida para diversas línguas, Patrícia Melo é roteirista de cinema, teatro e televisão. *O Matador*, um de seus livros, foi adaptado para o cinema com roteiro de Rubem Fonseca.

Crítica

NECESSIDADES HUMANAS
"Os abalos provocados por este *thriller* brasileiro não vêm das repetidas cenas de sangue, mas do incessante desejo de Maíquel pelas necessidades humanas básicas — amor, salvação, um par de sapatos bem apresentados." (*The New Yorker*)

A CONFIRMAÇÃO DE UMA VOCAÇÃO
"Patrícia Melo afirma-se como uma notável vocação literária." (*Le Monde*)

Obras

Acqua Toffana (1994)
O Matador (1995)
Elogio da Mentira (1998)
Inferno (2000)

Contato

Ray-Güde-Mertin Literarische Agentur, *agente literária*
mertin@em.uni-frankfurt.de

Fragmento

Inferno

Sol, piolhos, trambiques, gente boa, trapos, moscas, televisão, agiotas, sol, plástico, tempestades, diversos tipos de trastes, funk, sol, lixo e escroques infestam o local. O garoto que sobe o morro é José Luís Reis, o Reizinho. Excluindo Reizinho, ninguém ali é José, Luís, Pedro, Antônio, Joaquim, Maria, Sebastiana. São Giseles, Alexis, Karinas, Washingtons, Chrisians, Vans, Daianas, Klebers e Eltons, nomes retirados de novelas, programas de televisão, do jet set internacional, das revistas de cabeleireiras e de produtos importados que invadem a favela.
Subindo. Ruas de terra batida. Onze anos, o garoto, Reizinho. Pipa às mãos. Pés descalços. Short laranja. Uma menina acena para a câmera do cinegrafista. É comum se deparar com uma equipe telejornalística na favela. A garota diz que sabe sambar. E sabe. Projeta o traseiro em direção à câmera, saracoteia, sensual. Dois magricelas, na porta do bar do Onofre, ridicularizam a garota. Chupam manga. A gorda quer rebolar, eles dizem, olha a gorda. Gargalham. Ela os chama de seus bostas bedelhudos e continua a serpentear. Sorri para Reizinho. Os meninos perguntam para o cinegrafista se podem cantar um rap. Podem. A manga é atirada longe. Montes de lixo. Comecem, diz o cinegrafista. Urubus. Cachorros.

PATRÍCIA MELO

Violence and the speed at which events take place are two of the most outstanding characteristics of any contemporary country's large city. Very few succeed in producing art out of the nervous modulation of a big city: PATRÍCIA MELO is one of them. With her corrosive view of urban reality, she takes possession of the new languages to build her novels. The first realization of whoever reads her texts is perhaps that they incorporate the rhythmic fragmentation not only from the videoclip or the movies, but that, even more excited, from *zapping*. The sentences are short, often formed by an addition of words separated by commas, just like the noise of a machine gun or a shooting rifle. Making use of violence, poverty, the ethical values ruin, and the lack of perspective, the writer investigates the human sordidness, also emphasizing the role of chance in the destiny of each one of us. Translated into several languages, Patrícia Melo is a scriptwriter for cinema, theater and television. *O Matador (The Killer)* was dramatized for the cinema with an script written by Rubem Fonseca.

Review

HUMAN NECESSITIES
"The jolts that this Brazilian thriller delivers come not from the repeated instances of gore but form Maíquel's recurrent longing for basic human needs — love, salvation, a spiffy pair of shoes." (*The New Yorker*)

AFFIRMATION OF A LITERARY VOCATION
"Patrícia Melo looms up as a notable literary vocation." (*Le Monde*)

Excerpt

Inferno (Hell)

Sun, lice, cozenage, good people, rags, flies, television, loan sharks, sun, plastic, storms, several types of junk, funk, sun, garbage and swindlers infest the place. The boy climbing up the hill is José Luís Reis, the Little King. Apart from Little King, nobody there is called José, Luís, Pedro, Antônio, Joaquim, Maria, Sebastiana. They are Giseles, Alexis, Karinas, Washingtons, Chrisians, Vans, Daianas, Klebers and Eltons. All names taken from soap operas, television shows, the international jet set, the hairdressers' waiting-room magazines, and imported products that flood the favela.
Going up. Unpaved streets. Eleven years old, the boy, Little King. Carrying a kite. Barefoot. Reddish yellow shorts. A girl waves to the camera on the camera operator's shoulder. It is common to come across a news team from TV in the shanty town. The girl says she is a good samba dancer. Indeed she is. She turns her butt towards the camera, shakes it sensually. Two skinny guys, at the Onofre's bar door, deride the girl. They are eating mangoes. A fatty woman wants to swing, they shout: look at the fatty! They break up laughing. She calls them fucking meddlers, and keeps on swinging. She smiles at Little King. The boys want sing a rap to the camera operator. They are allowed to. The mangoes are thrown away. Humps of garbage. Begin!, says the camera operator. Vultures. Dogs.

Works

Acqua Toffana (1994)
O Matador (1995)
Elogio da Mentira (1998)
Inferno (2000)

Contact

Ray-Güde-Mertin Literarische Agentur, *literary agent*
mertin@em.uni-frankfurt.de

PAULO LEMINSKI

Mais do que um legítimo representante da poesia de vanguarda brasileira feita a partir dos anos 70, PAULO LEMINSKI é talvez o poeta cuja obra seja a mais representativa daquele movimento. Isso não significa que se trate de uma poética enclausurada por um manifesto ou cristalizada por algum princípio teórico; muito ao contrário, sua escrita traz grande descompressão formal para os rigores concretistas e abre diversos caminhos que ainda hoje, mais de uma década depois de sua morte, são explorados e revisitados por poetas e críticos. De fato, se Leminski tem um começo plenamente identificado com o movimento concretista, ele logo encontra alternativas que lhe garantem a prática de uma poética própria, sem que, no entanto, interrompa seu diálogo com suas influências originais. Como os poetas concretos, valoriza a visualidade do poema e toma a linguagem como personagem principal de sua poética; diferente deles, Leminski ironiza a erudição e aproxima-se da experiência cotidiana, o que lhe garante uma dicção mais coloquial e cheia de humor.

Crítica

ABERTURAS POÉTICAS
"Paul Valéry dizia que o poeta se consagra e se consome em construir uma linguagem dentro da linguagem. Tal proposição, contudo, não seria suficiente para definir o ofício poético de Paulo Leminski, um poeta que, sem se furtar às exigências da construção, soube extrair uma linguagem também da experiência, do agora de sua própria realidade. Entre o rigor e o vigor, a exatidão da forma e a descompressão do verso, ele se deu a liberdade de não definir um caminho, mas inventar inúmeras vias para o exercício criativo da palavra." (Maria Esther Maciel, "Com quantos Paulos se Faz um Leminski")

ROMÂNTICO E RADICAL
"Leminski queria dar continuidade às experiências anteriores realizadas na área da 'prosa' poética no Brasil, levando em conta as conquistas de Oswald, Rosa e Haroldo. A 'várzea' está muito mais nos poemas curtos, nos caprichos e relaxos de uma poesia rápida, cheia de *insights* fulminantes onde se desenhava o perfil de um romântico radical, boêmio e improvisador." (Carlos Ávila, "Flashes de uma Trajetória")

Obras

Quarenta Clics em Curitiba (1976)
Não Fosse isso e Era menos / Não Fosse tanto / e Era Quase (1980)
Tripas (1980)
Polonaises (1980)
Caprichos e Relaxos (1983)
Jesus A. C. (1984)
Agora É que São elas (1984)
Hai Tropikai [com Alice Ruiz] (1985)
Distraídos Venceremos (1986)
La Vie en Close (1991)
Winterverno (1994)
Descartes com Lentes (1995)
O Ex-Tranho (1996)

Fragmento

um bom poema
leva anos
cinco jogando bola,
mais cinco estudando sânscrito,
seis carregando pedra,
nove namorando a vizinha,
sete levando porrada,
quatro andando sozinho,
três mudando de cidade,
dez trocando de assunto,
uma eternidade, eu e você,
caminhando junto

Contato

Textos protegidos — em caso de interesse para publicação, fazer contato com o Departamento Nacional do Livro da FBN

PAULO LEMINSKI

More than a legitimate representative of the Brazilian 70's vanguard poetry, PAULO LEMINSKI is maybe the poet whose work is the most representative of such movement. This does not mean, however, that his work is closeted by a manifesto or crystallized by some theoretical principle; on the contrary, his text brings about a significant formal decompression to the Concretist sternness and opens up several paths which today, more than a decade after his death, are explored and revisited by poets and critics. As a matter of fact, if Leminski was in the beginning fully identified with the Concretist movement, he soon finds alternatives that ensures him his own poetic style, without, however, interrupting his dialogue with his primary influences. Just like the Concrete poets, he values the visualization in the poem and takes language as the main character in his poetic style; unlike them, Leminski mocks erudition and gets closer to the quotidian experience, which makes his writing style more colloquial and full of humor.

Review

POETIC BREAKTHROUGH

"Paul Valéry supported that the poet gets immortalized and exhausted in building a language within language. Such proposition, however, would not be enough to define Paulo Leminski's poetic art. Leminski had the ability to extract a language from experience, from the here and now of his own reality, without avoiding the requirements of construction. Between rigidity and vigor, the accuracy of form and the decompression of the verse, he allowed himself to create innumerous ways for the creative use of the word instead of defining one single path." (Maria Esther Maciel, "Com quantos Paulos se faz um Leminski")

ROMANTIC AND RADICAL

"Leminski wanted to ensure the continuity of the previous experiences accomplished in the field of poetic 'prose' in Brazil by taking into account the conquests of Oswald, Rosa, and Haroldo. The 'lea' is much more in the short poems, in the caprices and jests of a quick poem, full of acute insights and where the profile of a radical, bohemian, and impromptu romantic was delineated." (Carlos Ávila, "Flashes de uma Trajetória")

Excerpt

a good poem
takes years
five playing ball,
another five studying Sanskrit,
six carrying stones,
nine dating the girl next door,
seven being spanked,
four walking alone,
three moving from town to town,
ten changing subject,
an eternity, you and I,
walking together

Works

Quarenta Clics em Curitiba (1976)
Não Fosse isso e Era menos / Não Fosse tanto / e Era Quase (1980)
Tripas (1980)
Polonaises (1980)
Caprichos e Relaxos (1983)
Jesus A. C. (1984)
Agora É que São elas (1984)
Hai Tropikai [com Alice Ruiz] (1985)
Distraídos Venceremos (1986)
La Vie en Close (1991)
Winterverno (1994)
Descartes com Lentes (1995)
O Ex-Tranho (1996)

Contact

Protected texts — in case of interest for publication, get in contact with National Book Office (DNL) of the Biblioteca Nacional Foundation (FBN)

PAULO MENDES CAMPOS

Se desde que o Ocidente é Ocidente, o fogo, a água, a terra e o ar são, poética e filosoficamente, os elementos compositores e dissolventes do mundo, para PAULO MENDES CAMPOS o sexo, a morte e o lirismo lhes têm de ser acrescidos. Esse mineiro participante da geração que revelou nomes como Fernando Sabino, Otto Lara Resende e Hélio Pelegrino foi poeta de mão-cheia e cronista equiparado a Rubem Braga, Carlos Drummond de Andrade e Clarice Lispector, além de tradutor de Shakespeare, Oscar Wilde e outros. Com uma vida dedicada integralmente à criação literária, ele conseguiu, como poucos, extrair das palavras uma sofisticação de pensamento expositora de uma delicada perplexidade do ser humano perante seus questionamentos essenciais e diários. Sua dicção de cronista e poeta se tornou ainda mais singular nos muitos momentos em que deixou ambas as áreas diluírem suas diferenças para alcançar uma prosa poética observadora das dinâmicas essenciais e circunstanciais da vida humana, tornando sua escrita uma verdadeira lição de vida.

Crítica

UM DESTAQUE, ENTRE DESTAQUES
"Com outros amigos um pouco mais velhos, um pouco mais moços, formávamos um bando peripatético de poetas e prosadores profundamente sérios, que achávamos graça na vida, no amor e na morte. [...] De todos nós, e éramos legião, Paulo Mendes Campos denunciava a vocação mais séria e mais alta, como poeta e como prosador." (Otto Lara Resende, "Poemas de Paulo Mendes Campos")

A SUTILEZA IMPONDERÁVEL NO SILÊNCIO MINEIRO
"Sempre admirei nele a excepcional agudeza de percepção para tudo quanto há de mais sutil no humor ou na poesia: aquele imponderável que às vezes saltava, por exemplo, de um verso de Bandeira, do Drummond ou do Mário, dito em voz alta no silêncio da noite mineira." (Fernando Sabino, "Crônicas Escolhidas")

Obras

A Palavra Escrita (1951)
O Domingo Azul do Mar (1958)
O Cego de Ipanema (1960)
Homenzinho na Ventania (1962)
O Cronista do Morro (1962)
Poemas Corais (1965)
Testamento do Brasil (1966)
Hora do Recreio (1967)
O Anjo Bêbado (1969)
Supermercado (1976)
Os Bares Morrem numa Quarta-Feira (1980)
Crônicas Escolhidas (1981)
Melhores Poemas — Paulo Mendes Campos (1999)

Contato

Lúcia Riff, *agente literária*
lucia@bmsr.com.br

Fragmento

Um Homem Pobre

A ferro e fogo
Se faz um homem
Quando ele é pobre.
A fome e logro,
Plaina e formão,
Faz-se um irmão,
Um irmão pobre.
Com uma vela
E uma sovela
Marca-se a cara,
Olho por olho,
Dente por dente.
A ferro quente
Marca-se a tara:
Um P de pobre.
A cavaleiro
Do chão poento
O seu nariz
Como um camelo
Comendo vento.
Com toda a força
Bate-se a forca
Do seu pescoço.

PAULO MENDES CAMPOS

If since West is West, fire, water, earth and air are poetically and philosophically the world's composing and dissolving elements, for PAULO MENDES CAMPOS sex, death, and lyricism have to be added to them. This Minas Gerais writer, from the same generation as such names as Fernando Sabino, Otto Lara Resende, and Hélio Pelegrino, was not only a full poet, but also a columnist comparable to Rubem Braga, Carlos Drummond de Andrade, and Clarice Lispector. Besides, he was the translator of Shakespeare, Oscar Wilde, among others. Having dedicated his life wholly to literary creation, he managed to extract from the words a thought sophistication that revealed a human being's delicate perplexity before their essential and daily questionings. His columnist and poet diction became even more unique during those many moments when he allowed both areas to dilute their differences to reach a poetic prose capable to observe the essential and incidental dynamics of human life, which caused his texts to be true life lessons.

Review

A CELEBRITY AMONG CELEBRITIES

"Together with other friends, some of them a little older, and some a little younger, we made up a peripatetic group of deeply serious poets and prose writers, finding fun in life, in love, and in death. [...] In that group, and we were legion, Paulo Mendes Campos was the one who hinted the most serious and the highest vocation, both as a poet and as a prose writer." (Otto Lara Resende, "Poemas de Paulo Mendes Campos")

THE IMPONDERABLE SUBTLETY IN THE SILENCE FROM MINAS GERAIS

"I always admired his exceptional sharpness of perception of whatever is subtlest in humor or in poetry: that imponderable thing that would sometimes jump, for instance, from a Bandeira's, Drummond's, or Mário's verse, said aloud in the silence of a Minas Gerais night." (Fernando Sabino, "Crônicas Escolhidas")

Excerpt

Um Homem Pobre (A Poor Man)

By heating and hammering
a man is forged
When he is poor.
By hunger and fruition,
Plane and chisel,
A brother is made,
A poor brother.
With a candle
And a stiletto
The face is marked,
An eye for an eye,
A tooth for a tooth.
With a branding iron
a fetish is branded:
A 'P' for poor.
Astraddle
On the dusty ground
His nose
Like a camel
Eating wind.
Powerfully
the noose placed round
His neck.

Works

A Palavra Escrita (1951)
O Domingo Azul do Mar (1958)
O Cego de Ipanema (1960)
Homenzinho na Ventania (1962)
O Cronista do Morro (1962)
Poemas Corais (1965)
Testamento do Brasil (1966)
Hora do Recreio (1967)
O Anjo Bêbado (1969)
Supermercado (1976)
Os Bares Morrem numa Quarta-Feira (1980)
Crônicas Escolhidas (1981)
Melhores Poemas — Paulo Mendes Campos (1999)

Contact

Lúcia Riff, *literary agent*
lucia@bmsr.com.br

PAULO PRADO

Tanto a nível cultural como econômico, a década de 1920 sintetizou inúmeras transformações que se faziam necessárias ao país. Nesse contexto, unindo sua ampla dedicação intelectual à vida de alto empresário cafeeiro, PAULO PRADO foi figura determinante. Com visão avançada e acesso ao capital, ele foi o responsável pela realização e ampla divulgação da Semana de Arte Moderna, que constitui um marco na mudança de mentalidade do país. A dimensão definitiva de seu porte intelectual, entretanto, veio a lume com a publicação de *Retrato do Brasil*, que, através de uma síntese sociológica do respectivo povo, baseada nos conceitos de raça, meio e história, despertou a nação de seu *sono colonial*. Contra qualquer ufanismo vão e buscando uma transformação progressista, essa obra libertária explica as raízes do subdesenvolvimento econômico, político e cultural brasileiro. Se o livro mencionado tem uma preocupação nacional, o que lhe precede, *Paulística*, possui uma abordagem regional. Abarcando o local e a totalidade, a obra de Paulo Prado é das mais importantes no caminho de compreensão do Brasil por si mesmo.

Crítica

O PODEROSO SOPRO DA RENOVAÇÃO
"Pela primeira vez, um sopro poderoso varre a poeira que cobria, tornando-os ilegíveis, antigos papéis. De Atas de Câmaras, de Testamentos e Inventários, de Arquivos, de Anais de Museu, de livros vetustos hoje na Sala Paulo Prado da Biblioteca Mário de Andrade, ressurgem figuras e gestos, ações determinantes e traços de caráter, arrancadas individuais e coletivas, a fremência de um passado que não teve descanso." (Geraldo Ferraz, "Paulo Prado e Duas Reedições")

1922: A FUSÃO DO HOMEM E DA CIDADE
"Alguém lançou a idéia de se fazer uma semana de arte moderna, com exposição de artes plásticas, concertos, leituras de livros e conferências explicativas. Foi o próprio Graça Aranha? Foi Di Cavalcanti? Porém, o que importa era poder realizar essa idéia, além de audaciosa, dispendiosíssima. E o fator verdadeiro da Semana de Arte Moderna foi Paulo Prado. E só mesmo uma figura como ele e uma cidade grande mas provinciana como São Paulo, poderiam fazer o movimento modernista e objetivá-lo na Semana." (Mário de Andrade, "O Movimento Modernista")

Obras

Paulística (1925)
Retrato do Brasil (1928)

Fragmento

Retrato do Brasil

Damos ao mundo o espetáculo de um povo habitando um território — que a lenda mais que a verdade — considera imenso torrão de inigualáveis riquezas, e não sabendo explorar e aproveitar o seu quinhão. Dos agrupamentos humanos de mediana importância, o nosso país é talvez o mais atrasado. Pelas costas do oceano, e em manchas de civilização material, nos planaltos da serra do Mar, da Mantiqueira e nos campos do Sul, o progresso é uma indústria que, como na China, é explorada, numa rápida absorção, pelos capitais estrangeiros e poucos grupos financeiros nacionais que só cogitam — como é natural — dos próprios interesses. [...] Na desordem da incompetência, do peculato, da tirania, da cobiça, perderam-se as normas mais comezinhas da direção dos negócios públicos.

Contato

PAULO PRADO

Both culturally and economically, the 1920's synthesized a number of changes that were more than necessary in the country. In this context, PAULO PRADO, by combining his broad intellectual dedication to his successful career as a coffee entrepreneur, played a decisive role. Combining his enlightened vision with his access to capital, he was the responsible for the Modern Art Week accomplishment and wide popularization, which constitutes a landmark in the country's mentality change. The true dimension of his intellectual ascendancy, however, became evident with the publication of *Retrato do Brasil (Picture of Brazil)*. This work, providing a sociological synthesis of the respective people, based on racial, medium, and historical concepts, woke up the nation from its *colonial dormancy*. Going against all conceited nationalism and looking for a progressive change, this libertarian work explains the roots of the Brazilian economical, political, and cultural underdevelopment. If this book reveals a national concern, the one preceding it, *Paulística*, provides a regional approach. Embracing both the local and the national, Paulo Prado's work is among the most important ones towards enabling Brazil to understand itself.

Review

THE POWERFUL RENOVATION BLOW

"For the first time, a powerful blow sweeps the dust that used to cover old papers, rendering them illegible. From Atas de Câmaras, Testamentos e Inventários, Arquivos, Anais de Museu, from the time-honored books that today pack Mário de Andrade Library's Paulo Prado hall, characters and gestures, decisive actions and character lines appear, individually and collectively plucked out from the quivering of a restless past."
(Geraldo Ferraz, "Paulo Prado e Duas Reedições")

1922: AMALGAMATION OF MAN AND CITY

"Somebody introduced the idea of producing a modern art week, including plastic arts exhibitions, concerts, readings of books, and explanatory lectures. Who thought that up? Graça Aranha himself? Di Cavalcanti? However, the important thing was to bring it to a successful conclusion, which was not only daring, but rather costly. And Paulo Prado was the determining factor in the Modern Art Week. Only a character like Paulo Prado and only a big provincial city like São Paulo could concoct the modernist movement and materialize it in the Week."
(Mário de Andrade, "O Movimento Modernista")

Excerpt

Retrato do Brasil (Picture of Brazil)

We give the world the show of a people inhabiting a territory — which legend, more than truth — deem it to be a huge native sod full of unequaled wealth, and not knowing how to explore and take the best out of its share. Among all medium importance human groupings, our country is maybe the most backward. Along the shores of the ocean, and inside spots of material civilization, on the plateaus of Serra do Mar (Sea Chain), Mantiqueira Chain, and on the Southern pampas, progress is an industry which, like in China, is explored in a fast absorption by foreign companies and but a few national financial groups who have the only concern — as seems to be natural — of fighting for their own interests. [...] In the disorder produced by incompetence, peculation, tyranny, greed, the plainest rules to run public businesses have gone astray.

Works

Paulística (1925)
Retrato do Brasil (1928)

Contact

Protected texts — in case of interest for publication, get in contact with National Book Office (DNL) of the Biblioteca Nacional Foundation (FBN)

PLÍNIO MARCOS

Se Nélson Rodrigues vai buscar sua matéria na face sombria da alma humana, vista principalmente sob uma ótica psicológica e íntima, a obra de PLÍNIO MARCOS — o outro grande dramaturgo brasileiro do século XX — também encontra seus fundamentos no lado negro do espírito, mas considerados numa dimensão bastante diversa: trata-se, para ele, de expor a realidade de todos aqueles que são excluídos por uma estrutura social e política iníqua. Suas peças, entre as quais se destacam *Navalha na Carne* e *Dois Perdidos numa Noite Suja*, além dos contos e das reportagens, eram invariavelmente objetos da censura. Mais do que apresentar o mundo violento em que viviam as figuras emblemáticas da exclusão social — marginais, prostitutas, viciados, biscateiros, mendigos, cafetões e miseráveis de toda ordem —, Plínio Marcos quer evidenciar as causas da instalação dessa violência. Sua linguagem, brutalmente crua, incorpora de modo exemplar a fala de suas personagens, explorando os meandros mais desumanos do comportamento.

Crítica

VOZ DOS MISERÁVEIS
"O teatro de Plínio Marcos tem uma força essencial, descarnada e bruta. As peças deixam transparente o ímpeto e a espontaneidade do dramaturgo ao escrevê-las. E sua intensidade aumenta com o passar do tempo. Criadas muitas vezes para ser transitórias, imagens de um momento de turbulência, transformaram-se em retratos perenes de uma estrutura social e econômica que fecha inexorável cerco em torno do homem. A realidade fez desses textos retratos assustadores da miséria humana." (Alberto Guzik, *O Estado de S. Paulo*)

POÉTICA DA CRUEZA
"Contundentes, desprovidos de metáforas, seus textos ostentam atrevidamente o ritual dos desesperançados. Como garimpeiro, embrenha-se o dramaturgo no lixão social, esgaravatando-o até encontrar suas putrefatas personagens. Carinhoso, retira-as do antro e, indignado, esparrama-as na sala de estar da sociedade. Isso fede e agride e choca e escandaliza. E isso amaldiçoa o autor." (Daniel Pedro, "Teatro Sujo")

Obras

Balada de um Palhaço (1985)
Madame Blavatsky (1985)
A Mancha Roxa (1988)
Catadores de Papel (1991)
Teatro Maldito (1992)
A Dança Final (1994)
Figurinha Difícil (1996)
Pornografando e Subvertendo (1996)
O Assassinato do Anão do Caralho Grande (1996)
O Futuro É Agora (1996)
O Truque dos Espelhos (1999)
O Homem do Caminho (1999)
Homens de Papel (2000)

Contato

correio@editoraparma.com.br

Fragmento

Transas das Sextas-Feiras

Como é que é? Tu vai deixar a sexta-feira se esperdiçar ou vai sair pro trampo? Vê lá! A vida tá custando os olhos da cara e não é com tu enchendo a caveira de cachaça todo dia que a gente vai adiantar o nosso lado. Sem chiar, o Leléu escutou o quás-quás-quás, levantou, meteu o revólver na cinta e se mandou pra rua. Ele sabia que a piranha estava certa. Sexta-feira era um bom dia pra vagau escolado armar o pesqueiro.

PLÍNIO MARCOS

If Nélson Rodrigues picked up his themes in the gloomy face of the human soul, especially seen under a psychological and intimate viewpoint, PLÍNIO MARCOS's work — the other major Brazilian playwright of the twentieth century — is also based on the dark side of the spirit, although taken in a quite diverse dimension: he devotes to exposing the reality of all those who were excluded by a wicked social and political structure. His plays, where *Navalha na Carne* and *Dois perdidos numa Noite Suja* stand out, as well as his short stories and news reports, were constantly blue-penciled by the censor. More than unveiling the violent world in which symbolic figures of social exclusion lived — such as criminals, prostitutes, drug addicts, odd-jobbers, beggars, pimps, and wretches of all sorts —, Plínio Marcos makes evident the causes for such a violence. His language, brutally crude, incorporates his characters' speech in an remarkable way, exploring the most inhuman meanders of their behavior.

Review

VOICING THE WRETCHES

"Plínio Marcos's plays have an essential, explicit, and rude strength. They make evident the writer's impetuosity and spontaneity. Moreover, they become even more vehement over the time. Created many times to be a transitory portrait of a turbulent moment, they have become perennial pictures of an economic and social structure that inexorably besieges man. Reality turned these texts into scaring pictures of human misery." (Alberto Guzik, *Estado de S. Paulo*)

THE POETRY OF CRUDENESS

"Hard-hitting, lacking metaphors, his texts daringly bring to light the ritual of the desperate. Like a gravel washer, the playwright penetrates into the *rubbish dump* of society, investigating it until finding its foul characters. Affectionately he takes them out of the degradation, and, indignantly, spread them over the living room of society. This stinks, assaults, offends, and shocks. And this execrates the author. (Daniel Pedro, "Teatro Sujo")

Excerpt

Transas das Sextas-Feiras (Friday's Deals)

What is cooking? Are you gonna make a shit of the Friday or let's make some profit? Be sure! You won't find anything cheap in life today, and soaking your ass in the bottle every day won't make no good. No bellyaching; Leléu took to heart my chatter, got up, got a gat and set off to the street. He knew the whore was right. Friday is the best day for a wary fisherman to set his fishing net.

Works

Balada de um Palhaço (1985)
Madame Blavatsky (1985)
A Mancha Roxa (1988)
Catadores de Papel (1991)
Teatro Maldito (1992)
A Dança Final (1994)
Figurinha Difícil (1996)
Pornografando e Subvertendo (1996)
O Assassinato do Anão do Caralho Grande (1996)
O Futuro É Agora (1996)
O Truque dos Espelhos (1999)
O Homem do Caminho (1999)
Homens de Papel (2000)

Contact

correio@editoraparma.com.br

RACHEL DE QUEIROZ

Já havia na literatura brasileira recente um livro em que a seca nordestina era a paisagem na qual transcorria a ação ficcional, mas foi em 1930, com a estréia de uma jovem de 19 anos, que a seca passou a ser não apenas o ambiente mas o próprio personagem da história narrada. Mais do que o personagem, ela se transfigurou num estilo conhecido, então, pela primeira vez: uma prosa árida, despojada, o avesso completo de qualquer possibilidade épica. Livrando-se de todo excesso romanesco, RACHEL DE QUEIROZ esteve no princípio do movimento regionalista, um dos mais importantes que o país já teve e que revelou nomes da importância de Graciliano Ramos e Jorge Amado, entre outros. O Nordeste brasileiro tornou-se, enfim, conhecido através de uma voz literária própria. Posteriormente, tendo escrito um romance feminino de formação, trabalhado como jornalista e com forte atuação política, ela se transformou num símbolo das conquistas da mulher brasileira e foi a primeira escritora a entrar para a Academia Brasileira de Letras. Seus romances originaram famosas novelas da Rede Globo.

Crítica

A COMPREENSÃO INTERIOR DA VIDA
"Dona Rachel de Queiroz descreveu alguns aspectos da vida cearense durante um dos períodos mais dramáticos que o Ceará atravessou, devastado por um sol impiedoso, sem termo. É o livro de uma criatura simples, para quem a vida existe. E que não tem apenas a compreensão exterior da vida. Livro que surpreende pela experiência, pelo repouso, pelo domínio da expressão." (Augusto Frederico Schmidt, "Uma Revelação — O Quinze")

DIGNIFICANDO MACHADO DE ASSIS
"Em seu novo desencantamento, porém, em sua liberdade nova de contemplação, a escritora atinge às vezes expressões que se diriam de Machado de Assis. [...] Muito mais importante me parece verificar que ela dignifica essa tradição com a sua excepcional agudeza de análise." (Mário de Andrade, "As Três Marias")

Obras

O Quinze (1930)
Caminho de Pedras (1937)
As Três Marias (1939)
A Donzela e A Moura Morta (1948)
Lampião (1953)
A Beata Maria do Egito (1958)
O Brasileiro Perplexo (1964)
Dora, Doralina (1975)
O Galo de Ouro (1985)
Obra Reunida (1989)
Memorial de Maria Moura (1992)
As Terras Ásperas (1993)

Contato

racheldequeiroz@uol.com.br

Fragmento

O Quinze

Quando Vicente se despediu, e montou ligeiro no cavalo que arrancou de galope, Conceição estirou-se na rede e ficou olhando o vulto branco que a poeira ruiva envolvia, até o ver-se sumir atrás de um grupo de umarizeiras da várzea.
Todo o dia a cavalo, trabalhando, alegre e dedicado, Vicente sempre fora assim, amigo do mato, do sertão, de tudo o que era inculto e rude. Sempre o conhecera querendo ser vaqueiro como um caboclo desambicioso, apesar do desgosto que com isso sentia a gente dele.
E a moça lembrou-se de certa vez, em casa do Major, no dia em que se inaugurou o gramofone, e as meninas, e ela própria, que também estava lá, puseram-se a dançar. Os pares eram o filho mais velho da casa — hoje casado e promotor no Cariri — e dois outros rapazes, colegas dele, que tinham vindo passar as férias no sertão.
Mal começou a dança, entrou Vicente, encourado, vermelho, com o guarda-peito encarnado desenhando-lhe o busto forte e as longas perneiras ajustadas ao relevo poderoso das pernas. A Conceição, pareceu que uma rajada de saúde e de força invadia subidamente a sala, purificando-a do falsete agudo do gramofone, das reviravoltas estilizadas dos dançarinos...

RACHEL DE QUEIROZ

The drought in the Northeast Brazil had already appeared in the recent Brazilian literature as scenario for the fictional action. However, it was in 1930, with a 19-year-old young lady's debut, that the drought started to be not only the scenario, but the very character in the story. More than a character, it became then a well-known style for the first time: a despoiled, arid prose, the true counterpoint to any epic possibility. Doing away with all romantic excess, RACHEL DE QUEIROZ has been present since the very beginning of the regionalist movement, which was one of the most important current the country has ever had, revealing important names such as Graciliano Ramos and Jorge Amado, among others. The Northeast Brazil became eventually known by means of a literary voice of its own. Later on, after writing a novel of feminine background, after working as a journalist and strongly engaging in the politics, she became a symbol for the Brazilian woman's conquests and was the first female writer to be admitted to the Brazilian Literature Academy. Her novels provided stories for popular Globo TV Network's serials.

Review

THE INNER UNDERSTANDING OF LIFE

"Mrs. Rachel de Queiroz described some aspects of life in Ceará during one of the most dramatic periods that state ever went through, devastated by an endless and merciless sun. It is a book written by a modest person, to whom life exists. However, it does not have the mere external understanding of life. It is a book that amazes by the experience, the quiet, and the mastery of expression." (Augusto Frederico Schmidt, "Uma Revelação — O Quinze")

DIGNIFYING MACHADO DE ASSIS

"In her new disillusion, yet, in her new contemplation freedom, the writer sometimes reaches expressions that could be attributed to Machado de Assis. [...] It seems much more important, however, to emphasize that she dignifies this tradition with her exceptional sharpness of analysis." (Mário de Andrade, "As Três Marias")

Excerpt

O Quinze (1915)

When Vicente bade farewell and quickly mounted his horse, galloping away, Conceição stretched out in the hammock to stare at the white figure the red dust involved, until it disappeared behind a group of umari trees far in the meadow.

Riding his horse all day, cheerfully and devotedly working, Vicente had always been like this, a friend of the woods, of the backlands, of everything that was wild and uncouth. She always knew he wanted to be a cowboy just like any unambitious countryman, in spite of the disappointment that it caused to his folks.

And the girl remembered a day, at the Major's house, on the day when the gramophone was played for the first time, and the girls, including herself, began to dance. The pairs were the eldest son of the house — today married and a prosecutor in Cariri — and two other young men, friends of his, who had come to the backlands on vacations.

No sooner than the dancing had begun, Vicente, in leather clothes, red-tanned, with the red breastplate outlining his strong chest, and the long leggings adjusted to the powerful contour of the legs. Conceição felt as if a burst of health and force had suddenly invaded the room, purifying it against the sharp falsetto of the gramophone, against the dancers' stylish turns...

Works

O Quinze (1930)
Caminho de Pedras (1937)
As Três Marias (1939)
A Donzela e A Moura Morta (1948)
Lampião (1953)
A Beata Maria do Egito (1958)
O Brasileiro Perplexo (1964)
Dora, Doralina (1975)
O Galo de Ouro (1985)
Obra Reunida (1989)
Memorial de Maria Moura (1992)
As Terras Ásperas (1993)

Contact

racheldequeiroz@uol.com.br

RADUAN NASSAR

Nenhuma trajetória mais meteórica no cenário ficcional brasileiro do último quarto do século XX que a de RADUAN NASSAR. Com apenas dois livros publicados numa duração de três anos (há um terceiro reunindo contos esparsamente divulgados), ele abandonou a escrita para se dedicar à vida rural, declarando: *Hoje tenho pouco a ver ainda com a literatura*. Seus livros mesclam elementos clássicos da literatura mediterrânea com a brasileira e a universal, incorporando inquietações tanto religiosas quanto filosóficas que dão voz à dimensão trágica da experiência humana. Tais características levaram o autor a construir uma obra de grande força, rigor e singularidade. Respeitado pela crítica como um daqueles que teriam importância comparável à de Guimarães Rosa e Clarice Lispector, Raduan Nassar teve seus livros publicados na França, Alemanha e Espanha. O impacto, entretanto, que sua obra provoca nos leitores pode ser vislumbrado pelo fato de tanto *Lavoura Arcaica* como *Um Copo de Cólera* terem sido adaptados com sucesso para o cinema.

Crítica

A INTENSIDADE CONTRA A PREDOMINÂNCIA DO MORNO
"Fascínio e paixão com certeza ainda existem, mas não na nossa literatura, e se eu estiver generalizando corretamente as minhas observações, também na vida real hoje a temperatura predominante é a morna. Aí é um prazer e um alívio que no *Copo de Cólera* estilhaços voam, palavras atingem como projéteis, insultos estalam como chicotadas e, quando não o amor, ao menos a intensidade da emoção ainda está em ordem. A linguagem é da primeira à última linha densa, infame e lasciva." (Jörg Drews, *Frankfurter Rundschau*)

A CONSTRUÇÃO DE UMA RECUSA
"Na verdade, todos os textos de Raduan Nassar se constroem em torno de uma recusa: recusa de obediência, recusa de cumplicidade, recusa de amor." (Leyla Perrone-Moisés, "Cadernos de Literatura Brasileira")

Obras

Lavoura Arcaica (1975)
Um Copo de Cólera (1978)
Menina a Caminho (1997)

Contato

Ray-Güde-Mertin Literarische Agentur, *agente literária*
mertin@em.uni-frankfurt.de

Fragmento

Lavoura Arcaica

"E, quando já tivermos, debaixo de um céu arcaico, tingido nossos dentes com o sangue das amoras colhidas no caminho, só então nos entregaremos ao silêncio, vasto e circunspecto, habitado nessa hora por insetos misteriosos, pássaros de vôo alto e os sinos distantes dos cincerros; me dê a tua mão, querida irmã, tantas coisas nos esperam, me estenda a tua mão, é tudo o que te peço, deste teu gesto dependem minhas atitudes, minha conduta, minhas virtudes: bondade e generosidade serão as primeiras, e sempre me acompanharão, eu te prometo de coração sincero, e nem será preciso qualquer esforço, mas tudo, Ana, tudo começa no teu amor, ele é o núcleo, ele é a semente, o teu amor pra mim é o princípio do mundo" eu fui dizendo numa insistência obsessiva, me fazendo crédulo, embora cansado dos meus gemidos, eu tinha os ossos perturbados! "entenda, Ana, que a mãe não gerou só os filhos quando povoou a casa, fomos embebidos no mais fino caldo dos nossos pomares, enrolados em mel transparente de abelhas verdadeiras, e, entre tantos aromas esfregados em nossas peles, fomos entorpecidos pelo mazar suave das laranjeiras; que culpa temos nós dessa planta da infância, de sua sedução, de seu viço e constância"?

RADUAN NASSAR

No rise was more meteoric in the Brazilian fictional scenario in the last quarter of the 20*th* century than RADUAN NASSAR's. After publishing only two books in a three-year career time (there is a third one gathering some sparsely circulated short-stories), he gave up writing to engage in the rural life. He said: *Today I have little to do with literature*. His books combine classic elements from the Mediterranean literature with the Brazilian and universal literature, incorporating both religious and philosophical anxieties, voicing the tragic dimension of human experience. Such characteristics led the author to generate a forceful, austere, and unique literary work. Respected by the critic as one of those whose significance could be comparable to Guimarães Rosa's and Clarice Lispector's, Raduan Nassar's books were published in France, Germany and Spain. The impact of his work on the readers, however, may be measured by the fact that both *Lavoura Arcaica (Archaic Farming)* and *Um Copo de Cólera (A Glassful of Cholera)* have been successfully adapted to the screen.

Review

INTENSITY AGAINST THE PREDOMINANCE OF TEPIDITY
"Fascination and passion surely still exist, but not in our literature; if my observations are correct in a broad sense, the predominant temperature today also in real life is the tepid one. Then, it is a real pleasure and a relief to see that in *Copo de Cólera (A Glassful of Cholera)* splinters fly, words hit like bullets, insults crack like whippings, and, if not love, at least the intensity of emotion is still in order. The language is, from the first to the last line, dense, infamous and lewd." (Jörg Drews, *Frankfurter Rundschau*)

THE BUILDING OF A REFUSAL
"Actually, all of Raduan Nassar texts are built around a refusal: refusal to obedience, refusal to complicity, refusal to love." (Leyla Perrone-Moisés, "Cadernos de Literatura Brasileira")

Excerpt

Lavoura Arcaica (Archaic Farming)

"And, when we already have, under an archaic sky, colored our teeth with the blood of the mulberries picked alongside the road, then we will surrender to silence, vast and circumspect silence, inhabited at that precise moment by mysterious insects, high-flight birds, and the distant pealing of cowbells; give me your hand, dear sister, so many things wait for us, reach your hand to touch me, that is all I ask from you, my attitudes, my behavior, my virtues will be depending upon this gesture from you: kindness and generosity will be the first ones, and they will always follow me, I sincerely promise you, and no effort will be necessary, but everything, Ana, everything will begin with your love, this is the core, this is the seed, for me your love is the beginning of the world" I was saying, obsessively insistent, making myself credulous, although tired with my wailing, all my bones in a disruption! "do understand, Ana, that mommy did more than just generating the children when she filled the house, we were soaked in the finest juice from our orchards, wrapped in transparent honey from true bees, and, in the middle of all the scents burnished on our skins, we were benumbed by the soft mazar of the orange trees; why should we be blamed for this plant of our childhood, for its seduction, for its bloom and constancy"?

Works

Lavoura Arcaica (1975)
Um Copo de Cólera (1978)
Menina a Caminho (1997)

Contact

Ray-Güde-Mertin Literarische Agentur, *literary agent*
mertin@em.uni-frankfurt.de

RAUL BOPP

Num primeiro momento de algum movimento literário, um poeta, para ter sua importância reconhecida, tem de escrever a partir do conteúdo programático que quer ser estabelecido de acordo com as necessidades do momento. Para a permanência futura, entretanto, sua poesia tem, justamente, de conseguir escapar aos limites momentâneos da vanguarda, movimentando-se e adquirindo nova vitalidade com o passar do tempo — se não for assim, ela corre o risco de se manter apenas como peça histórica. O modernista RAUL BOPP, levando ao extremo o projeto indianista do romântico Gonçalves Dias, manifestando o mítico através de lendas orais amazônicas, escreveu um dos livros mais modernistas e autenticamente brasileiros do período; dele, já foi dito, inclusive, ter sido um dos precursores da etnopoesia do século XX. Mas não é só isso: ele soube juntar tal material às inovações cubistas, freudianas, marxistas, antropológicas etc. Sua *Poesia Completa*, lançada relativamente há pouco tempo, é uma ótima ocasião para comprovar a excelente qualidade não apenas de *Cobra Norato* (seu livro mais famoso) mas de toda sua obra.

Crítica

PONTA-DE-LANÇA DA LITERATURA CONTEMPORÂNEA
"E com isso volto e insisto sobre a Semana de Arte Moderna. O Brasil tem alguma coisa incorporada ao melhor que o mundo fez nos laboratórios da literatura contemporânea. Tem *Cobra Norato* de Raul Bopp." (Oswald de Andrade, "Hora H")

O MAIS BRASILEIRO
"O velho livro de versos modernistas, aparentemente tão datados, ressurge hoje em toda a sua novidade, e o amadurecimento do poeta mais o apurou. E é possivelmente o mais brasileiro de todos os livros de poemas brasileiros, escritos em qualquer tempo." (Carlos Drummond de Andrade, "Raul Bopp, Cuidados de Arte")

Obras

Cobra Norato (1931)
Urucungo (1932)
Notas de Viagem (1960)
Nota de um Caderno sobre o Itamarati (1960)
Movimentos Modernistas no Brasil (1966)
Memórias de um Embaixador (1968)
Putirum (1969)
Coisas do Oriente (1971)
Poesia Completa (1998)

Contato

www.joseolimpio.com.br

Fragmento

Cobra Norato

Um dia
ainda eu hei de morar nas terras do sem-fim.

Vou andando, caminhando, caminhando;
me misturo rio ventre do mato, mordendo raízes.
Depois
faço puçanga de flor de tajá de lagoa
e mando chamar a Cobra Norato.

— Quero contar-te uma história:
Vamos passear naquelas ilhas decotadas?
Faz de conta que há luar.

A noite chega mansinho.
Estrelas conversam em voz baixa.

O mato já se vestiu.
Brinco então de amarrar uma fita no pescoço
e estrangulo a cobra.

Agora, sim,
me enfio nessa pele de seda elástica
e saio a correr mundo:

Vou visitar a rainha Luzia.
Quero me casar com sua filha.

RAUL BOPP

In the first stages of any literary movement, the importance of a poet will be recognized if this poet writes based upon the programmatic content to be established by the needs of the time. For future permanence, however, their poetry has to be able to escape from the vanguard momentary limits, thereby moving and acquiring new vitality over the years — otherwise, such poetry will only survive as history. Modernist RAUL BOPP, building on Romantic Gonçalves Dias' Indigenous project and taking it to extremes by unveiling the mythical through the Amazonian oral legends, wrote one of the most modernist and genuinely Brazilian books of his time; he has even been described as one of the predecessors of the 20th century's ethnopoetry. Moreover, he managed to combine such material with the innovations brought by the Cubists, Freudians, Marxists, anthropologists, etc. His *Poesia Completa (Complete Poetry)*, published a relatively short time ago, provides a good opportunity to confirm the excellent quality not only of *Cobra Norato* (his most famous book) but also of his complete work.

Review

SPEARHEAD OF CONTEMPORARY LITERATURE
"Thus I revisit and insist on the Modern Art Week. Brazil has incorporated something to the best that has been produced in the world's laboratories of contemporary literature. Brazil has *Cobra Norato* by Raul Bopp [...]."
(Oswald de Andrade, "Hora H")

THE MOST BRAZILIAN OF ALL
"The old modernist poems book, apparently so aged, revives today in all its novelty; and the maturity of the poet further refined it. It is conceivably the most Brazilian of all Brazilian poem books ever written." (Carlos Drummond de Andrade, "Raul Bopp, Cuidados de Arte")

Excerpt

Cobra Norato (Snake Norato)

One day
I shall live in the Never-Ending lands.

I'll keep on walking, and walking, and walking;
I'll interfuse with river-womb in the bush, nibbling roots.
Then
I'll make snake oil from the pond's caladium flower
and I'll send for Snake Norato.

— I want to tell you a story:
Let's stroll on those bare islands?
Let's make believe there is moonshine.

The night falls gently.
Stars whisper softly.

The bush already got dressed.
Then I'll play tying a ribbon round the neck
and I'll strangle the snake.

Now, yes,
I'll put on that elastic silk skin
then I'll go globetrotting:

I'll visit queen Luzia.
I want to marry her daughter.

Works

Cobra Norato (1931)
Urucungo (1932)
Notas de Viagem (1960)
Nota de um Caderno sobre o Itamarati (1960)
Movimentos Modernistas no Brasil (1966)
Memórias de um Embaixador (1968)
Putirum (1969)
Coisas do Oriente (1971)
Poesia Completa (1998)

Contact

www.joseolimpio.com.br

RAUL POMPÉIA

Houve um tempo em que as exaltações políticas de alguns escritores, transformadas em polêmicas públicas, podiam levá-los ao duelo, como o que houve, em fins do século XIX, entre Olavo Bilac e RAUL POMPÉIA. A morte desse último, entretanto, só ocorreu posteriormente, depois de outros ataques jornalísticos, quando se suicidou com um tiro no coração. Desde cedo, esse espírito combativo, rebelde e inconformista o levou a se manifestar em atividades abolicionistas e republicanas que buscavam uma revolução dos valores da época. Influenciado por Baudelaire, e mesmo antes de Cruz e Sousa, ele foi o primeiro escritor a fazer uso no Brasil dos chamados poemas em prosa, mas foi o romance que o levou a um verdadeiro lugar de destaque na história literária nacional. Valorizando a memória autobiográfica, os sentimentos individuais, as agitações interiores, enfim, tudo aquilo que se passa na cabeça do escritor em sua busca de interpretação da realidade vivida através do momento presente, *O Ateneu*, sua obra-prima, marca o início da ficção impressionista no país.

Crítica

O JUSTO RECONHECIMENTO

"A questão do suicídio não vem agora à tela. Este velho tema renasce como esse pobre Raul Pompéia, que deixou a vida inesperadamente, aos trinta e dous anos de idade. Sobravam-lhe talentos, não lhe faltavam aplausos nem justiça aos seus notáveis méritos. [...] Do *Ateneu*, que é o principal dos seus livros, ouvi alguns capítulos então inéditos, por iniciativa de um amigo comum. Raul era todo letras, todo poesia, todo Goncourts. Estes dous irmãos famosos tinham qualidades que se ajustavam aos talentos literários e psicológicos do nosso jovem patrício, que os adorava. Aquele livro era num eco do colégio, um feixe de reminiscências, que ele soubera evocar e traduzir na língua que lhe era familiar, tão vibrante e colorida, língua em que compôs os numerosos escritos da imprensa diária, nos quais o estilo respondia aos pensamentos." (Machado de Assis, "Crônica de 29 de dezembro")

Obras

Uma Tragédia no Amazonas (1880)
As Jóias da Coroa (1882)
O Ateneu (1888)
Canções sem Metro (1900)
Obras (1984)

Contato

www.editoraglobo.com.br

Fragmento

O Ateneu

Quando no dia do jantar subi para o dormitório com o Egbert, dançava-me no espírito, reduzida a miniatura, a imagem de Ema (era agradável suprimir o D.), pequenina como uma abelha de ouro, vibrante e incerta.

Sonhei: ela sentada na cama, eu no verniz do chão, de joelhos. Mostrava-me a mão, recortada em puro jaspe, unhas de rosa, como pétalas incrustadas. Eu fazia esforços para colher a mão e beijar, a mão fugia; chegava-se um pouco, escapava para mais alto; baixava de novo, fugia mais longe ainda, para o teto, para o céu, e eu a via inatingível na altura, clara, aberta como um astro.

Ela ria do meu desespero, mostrava-me o pé descalço, que a calçasse; não permitia mais. Calçar-lhe apenas o arminho que ali estava, o pequeno sapato, branco, exânime, voltando a sola, sem o conforto cálido do pé que o pisava, que o vivificava.

RAUL POMPÉIA

There was a time when the political exaltations of some writers, made public controversies, could take them to a duel, as happened in the late 19th century between Olavo Bilac and RAUL POMPÉIA. The latter, however, only died later, after another journalistic mud-slingings, when he committed suicide by shooting his own heart. Since very early, this combative, rebellious, and nonconformist spirit took him to take sides with the abolitionist and republican activities that strived for a revolution in the values of the time. Influenced by Baudelaire, and even prior to Cruz e Sousa, he was the first writer to use the so-called prose-poems in Brazil; but the novels assured him a prominent place in the history of national literature. Valuing the autobiographical memoir, the individual feelings, the inner restlessness, that is, all that happens inside a writer's mind as they try to interpret the reality experienced through the present moment, *O Ateneu (The Athenaeum)*, his masterpiece, marks the beginning of the impressionist fiction in the country.

Review

DESERVED RECOGNITION

"The issue of his suicide is not under discussion now. This old theme is often retaken just like poor Raul Pompéia, who left life unexpectedly, at 32 years of age. He was endowed with talents, his excellence was meritedly and fairly praised. [...] As for *O Ateneu (The Athenaeum)*, his paramount book, I heard a few of the unpublished chapters as I was invited by a common friend. Raul personifies the letters, poetry, the Goncourts. These two famous brothers had qualities that fit our young countryman's literary and psychological talents; and he admired them a lot. That book was, like echoing the school, a bundle of reminiscences. He knew how to evoke them and to translate them into the language that was familiar to him; so vivid and colorful, the language in which he composed his various texts for the daily press, and in which the style fitted the thoughts." (Machado de Assis, "Crônica de 29 de dezembro")

Excerpt

O Ateneu (The Athenaeum)

On the day of the dinner party, as I went up to the dormitory followed by Egbert, the image of Ema (I enjoyed suppressing that Ms.) would frolic in my mind, reduced to a miniature, as small as a golden bee, vibrant and uncertain.

I dreamed: she was sitting on the bed, I had knelt on the varnished floor. She was showing me her hand, carved from pure jasper, rose nails, like incrusted petals. I would make all efforts to pick her hand and kiss it; the hand would flee; it would come near, then escape upward; it would descend again, then flee even higher, up to the ceiling, to the sky, and I would se it unreachable high above, white, open just like a star.

She would laugh at my despair, show me her barefoot, asking me to put on her shoe; then she would withdraw. To put on her only the ermine that was nearby, the little shoe, white, exanimate, the sole upwards, lacking the warm comfort of the foot that stepped on it, that vivified it.

Works

Uma Tragédia no Amazonas (1880)
As Jóias da Coroa (1882)
O Ateneu (1888)
Canções sem Metro (1900)
Obras (1984)

Contact

www.editoraglobo.com.br

ROBERTO DAMATTA

O Brasil que aparece na televisão, completamente inserido nas maravilhas da tecnologia, pode parecer moderno, civilizado, completamente apartado — pelo tempo e pelo espaço — daquele Brasil dito primitivo, mítico, "selvagem". A tarefa principal da antropologia social é, no mínimo, duvidar desse homem "racional", encontrando na raiz de muitos dos seus comportamentos, mesmo naqueles aparentemente mais "lógicos", uma matriz mítica, ou mesmo mágica. O antropólogo ROBERTO DAMATTA vem dedicando seus estudos para nos mostrar esse Brasil em sua realidade antropológica, e mesmo tribal, com seus tipos e rituais: o carnaval, o futebol, o malandro e, até mesmo, o "brasileiro". Desconfiando das certezas absolutas e dos grandes esquemas teóricos que se pretendem canônicos, o que DaMatta pretende é fazer uma leitura do nosso mundo social a partir de um homem que se mantenha sempre misterioso, que nunca se curve a nenhuma ideologia ou a um modelo sociopsicológico. Um homem que é sempre mais o que tudo o que ele mesmo criou.

Crítica

PROJEÇÃO INTERNACIONAL
"O antropólogo Roberto DaMatta, professor da Universidade de Notre-Dame, nos Estados Unidos, é um dos mais importantes intelectuais brasileiros da atualidade." (Mauro Malin, *Observatório da Imprensa*)

ESTRANHAMENTO FAMILIAR
"Para DaMatta, a Antropologia só existe se também for capaz de comutar em familiar o que antes aparecia como exótico. Quer dizer, para ele a disciplina não pode ser tão-somente re-patriada, tendo que também ser de-patriada. Esta pulsação contínua entre as duas viagens antropológicas (na direção do familiar a partir do exótico e vice-versa) está admiravelmente bem colocada." (Rafael José de Menezes Bastos, "Antropologia como Crítica Cultural")

Obras

Índios e Castanheiros (1967)
Um Mundo Dividido: a Estrutura Social dos Índios Apinayé (1967)
Ensaios de Antropologia Estrutural (1973)
Carnavais, Malandros e Heróis: para uma Sociologia do Dilema Brasileiro (1979)
Relativizando: uma Introdução à Antropologia Social (1981)
Universo do Carnaval: Imagens e Reflexões (1981)
O que Faz o Brasil Brasil? (1985)
A Casa & a Rua (1985)

Contato

Lúcia Riff, *agente literária*
lucia@bmsr.com.br

Fragmento

Relativizando: uma Introdução à Antropologia Social

A Antropologia Social autêntica só pode acontecer quando estamos plenamente convencidos da nossa ignorância. É claro que devemos defender os direitos das nossas populações tribais. É evidente que devemos chamar a atenção e denunciar as injustiças contra elas. Mas isso não deve ser feito em nome de uma atitude condescendente, superior, como se eles fossem uma espécie de humanidade em extinção, liquidada por seu próprio atraso cultural. Como se eles fossem animais de estimação como o bisão ou o elefante, que nós temos a obrigação estética de defender ou proteger. Nada disso. Nosso estudo e nossa atenção para com as sociedades tribais deve estar fundada na troca igualitária de experiências humanas. No fato, como já disse, que podemos realmente aprender e nos civilizar com elas. É precisamente essa experiência genuinamente humana e equivalente que a Antropologia decidiu recuperar. E é ela que deve ser o centro da motivação ideológica a nos conduzir contra os índios e todas as minorias oprimidas.

ROBERTO DAMATTA

The Brazil shown on television, fully sharing the wonders of technology, may look modern, civilized, fully diverging — in time and space — from that so-called primitive, mythical, "savage" Brazil. The Social Anthropology main task is, at least, to be skeptical concerning this "rational" man, finding in the root of many of his behaviors, even those apparently "more logical", a mythical or even magic matrix. Anthropologist ROBERTO DAMATTA's studies has been trying to unveil Brazil in its anthropological and even tribal reality, with its types and rituals: the carnival, the soccer, the scamp, and even the "Brazilian". Distrusting the absolute certainties and great theoretical outlines presumedly canonical, DaMatta's intention is to provide a reading of our social world based on an eternally mysterious man, who bows to no ideology or social-psychological model. A man who is always more than all the things he himself created.

Review

INTERNATIONAL RECOGNITION

"Anthropologist Roberto DaMatta, a lecturer at Notre-Dame University, in the United States, is one of the most important Brazilian intellectuals of the present time."
(Mauro Malin, *Observatório da Imprensa*)

FAMILIAR STRANGING

"For DaMatta, anthropology can only exists if it is also capable of converting into familiar what previously appeared as exotic. In his opinion, discipline cannot be merely repatriated, but it has also to be expatriated. This continuous pulsation between the two anthropological journeys (towards the familiar, starting from the exotic, and vice-versa) is admirably well placed."
(Rafael José de Menezes Bastos, "Antropologia como Crítica Cultural")

Excerpt

Relativizando: uma Introdução à Antropologia Social (Relativizing: an Introduction to Social Anthropology)

The authentic social anthropology can only take place when we are fully convinced of our ignorance. It is obvious that we must advocate the rights of our tribal populations. It is obvious that we must call attention and bare the injustices perpetrated against them. However, this is not to be done in name of a superior condescending attitude as if they were kind of an endangered humanity, annihilated by its own cultural backwardness, as if they were pet animals like the bison or the elephants, which we have the aesthetic obligation to defend or protect. Instead, our study and our attention to the tribal societies should be founded on the equalitarian exchange of human experiences, on the fact that we can actually learn from them and civilize ourselves with them, as previously said. It is precisely this genuinely human and equivalent experience that Anthropology decided to recover. Moreover, it has to be the core of the ideological motivation, leading us against the Indians and all oppressed minorities.

Works

Índios e Castanheiros (1967)
Um Mundo Dividido: a Estrutura Social dos Índios Apinayé (1967)
Ensaios de Antropologia Estrutural (1973)
Carnavais, Malandros e Heróis: para uma Sociologia do Dilema Brasileiro (1979)
Relativizando: uma Introdução à Antropologia Social (1981)
Universo do Carnaval: Imagens e Reflexões (1981)
O que Faz o Brasil Brasil? (1985)
A Casa & a Rua (1985)

Contact

Lúcia Riff, *literary agent*
lucia@bmsr.com.br

ROBERTO SCHWARZ

Todo texto produzido por ROBERTO SCHWARZ, sejam peças, poemas, contos ou ensaios críticos, é um convite à compreensão — e também à discussão — da trama brasileira, das determinações econômicas, culturais e históricas que formam em seus diversos níveis a nossa sociedade. Tanto como crítico literário quanto como ele próprio autor de ficção, poesia ou teatro, Schwarz procura na imbricação da escrita a imbricação característica dessa sociedade brasileira, e isso principalmente, ainda que não exclusivamente, pelo viés da literatura, que, para ele, só pode ser vista como uma manifestação imanente ao social. De formação marxista, praticando uma abordagem sociológica da literatura semelhante àquela proposta por Antonio Candido, de quem é muito próximo, Schwarz distingue-se, sobretudo, pela análise inovadora que produz da obra de Machado de Assis, interpretando o conjunto da obra do Bruxo do Cosme Velho como uma fina análise da sociedade do seu tempo, um mestre que expôs as entranhas da subjetividade burguesa do fim do século XIX.

Crítica

CRÍTICA DA CULTURA

"Roberto Schwarz sempre foi um crítico literário de olhos postos nos móveis de nossa cultura, na maneira por que a forma literária possa revelar (sendo ela mesma) uma forma social, caso em que as aparências que não são só cascas, ou, assim sendo, contam nossa história. O pressuposto de seus estudos parece ter diretamente a ver com a posição francamente contra a idéia de que os temas e de modo geral a existência humana possam existir 'abstratamente'." (Ana Paula Pacheco, *Jornal da Tarde*)

TRAMA BRASILEIRA

"Seguindo o preceito de Marx, de que 'a forma não tem valor se não for a forma do conteúdo', Roberto Schwarz não se cansa de defender a análise detalhada dos textos, em sua condição literária, sem o que o 'valor de conhecimento da leitura' aproxima-se mais da doutrina do que da interpretação. [...] Tudo somado, seu interesse pelo Brasil talvez seja maior do que pela literatura; de qualquer modo, não quer pensar a literatura sem pensar sobre o Brasil." (Arthur Nestrovski, *Folha de S. Paulo*)

Obras

Pássaro na Gaveta (1959)
A Sereia e o Desconfiado (1965)
Corações Veteranos (1975)
Ao Vencedor, as Batatas (1977
A Lata de Lixo da História (1978)
O Pai de Família e outros Estudos (1978)
Os Pobres na Literatura (1983)
Que Horas São? (1987)
Um Mestre na Periferia do Capitalismo (1990)
Duas Meninas (1997)
Seqüências Brasileiras (1999)

Contato

editores@companhiadasletras.com.br

Fragmento

Um Mestre na Periferia do Capitalismo

A descontinuidade entre as Memórias Póstumas *e a literatura apagada da primeira fase machadiana é irrecusável, sob a pena de desconhecermos o fato qualitativo, afinal de contas a razão de ser da crítica. Mas há também a continuidade rigorosa, aliás mais difícil de estabelecer. Os dois aspectos foram assinalados ainda em vida do Autor, e desde então se costumam comentar, cada qual por seu lado, no âmbito ilusório da biografia: a crise dos quarenta anos, a doença da vista, o encontro com a morte ou o estalo do gênio explicam a ruptura; ao passo que o amadurecimento pessoal e o esforço constante dão conta do progresso ininterrupto. Levada ao terreno objetivo, da comparação dos romances, a questão muda de figura e os dois pontos de vista deixam de se excluir. Em lugar do percurso de um indivíduo, em particular sua evolução psicológica ou doutrinária, observamos as alterações mediante as quais uma obra de primeira linha surgiu de um conjunto de narrativas médias e provincianas.*

ROBERTO SCHWARZ

All the texts produced by ROBERTO SCHWARZ, either plays, poems, short stories, or critic essays, mean an invitation to understand — and also to discuss — the Brazilian woof, the economic, cultural, and historical determinations making up our society in its many levels. Both as a literary critic and as a fiction, poetry, or drama writer, Schwarz seeks in the imbrication of the text the characteristic imbrication of the Brazilian society. This he pursues mainly, although not exclusively, through the literature vein, which, in his view, can only be seen as a social-immanent manifestation. Having a Marxist education and exercising a sociological approach to literature similar to that proposed by Antonio Candido, to whom he is very close, Schwarz distinguishes himself above all by his innovative analysis of Machado de Assis work, interpreting the Wizard of Cosme Velho's work as a fine analysis of the society in his time, a master in laying bare the core of the late 20th century bourgeois' subjectivity.

Review

CULTURE CRITIC

"As a literary critic, Roberto Schwarz has always focused on the driving forces of our culture, on the way by which the literary form may unveil (keeping faithful to itself) a social form. In this case, the appearances, which are not mere peels, or, even if they are, tell our history. His assumptions seem to be directly related with a position frankly opposed to the idea that the themes and, in a general sense, human existence may exist 'abstractly.'"
(Ana Paula Pacheco, *Jornal da Tarde*)

BRAZILIAN WOOF

"Following Marx's precept by which 'the form has no value if it is not the content form', Roberto Schwarz is tireless in advocating the detailed analysis of texts, in their literary condition, without which the 'the reading knowledge value' approaches the doctrine rather than the interpretation. [...] All in all, his interest in Brazil is maybe higher than his interest in literature; anyway, he refuses thinking literature without thinking Brazil."
(Arthur Nestrovski, *Folha de S. Paulo*)

Excerpt

Um Mestre na Periferia do Capitalismo (A Master in the Periphery of Capitalism)

The discontinuity between the Posthumous Memoirs *and the dull literature of Machado's first phase is incontrovertible, otherwise we would be ignoring the qualitative fact, which is after all the purpose of critic. But there is also the strict continuity, in fact more difficult to determine. The two aspects were pointed out while the Author was still alive, and ever since they have been commented on, separately, in the biography illusory scope: the forty year-old crisis, the sight disease, the encounter with death, or the burst of the ingenuity would explain the rupture; whilst the personal maturity and the constant effort would account for the continuous progress. Considered in the objective domain, that of comparison between the novels, the issue gains another aspect and the two point of view are not mutually excluding any more. Instead of an individual's path, particularly his psychological or merely theoretical evolution, we see the changes by which a first-class work comes out of a group of average and provincial narratives.*

Works

Pássaro na Gaveta (1959)
A Sereia e o Desconfiado (1965)
Corações Veteranos (1975)
Ao Vencedor, as Batatas (1977)
A Lata de Lixo da História (1978)
O Pai de Família e outros Estudos (1978)
Os Pobres na Literatura (1983)
Que Horas São? (1987)
Um Mestre na Periferia do Capitalismo (1990)
Duas Meninas (1997)
Seqüências Brasileiras (1999)

Contact

editores@companhiadasletras.com.br

RUBEM BRAGA

Considerada diversas vezes um gênero literário inferior, a crônica é uma modalidade que atinge, no Brasil, os melhores níveis qualitativos possíveis. Muitos dos ficcionistas e poetas nacionais mais respeitados cultivam esse gênero que, da efemeridade das páginas jornalísticas, saltam para os livros, ganhando uma perenidade merecida. RUBEM BRAGA é um caso singular: ele foi o único escritor a se dedicar exclusivamente à crônica e, por essa arte, ser considerado escritor maior. Tendo sido um dos primeiros cronistas a receber influências modernistas, ele soube aliar as descobertas vocabulares e sintáticas do movimento a uma escrita que se queria calcada nos melhores valores da tradição, sem, com isso, retroceder à gramática portuguesa do princípio do século. Num momento de perda tanto das idealizações religiosas quanto tecnológicas, pode-se dizer que é justamente esse desencantamento do mundo uma das principais características do autor, que fundamentou sua prosa numa poética capaz de transfigurar o menor dos acontecimentos em uma experiência das mais significativas.

Crítica

A CRÔNICA: ENTRE O CONTO E A POESIA
"Por esse lado, ela [a crônica de R. B.] se situava ambiguamente — daí o seu encanto — ao lado do conto e da poesia, entre o real e o imaginário, extraindo motivos de divertimento ou de emoção literária tanto da transcrição direta de incidentes comezinhos como da ficcionalidade requintada, com leves e engraçados toques surrealistas. Onde terminava a verdade e começava a mentira — a mentira da arte —, ninguém saberia dizer." (Décio de Almeida Prado, "Tentativa de Crônica sobre Rubem Braga")

O DESENCANTAMENTO DO MUNDO
"A cidade moderna é recriada através de um olhar cujas principais marcas são um certo desencanto e humor melancólicos, aliados a uma percepção aguda dos desequilíbrios sociais, das injustiças e da hipocrisia que nela vicejam. Esse desencanto parece ter raízes num sentimento de perda de valores, da simplicidade, da poesia e de uma humanidade lírica que aos poucos foram tragados pelo chamado progresso." (Carlos Ribeiro, "Rubem Braga: um Exilado na Cidade Moderna")

Obras

O Conde e o Passarinho (1936)
O Morro do Isolamento (1944)
Um Pé de Milho (1948)
O Homem Rouco (1949)
A Borboleta Amarela (1956)
A Cidade e a Roça (1957)
Ai de Ti, Copacabana (1960)
A Traição dos Elegantes (1967)
Pecado de Primavera (1984)
Crônicas do Espírito Santo (1984)
Coisas Simples do Cotidiano (1984)
As Boas Coisas da Vida (1998)
Aventura (1999)

Fragmento

Um Sonho de Simplicidade

Mas para instaurar uma vida mais simples e sábia, então seria preciso ganhar a vida de outro jeito, nesse comércio de pequenas pilhas de palavras, esse ofício absurdo e vão de dizer coisas, dizer coisas... Seria preciso fazer algo de sólido e de singelo; tirar areia do rio, cortar lenha, lavrar a terra, algo de útil e concreto, que me fatigasse o corpo, mas deixasse a alma sossegada e limpa.
Todo mundo, com certeza, tem de repente um sonho assim. É apenas um instante. O telefone toca. Um momento! Tiramos um lápis do bolso para tomar nota de um nome, um número... Para que tomar nota? Não precisamos tomar nota de nada, precisamos apenas viver — sem nome, sem número, fortes, doces, distraídos, bons, como os bois, as mangueiras e o ribeirão.

Contato

record@record.com.br

RUBEM BRAGA

Often regarded as an inferior literary category, feature story is a style that reaches in Brazil the best qualitative levels possible. Not a few of the most respected fictionists and national poets have cultivated this literary category that, out of the ephemeral newspaper pages, jumped to the books and won a deserved immortality. RUBEM BRAGA is a singular case: he was the only writer who, although exclusively devoted to writing feature stories, achieved the status of a major writer. One of the first columnists to be influenced by the modernists, he managed to combine the vocabulary and syntactic findings of that movement with a text that builds on the best traditional values, without ceding back to the Portuguese grammar prevailing in the beginning of the century. In a time of religious and technological idealizations loss, this disillusion of the world became precisely one of the author's main characteristics, founding his prose on a poetry capable to transfiguring the most trivial event into a consequential experience.

Review

Feature Story: Between The SHORT STORY And POETRY

"From this perspective, [Rubem Braga's feature story] was ambiguously placed — hence its charm — next to the short story and poetry, between reality and the imaginary, drawing on both the direct transcription of trifling incidents and the refined fiction to produce amusement or literary emotion, with subtle and funny surrealist slant. Where did truth end and lie begin — the lie of art — nobody could tell." (Decio de Almeida Prado, "Tentativa de Crônica sobre Rubem Braga")

DISILLUSIONMENT ABOUT THE WORLD

"Modern city is recreated through a glance whose main mark is a degree of melancholic disillusionment and funniness, combined with a sharp perception of social unbalances, injustices, and growing hypocrisy. Such disillusionment seems to have roots in the feeling of loss of values, loss of simplicity, loss of poetry, and loss of a lyrical humanity, all of which were little by little swallowed by the so-called progress." (Carlos Ribeiro, "Rubem Braga: um Exilado na Cidade Moderna")

Excerpt

Um Sonho de Simplicidade (A Dream of Simplicity)

However, in order to establish a simpler and wiser life, it would then be necessary a different way to make one's living, in this business of small piles of words, this absurd and useless occupation of saying things, saying things... It would be necessary to do something solid and unique, such as getting sand out of a river, cutting firewood, farming the land; something useful and concrete, that would exhaust my body, but would render my soul quiet and clean.

Everybody may surely have a dream like this. It is just a swiftly passing moment. The telephone rings. Hang on! We produce a pencil from the pocket to jot down a name, a number... what is the purpose of jotting things down? We don't need to jot anything down, we only need to live — without a name, without a number, strong, sweet, absentminded, good, just like the oxen, the hoses, and the stream do.

Works

O Conde e o Passarinho (1936)
O Morro do Isolamento (1944)
Um Pé de Milho (1948)
O Homem Rouco (1949)
A Borboleta Amarela (1956)
A Cidade e a Roça (1957)
Ai de Ti, Copacabana (1960)
A Traição dos Elegantes (1967)
Pecado de Primavera (1984)
Crônicas do Espírito Santo (1984)
Coisas Simples do Cotidiano (1984)
As Boas Coisas da Vida (1998)
Aventura (1999)

Contact

record@record.com.br

RUBEM FONSECA

Antes de ser consagrado um dos principais escritores do país pela crítica e pelo público, RUBEM FONSECA, hoje com diversos prêmios nacionais e internacionais, foi comissário de polícia. Certamente, vem dessa experiência um vasto catálogo de casos e personagens do submundo do crime, mas o fato de conseguir enxergar as tragédias humanas dando a elas uma densidade única diz respeito apenas à própria sensibilidade e à exímia arte no manejo das palavras e da imaginação. Sua escrita agressiva se caracteriza pela utilização de frases curtas, cortes abruptos e diálogos ríspidos, aliando esses elementos a algumas particularidades voluntariamente repugnantes. Com preciso domínio sobre o ofício, o escritor é capaz de criar as situações mais inesperadas fazendo parecer que nada de extraordinário esteja acontecendo. Contos como *A Arte de Andar nas Ruas do Rio de Janeiro*, estilisticamente exemplares, o filiam a uma tradição oriunda de Machado de Assis, levando-o a renovar a ficção urbana brasileira. O autor escreve roteiros para o cinema e televisão, e diversas de suas histórias foram adaptadas com enorme sucesso para as telas.

Crítica

UM DOS MAIS INTERESSANTES DO MOMENTO
"Esplêndido e significativo livro de um dos autores brasileiros mais interessantes do momento. Um conjunto de contos arrepiantes." (*El País*)

A PROXIMIDADE DO DISTANTE
"O que inquieta no livro é que esse mundo marginal distante se vai aos poucos revelando como nosso próprio mundo, onde os desvios são cada vez mais a norma." (Zuenir Ventura, *Visão*)

Obras

Os Prisioneiros (1963)
A Coleira do Cão (1965)
Lúcia McCartney (1967)
O Caso Morel (1973)
Feliz Ano Novo (1975)
O Cobrador [contos] (1979)
A Grande Arte (1983)
Vastas Emoções e Pensamentos Imperfeitos (1988)
Romance Negro e outras Histórias (1992)
Contos Reunidos (1994)
Do Meio do Mundo Prostituto
só Amores Guardei ao meu Charuto (1997)
Secreções, Excreções e Desatinos (2001)

Contato

Carmem Balcells, *agente literária*
administracion@ag.balcells.redestb.es

Fragmento

A Arte de Andar nas Ruas do Rio de Janeiro

Desde os anos 40, quase ninguém morava mais nos sobrados das principais ruas do Centro, no miolo comercial da cidade, que podia ser contido numa espécie de quadrilátero, tendo como um dos lados o traçado da Avenida Rio Branco, o outro numa linha sinuosa que começasse na Visconde de Inhaúma e continuasse pela Marechal Floriano até a Rua Tomé de Souza, que seria o terceiro lado, e finalmente, o quarto lado, um percurso meio torto que tivesse início na Visconde do Rio Branco, passasse pela Praça Tiradentes e pela Rua da Carioca até a Rio Branco, fechando o espaço. Os sobrados, nessa área, passaram a servir de depósitos de mercadorias. Como os negócios da chapelaria foram diminuindo gradativamente a cada ano, pois as mulheres deixaram de usar chapéus, até mesmo em casamentos, e não havia mais necessidade de um depósito, pois o pequeno estoque de mercadorias podia ficar todo na loja, o sobrado, que não interessava a ninguém, ficou vazio.

RUBEM FONSECA

Before recognition as one of the major writers in the country by both the critic and the readers, RUBEM FONSECA, today collecting a number of national and international awards, used to be a chief police officer. His vast inventory of cases and characters from the underworld surely came from that experience, but the ability to see human tragedies and give them an incomparable density is due to his sensitiveness and extraordinary skill to deal with the words and the imagery. His aggressive writing is characterized by the use of short sentences, sharp cuttings, and harsh dialogues, combined with some deliberately repugnant particularities. Showing an accurate mastering over his task, the writer is capable of creating the most unexpected situations while giving the impression that nothing extraordinary is happening. Stylistically exemplar short stories like *A Arte de Andar nas Ruas do Rio de Janeiro (The Art of Walking by the Streets of Rio de Janeiro)* place him under a tradition initiated by Machado de Assis, enabling him to renew the Brazilian urban fiction. The author is a movie and television scriptwriter, and many of his stories have been successfully adapted to the screen.

Review

ONE OF TODAY'S MOST INTERESTING WRITERS
"A splendid and significant book written by one of the most interesting Brazilian writers of today. A set of disquieting short stories." (*El País*)

THE CLOSENESS OF THE DISTANT
"What disquiets in the book is that the seemingly distant underworld is little by little revealing itself as our own world, where deviations are more and more taken as a rule." (Zuenir Ventura, *Visão*)

Excerpt

A Arte de Andar nas Ruas do Rio de Janeiro (The Art of Walking by the Streets of Rio de Janeiro)

Since the forties, hardly anybody lived in the old two-story houses in the main Rio inner city streets, the very commercial heart of the city, which could scantily be enclosed in a sort of quadrilateral; one of the sides could be the Rio Branco avenue, the second side could be a sinuous line that would begin in the intersection with Visconde de Inhaúma street and would go along Marechal Floriano avenue and as far as Tomé de Souza street, which could then be the third side, and finally the fourth side, a rather crooked line that would begin at the Visconde do Rio Branco street, going through Tiradentes square and Carioca street and as far as Rio Branco avenue to close the quadrilateral. The two-story houses in this area, became storehouses for all sorts of goods. As millinery businesses started decreasing gradually every year, since women were not using hats any more, even in wedding ceremonies, and hat storehouses became unnecessary, seeing that the small stock could be kept in the store, the remaining two-story houses, now divested of interest, are now vacant.

Works

Os Prisioneiros (1963)
A Coleira do Cão (1965)
Lúcia McCartney (1967)
O Caso Morel (1973)
Feliz Ano Novo (1975)
O Cobrador [contos] (1979)
A Grande Arte (1983)
Vastas Emoções e Pensamentos Imperfeitos (1988)
Romance Negro e outras Histórias (1992)
Contos Reunidos (1994)
Do Meio do Mundo Prostituto só Amores Guardei ao meu Charuto (1997)
Secreções, Excreções e Desatinos (2001)

Contact

Carmem Balcells, *literary agent*
administracion@ag.balcells.redestb.es

SÉRGIO BUARQUE DE HOLANDA

A partir da década de 1920, inicia-se no país um grande movimento intelectual decidido a compreender o Brasil profundo. Dentre as obras que surgem imbuídas desse espírito "descobridor", destaca-se *Raízes do Brasil*, de SÉRGIO BUARQUE DE HOLANDA, um sociólogo e historiador cujo trabalho procura dar conta não apenas da tradição colonial brasileira, mas que também quer explicar uma nação em plena fase de urbanização e que se transforma sob o peso do enorme fluxo de imigrantes europeus. Sua concepção histórica, bastante avançada para a época, já anuncia a ascensão das massas populares e a queda de prestígio das elites. Porém, a atuação intelectual de Sérgio Buarque não se restringe à história e à sociologia: trata-se também de um de nossos grandes críticos literários, que sabe unir a ampla bagagem cultural a uma aguçada percepção analítica do texto. Apesar de decidir, a partir de 1960, abandonar a crítica literária em nome da continuidade de sua pesquisa histórica, seus ensaios formam um precioso conjunto para o entendimento da atividade literária no Brasil.

Crítica

O DESPERTAR DO BRASIL
"Sérgio Buarque de Holanda foi o primeiro historiador que aludiu à necessidade de despertar a iniciativa das massas, manifestando assim um radicalismo democrático raro naquela altura fora dos pequenos agrupamentos de esquerda. [...] *Raízes do Brasil* foi a única das 'explicações do Brasil' daquele tempo composta em função do presente. Mais ainda: a referência ao presente se orientava por uma percepção aguda da dialética latino-americana em geral, brasileira em particular, da insubordinação e da submissão, cuja conseqüência política é o jogo de autoritarismo e rompante libertário. Ao fazer isso, Sérgio Buarque de Holanda não apenas esclarecia a nossa história, mas antecipava o futuro imediato." (Antonio Candido, *Folha de S. Paulo*)

RIQUEZAS BRASILEIRAS
"[...], menos propenso ao sonho, Sérgio Buarque nos mostra que os portugueses jamais deixaram de ver nos mágicos apelos da natureza um motivo a ordenar os esforços do cotidiano em busca das riquezas que a terra oferecia." (Antônio Arnoni Prado, apresentação à "Visão do Paraíso")

Obras

Raízes do Brasil (1936)
Cobra de Vidro (1944)
Monções (1945)
Os Primórdios da Expansão Paulistana do Século XVI e Começo do Século XVII (1948)
Da Escravidão ao Trabalho Livre (1948)
Visão do Paraíso (1958)
História do Brasil [colab.] (1972-1973)
História da Civilização [colab.] (1973)
Tentativas de Mitologia (1979)
O Extremo Oeste (1986)
O Operário em Construção e outros Poemas: Vinícius de Moraes (1990)
Livro dos Prefácios (1996)
O Espírito e a Letra: Estudos de Crítica Literária II, 1948-1959 (1996)

Contato

Textos protegidos — em caso de interesse para publicação, fazer contato com o Departamento Nacional do Livro da FBN

Fragmento

Visão do Paraíso

O gosto da maravilha e do mistério, quase inseparável da literatura de viagens na era dos grandes descobrimentos marítimos, ocupa espaço singularmente reduzido nos escritos quinhentistas dos portugueses sobre o Novo Mundo. Ou porque a longa prática das navegações do Mar Oceano e o assíduo trato das terras e gentes estranhas já tivessem amortecido neles a sensibilidade para o exótico, ou porque o fascínio do Oriente ainda absorvesse em demasia seus cuidados, sem deixar margem para maiores surpresas, a verdade é que não nos inquietaram, aqui, os extraordinários portenhos, nem a esperança deles. E o próprio sonho de riquezas fabulosas, que no resto do hemisfério há de guiar tantas vezes os passos do conquistador europeu, é em seu caso constantemente cerceado por uma noção mais nítida, porventura, das limitações humanas e terrenas.

SÉRGIO BUARQUE DE HOLANDA

A major intellectual movement was started in the country in the 1920's intended to understand the deep Brazil. SÉRGIO BUARQUE DE HOLANDA's *Raízes do Brasil (Roots of Brazil)* stands out among the works appearing at the time and imbued with that "discoverer" spirit. Buarque de Holanda was a sociologist and historian engaged not only in dealing with the Brazilian colonial tradition, but also in explaining a whole nation half-way to complete its urbanization stage and changing under the weight of the huge flow of European settlers. His historical conception, rather advanced for the time, was already announcing both the ascension of the popular masses and the downfall of the elites. However, Sérgio Buarque's intellectual performance goes beyond history and sociology: he is also one of our great literary critics, one who knows how to combine a wide cultural heritage with a sharp analytical perception of the text. Although he decided, after 1960, to give up literary critic to carry on his historical research, his essays comprise a precious tool to understand literary activity in Brazil.

Review

BRAZIL AWARENESS

"Sérgio Buarque de Holanda was the first historian to make reference to the need of arousing the masses to take initiatives, thereby manifesting a democratic radicalism that was rare out of the small left-wing groups. [...] *Raízes do Brasil (Roots of Brazil)* was the only 'explanation of Brasil' in that time composed in reference to the present. Moreover: this reference to the present was guided by a sharp perception of the Latin-American dialectics in general, the Brazilian dialectics in particular, of the insubordination as well as the submission, whose political consequence is the authoritarianism and liberatory outburst game. On doing so, Sérgio Buarque de Holanda not only explained our history, but he also anticipated the immediate future." (Antonio Candido, *Folha de S. Paulo*)

BRAZILIAN WEALTH

"[...], as he was less prone to dreams, Sérgio Buarque provides evidence that the Portuguese always understood the magic appeals of nature as a major element in the ordination of daily efforts to take hold of the wealth offered by the land." (Antônio Arnoni Prado, foreword to "Visão do Paraíso")

Excerpt

Visão do Paraíso (A Vision of Paradise)

The desire for wonder and mystery, hardly separable in the literature of odysseys that characterized the great navigation discoveries, occupies a rather narrow space in the Portuguese sixteenth century writings about the New World. Either because the long practice of Ocean Sea's navigations and the sedulous treatment of strange lands and people had already weakened their taste for the exotic, or because the fascination from the East would still engross their imagination, allowing no margin for extraneous surprises, the truth is that neither those extraordinary longshorepeople nor their hopes disquieted us, here. And even the fabulous wealth dream, which all over the hemisphere had so many times guided the European conqueror's steps, is in this case often dwindled by a clearer notion, by chance, of the human and the earthly limitations.

Works

Raízes do Brasil (1936)
Cobra de Vidro (1944)
Monções (1945)
Os Primórdios da Expansão Paulistana do Século XVI e Começo do Século XVII (1948)
Da Escravidão ao Trabalho Livre (1948)
Visão do Paraíso (1958)
História do Brasil [colab.] (1972-1973)
História da Civilização [colab.] (1973)
Tentativas de Mitologia (1979)
O Extremo Oeste (1986)
O Operário em Construção e outros Poemas: Vinícius de Moraes (1990)
Livro dos Prefácios (1996)
O Espírito e a Letra: Estudos de Crítica Literária II, 1948-1959 (1996)

Contact

Protected texts — in case of interest for publication, get in contact with National Book Office (DNL) of the Biblioteca Nacional Foundation (FBN)

SÉRGIO PAULO ROUANET

Apesar de vivermos numa época em que o pensamento mágico parece dominar a cena pública, quando as manifestações de irracionalismo se multiplicam exponencialmente nos planos nacional e internacional, há ainda um fervoroso defensor da razão, alguém que acredita poder colocá-la como instrumento de recuperação da dignidade humana, e isso não apenas no que tange a seu aspecto filosófico, mas também nas dimensões históricas e políticas dessa razão. O acadêmico, político e diplomata SÉRGIO PAULO ROUANET, um dos mais importantes difusores do pensamento da escola frankfurtiana no Brasil, não propõe um retorno ao Iluminismo do século XVIII, tampouco prega uma divinização da razão contra o fanatismo irracional que parece vigorar na modernidade. Suas obras, que se inscrevem no registro de uma história das idéias, tentam situar uma razão dialógica, isto é, que dialogue a realidade: razão e real não são entidades imutáveis; e sim etapas sucessivas e em perene processo de descobrimento de verdades. Rouanet, um iluminista moderno, aposta na razão como forma de resgate do humano.

Crítica

FÉ NOS VALORES ILUMINISTAS
"O que caracteriza as posições assumidas por Sérgio Paulo Rouanet na arena das discussões teóricas e políticas da vida cultural brasileira é sua inabalável inspiração iluminista. Anima-o, sempre, a vontade de contribuir para que as luzes da razão e do conhecimento dissipem as trevas da ignorância, do preconceito e da superstição." (Leandro Konder, orelha de "A Razão Nômade")

RAZÃO CONTRA A DESRAZÃO
"Através de Rouanet expurgou-se, definitivamente, qualquer apropriação irracionalista, fora dos propósitos originais, quer de Marcuse quer da Escola de Frankfurt, como um movimento de idéias. Na obra de Rouanet há, da mesma forma, um sempre renovado esforço de sustentar um debate vivo em torno da Teoria Crítica, quer em relação a seus pressupostos teóricos, quer quanto ao seu potencial como desveladora de nossa contemporaneidade." (Jorge Coelho Soares, "A Recepção das Idéias de Marcuse no Brasil")

Obras

O Homem é o Discurso: Arqueologia de Michel Foucault [com J. G. Merquior] (1971)
Habermas [com B. Freitag] (1980)
Édipo e o Anjo: Itinerários Freudianos em Walter Benjamin (1981)
Teoria Crítica e Psicanálise (1983)
As Razões do Iluminismo (1987)
A Coruja e o Sambódromo (1988)
A Razão Nômade: Walter Benjamin e outros Viajantes (1994)

Fragmento

A Razão Cativa

A prática da liberdade não é possível entre pseudolivres, sujeitos a heteronomias de que não têm consciência. Mas tais heteronomias, efeito e causa da atrofia do espaço público, só no espaço público podem ser superadas.
A ética da cidade é a iluminista: seu valor supremo é a autonomia, a Mündigkeit. *Mas ela supõe aceitar a realidade de um mundo pluralista, cuja lei é a dispersão, e não a unidade, e que não visa nem a virtude, como Saint-Just, nem a verdade, como querem os partidários da política científica, porque uma e outra se situam numa esfera extrapolítica, além da ação, sempre contraditória, e da linguagem, que inclui a possibilidade da palavra inverídica.*

Contato

editores@companhiadasletras.com.br

SÉRGIO PAULO ROUANET

Although we live at a time when the magic thought seems to prevail in the public scenario, when the manifestations of irrationality multiply exponentially in national and international contexts, there is still a passionate advocate of reason, someone who believes to be able to change it into a tool in recovering human dignity, not only in regards to the philosophical aspect, but also to the historical and political dimensions of such reason. The academic, politician and diplomat SÉRGIO PAULO ROUANET, one of the most important diffusers in Brazil of the Frankfurt school thought, neither proposes a return to the 18th century illuminism, nor advocates a deification of reason against the irrational fanaticism that seems to be current in modernity. His books, pertaining as a history of the ideas, try to settle a dialogic reason, that is, discussing the reality: reason and reality are not unalterable entities; but rather successive stages in a continual process of truth discovery. Rouanet, a modern illuminist, wagers on reason as a form of human rescue.

Review

FAITH IN ILLUMINISM VALUES

"Sérgio Paulo Rouanet's unshaken illuminist inspiration characterizes his positions in the theoretical and political discussions about Brazilian cultural life. He is always encouraged by his wish to give a contribution so that the lights of reason and knowledge may dissipate the darkness of ignorance, prejudice and superstition." (Leandro Konder, flap in "A Razão Nômade")

REASON AGAINST UNREASON

"Through Rouanet any remaining irrationalist appropriation was definitively purged, out of Marcuse or the Frankfurt School original purposes, as a movement of ideas. Rouanet's work includes, likewise, an always renewed effort to sustain a living debate about the Critical Theory, either in relation to his theoretical assumptions or regarding his potential as the announcer of our contemporaneity." (Jorge Coelho Soares, "A Recepção das Idéias de Marcuse no Brasil")

Excerpt

A Razão Cativa (Subjugated Reason)

The practice of freedom is not possible among pseudoliberated minds, still subject to heteronomies they are not aware of. But such heteronomies, at a time effect and cause of the public space atrophy, may only be overcome in the public space.

The ethics prevailing in the city is that of illuminism: autonomy is its supreme value, Mündigkeit. *But it means accepting the reality of a pluralist world, whose law is dispersion, rather than unity, targeting neither virtue, like Saint-Just, nor truth, as the scientific politics supporters desire, because both of them settle on an extrapolitic sphere, beyond action, which is always contradictory, and beyond language, which includes the possibility of an untrue word.*

Works

O Homem é o Discurso: Arqueologia de Michel Foucault [com J. G. Merquior] (1971)
Habermas [com B. Freitag] (1980)
Édipo e o Anjo: Itinerários Freudianos em Walter Benjamin (1981)
Teoria Crítica e Psicanálise (1983)
As Razões do Iluminismo (1987)
A Coruja e o Sambódromo (1988)
A Razão Nômade: Walter Benjamin e outros Viajantes (1994)

Contact

editores@companhiadasletras.com.br

SÉRGIO SANT'ANNA

Em maio de 1968, ainda sem ter estreado em livro, o que iria acontecer um ano mais tarde, mas com um conto já publicado no *Frankfurter Allgemeine Zeitung*, SÉRGIO SANT'ANNA estava na França fazendo um curso de pós-graduação quando estourou o movimento estudantil, transformando comportamentos e idéias da juventude de então. Esse ambiente existencial e estético, somado às experiências dos anos 70, contribuiu fortemente para a ficção que o escritor veio a fazer, urbana e bastante vinculada ao seu tempo, influenciada também pelas artes plásticas de vanguarda e pelo teatro, com os quais teve íntimo contato. Passando por um constante processo de transformação e explorando a fragmentação, a circularidade e um discurso ficcional dentro de outro, o autor privilegia a renovação da estrutura narrativa. Seus livros têm sido repetidamente premiados, traduzidos e filmados, como o recente *Bossa Nova*, adaptação de Bruno Barreto para *A Senhorita Simpson*. S. S. foi escritor visitante tanto em universidades brasileiras e americanas como faz leituras de sua obra em diversos lugares do mundo.

Crítica

O MERGULHO NA LINGUAGEM
"Sérgio Sant'Anna, inteligente demais para produzir meras historinhas, prefere mergulhar nas infinitas possibilidades da palavra escrita em busca de um mínimo de verdade. E com raro talento." (Caio Fernando Abreu, *Veja*)

UM FASCINANTE MUNDO FICCIONAL
"Uma mistura do que é ostensivamente brasileiro com o que é patentemente universal completa esse fascinante mundo ficcional, e faz de Sérgio Sant'Anna um dos escritores mais apreciados do país." (Malcolm Silverman, "Moderna Ficção Brasileira")

Obras

Confissões de Ralfo (1975)
Simulacros (1977)
Um Romance de Geração (1981)
O Concerto de João Gilberto no Rio de Janeiro (1982)
Junk-Box (1984)
Amazona (1986)
A Tragédia Brasileira (1987)
A Senhorita Simpson (1989)
Breve História do Espírito — Três Histórias (1991)
O Monstro — Três Histórias (1994)
Contos e Novelas Reunidos (1997)
Um Crime Delicado (1997)

Contato

editores@companhiadasletras.com.br

Fragmento

Um Crime Delicado

Li aquele bilhete não sei quantas vezes — cheirei-o, mesmo —, interpretando-o sobressaltado por um turbilhão de emoções e pensamentos contraditórios. Nem uma palavra a respeito da outra noite; nem um beijo ou abraço no final, por mais convencionais que fossem. Também não pude saber com certeza se fora ela que ligara e pousara o fone no gancho quando eu correra para atender ao chamado naquela tarde louca. Mas naquele ponto de exclamação depois de 'amigo' e no parêntese posterior já não estariam implícitos o reconhecimento de um afeto especial, uma admissão de intimidade, que se manifestariam mais claramente no papel cor-de-rosa e perfumado? Naquele instante nem me passou pela cabeça que Inês poderia usá-lo em toda a sua correspondência.

SÉRGIO SANT'ANNA

In May 1968, before having his first book published, which would only happen a year later, but having already published a short story in the *Frankfurter Allgemeine Zeitung*, SÉRGIO SANT'ANNA was in France taking a postgraduate course, when the students' movement broke out, upheaving young people's behavior and ideas. Such an existential and esthetic atmosphere, along with the 70's experiences, strongly contributed to the kind of urban and up-to-his-time fiction the author came to produce, also influenced by vanguard plastic arts and theater, to which he was very close. Going through a constant process of transformation, and exploring fragmentation, circularity and a fictional discourse encompassed within another discourse, the author dwells on the renewal of narrative structure. His books have repeatedly been awarded, translated and filmed, like the recently published *Bossa Nova*, Bruno Barreto's adaptation to *A Senhorita Simpson*. S. S. has been a visiting writer both at Brazilian and American Universities, and has taken part in readings of his work throughout the world.

Review

THE PLUNGE INTO LANGUAGE

"Sérgio Sant'Anna is too brilliant to produce mundane stories. He chooses rather to plunge into the infinite possibilities of the written language, searching for a minimum of truth. And with rare talent."
(Caio Fernando Abreu, *Veja*)

A FASCINATING FICTIONAL WORLD

"A mixture of what is ostensively Brazilian with what is patently universal makes up this fascinating fictional world, and makes Sérgio Santa'Anna to be one of the most appreciated Brazilian writers."
(Malcolm Silverman, "Moderna Ficção Brasileira")

Excerpt

A Delicate Crime

I can't tell how many times I read that note... I even smelt it — interpreting it startled by a swirl of contradictory emotions and thoughts. Not even a word about the other night; not even a kiss or hug at the end, no matter how conventional they would be. I couldn't be sure either whether it had been her who had called and hung up when I rushed to answer the phone in that crazy afternoon. But wouldn't that exclamation mark after 'friend' and in that parentheses next to it imply the acknowledgement of a special affection, an admission of intimacy, that would manifest more clearly in the pink and perfumed piece of paper? At that moment I could not figure that Inês could use it in all her mail.

Works

Confissões de Ralfo (1975)
Simulacros (1977)
Um Romance de Geração (1981)
O Concerto de João Gilberto no Rio de Janeiro (1982)
Junk-Box (1984)
Amazona (1986)
A Tragédia Brasileira (1987)
A Senhorita Simpson (1989)
Breve História do Espírito — Três Histórias (1991)
O Monstro — Três Histórias (1994)
Contos e Novelas Reunidos (1997)
Um Crime Delicado (1997)

Contact

editores@companhiadasletras.com.br

SILVIANO SANTIAGO

Não há área da literatura pela qual ele não tenha transitado de maneira sempre original, mas foi, sobretudo, como ensaísta e professor universitário (em diferentes continentes do mundo) que ele se tornou um dos mais argutos, criativos e reconhecidos intérpretes da cultura brasileira, além de ter participado das comissões julgadoras de prêmios internacionais como o Casa de las Americas e o Neustadt. O que lhe interessa, entretanto, não é apenas a existência dos diferentes discursos literários e culturais: SILVIANO SANTIAGO é daqueles escritores comprometidos com a superação do estabelecido, realizando um trabalho de cruzamento das diversas linguagens. Seus premiados romances e contos continuam, por exemplo, as *Memórias do Cárcere*, de Graciliano Ramos, através de um diário da liberdade, reinventando o período em que o famoso escritor reencontrou as ruas do Rio de Janeiro, ou recriam a vida de Antonin Artaud. Essa escrita a partir de uma prévia, aliada à completa aceitação do lugar de dessacralização da literatura no mundo atual e a outros fatores, o transformou num dos pensadores mais importantes do pós-moderno.

Crítica

INVEJÁVEL ECLETISMO
"É invejável a sua facilidade de passear por todos os gêneros literários — romance, conto, ensaio, poesia, crítica e crônica —, dominando a palavra escrita com a mesma lepidez com que bate nos tênis de 7 a 8 quilômetros à beira-mar, diariamente." (Antônio Torres, "Viagem com Silviano a Paris, Frankfurt, Munique, Berlim, Copacabana, Ipanema, Leblon")

UMA PROEZA INCLASSIFICÁVEL
"*Em Liberdade* vem a ser uma proeza literária de vulto, uma forte empresa criadora, desafiando, na sua extrema abertura, a estratégia dos gêneros na literatura e as técnicas de revisão de relato dos fatos históricos." (Fábio Lucas, *Leia Livros*)

Obras

Salto (1970)
Carlos Drummond de Andrade (1976)
Uma Literatura nos Trópicos (1978)
Crescendo durante a Guerra numa Província Ultramarina (1978)
Em Liberdade (1981)
Vale quanto Pesa (1982)
Stella Manhattan (1985)
Nas Malhas da Letra (1989)
Uma História de Família (1992)
Cheiro Forte (1993)
Viagem ao México (1995)
Keith Jarrett no Blue Note (1996)

Contato

rocco@rocco.com.br

Fragmento

Em Liberdade

Heloísa sofreu muito no último ano: marido encarcerado, filhos postiços e naturais esparramados pelos quatro cantos, casa e conforto abandonados, transferência para uma cidade grande e cara, onde não tem amigos nem dinheiro. Isso numa idade em que não se tem mais o gosto da aventura e o arrojo da juventude. Entra pela máquina burocrática da justiça adentro, para descobrir o poder e a força dos poderosos. Sente-se triturada, esmagada; sem forças, caminha de um lado para o outro, como barata tonta. Reganha forças e, pouco a pouco, traça um caminho de sobrevivência e salvação.
Passei por tudo isso também e, como diz Naná, quando nos reencontramos, refizemos o casal sob o signo das feridas mútuas e idênticas. Heloísa mostrava-me uma chaga no corpo e eu lhe apontava uma semelhante no meu. Ela requisitava o bisturi para poder, ferindo-se mais, tentar compreender o porquê da chaga, para curá-la; usava também do mesmo bisturi, para examinar a minha ferida, e trocávamos informações, já que o quadro clínico era o mesmo e a cura tinha de ser a mesma. Quando nos encontramos, tomamos o mesmo remédio, e ficamos à espera da cicatrização. Ela não veio.

SILVIANO SANTIAGO

There is no area in the literature in which he has not been engaged, always in an original manner, but it was, above all, as an essayist and a university lecturer (in different continents of the world) that he became one of the most ingenious, creative, and acknowledged interpreters of the Brazilian culture, besides having been part of the judging committees of international awards such as Casa de las Americas and Neustadt. What interests him most, however, is not just the existence of different literary and cultural discourses: SILVIANO SANTIAGO is a writer committed to overcoming that which has been established, through accomplishing the task of crossing several languages. His awarded novels and stories are indeed the continuation, for instance, of Graciliano Ramos's *Memórias do Cárcere (Memoirs from the Jail)*, by means of a freedom chronicle — reinventing the period that starts after the famous writer found himself again in the streets of Rio de Janeiro, or recreate Antonin Artaud's life. His text, taken from a head start, allied to the complete acceptance of the desacralization role of literature in the current world, and to other factors, made him one of the most important thinkers in the post-modern period.

Review

AN ENVIABLE ECLECTICISM

"His easy excursion through all literary styles — novel, short story, essay, poetry, review, and chronicle — is to be envied. He masters the written word as jovially as he daily runs 7 to 8 kilometers along the seafront." (Antônio Torres, "Viagem com Silviano a Paris, Frankfurt, Munique, Berlim, Copacabana, Ipanema, Leblon")

AN UNCLASSIFIABLE FEAT

"*Em Liberdade (Unchained)* undeniably is a remarkable literary feat, a strongly creative endeavor, challenging, in its bold breakthrough, the strategy of styles in literature and in the techniques to review historical accounts." (Fábio Lucas, *Leia Livros*)

Excerpt

Em Liberdade (Unchained)

Heloísa had suffered a lot in the previous year: an imprisoned husband, step and natural children spread all around, house and comfort left behind, a moving to a big and expensive city where she had neither friends nor money. All this at an age when the itch for adventure and the youth boldness had gone by. She encroaches on the bureaucratic justice machinery, just to learn of the influential people power and force. She feels ground down, oppressed; she apathetically walks back and forth, in a daze. She rallies and, little by little, devises a survival and salvation route.

I went through all this too, and, as Naná says, when we met again we revived the couple under the mutual and identical wound scars. Heloísa would show me a wound on her body and I would show her a similar one on mine. She would request the scalpel so that, by further hurting herself, she could try to understand the reason of the wound and cure it; I would also use the same scalpel, to examine my wound, and we would exchange information, as the clinical scenario was the same and the cure, naturally, would have to be the same. When we met, we took the same medicine and waited for the cure. It never came.

Works

Salto (1970)
Carlos Drummond de Andrade (1976)
Uma Literatura nos Trópicos (1978)
Crescendo durante a Guerra numa Província Ultramarina (1978)
Em Liberdade (1981)
Vale quanto Pesa (1982)
Stella Manhattan (1985)
Nas Malhas da Letra (1989)
Uma História de Família (1992)
Cheiro Forte (1993)
Viagem ao México (1995)
Keith Jarrett no Blue Note (1996)

Contact

rocco@rocco.com.br

SÍLVIO CASTRO

Poeta, romancista, ensaísta, crítico literário e professor de literatura brasileira na Universidade de Pádua, na Itália, SÍLVIO CASTRO, organizando diversas antologias de autores nacionais na Europa, vem sendo um dos grandes divulgadores da literatura do país pelo mundo; além disso, a reconhecida *História da Literatura Brasileira* dirigida por ele ultrapassa os propósitos habituais das publicações afins, sendo, na verdade, uma ampla leitura do processo poético ao longo do tempo. É, porém, na interpretação da *Carta de Pero Vaz de Caminha*, primeiro documento escrito acerca do Brasil, que serve de ponto de partida para toda e qualquer pesquisa do descobrimento do país pelos portugueses, que o autor realiza o mais complexo e belo estudo sobre o lado europeu das raízes do povo nacional. Recorrendo aos poucos registros históricos existentes, e redescobrindo muitos deles em sua ampla pesquisa sobre a época, ele também se utiliza desse material para recriar o respectivo ambiente aventureiro e a perplexidade diante do Novo Mundo em um romance muito elogiado, inclusive, por Jorge Amado.

Crítica

O POLIVALENTE INVENTIVO
"O ficcionista nada fica a dever ao mestre pesquisador, ao catedrático, ao ensaísta, ao historiador da literatura; além da erudição, o autor possui o dom da inventiva." (Jorge Amado, "O Memorial do Paraíso")

A RECONSTRUÇÃO DA CRIATIVIDADE
"Mesmo com a dificuldade de pesquisa e a escassez de registros históricos mais específicos, Sílvio Castro consegue suprir a falta de detalhes com bastante habilidade e criatividade." (Jeferson Ribeiro, "Um Novo Caráter para Pero Vaz de Caminha")

Obras

Infinito Sul (1956)
As Noites (1958)
Machado de Assis e
a Cidade do Rio de Janeiro (1959)
Tempo Presente (1961)
Rachel de Queiroz e
o Romance Nordestino (1961)
Raiz Antiga (1965)
Tempo Veneziano (1967)
Campo Geral: Estrutura e Estilo
de Guimarães Rosa (1970)
A Revolução da Palavra: Origens
e Estrutura da Literatura (1976)
Teoria e Política do Modernismo Brasileiro (1979)
A Carta de Pero Vaz de Caminha (1987)
Memorial do Paraíso —
o Romance do Descobrimento do Brasil (1998)
História da Literatura Brasileira (2000)

Contato

Info@lpm.com.br

Fragmento

A Carta de Pero Vaz de Caminha

A revelação do Brasil pela Carta de Pero Vaz de Caminha cria todo um roteiro de magia para a nova terra. As palavras do escrivão português revelam como que um futuro incondicional para a realidade brasileira [...]. A terra é cheia de graça e a consciência naturalista nasce a partir do gozo de seus ares e águas. É uma visão do paraíso, onde não importa se em verdade exista ouro ou prata ou pedras preciosas. Já a felicidade simples dos sentidos esclarece aos homens que o paraíso existe. E que nele tudo será possível.
O homem, através das palavras de Pero Vaz, toma conhecimento da tão desejada novidade: a existência de um novo mundo. Concreto. Imediato. Rico de cores, calor, árvores, frutos, pássaros, cantos, frescura. A terra é ampla, imensa na linha do horizonte. Nela a vista penetra nos arvoredos por léguas e léguas. O céu é limpo; os portos, seguros. As águas são ricas de peixes e a caça é fácil e alegre [...].
Mas logo depois o espírito da palavra de Pero Vaz de Caminha começa a perder-se. Para a conservação das riquezas ameaçadas, os portugueses mudam de número e de natureza. Já não mais a serena amorável relação. Mas a tomada do poder. O paraíso se modifica lentamente. Modifica-se a vida. O claro imediato sentido da existência se vê superado pela convicção colonizadora e imperialista. O colonizador perde sua visão do paraíso.

SÍLVIO CASTRO

Poet, novelist, essayist, literary critic and a lecturer on Brazilian Literature at Padua University, Italy, SÍLVIO CASTRO compiled many Brazilian authors anthologies in Europe. He is currently one of the great promoters of Brazilian literature around the world; besides, the acknowledged *History of Brazilian Literature* he coordinated goes far beyond the usual purposes of similar publications, becoming, actually, a broad reading of the poetic process over the time. It is, however, in the interpretation of *Pero Vaz de Caminha's Letter*, the first written document about Brazil and starting point for all and any research about the discovery of Brazil by the Portuguese, that the author brings to a successful conclusion the most complex and beautiful study on the European side of the national people's roots. Taking up the scarce existing historical records, and rediscovering many of them in his thorough research about that time, he also used such material to recreate the corresponding adventurous atmosphere and the perplexity before the New World in a novel that was praised by Jorge Amado.

Review

A RESOURCEFUL MAN

"The fictionist owes nothing to the master researcher, to the professor, to the essayist, to the literature historian; in addition to erudition, the author was also endowed with the talent of inventiveness." (Jorge Amado, "O Memorial do Paraíso")

THE RECONSTRUCTION OF CREATIVITY

"In spite of the restrictions to research and the shortage of more specific historical records, Sílvio Castro gets to supply the lack of details with plenty ability and creativity." (Jeferson Ribeiro, "Um Novo Caráter para Pero Vaz de Caminha")

Excerpt

A Carta de Pero Vaz de Caminha (The Pero Vaz de Caminha's Letter)

The revelation of Brazil through Pero Vaz de Caminha's Letter created a whole magic route to the new land. The Portuguese letter-writer's words reveal a sort of unconditional future for the Brazilian reality [...]. The land is full of grace and the environmental awareness starts from as early as the first pleasure taken from its air and waters. It is a vision of Paradise, where it in fact doesn't matter whether gold or silver or precious stones truly exist. However, the plain satisfaction of the senses already tells the men that Paradise does exist. And that there everything will be possible.

Through Pero Vaz's words, mankind is informed about the long-wished news: the existence of a new world. Concrete. Immediate. Full of colors, heat, trees, fruits, birds, songs, freshness. The land is wide, immense in the sky line. In this land, the sight would go into the groves for miles on end. The sky is clean; the harbors are safe. Fishes abound in the waters and hunting is easy and joyful [...].

But soon the spirit of Pero Vaz de Caminha's words begins to slip into oblivion. In order to preserve the threatened wealth of the land, the Portuguese start changing the figures and the nature. The peaceful warm-hearted relationship no longer exist. Rather, the seizing of power. The paradise starts changing slowly. Life changes. The clear immediate meaning of simply existing is subdued by the colonizing and imperialist conviction. The colonizers lose their vision of Paradise.

Works

Infinito Sul (1956)
As Noites (1958)
Machado de Assis e a Cidade do Rio de Janeiro (1959)
Tempo Presente (1961)
Rachel de Queiroz e o Romance Nordestino (1961)
Raiz Antiga (1965)
Tempo Veneziano (1967)
Campo Geral: Estrutura e Estilo de Guimarães Rosa (1970)
A Revolução da Palavra: Origens e Estrutura da Literatura (1976)
Teoria e Política do Modernismo Brasileiro (1979)
A Carta de Pero Vaz de Caminha (1987)
Memorial do Paraíso — o Romance do Descobrimento do Brasil (1998)
História da Literatura Brasileira (2000)

Contact

Info@lpm.com.br

SÍLVIO ROMERO

Os adjetivos geralmente associados às obras de SÍLVIO ROMERO sempre denotam intensidade: magnífica, monumental, gigante, grandiosa, enciclopédica etc. Pois esse caráter excessivo do seu trabalho intelectual foi ao mesmo tempo sua grande virtude e seu maior defeito: preocupado, por exemplo, em defender a Província contra o domínio da Corte, chegou a atacar Machado de Assis e Castro Alves, enquanto exaltava Tobias Barreto, que era, segundo Romero, o maior poeta e pensador brasileiro. Sua *História da Literatura Brasileira*, importantíssima, foi a primeira sistematização feita da literatura no Brasil. Dessa obra pode-se dizer o mesmo que se afirmou sobre seu autor: pecando pelo excesso, não deixa de ser uma verdadeira enciclopédia sobre a nossa cultura. Mas sua atuação estava longe de se restringir à literatura. Também escreveu sobre política, folclore, filosofia, direito e etnologia, sempre emprestando a essas áreas a força de sua paixão e a vastidão de seus conhecimentos e também de seu temperamento. Por toda a vida, manteve-se sempre em polêmica com José Veríssimo, seu maior adversário.

Crítica

CRÍTICA NACIONALISTA
"A *História da Literatura Brasileira*, de Sílvio Romero, é um desses livros que protegem o povo contra a agressão e contra o desânimo, como se fossem fortalezas, e, ao mesmo tempo, igrejas. Que se levantam contra os que descrêem dos valores nacionais de cultura e agridem esses valores por considerá-los perniciosos ou maus." (Gilberto Freyre, *O Cruzeiro*)

GIGANTE DA LITERATURA
"A contribuição de Sílvio é, assim, das mais relevantes ao nacionalismo literário. As idéias que esposou, o determinismo e o socialismo serviram-lhe para desenvolver a herança nacionalista, desligando-a das vagas noções idealistas do Romantismo, e consolidando-se com a aquisição de mais firmes alicerces doutrinários. Sua posição realiza a passagem do Romantismo e do Indianismo para um americanismo ou brasileirismo, em que as regiões brasileiras concorrem cada qual com seu feitio peculiar." (Afrânio Coutinho, "A Tradição Afortunada")

Obras

História da Literatura Brasileira (1888)
Ensaios de Sociologia e Literatura (1901)
Martins Pena (1901)
Pinheiro Chagas (1904)
Evolução da Literatura Brasileira (1905)
Outros Estudos de Literatura Contemporânea (1905)
O Alemanismo no Sul do Brasil (1906)
Compêndio de História da Literatura Brasileira (1906)
Discurso (1907)
Zeverissimações Ineptas da Crítica (1909)
Da Crítica e sua Exata Definição (1909)
Provocações e Debates (1910)
Quadro Sintético da Evolução de Gêneros na Literatura Brasileira (1911)
Minhas Contradições (1914)

Contato

editores@companhiadasletras.com.br

Fragmento

História da Literatura Brasileira (capítulo V: Fatores da Literatura)

Há uma muralha que representa muitos milênios de luta em que a humanidade adquiriu todas as qualidades, que hoje a distinguem. Os climas passaram para o segundo plano e os agentes étnicos, fisiológicos e morais, tomaram-lhes a dianteira. Em nossa história o fator permanente, nos quatro séculos já percorridos, tem sido o português. Em sua passagem para o brasileiro, é ainda a um elemento etnológico, é à mestiçagem, que se deve pedir a explicação do fenômeno. O clima fica em segundo plano.

O clima, tomando-o na acepção mais geral, insisto em dizer, foi um agente valentíssimo na formação das raças e das civilizações autóctones.

Nas épocas propriamente históricas sua ação tem continuado; mas já não é apreciável, ou, pelo menos, não o é tanto quanto o fenômeno dos mestiçamentos dos povos.

Durante muitos milênios pôde ele formar as raças pré-históricas e esboçar os povos atuais. Mas a sua ação é tão lenta, que não se deixa notar nitidamente nas civilizações modernas.

SÍLVIO ROMERO

The adjectives usually associated to SILVIO ROMERO's works are always intensifiers: magnificent, monumental, giant, imposing, encyclopedic, etc. It happens that the profuse character of his intellectual work was at a time his highest virtue and his worst sin: concerned, for instance, with defending the Province against the Portuguese domination, he even attacked Machado de Assis and Castro Alves, but praised Tobias Barreto, supporting that Tobias Barreto was the greatest Brazilian poet and thinker. His *History of the Brazilian Literature*, of utmost importance, was the first literature systemization effort in Brazil. All that was said about the author holds true in relation to this work: although erring in being too profuse, he was nevertheless a true encyclopedia in which our culture is concerned. But his performance would not be restricted to literature. He also wrote about politics, folklore, philosophy, law, and ethnology, always imprinting on such areas the force of his passion and the vastness of his knowledge, as well as his temperament. During his whole life, he sustained a polemic with José Veríssimo, his great contender.

Review

A NATIONALIST CRITICISM

"*História da Literatura Brasileira (History of Brazilian Literature)*, by Sílvio Romero, is one of those books that protect the people against aggression and against discouragement, like fortresses and, at the same time, temples, standing up against those who disbelieve the national values of culture and attack such values for considering them ruinous or bad." (Gilberto Freyre, *O Cruzeiro*)

LITERATURE'S GIANT

"Sílvio's contribution to the literary nationalism is, thus, all the most relevant. The ideas he espoused, determinism and socialism, helped him develop the nationalist legacy, by disengaging it from the romanticism vague idealistic notions, and consolidating himself by acquiring more solid doctrinaire foundations. His position brings to a successful conclusion the transition from romanticism and indianism to an Americanism or Brazilianism, where the Brazilian regions contribute according to their own peculiar character." (Afrânio Coutinho, "A Tradição Afortunada")

Excerpt

História da Literatura Brasileira (capítulo V: Fatores da Literatura) (History of Brazilian Literature) (chapter V: Literature Factors)

There is a wall which represents the many millennia of struggles during which time humanity acquired all the qualities that are today mankind markers. Climates became mere backdrops whilst the ethnic, physiologic and moral agents came to the foreground. In the case of our history, the constant factor, over the four centuries already gone by, has always been the Portuguese. In the transition to Brazilian, an ethnological element, hybridization, will account for the phenomenon. Climate is in the background.

Climate, assumed in its most generic meaning, I insist, was a brave agent in the formation of races and autochthonous civilizations.

During the specifically historical times, climate action still had a role; but no longer significant or, at least, not as much as the people hybridization phenomenon.

For thousands of years, climate was able to shape the prehistoric races and outline present day's people. But it had such a slow action that it can hardly be noticed in modern civilizations.

Works

História da Literatura Brasileira (1888)
Ensaios de Sociologia e Literatura (1901)
Martins Pena (1901)
Pinheiro Chagas (1904)
Evolução da Literatura Brasileira (1905)
Outros Estudos de Literatura Contemporânea (1905)
O Alemanismo no Sul do Brasil (1906)
Compêndio de História da Literatura Brasileira (1906)
Discurso (1907)
Zeverissimações Ineptas da Crítica (1909)
Da Crítica e sua Exata Definição (1909)
Provocações e Debates (1910)
Quadro Sintético da Evolução de Gêneros na Literatura Brasileira (1911)
Minhas Contradições (1914)

Contact

editores@companhiadasletras.com.br

VINÍCIUS DE MORAES

Qualquer que seja a análise feita da obra de VINÍCIUS DE MORAES, não se pode escapar das palavras *mudança, evolução, transição*. Sua poesia, além de ser a encarnação do movimento e do transitório, elege a busca como motor primordial: do divino, da coisa ordinária, do homem concreto, do homem social, do homem banal, do amante e, sobretudo, da mulher. E na busca da mulher, das infinitas mulheres que se concentram e se desprendem de uma mulher, a afirmação do motivo principal: *mudança, evolução, transição*. Poeta viril e terno, transcendental e carnal, caudaloso e contido, ele fez de sua obra o lugar do encontro e da despedida. Talvez, nenhum outro poeta personifique tão bem e ao mesmo tempo o apolíneo e o dionisíaco, tanto na obra quanto na vida: ao lado da sobriedade e da lucidez já bem precoces, surge e cresce o espírito da embriaguez e da entrega total, em nome da reflexão e da vitalidade que reinam em sua poesia. Enfim, não importa que Vinícius parta do etéreo para chegar ao real, o que mais vale em sua obra é a busca da fusão com a vida.

Crítica

PLURALISMO POÉTICO
"Porque ele tem o fôlego dos românticos, a espiritualidade dos simbolistas, a perícia dos parnasianos (sem refugar, como estes, as sutilezas barrocas), e, finalmente, homem bem do seu tempo, a liberdade, a licença, o esplêndido cinismo dos modernos." (Manuel Bandeira, "Coisa Alóvena, Ebaente")

A VOZ DO ENCONTRO
"Pela voz do poeta, cantam os que não têm voz. O próprio morro tem vez. Vinícius abandona a tentação de um refinamento a seu alcance e dissolve-se no sentimento geral. Assim como em versos de quem conhece os segredos da técnica mais apurada cabe uma receita de feijoada, assim também, no balanço e na cadência de um samba, cabe um hino de amor à vida. O poeta altíssimo está, finalmente, na boca das multidões. Agora, sim, olha o céu, mas sobretudo pisa a terra." (Otto Lara Resende, "O Caminho para o Soneto")

Obras

O Caminho para a Distância (1933)
Forma e Exegese (1935)
Ariana, a Mulher (1936)
Novos Poemas (1938)
Cinco Elegias (1943)
Poemas, Sonetos e Baladas (1946)
Pátria minha (1949)
Antologia Poética (1954)
Orfeu da Conceição (1956)
Livro de Sonetos (1957)
Novos Poemas, II (1959)
Para Viver um Grande Amor (1962)
Obra Completa e Prosa (1998)

Contato

Lúcia Riff, *agente literária*
lucia@bmsr.com.br

Fragmento

Poema de Natal

Para isso fomos feitos:
Para lembrar e ser lembrados
Para chorar e fazer chorar
Para enterrar os nossos mortos
Por isso temos braços longos para os adeuses
Mãos para colher o que foi dado
Dedos para cavar a terra.

Assim será a nossa vida:
Uma tarde sempre a esquecer
Uma estrela a se apagar na treva
Um caminho entre dois túmulos —
Por isso precisamos velar
Falar baixo, pisar leve, ver
A noite dormir em silêncio.

Não há muito a dizer
Uma canção sobre um berço
Um verso, talvez de amor
Uma prece por quem se vai —
Mas que essa hora não esqueça
E por ela nossos corações
Se deixem, graves e simples.

VINÍCIUS DE MORAES

Irrespective of the analysis of VINÍCIUS DE MORAES's work, words such as *change, evolution, transition* cannot be avoided. His poetry, in addition to being the embodiment of movement and the ephemeral, chooses the act of searching as its driving motor: for the divine, the ordinary thing, the concrete man, the social man, the banal man, the lover and, above all, the woman. In this search for the woman, the unlimited women who converge and depart from a single woman, the affirmation of the main reason: *change, evolution, transition*. A manly and gentle, transcendental and worldly, copious and restrained poet, he made of his work a place for convening and leaving. Perhaps no other poet has personified the Apollonian and the Dionysian so well and concomitantly, in both his work and personal life: beside the sobriety and the awareness already so precocious, there emerges and grows the spirit of inebriation and total devoutness, on behalf of the reflection and the vitality that abound in his poetry. As a matter of fact, it is immaterial whether Vinicius starts off from the ethereal to reach the real, what is the most significant in his work is the search for fusion with life.

Review

POETICAL PLURALITY

"Because he has the endowments of the Romantics, the spirituality of the Symbolists, the expertise of the Parnassians (without rejecting, as the latter, the Baroque subtleties), and finally, as a man in tune with his time, the freedom, the license, the splendid cynicism of the Modernists." (Manuel Bandeira, "Coisa Alóvena, Ebaente")

VOICING THE CONVERGENCE

"The poet voices those who are voiceless. Even those from the shantytowns. Vinicius refuses the lure of the refinement within his reach and dissolves himself into the general feeling. Just as in the verses by a poet who masters the secrets of the most refined technique there is room for a feijoada recipe, similarly, in the beat and cadence of a samba there is room for a paean in praise of life. The consummate poet has finally become popular. Now he indeed looks up to the sky, but, nonetheless, he firmly steps on the ground." (Otto Lara Resende. "O Caminho para o Soneto")

Excerpt

Poema de Natal (Christmas Poem)

That is what we were created for:
To remember and to be remembered
To cry and to make cry
To bury our dead
This is why we have long arms for the good-byes
Hands to pick up that which has been given to us
Fingers to dig the earth.

This is the way our life will be:
One afternoon for us to forget
A star fading in the darkness
A path between two graves —
This is why we must mourn
Speak low, step gently, see
The night asleep in silence.

There is not a lot to say
A song over a cradle
A verse, maybe of love
A prayer for whoever leaves —
But this hour shall not forget
And therefor our hearts
are abandoned, pensive and simple.

Works

O Caminho para a Distância (1933)
Forma e Exegese (1935)
Ariana, a Mulher (1936)
Novos Poemas (1938)
Cinco Elegias (1943)
Poemas, Sonetos e Baladas (1946)
Pátria minha (1949)
Antologia Poética (1954)
Orfeu da Conceição (1956)
Livro de Sonetos (1957)
Novos Poemas, II (1959)
Para Viver um Grande Amor (1962)
Obra Completa e Prosa (1998)

Contact

Lucia Riff, *literary agent*
lucia@bmsr.com.br

WILSON MARTINS

Considerado por muitos como o último crítico brasileiro por excelência, derradeiro representante de uma geração de críticos de literatura conhecidos como "militantes", WILSON MARTINS tem uma trajetória de mais de 50 anos analisando, discutindo, polemizando, exaltando, rebaixando, em suma, criticando — e isso no sentido primeiro da palavra, "arte de examinar e julgar obras de caráter literário ou artístico" — livros e autores brasileiros. Acertando ou errando, nunca procurou agradar ou desagradar seus "criticados". Diferentemente do resenhista, de quem não se exige um conhecimento aprofundado de literatura, e do ensaísta, que não se expõe a emitir suas análises no calor da hora, Martins encarna o lema de que ao crítico literário cabe, sobretudo, a coragem de evidenciar seus pontos de vista e orientações sobre obras e autores dos quais somente o tempo poderá dar um parecer mais definitivo. Resistindo à mudança que sofreu o jornalismo brasileiro, Martins continua a manter sua coluna de crítica literária semanal em importantes jornais do país.

Crítica

CRÍTICA INDEPENDENTE

"Professor em diversas universidades européias e norte-americanas, Wilson Martins, diferente da maioria de seus pares, sempre esteve acima das academias e das questões ideológicas que dominaram este século, e é um dos exemplos mais notáveis daquilo que exemplarmente chamamos de humanista." (Affonso Romano de Sant'Anna, orelha de "A Palavra Escrita")

O CRÍTICO QUE CRITICA

"O acentuado comercialismo da imprensa, que a torna quase indistinguível do *marketing,* não oferece sobrevivência ao crítico literário — Wilson Martins é o último." (José Paulo Paes, *O Estado de S. Paulo*)

Obras

A Crítica Literária no Brasil (1952)
Introdução ao Estudo do Simbolismo (1953)
Poesia a Prosa. Distinção (1954)
Um Brasil Diferente (1955)
A Palavra Escrita (1957)
A Poesia de Saint-John Perse (1961)
Teatro Brasileiro Contemporâneo (1966)
O Modernismo (1967)
História da Inteligência Brasileira (1976-1978)
A Crítica Literária no Brasil
[com acréscimos à edição de 1952] (1984)
Um Brasil Diferente (1989)
Pontos de Vista (1991-1997)
Literatura Paranaense (1999)

Contato

topbooks@topbooks.com.br

Fragmento

Affonso Romano de Sant'Anna: Poeta do Nosso Tempo

Em matéria de poesia, criticar os "mestres do passado" e apontar-lhes os defeitos é mais fácil (e menos arriscado) do que reconhecer os mestres do presente e distinguir-lhes os méritos; o poeta verdadeiramente novo e contemporâneo (no sentido forte da palavra) é tanto mais raro e difícil de identificar quanto a maior parte deles continua, por um lado, a reescrever, com outras palavras, os mesmos poemas que já passaram por inovadores e, por outro lado, a imaginar que a grande poesia acontece por acaso e resulta de um golpe de sorte como no jogo de dados (essa é a fonte da desleitura famosa que levou os concretistas brasileiros a tomar um poema de Mallarmé como receituário alquímico de toda poesia).

WILSON MARTINS

Regarded by many as the last Brazilian critic par excellence, the last representative of a generation of literature critics known as "the militants", WILSON MARTINS has been, for more than fifty years, analyzing, discussing, polemicizing, exalting, lowering, in short, criticizing —in the first meaning of the word, "the art of discussing and judging the merit of works of a literary or artistic character" — books and Brazilian authors. Being right or being wrong, he never tried to please or displease those he was "criticizing". Unlike the reporter, who is not required to have a deep knowledge of literature, or the essayist, who is not exposed by setting forth their analyses in the heat of the hour, Martins' motto is the fact that the literary critic is expected to have, above all, the courage to manifest their point of view and orientations about works and authors while being aware that only time may provide a more definitive opinion. Offering resistance against the changes affecting the Brazilian journalism, Martins keeps on providing his weekly literary critic column in important newspapers around the country.

Review

INDEPENDENT CRITIC

"Lecturer in many European and North-American universities, Wilson Martins, unlike most of his peers, has always been above the academic and ideological issues that have been prevalent in this century. He is one of the most outstanding examples of that which we exemplarily call humanist."(Affonso Romano de (Sant'Anna, flap in "A Palavra Escrita")

A CRITICIZING CRITIC

"The acute commercialism in the press, which makes it hardly distinguishable from marketing, offers the literary critic no survival — Wilson Martins is the last one." (José Paulo Paes, *O Estado de S. Paulo*)

Excerpt

Affonso Romano de Sant'Anna: Poeta do Nosso Tempo
(Affonso Romano de Sant'Anna: A Poet of Our Time)

In what poetry is concerned, criticizing the "masters from the past" and pinpointing their defects is easier (and less risky) than recognizing the masters in present times and distinguishing their merits; the truly new and contemporary poet (in the strong sense of the word) is just rarer and more difficult to identify inasmuch as most of them continues, on the one hand, to rewrite, with different words, the same poems that once were regarded as innovative and, on the other hand, to fancy that the great poetry happens by chance and comes out of the blue, just like in dice gambling (this is the source of the famous misreading that led the Brazilian concretists to take a Mallarmé poem as the alchemical recipe for any poetry).

Works

A Crítica Literária no Brasil (1952)
Introdução ao Estudo do Simbolismo (1953)
Poesia a Prosa. Distinção (1954)
Um Brasil Diferente (1955)
A Palavra Escrita (1957)
A Poesia de Saint-John Perse (1961)
Teatro Brasileiro Contemporâneo (1966)
O Modernismo (1967)
História da Inteligência Brasileira (1976-1978)
A Crítica Literária no Brasil [com acréscimos à edição de 1952] (1984)
Um Brasil Diferente (1989)
Pontos de Vista (1991-1997)
Literatura Paranaense (1999)

Contact

topbooks@topbooks.com.br

ZÉLIA GATTAI

Poucos escritores começam a escrever aos 63 anos, mas foi o que ocorreu a ZÉLIA GATTAI, esposa de Jorge Amado, que estreou em 1979 com o livro *Anarquistas, Graças a Deus*. Nele, ela narra a saga de sua família de imigrantes italianos chegados a São Paulo no início do século. A descrição do dia-a-dia de uma cidade em constante crescimento é o pano de fundo de uma narrativa que privilegia a viva memória pessoal à dos arquivos, propiciando um relato simples e saboroso tanto de acontecimentos cotidianos quanto daqueles repletos de riquíssimo conteúdo histórico. Essas características permanecerão ao longo de toda a obra que, apesar de começada tardiamente, não parou de crescer. Seus livros abordam o romance com o famoso marido, a vida no exílio, onde estabeleceu amizades com pessoas como Pablo Neruda, Jean-Paul Sartre, Simone de Beauvoir, Picasso, entre outras, histórias da casa dos Amado, na Bahia, por onde passaram artistas e políticos de todo o mundo etc. Uma adaptação de seu primeiro livro tornou-se grande sucesso televisivo e, assim como outros de sua autoria, foi traduzido para diversas línguas.

Crítica

ENTRE LÁGRIMAS E GARGALHADAS
"Tive o privilégio, por ser filha da autora, de mais uma vez acompanhar este processo de criação e rememoração, tão interessante, que traz para o presente detalhes, pequenos acontecimentos, grandes fatos entre lágrimas e gargalhadas sonoras." (Paloma Amado, *O Estado de S. Paulo*)

O ENCANTO DO AFETO
"Uma doce contadora de histórias." (Cecília Costa, *O Globo*)

Obras

Anarquistas, Graças a Deus (1979)
Um Chapéu para Viagem (1982)
Senhora Dona do Baile (1984)
Jardim de Inverno (1988)
Chão de Meninos (1992)
Crônica de uma Namorada (1995)
A Casa do Rio Vermelho (1999)
Città di Roma (2000)
Jonas e a Sereia (2001)

Contato

Carmem Balcells, *agente literária*
administracion@sg.balcells.redestb.es

Fragmento

Anarquistas, Graças a Deus

Pelo nosso enorme portão, aberto de par em par, entravam, procurando guarida, cães abandonados ou escorraçados por moleques da rua. Penalizada, mamãe recolhia e tratava quantos aparecessem por lá. O mais antigo de nossos cães, entre tantos que tivemos, chegado nessa circunstância, escorraçado, era enorme. Mamãe o batizou com o nome de Flox, certamente por ser felpudo e branco como um floco de algodão. O mau português de dona Angelina foi responsável pela transformação de floco em flox; ao ver o cachorro banhado e penteado exclamou: "Ai que lindo flox de algodão!" Ficou sendo Flox.
Flox apareceu um dia, fugindo das pedradas de um bando de meninos. Machucado, atingido numa das patas traseiras, sangrando, corria com dificuldade, sustentado por três pernas apenas. Encontrou o providencial portão aberto, entrou, escondeu-se debaixo de um automóvel estacionado na garagem. Morta de pena, como sempre, mamãe o acolheu.

ZÉLIA GATTAI

Very few writers start writing at the age of 63, but that happened to Jorge Amado's wife, ZÉLIA GATTAI, who debuted in 1979 with the book *Anarquistas, Graças a Deus (Anarchists, Thanks God)*. In this book, she tells the saga of her Italian immigrant family arriving in São Paulo in the early 20th century. The description of an ever-growing city's day-by-day life is the background for a narrative that privileges the vivid personal memory over the filed records, which produced a simple and tasty account of both quotidian and historical events. This characteristic pervades throughout her work. In spite of her late start, her work has never stopped growing. Her love affair with her famous husband is narrated in a book, as well as her life as an exiled, during which she made friends with such people as Pablo Neruda, Jean-Paul Sartre, Simone de Beauvoir, Picasso, and others, her books also tell the stories from the Amados' house, in Bahia state, where artists and politicians from all over the world have been guests, etc. Her first book was successfully adapted to the TV screen and, just like many others she wrote, was translated into many different languages.

Review

BETWEEN TEARS AND BURSTS OF LAUGHTER
"I had the privilege, as the author's daughter, to follow once more this interesting process of creation and recollection, which opens up to today's time all of the details, small events, significant facts between tears and bursts of laughter." (Paloma Amado, *O Estado de S. Paulo*)

THE ENCHANTMENT OF AFFECTION
"A sweet story teller". (Cecília Costa, *O Globo*)

Excerpt

Anarquistas, Graças a Deus (Anarchists, Thanks God)

Through our huge fully opened gate, all dogs, either abandoned or chased away by the youngsters in the street, would come in, seeking for lair. Full of pity, mom would take them in and look after them regardless of the number.

The oldest of our dogs, among so many that came in after been chased away in the street, was huge. Mom called him up Flake, certainly because he was fluffy and white as a flock of cotton. Angelina's broken Portuguese is to blame for the change of flock into flake; after being bathed, when she saw the dog clean and combed, she cried out: "Oh, what a beautiful flake of cotton! " Thereafter he became Flake. Flake had appeared one day, fleeing the blows delivered by a group of boys. Wounded, as he had one of his back paws injured, and bleeding, he could hardly run, sustained by three legs. But he found the providential open gate, he managed to come in and hide under an automobile that was parked inside. Full of pity, as always, mom sheltered him.

Works

Anarquistas, Graças a Deus (1979)
Um Chapéu para Viagem (1982)
Senhora Dona do Baile (1984)
Jardim de Inverno (1988)
Chão de Meninos (1992)
Crônica de uma Namorada (1995)
A Casa do Rio Vermelho (1999)
Città di Roma (2000)
Jonas e a Sereia (2001)

Contact

Carmem Balcells, *literary agent*
administracion@sg.balcells.redestb.es

ZIRALDO

ZIRALDO talvez seja o único escritor do mundo a desfrutar a honra de ter um de seus títulos comparados à lua por ninguém menos que Neil Armstrong, o primeiro astronauta a pisar o respectivo satélite, que disse: *The moon is Flicts*. Polivalente, esse autor de livros infantis tem uma longa trajetória como artista gráfico, humorista, ilustrador, cartunista, caricaturista, dramaturgo e jornalista. Ele foi o primeiro a criar uma revista de história em quadrinhos brasileira, reunindo todos os bichos do folclore nacional, um pequeno índio e o Saci-Pererê, que, sendo o mais importante mito popular do país, deu título à publicação. Sua consagração total chegou com o lançamento de *O Menino Maluquinho*, lido e admirado por milhões de crianças de várias gerações que ainda tiveram a alegria de assisti-lo em duas versões para o cinema. Durante a ditadura militar, Ziraldo participou da resistência política, fundando, com outros humoristas, o mais importante jornal não-conformista da imprensa brasileira, o *Pasquim*.

Crítica

UM PROFETA DO MUNDO
"E Ziraldo, ansioso, fanático, incansável, se transformou num dos profetas de ponta desse humor gráfico. [...] Habita o mundo de todos esses loucos — Scarfe, Stedman, François, Gorey, Steinberg — expoentes de uma arte amadurecida no século, e, como eles, se apropria de todo o acervo visual, popular e erudito, da cidade e do mundo." (Millôr Fernandes, "Anfiguri")

A FORÇA DA AMBIGÜIDADE
"Nessa capacidade de aprofundar ambigüidades e analogias, com um nítido espírito político, está a força expressiva de Ziraldo." (Carlos Castello Branco, "A Linguagem de Ziraldo")

Obras

Flicts (1969)
Turma do Pererê (1973)
O Planeta Lilás (1979)
O Menino Maluquinho (1980)
As Anedotinhas do Bichinho da Maçã (1994)
Uma Historinha sem um Sentido (1994)
Tia Nota Dez (1995)
O Menino do Rio Doce (1997)
O Calcanhar de Aquiles (1998)
Outro Como Eu Só Daqui a Mil Anos (1999)
500 Anos de Anedotas de Português (2000)
Rolando de Rir (2001)

Contato

Ana Santeiro, *agente literária*
amsr@openlink.com.br

Fragmento

O Menino Maluquinho

A pipa que
o menino maluquinho soltava
era a mais maluca de todas
rabeava lá no céu
rodopiava adoidado
caía de ponta-cabeça
dava tranco e cabeçada
e sua linha cortava
mais que o afiado cerol.
E a pipa
quem fazia
era mesmo o menininho
pois ele havia aprendido
a amarrar linha e taquara
a colar papel de seda
e a fazer com polvilho
o grude para colar
a pipa triangular
como o papai
lhe ensinara
do jeito que havia
aprendido
com o pai
e o pai do pai
do papai.

ZIRALDO

ZIRALDO is perhaps the only writer in the world to be honored with the comparison of one of his titles to the moon by Neil Armstrong himself, the first astronaut to step on the satellite, who said: *The moon is Flicts*. This author of books for children is a many-skilled writer, which includes a graphic artist, a humorist, an illustrator, a cartoonist, a caricaturist, a playwright, and a journalist. He was the first to create a Brazilian cartoon magazine, gathering all the animals from the national folklore, plus a little Indian and "Saci-Pererê" (a black, one-legged pipe-smoking little goblin). The comic book was named after Saci Pererê, which happens to be the most popular character in the Brazilian mythology. His paramount renown came with the publication of *O Menino Maluquinho (The Little Nutty Boy)*, read and admired by millions of children of many generations who also had the good fortune of watching it adapted twice to the screen. During the military dictatorship, Ziraldo engaged in the political resistance, and joined other humorists to launch *Pasquim,* the most important non-conformist newspaper in the Brazilian press.

Review

A WORLDLY PROPHET

"And Ziraldo, anxious, fanatic, tireless, became one of the leading prophets in this graphic humour. [...] He lives in the same world as all such frenzied men — Scarfe, Stedman, François, Gorey, Steinberg — exponents of an art matured over the century; and just like them, he takes possession of the entire visual, popular, and erudite heritage of the city and of the world." (Millôr Fernandes, "Anfiguri")

THE STRENGTH OF AMBIGUITY

"Ziraldo's expressive strength lies in his capacity to deepen ambiguities and analogies, with an evident political mind." (Carlos Castello Branco, "A Linguagem de Ziraldo")

Excerpt

O Menino Maluquinho (The Little Nutty Boy)

The kite
the little nutty boy flew
was the craziest of all
it would wriggle up in the sky
whirling a lot
it would fall head first
jerking and butting
and the thread would cut
more than shoemaker's wax with ground glass.
And the kite,
the boy himself
would make it
as he had learned
how to tie together string and bamboo
how to glue tissue paper
and how to use manioc flour to prepare
the stickum to glue
the triangular kite
just like his dad
had taught him
in the same way as daddy
had learned
from his dad
and his dad
from granddad's dad.

Works

Flicts (1969)
Turma do Pererê (1973)
O Planeta Lilás (1979)
O Menino Maluquinho (1980)
As Anedotinhas do Bichinho da Maçã (1994)
Uma Historinha sem um Sentido (1994)
Tia Nota Dez (1995)
O Menino do Rio Doce (1997)
O Calcanhar de Aquiles (1998)
Outro Como Eu Só Daqui a Mil Anos (1999)
500 Anos de Anedotas de Português (2000)
Rolando de Rir (2001)

Contact

Ana Santeiro, *literary agent*
amsr@openlink.com.br

Editoras Brasileiras | *Brazilian Publishing Houses*

AGIR
Agir Editora Ltda.
endereço/address
Rua dos Inválidos, 198 – Centro 20231-020
Rio de Janeiro RJ Brasil
telefone/telephone
(00 55 21) 2509-6424
fax (00 55 21) 2509-3410
e-mails
editorial@agireditora.com.br
info@agireditora.com.br
homepage
www.agireditora.com.br

ALFA-OMEGA
Editora Alfa-Omega
endereço/address
Rua Lisboa, 489 – Jardim América 05413-000
São Paulo SP Brasil
telefones/telephones
(00 55 11) 3062-6400
(00 55 11) 3062-6690
fax (00 55 11) 3083-0746
e-mail
alfaomega@alfaomega.com.br
homepage
www.alfaomega.com.br

ANNABLUME
Annablume Editora
endereço/address
Rua Padre Carvalho, 275 – Pinheiros 05427-100
São Paulo SP Brasil
telefax
(00 55 11) 3812-6764
televendas/telemarketing
(00 55 11) 211-9727
(00 55 11) 3031-9727
e-mail
annablume_editora@hotmail.com.br
homepage
www.annablume.com.br

ARQUIVO DO ESTADO DE SÃO PAULO
Divisão de Arquivo do Estado de São Paulo
endereço/address
Rua Voluntários da Pátria, 596 – Santana
02010-000 São Paulo SP Brasil
telefax
(00 55 11) 6221-4785
(00 55 11) 6221-1924
(00 55 11) 6221-2306
e-mail
arquivoestado@sp.gov.br
homepage
www.arquivoestado.sp.gov.br

ARQUIVO NACIONAL
endereço/address
Rua Azeredo Coutinho, 77 – Centro 20230-170
Rio de Janeiro RJ Brasil
telefone/telephone
(00 55 21) 3806-6115
e-mail
consultas@arquivonacional.gov.br
homepage
www.arquivonacional.gov.br

ARQUIVO PÚBLICO DO ESTADO DO RIO DE JANEIRO
endereço/address
Praia de Botafogo, 480 – Botafogo 22250-040
Rio de Janeiro RJ Brasil
telefax
(00 55 21) 2537-9041
(00 55 21) 2537-2579
(00 55 21) 2537-3574
e-mail
aperj@aperj.rj.gov.br
homepage
www.aperj.rj.gov.br

ARTIUM
Artium Editora
endereço/address
Rua do Ouvidor, 63 – salas 707 / 709 Centro
20040-030 Rio de Janeiro RJ Brasil
telefax
(00 55 21) 2252-1165
e-mail
artiumeditora@openlink.com.br

ATELIÊ
Ateliê Editorial Ltda.
endereço/address
Rua Manoel Pereira Leite, 15 – Granja Viana
06709-280 Cotia SP Brasil
telefax
(00 55 11) 4612-9666
e-mail
atelie_editorial@uol.com.br
homepage
www.atelie.com.br

ÁTICA
Editora Ática
endereço/address
Rua Barão de Iguape, 110 – Liberdade
01507-900 São Paulo SP Brasil
telefax
(00 55 11) 3346-3000
fax
(00 55 11) 3346-3309
(00 55 11) 3277-4146
e-mail
editora@atica.com.br
homepage
www.atica.com.br

ATLAS
Editora Atlas S. A.
endereço/address
Rua Conselheiro Nébias, 1.384 – Campos Elísios
01203-904 São Paulo SP Brasil
telefone/telephone
(00 55 11) 221-9144
fax
(00 55 11) 220-7830
e-mail
vendas@edatlas.com.br
homepage
www.edatlas.com.br

AUTÊNTICA
Autêntica Editora Comunicação e Marketing Ltda.
endereço/address
Rua Januária, 437 – Floresta 31110-060
Belo Horizonte MG Brasil
telefax
(00 55 31) 3423-3022
e-mail
autentica@autenticaeditora.com.br
homepage
www.autenticaeditora.com.br

BAGAÇO
Edições Bagaço
endereço/address
Rua dos Arcos, 150 – Poço da Panela
52061-180 Recife PE Brasil
telefax
(00 55 81) 3441-0132
(00 55 81) 3441-0133
(00 55 81) 3441-0134
e-mails
bagaço@elogica.com.br
bagaço1@uol.com.br

BERLENDIS & VERTECCHIA
Berlendis Editores Ltda.
endereço/address
Rua Moacir Piza, 63 – Cerqueira César
01421-030 São Paulo SP Brasil
telefones/telephones
(00 55 11) 3085-9583
(00 55 11) 3085-8045
(00 55 11) 3088-1970
fax (00 55 11) 3085-2344
e-mail
editora@berlendis.com
homepage
www.berlendis.com

BERTRAND BRASIL
Bertrand Brasil
endereço/address
Rua Argentina, 171 – São Cristóvão 20921-380
Rio de Janeiro RJ Brasil
telefone/telephone
(00 55 21) 2585-2070
fax (00 55 21) 2585-2087
e-mail
bcdnet@ism.com.br
homepage
www.record.com.br

BIBLIEX EDITORA
Biblioteca do Exército
endereço/address
Praça Duque de Caxias, 25 – Ala Marcílio Dias
3° andar – Centro 20221-260 Rio de Janeiro
RJ Brasil
telefone/telephone
(00 55 21) 2519-5707
fax
(00 55 21) 2519-5569
e-mail
bibliex@ism.com.br
homepage
www.bibliex.eb.br

BOITEMPO
Boitempo Editorial
endereço/address
Rua Euclides de Andrade, 27 – Sumarezinho
05030-030 São Paulo SP Brasil
telefones/telephones
(00 55 11) 3875-7285
(00 55 11) 3875-7250
fax
(00 55 11) 3875-7270
e-mails
editora@boitempo.com
comercial@boitempo.com
homepage
www.boitempo.com

BRASILIENSE
Editora Brasiliense
endereço/address
Rua Airi, 22 A – Tatuapé 03310-010 São Paulo
SP Brasil
telefax
(00 55 11) 6198-1488
e-mail
brasilienseedit@uol.com.br
homepage
www.editorabrasiliense.com.br

CAMPUS
Editora Campus
endereço/address
Rua Sete de Setembro, 111 / 16 ° andar –
Centro 20050-002 Rio de Janeiro RJ Brasil
telefone/telephone
(00 55 21) 3970-9300
fax (00 55 21) 2507-1991
televendas/telemarketing
0800-265340
e-mail
info@campus.com.br
homepage
www.campus.com.br

CASA DA PALAVRA
Casa da Palavra Produção Editorial Ltda.
endereço/address
Praça Floriano, 55 – sala 1.103 – Centro
20031-050 Rio de Janeiro RJ Brasil
telefones/telephones
(00 55 21) 2220-5252
(00 55 21) 2215-2382
e-mails
editora@casadapalavra.com.br
vendas@casadapalavra.com.br
homepage
www.casadapalavra.com.br

CASA DE JORGE AMADO
Fundação Casa de Jorge Amado
endereço/address
Largo do Pelourinho s/n° – Pelourinho
40026-280 Salvador BA Brasil
telefone/telephone
(00 55 71) 321-0070
homepage
www.fundacaojorgeamado.com.br

CASA DE RUI BARBOSA
Fundação Casa de Rui Barbosa
Setor de Editoração
endereço/address
Rua São Clemente, 134 – Botafogo 22260-000
Rio de Janeiro RJ Brasil
telefone/telephone
(00 55 21) 2537-0036 *ramal/extension* 166
fax
(00 55 21) 2537-8424
e-mail
editora@rb.gov.br
homepage
www.casaruibarbosa.gov.br

CASA JORGE
Casa Jorge Editorial
endereço/address
Av. Beira-Mar, 406 – sala 804 – Centro
20021-060 Rio de Janeiro RJ Brasil
telefone/telephone
(00 55 21) 2240-1241
fax
(00 55 21) 2240-8837
e-mail
casajorge@openlink.com.br
homepage
www.editoras.com/casajorge/

CIVILIZAÇÃO BRASILEIRA
Editora Civilização Brasileira
endereço/address
Rua Argentina, 171 – São Cristóvão 20921-380
Rio de Janeiro RJ Brasil
telefone/telephone
(00 55 21) 2585-2000
fax
(00 55 21) 2585-2085
e-mail
record@record.com.br
homepage
www.record.com.br

COMPANHIA DAS LETRAS
Editora Schwarcz Ltda.
endereço/address
Rua Bandeira Paulista, 702 – conjunto 32
Itaim Bibi 04532-002 São Paulo SP Brasil
telefone/telephone
(00 55 11) 3167-0801
fax
(00 55 11) 3167-0814
e-mail
editores@companhiadasletras.com.br
homepage
www.companhiadasletras.com.br

CONTEXTO
Editora Pinsky Ltda.
endereço/address
Rua Acopiara, 199 – Alto da Lapa – 05083-110 São Paulo SP Brasil
telefone/telephone
(00 55 11) 3832-5838
fax
(00 55 11) 3832-1043
e-mail
contexto@editoracontexto.com.br
homepage
www.editoracontexto.com.br

CONTRA CAPA
Marca D'Água Livraria e Editora Ltda.
endereço/address
Rua Dias Ferreira, 214 – Leblon – 22431-050 Rio de Janeiro RJ Brasil
telefone/telephone
(00 55 21) 2511-4082
fax
(00 55 21) 2511-4764
e-mail
capa@easynet.com.br
homepage
www.contracapa.com.br

CONTRAPONTO
Contraponto Editora Ltda.
endereço/address
Caixa Postal 56066
22292-970 Rio de Janeiro RJ Brasil
telefones/telephones
(00 55 21) 2544-0206
(00 55 21) 2215-6148
e-mail
contraponto@contrapontoeditora.com.br
homepage
www.contrapontoeditora.com.br

CORRUPIO
Corrupio Edições e Promoções Ltda.
endereço/address
Rua Airosa Galvão, 106 – sala 201 – Barra 40140-180 Salvador BA Brasil
telefone/telephone
(00 55 71) 245-1833
fax
(00 55 71) 354-6273
(00 55 71) 235-7558
e-mail
vendas@corrupio.com.br

CORTEZ
Cortez Editora
endereço/address
Rua Bartira, 317 – Perdizes – 05009-000 São Paulo SP Brasil
telefone/telephone
(00 55 11) 3864-0111
fax
(00 55 11) 3864-4290
e-mails
cortez@cortezeditora.com.br
info@cortezeditora.com.br
homepage
www.cortezeditora.com.br

COSAC & NAIFY
Cosac & Naify Edições Ltda.
endereço/address
Rua General Jardim, 770 / 2° andar – Vila Buarque 01223-010 São Paulo SP Brasil
telefone/telephone
(00 55 11) 3218-1444
e-mail
info@cosacnaify.com.br
homepage
www.cosacnaify.com.br

CULT — REVISTA BRASILEIRA DE LITERATURA
Lemos Editorial e Gráficos Ltda.
endereço/address
Rua Rui Barbosa, 70 – Bela Vista – 01326-010
São Paulo SP Brasil
telefone/telephone
(00 55 11) 251-4300
e-mails
cult@lemos.com.br
contato@lemos.com.br
homepage
www.lemos.com.br

CULTRIX
Editora Pensamento-Cultrix Ltda.
endereço/address
Rua Doutor Mário Vicente, 368 – Vila D. Pedro I
04270-000 São Paulo SP Brasil
telefone/telephone
(00 55 11) 272-1399
fax
(00 55 11) 272-4770
e-mail
pensamento@isnet.com.br
homepage
www.pensamento-cultrix.com.br

DANTE
Dante Leblon Editora e Livraria Ltda.
endereço/address
Rua Dias Ferreira, 45-B – Leblon – 22431-050
Rio de Janeiro RJ Brasil
telefone/telephone
(00 55 21) 2511-3480

DIFEL
Difel Editora
endereço/address
Rua Argentina, 171 – São Cristóvão – 20921-380 Rio de Janeiro RJ Brasil
telefone/telephone
(00 55 21) 2585-2000
fax
(00 55 21) 2585-2080
(00 55 21) 2580-4911
e-mail
record@record.com.br
homepage
www.record.com.br

DUAS CIDADES
Livraria Duas Cidades
endereço/address
Rua Bento Freitas, 158 – República – 01220-000 São Paulo SP Brasil
telefax
(00 55 11) 3106-0877
(00 55 11) 232-2071
e-mail
livraria@duascidades.com.br
homepage
www.duascidades.com.br

EDFUA
Editora da Fundação Universidade do Amazonas (FUA)
endereço/address
Avenida Gen. Rodrigo Octávio Jordão Ramos, 3.000 – Anexo Bloco L – 69077-000
Manaus AM Brasil
telefax
(00 55 92) 644-2434
e-mail
edua@fua.br
homepage
www.fua.br

EDIOURO
Ediouro Publicações
endereço/address
Rua Nova Jerusalém, 345 – Bonsucesso – 21042-230 Rio de Janeiro RJ Brasil
telefone/telephone
(00 55 21) 3882-8200
fax
(00 55 21) 2280-2438
e-mails
livro@ediouro.com.br
vendas@ediouro.com.br
homepage
www.ediouro.com.br

EDIPUCRS
Editora da Pontifícia Universidade Católica do Rio Grande do Sul
endereço/address
Avenida Ipiranga, 6.681 – Prédio 33 Parthenon 90619-900 Porto Alegre RS Brasil
telefax
(00 55 51) 320 3523
e-mail
edipucrs@pucrs.br
homepage
www.pucrs.br/edipucrs/

EDIPUCSP
Editora da Pontifícia Universidade Católica de São Paulo
endereço/address
Rua Monte Alegre, 984 – Perdizes – 05014-001 São Paulo SP Brasil
telefone/telephone
(00 55 11) 3873-3359
fax
(00 55 11) 3862-4920
homepage
www.pucsp.br/~clinpsic/publicacoesb.htm

EDITORA DA FGV
Editora da Fundação Getúlio Vargas
endereço/address
Praia de Botafogo, 190 / 14 ° andar – Botafogo 22253-900 Rio de Janeiro RJ Brasil
telefones/telephones
(00 55 21) 2559 5533
(00 55 21) 2559-5534
fax (00 55 21) 2559-5541
central de atendimento/call center
0800 21 7777
e-mail
editora@fgv.br
homepage
www.fgv.br/institucional/editora.cfm

EDITORA DA FUNARTE
Editora da Fundação Nacional de Arte
endereço/address
Rua da Imprensa, 16 / 5° andar – Centro 20030-120 Rio de Janeiro RJ Brasil
telefones/telephones
(00 55 21) 2279-8035
(00 55 21) 2279-8036
fax (00 55 21) 2532-7155
e-mail
editorafunarte@bol.com.br
homepage
www.funarte.gov.br

EDITORA DA FUNDAÇÃO PERSEU ABRAMO
Editora da Fundação Perseu Abramo Ltda.
endereço/address
Rua Francisco Cruz, 234 – Vila Mariana – 04117-091 São Paulo SP Brasil
telefone/telephone
(00 55 11) 5571-4299
fax (00 55 11) 5571-0910
e-mail
editora@fpabramo.org.br
homepage
www.fpabramo.org.br

EDITORA DA UnB

Editora da Universidade de Brasília

endereço/address
SCS, Q 2 – Bloco C – nº 78 / 2º andar – 70300-913 Brasília DF Brasil
telefone/telephone
(00 55 61) 226-6874
fax
(00 55 61) 225-5611
e-mail
livrariavirtual@editora.unb.br
homepage
www.editora.unb.br

EDITORA DA UNESP

Editora da Universidade do Estado de São Paulo

endereço/address
Praça da Sé, 108 – Sé – 01001-900 São Paulo SP Brasil
telefones/telephones
(00 55 11) 3242-9555
(00 55 11) 3242-7171
ramais/extensions 414 / 417
fax
(00 55 11) 3242-9613
(00 55 11) 3242-7172 *ramal/extension* 415
e-mail
vendas@editora.unesp.br
homepage
www.editora.unesp.br

EDITORA DA UNICAMP

Editora da Universidade de Campinas

endereço/address
Rua Caio Graco Prado, 5 – Campus Unicamp 13083-970 Campinas SP Brasil
telefones/telephones
(00 55 19) 3788-1015
(00 55 19) 3788-1096
telefax (00 55 19) 3788-1098
homepage
www.editora.unicamp.br

EDITORA DO SENAC

Editora do Serviço Nacional do Comércio

endereço/address
Rua Rui Barbosa, 377 – Bela Vista – 01326-010 São Paulo SP Brasil
telefones/telephones
(00 55 11) 3284-4322
(00 55 11) 3284-7957
fax
(00 55 11) 289-9634
e-mail
eds@sp.senac.br
homepage
www.sp.senac.br

EDITORA FORENSE

Cia. Editora Forense

endereço/address
Avenida Erasmo Braga, 299 – Centro – 20020-000 Rio de Janeiro RJ Brasil
telefone/telephone
(00 55 21) 2533-5537
fax
(00 55 21) 2533-4752
e-mail
forense@forense.com.br
homepage
www.forense.com.br

EDUC

Editora da Universidade Católica

endereço/address
Rua Ministro Godoy, 1.213 – Perdizes – 05015-001 São Paulo SP Brasil
telefax
(00 55 11) 3873-3359
e-mail
editeduc@exatas.pucsp.br

EDUERJ
Editora da Universidade do Estado do Rio de Janeiro
endereço/address
Rua São Francisco Xavier, 524 – Maracanã – 20550-013 Rio de Janeiro RJ Brasil
telefax
(00 55 21) 2587-7788
(00 55 21) 2587-7789
e-mail
eduerj@uerj.com.br
homepage
www.uerj.br/eduerj/

EDUFAL
Editora da Universidade Federal de Alagoas
endereço/address
Campus A. C. Simões
BR 104 Norte – Km 97 – Tabuleiro dos Martins
57072-970 Maceió AL Brasil
telefone/telephone
(00 55 82) 322-2383
fax
(00 55 82) 214-1111
homepage
www.ufal.br

EDUFBA
Editora da Universidade Federal da Bahia
endereço/address
Rua Augusto Viana, 37 – Canela – 40110-060
Salvador BA Brasil
telefones/telephones
(00 55 71) 235-8991
(00 55 71) 331-9799
fax
(00 55 71) 235-8991
e-mail
edufba@ufba.br
homepage
www.abeu.org.br

EDUFCE
Editora da Universidade Federal do Ceará
endereço/address
Avenida da Universidade, 2.995 – Benfica – 60020-181 Fortaleza CE Brasil
telefone/telephone
(00 55 85) 281-4333
fax (00 55 85) 283-4069
e-mail
coordufc@ufc.br
homepage
www.editora.ufc.br

EDUFES
Editora da Universidade Federal do Espírito Santo
endereço/address
Avenida Fernando Ferrari, s/nº – Campus Universitário – Goiabeiras – 29060-970
Vitória ES Brasil
telefones/telephones
(00 55 27) 335-2370
(00 55 27) 335-2375
fax (00 55 27) 335-2378
homepage www.ufes.br

EDUFF
Editora da Universidade Federal Fluminense
endereço/address
Rua Miguel de Frias, 9 – sobreloja – Icaraí
24220-000 Niterói RJ Brasil
telefones/telephones
(00 55 21) 2704-2119
(00 55 21) 2622-4088
(00 55 21) 2704-2118
(00 55 21) 620-8080
ramais/extensions 353 / 356 / 200
fax (00 55 21) 2621-6426
(00 55 21) 621-6426
e-mail
eduff@vm.uff.br
homepage
www.uff.br/eduff/

EDUFG
Editora da Universidade Federal de Goiás
Centro Editorial e Gráfico (Cegraf)
endereço/address
Campus Samambaia – Caixa Postal 131 – 74001-970 Goiânia GO Brasil
telefones/telephones
(00 55 62) 821-1107
(00 55 62) 205-1616
fax (00 55 62) 205-1015
e-mail
cegraf@cegraf.ufg.br
homepage
www.cegraf.ufg.br

EDUFMA
Editora da Universidade Federal do Maranhão
endereço/address
Avenida Portugueses, s/nº – Campus do Bacanga – 65085-580 São Luís MA Brasil
telefones/telephones
(00 55 98) 217-8018
(00 55 98) 217-8021
fax (00 55 98) 217-8016
homepage
www.ufma.br

EDUFMG
Editora da Universidade Federal de Minas Gerais
endereço/address
Av. Antônio Carlos, 6.627 – Biblioteca Central – sala 405 – Campus Pampulha – 31270-901 Belo Horizonte MG Brasil
telefone/telephone
(00 55 31) 3499-4657
fax
(00 55 31) 3499-4768
e-mails
ed-ven@bu.ufmg.br
editora@bu.ufmg.br
homepage
www.editora.ufmg.br

EDUFMS
Editora da Universidade Federal de Mato Grosso do Sul
endereço/address
Rua 9 de Julho, 1.922 – Vila Ipiranga – 79081-050 Campo Grande MS Brasil
telefone/telephone
(00 55 67) 787-3311
fax
(00 55 67) 787-7698
e-mail
editora@nin.ufms.br
homepage
www.ufms.br

EDUFMT
Editora da Universidade Federal de Mato Grosso
endereço/address
Avenida Fernando Corrêa da Costa, s/nº Campus Universitário – Coxipó da Ponte – 78060-900 Cuiabá MT Brasil
telefone/telephone
(00 55 65) 615-8322
fax
(00 55 65) 615-8324
e-mail
edufmt@cpd.ufmt.br
homepage
www.ufmt.br/editora/editora.html

EDUFPA
Editora da Universidade Federal do Pará
endereço/address
Rua Augusto Corrêa, 1 – Campus Universitário do Guamá – 66075-900 Belém PA Brasil
telefones/telephones
(00 55 91) 211-1351
(00 55 91) 249-2700
fax (00 55 91) 249-2700
e-mail
edufpa@ufpa.br
homepage
www.ufpa.br

EDUFPB
Editora da Universidade Federal da Paraíba
endereço/address
Cidade Universitária – Campus I – 58000-000 João Pessoa PB Brasil
telefone/telephone
(00 55 83) 216-7147
fax
(00 55 83) 216-7489
e-mail
editor@editora.ufpb.br
homepage
www.ufpb.br

EDUFPE
Editora da Universidade Federal de Pernambuco
endereço/address
Rua Acadêmico Hélio Ramos, 20 – Cidade Universitária – 50740-530 Recife PE Brasil
telefones/telephones
(00 55 81) 271-8386
(00 55 81) 271-8930
fax
(00 55 81) 271-8395
homepage
www.ufpe.br

EDUFPI
Editora da Fundação Universidade Federal do Piauí
endereço/address
Campus Universitário Ministro Petrônio Portella Nunes – 64049-550 Teresina PI Brasil
telefone/telephone
(00 55 86) 215-5689
fax
(00 55 86) 215-5688
homepage
www.ufpi.br

EDUFPR
Editora da Universidade Federal do Paraná
endereço/address
Centro Politécnico – Jardim das Américas – Caixa Postal 19029 – 81531-990 Curitiba PR Brasil
telefones/telephones
(00 55 41) 361-3380
(00 55 41) 361-3381
fax (00 55 41) 267-5973
e-mail
editora@cce.ufpr.br
homepage
www.editora.ufpr.br

EDUFRJ
Editora da Universidade Federal do Rio de Janeiro
endereço/address
Avenida Pasteur, 250 – sala 107 – Botafogo / Urca – 22295-900 Rio de Janeiro RJ Brasil
telefone/telephone
(00 55 21) 2295-1595
ramais/extensions 111 / 124
telefax (00 55 21) 2295-7096
e-mails
editora@editora.ufrj.br
livraria@editora.ufrj.br
homepage
www.editora.ufrj.br

EDUFRN
Editora da Universidade Federal do Rio Grande do Norte
endereço/address
Campus Universitário Lagoa Nova – Caixa Postal 1524 – 59072-970 Natal RN Brasil
telefone/telephone
(00 55 84) 215-3236
fax (00 55 84) 215-3206
(00 55 84)215-3237
e-mail
edufrn@editora.ufrn.br
homepage
www.ufrn.br

EDUFRRJ
Editora da Universidade Federal Rural do Rio de Janeiro
endereço/address
Rodovia BR 465 – Km 7 – Pavilhão Central – sala 102 – 23890-000 Seropédica RJ Brasil
telefone/telephone
(00 55 21) 682-1210 *ramal/extension* 325
fax (00 55 21) 682-1201
e-mail
edur@ufrrj.br
homepage
www.ufrrj.br/editora.htm

EDUFRS
Editora da Universidade Federal do Rio Grande do Sul
endereço/address
Av. João Pessoa, 415 – 90040-000 Porto Alegre RS Brasil
telefax
(00 55 51) 3224-8821
(00 55 51) 3316-4082
(00 55 51) 3316-4090
e-mail
editora@orion.ufrgs.br
homepage
www.ufrgs.br

EDUFSC
Editora da Universidade Federal de Santa Catarina
endereço/address
Campus Universitário – Trindade – Caixa Postal 476 – 88040-900 Florianópolis SC Brasil
telefones/telephonesq
(00 55 48) 331-9408
(00 55 48) 331-9605
fax (00 55 48) 331-9680
e-mail
edufsc@editora.ufsc.br
homepage
www.editora.ufsc.br

EDUFSE
Editora da Universidade Federal de Sergipe
endereço/address
Cidade Universitária Prof. José Aloísio de Campos Av. Marechal Rondon, s/nº – Jardim Rosa Elze 49100-000 São Cristóvão SE Brasil
telefone/telephone (00 55 79) 241-2848
ramais/extensions 417 / 356
fax (00 55 79) 241-2848
homepage www.sergipe.ufs.br

EDUSC
Editora da Universidade do Sagrado Coração
endereço/address
Rua Irmã Arminda, 10 – Jardim Brasil – 17011-160 Bauru SP Brasil
telefones/telephones
(00 55 14) 235-7278
(00 55 14) 235-7252
fax (00 55 14) 235-7219
e-mails
edusc@usc.br
vendasedusc@usc.br
usc@usc.br
homepage www.usc.br/edusc/

EDUSP
Editora da Universidade de São Paulo
endereço/address
Avenida Prof. Luciano Gualberto – Travessa J / 6º andar – Cidade Universitária – Butantã 05508-900 São Paulo SP Brasil
telefones/telephones
(00 55 11) 3091-4150
(00 55 11) 3091-4008
(00 55 11) 3091-4006
fax (00 55 11) 3091-4160
e-mails
edusp-venda@edu.usp.br
edusp@edu.usp.br
homepage
www.usp.br/edusp

FBN
Fundação Biblioteca Nacional
Departamento Nacional do Livro
endereço/address
Rua da Imprensa, 16 / 11° andar – Centro – 20030-120 Rio de Janeiro RJ Brasil
telefones/telephones
(00 55 21) 2240-7929
(00 55 21) 2544-8669
(00 55 21) 2544-8514
(00 55 21) 2544-8703
(00 55 21) 2220-0390
fax
(00 55 21) 2220-1009
e-mails
dnl@ bn.br
elmer@bn.br
homepage
www.bn.br

FOLHA SECA
Edições Folha Seca
endereço/address
Rua Álvaro Ramos, 52/02 – Botafogo – 22280-110 Rio de Janeiro RJ Brasil
telefone/telephone
(00 55 21) 2542-1356
e-mail
edfolhaseca@openlink.com.br

FORENSE UNIVERSITÁRIA
Editora Forense Universitária Ltda.
endereço/address
Rua do Rosário, 100 – Centro – 20041-002 Rio de Janeiro RJ Brasil
telefax
(00 55 21) 2509-3148
(00 55 21) 2509-7305
e-mail
foruni@unisy.com
homepage
www.forenseuniversitaria.com.br

FRAIHA
Editora Fraiha
endereço/address
Rua Professor Pantoja Leite, 10 – Joá – 22611-160 Rio de Janeiro RJ Brasil
telefones/telephones
(00 55 21) 2492-1271
(00 55 21) 2512-6025
e-mail
fraiha@dh.com.br

FRANCISCO ALVES
Livraria Francisco Alves Editora S/A
endereço/address
Rua Visconde Silva, 30 – Botafogo – 22271-090 Rio de Janeiro RJ Brasil
telefone/telephone
(00 55 11) 2286-0866
fax
(00 55 11) 2286-5494
e-mail
alvesedit@uol.com.br

GARAMOND
Editora Garamond Ltda.
endereço/address
Rua Santa Cristina, 18 – Santa Teresa – 20241-250 Rio de Janeiro RJ Brasil
telefax
(00 55 21) 2224-9088
e-mail
garamond@garamond.com.br
homepage
www.garamond.com.br

GERAÇÃO EDITORIAL
Geração de Comunicação Integrada e Comercial
endereço/address
Rua Cardoso de Almeida, 2.188 – Sumaré – 01251-000 São Paulo SP Brasil
telefone/telephone
(00 55 11) 3872-0984
fax
(00 55 11) 3862-9031
e-mail
geracao@geracaobooks.com.br
homepage
www.geracaobooks.com.br

GLOBAL
Global Editora e Distribuidora Ltda.
endereço/address
Rua Pirapitingüi, 111 – Liberdade – 01508-020 São Paulo SP Brasil
telefone/telephone
(00 55 11) 3277-7999
fax
(00 55 11) 3277-8141
e-mail
global@dialdata.com.br

GLOBO
Editora Globo
endereço/address
Av. Jaguaré, 1.485 – Jaguaré – 05346-902 São Paulo SP Brasil
telefones/telephones
(00 55 11) 3767-7880
(00 55 11) 3767-7885
fax
(00 55 11) 3767-7888
e-mail
vendas.dfl@edglobo.com.br
homepage
www.editoraglobo.com.br

GRAAL
Edições Graal Ltda.
endereço/address
Rua do Triunfo, 177 – Santa Efigênia – 01212-010 São Paulo SP Brasil
telefones/telephones
(00 55 11) 2223-6522
(00 55 11) 3337-8399
fax
(00 55 11) 2223-6690
(00 55 11) 2223-6290
e-mail
editorial@pazeterra.com.br
homepage
www.pazeterra.com.br

GRAPHIA
Graphia Editorial
endereço/address
Rua da Glória, 366 – grupo 1.001 – Glória – 20241-180 Rio de Janeiro RJ Brasil
telefone/telephone
(00 55 21) 2224-4554
e-mail
graphiaeditorial@terra.com.br
homepage
www.graphiaeditorial.com.br

GRYPHUS
Editora Gryphus
endereço/address
Av. Erasmo Braga, 299 / 7° andar – Centro – 20020-000 Rio de Janeiro RJ Brasil
telefone/telephone
(00 55 21) 2533-5537
fax
(00 55 21) 2533-4931
e-mail
gryphus@gryphus.com.br
homepage
www.gryphus.com.br

HEDRA
Editora Hedra Ltda.
endereço/address
Rua Fradique Coutinho, 1.139 – Vila Madalena – 05416-011 São Paulo SP Brasil
telefax
(00 55 11) 3097-8304
e-mail
editora@hedra.com.br
homepage
www.hedra.com.br

HUCITEC
Editora Hucitec
endereço/address
Rua Gil de Eanes, 713 – Brooklin – 04601-042 São Paulo SP Brasil
telefone/telephone
(00 55 11) 5543-5810
fax
(00 55 11) 5093-5938
e-mail
livros@hucitec.com.br
homepage
www.hucitec.com.br

HUMANITAS
Editora Humanitas
endereço/address
Rua do Lago, 717 – Cidade Universitária – 05508-900 São Paulo SP Brasil
telefax
(00 55 11) 3818-4593
(00 55 11) 3818-4589
e-mails
editflch@edu.usp.br
pubfflch@edu.usp.br
homepage
www.fflch.usp.br/humanitas

ILUMINURAS
Editora Iluminuras Ltda.
endereço/address
Rua Oscar Freire, 1.233 – Cerqueira César – 01426-001 São Paulo SP Brasil
telefone/telephone
(00 55 11) 3068-9433
fax
(00 55 11) 3082-5317
homepage
www.iluminuras.com.br

IMAGO
Imago Editora
endereço/address
Rua Santos Rodrigues, 201 A – Estácio – 20250-430 Rio de Janeiro RJ Brasil
telefone/telephone
(00 55 21) 2502-9092
fax
(00 55 21) 2502-5435
homepage
www.imagoeditora.com.br

IMPRENSA OFICIAL
Imprensa Oficial do Estado S/A — Imesp
endereço/address
Rua da Mooca, 1.921– Mooca – 03103-902 São Paulo SP Brasil
telefones/telephones
(00 55 11) 6099-9426
(00 55 11) 6099-9596
(00 55 11) 6099-9694
(00 55 11) 6099-9714
telefax
(00 55 11) 292-1581
e-mails
editorial@imprensaoficial.com.br
imesp@imesp.com.br
homepages
www.imprensaoficial.com.br
www.imesp.com.br

INSTITUTO MOREIRA SALLES
endereço/address
Avenida Paulista, 1.294/14° andar – Bela Vista – 01310-100 São Paulo SP Brasil
telefone/telephone
(00 55 11) 3371-4455
fax
(00 55 11) 3371-4497
e-mail
ims@unibanco.com.br
homepage
www.ims.com.br

IPHAN
Instituto do Patrimônio Histórico e Artístico Nacional
endereço/address
SBN-Q. 2 – Edifício Central Brasília / 2° andar 70040-904 Brasília DF Brasil
telefone/telephone
(00 55 61) 414-6101
fax
(00 55 61) 414-6126
e-mail
publicações@iphan.gov.br
homepage
www.iphan.gov.br/loja/loja.htm

ITATIAIA
Editora Itatiaia
endereço/address
Rua São Geraldo, 53 – Floresta – 30150-070 Belo Horizonte MG Brasil
telefone/telephone
(00 55 31) 212-4600
fax
(00 55 31) 224-5151
homepage
www.editoraitatiaia.com.br

JORGE ZAHAR
Jorge Zahar Editor
endereço/address
Rua México, 31 – sobreloja – Centro – 20031-144 Rio de Janeiro RJ Brasil
telefone/telephone
(00 55 21) 2240-0226
fax
(00 55 21) 2262-5123
e-mail
jze@zahar.com.br
homepage
www.zahar.com.br

JOSÉ OLYMPIO
Livraria José Olympio Editora S/A
endereço/address
Rua Argentina, 171 – São Cristóvão – 20921-380 Rio de Janeiro RJ Brasil
telefone/telephone
(00 55 21) 2585-2060
fax
(00 55 21) 2585-2086
e-mail
joeditor@unisys.com.br
homepage
www.joseolympio.com.br

L&PM
L&PM Editores
endereço/address
Rua Comendador Coruja, 314 – loja 9 – Floresta – 90220-180 Porto Alegre RS Brasil
telefone/telephone
(00 55 51) 3225-5777
fax
(00 55 51) 3221-5380
e-mail
info@lpm.com.br
homepage
www.lpm.com.br

LACERDA
Lacerda Editores
endereço/address
Rua Dona Mariana, 205 – casa 1 – Botafogo
22280-020 Rio de Janeiro RJ Brasil
telefax
(00 55 21) 2537-8275
(00 55 21) 2537-7189
e-mail
aguilar@iis.com.br

LÉO CHRISTIANO
Léo Christiano Editorial Ltda.
endereço/address
Rua Hipólito da Costa, 82 / 101 – Vila Isabel
20551-040 Rio de Janeiro RJ Brasil
telefone/telephone
(00 55 21) 2568-1979
fax
(00 55 21) 2234-8594
e-mail
leochristiano@openlink.com.br

LIMIAR
Editora Limiar
endereço/address
Rua Teodoro Sampaio, 632 – conjunto 13 – Jardim América 05406-000 São Paulo SP Brasil
telefone/telephone
(00 55 11) 3086-2604

LOYOLA
Edições Loyola
endereço/address
Rua 1822, 347 – Ipiranga 04216-000
São Paulo SP Brasil
telefone/telephone (00 55 11) 6914-1922
fax (00 55 11) 6163-4275
e-mail editorial@loyola.com.br
homepage www.loyola.com.br

LUCERNA
Editora Y. H. Lucerna Ltda.
endereço/address
Rua Colina, 60 – sala 210 – Ilha do Governador
21931-380 Rio de Janeiro RJ Brasil
telefone/telephone
(00 55 21) 3473-2448
telefax
(00 55 21) 3393-3334
(00 55 21) 2462-3976
e-mail
info@lucerna.com.br
homepage
www.lucerna.com.br

LUMIAR
Lumiar Editora
endereço/address
Rua Barão do Bananal, 243 – Cascadura – 21380-330 Rio de Janeiro RJ Brasil
telefones/telephones
(00 55 21) 2597-2323
(00 55 21) 2596-6732
(00 55 21) 2596-8293
fax
(00 55 21) 3899-3165
e-mail
lumiardireitos@uol.com.br
homepage
www.lumiar.com.br

MALHEIROS
Malheiros Editores
endereço/address
Rua Paes de Araújo, 17 – conjunto 171 – Itaim Bibi 04531-940 São Paulo SP Brasil
telefone/telephone (00 55 11) 3078-7205
fax (00 55 11) 3168-5495
e-mail
malheiroseditores@zaz.com.br
homepage
www.malheiroseditores.com.br

MARCO ZERO
Editora Marco Zero
endereço/address
Rua Pedroso Alvarenga, 1.046 / 9º andar
Itaim Bibi 04531-004 São Paulo SP Brasil
telefone/telephone
(00 55 11) 3706-1466
fax
(00 55 11) 3071-2564
homepage
www.editoramarcozero.com.br

MARTINS FONTES
Livraria Martins Fontes Ltda.
endereço/address
Rua Conselheiro Ramalho, 330 – Bela Vista
01325-000 São Paulo SP Brasil
telefone/telephone
(00 55 11) 3241-3677
e-mail
info@martinsfontes.com.br
homnepage
www.martinsfontes.com.br

MASSANGANA
Editora Massangana — Fundação Joaquim Nabuco
endereço/address
Rua Dois Irmãos, 15 – Apipucos – 52071-440
Recife PE Brasil
telefone/telephone
(00 55 81) 441-5900 *ramal/extension* 242
fax
(00 55 81) 441-5458
e-mail
editora@fundaj.gov.br
homepage
www.fundaj.gov.br

MAUAD
Mauad Editora Ltda.
endereço/address
Av. Treze de Maio, 13 – grupos 507 / 509
Centro 20031-007 Rio de Janeiro RJ Brasil
telefone/telephone
(00 55 21) 2533-7422
fax
(00 55 21) 2220-4451
e-mail
mauad@mauad.com.br
homepage
www.mauad.com.br

MELHORAMENTOS
Companhia Melhoramentos de São Paulo
endereço/address
Rua Tito, 479 – Vila Romana – 05051-000
São Paulo SP Brasil
telefone/telephone
(00 55 11) 3874-0886
fax
(00 55 11) 3874-0898
e-mail
editora@melhoramentos.com.br
homepage
www.melhoramentos.com.br

MEMORIAL DA AMÉRICA LATINA
Fundação Memorial da América Latina
endereço/address
Av. Auro Soares de Moura Andrade, 664
Barra Funda 01156-001 São Paulo SP Brasil
telefones/telephones
(00 55 11) 3823-4600
(00 55 11) 3823-4669
fax
(00 55 11) 3825-7545
e-mail
editor@memorial.org.br
homepage
www.memorial.org.br

MERCADO ABERTO
Editora Mercado Aberto
endereço/address
Rua Dona Margarida, 894 – Navegantes – 90240-610 Porto Alegre RS Brasil
telefone/telephone
(00 55 51) 3337-4833
fax
(00 55 51) 3337-4905
e-mail
mercado@mercadoaberto.com.br
homepage
www.mercadoaberto.com.br

MUSA
Musa Editora Ltda.
endereço/address
Rua Cardoso de Almeida, 2.025 – Sumaré – 01251-001 São Paulo SP Brasil
telefone/telephone
(00 55 11) 3862-2586
fax
(00 55 11) 3871-5580
homepage
www.editoras.com/musa

NAU
Nau Editora
endereço/address
Avenida Nossa Senhora de Fátima, 155 – Centro 26650-000 Engenheiro Paulo de Frontin RJ Brasil
telefax
(00 55 21) 2542-4272
e-mail
nau@alternex.com.br

NOBEL
Editora Nobel
endereço/address
Rua Pedroso Alvarenga, 1.046 / 9º andar – Itaim Bibi – 04531-004 São Paulo SP Brasil
telefone/telephone
(00 55 11) 3706-1466
fax
(00 55 11) 3071-2564
e-mail
ednobel@livrarianobel.com.br
homepage
www.livrarianobel.com.br

NÓRDICA
Editorial Nórdica
endereço/address
Rua Oito de Dezembro, 353 – Vila Isabel – 20550-200 Rio de Janeiro RJ Brasil
telefone/telephone
(00 55 21) 2567-0107
fax
(00 55 21) 2284-8848
homepage
www.editoras.com/nordica

NOVA AGUILAR
Editora Nova Aguilar S/A
endereço/address
Rua Dona Mariana, 205 – casa 1– Botafogo 22280-020 Rio de Janeiro RJ Brasil
telefax
(00 55 21) 2537-8275
(00 55 21) 2537-7189
e-mail
aguilar@iis.com.br

NOVA ALEXANDRIA
Editora Nova Alexandria Ltda.
endereço/address
Rua Dionísio da Costa, 14 – Vila Mariana – 04117-110 São Paulo SP Brasil
telefax
(00 55 11) 5571-5637
e-mail
novaalexandria@novaalexandria.com.br
homepage
www.novaalexandria.com.br

NOVA FRONTEIRA
Editora Nova Fronteira S/A
endereço/address
Rua Bambina, 25 – Botafogo – 22251-050 Rio de Janeiro RJ Brasil
telefone/telephone
(00 55 21) 2537-8770
fax
(00 55 21) 2286-6755
e-mail
sac@novafronteira.com.br
homepage
www.novafronteira.com.br

OBJETIVA
Editora Objetiva Ltda.
endereço/address
Rua Cosme Velho, 103 – Cosme Velho – 22241-090 Rio de Janeiro RJ Brasil
telefone/telephone
(00 55 21) 2556-7824
fax
(00 55 21) 2556-3322
e-mail
imprensa@objetiva.com.br
homepage
www.objetiva.com.br

PALLAS
Pallas Editora
endereço/address
Rua Frederico de Albuquerque, 44 – Higienópolis – 21050-840 Rio de Janeiro RJ Brasil
telefax
(00 55 21) 2270-0186
(00 55 21) 2590-6996
e-mail
pallas@alternex.com.br
homepage
www.pallaseditora.com.br

PAPIRUS
Papirus Editora
endereço/address
Rua Dr. Gabriel Penteado, 253 – Vila São Paulo 13035-451 Campinas SP Brasil
telefones/telephones
(00 55 19) 3272-4500
(00 55 19) 3272-4534
fax
(00 55 19) 3272-7578
e-mail
editora@papirus.com.br
homepage
www.papirus.com.br

PAULINAS EDITORA
Pia Sociedade Filhas de São Paulo
endereço/address
Rua Domingos de Morais, 678 – térreo – Vila Mariana 04010-000 São Paulo SP Brasil
telefone/telephone
(00 55 11) 5574-8499
fax
(00 55 11) 5574-5767
e-mail
editora@paulinas.org.br
homepage
www.paulinas.org.br

PAULUS EDITORA
Pia Sociedade de São Paulo
endereço/address
Rua Francisco Cruz, 229 – Vila Mariana – 04117-091 São Paulo SP Brasil
telefax
(00 55 11) 5575-7403
e-mails
marketing@paulus.com.br
vendas@paulus.com.br
homepage
www.paulus.org.br

PAZ E TERRA
Editora Paz e Terra S/A
endereço/address
Rua do Triunfo, 177 – Santa Efigênia – 01212-010 São Paulo SP Brasil
telefones/telephones
(00 55 11) 2223-6522
(00 55 11) 3337-8399
fax
(00 55 11) 2223-6690
(00 55 11) 2223-6290
e-mail
vendas@pazeterra.com.br
homepage
www.pazeterra.com.br

PERSPECTIVA
Editora Perspectiva S/A
endereço/address
Avenida Brigadeiro Luís Antônio, 3.025 / 3.035 Jardim Paulista 01401-000 São Paulo SP Brasil
telefone/telephone
(00 55 11) 885-8388
fax
(00 55 11) 885-5828
e-mail
editora@editoraperspectiva.com.br
homepage
www.editoraperspectiva.com.br

PINAKOTHEKE
Edições Pinakotheke
endereço/address
Rua São Clemente, 300 – Botafogo – 22260-000 Rio de Janeiro RJ Brasil
telefones/telephones
(00 55 21) 2537-7566
(00 55 21) 2537-8786
fax
(00 55 21) 2286-7399
e-mail
pinakotheke@infolink.com.br
homepage
www.pinakotheke.com.br

RECORD
Distribuidora Record de Serviços de Imprensa
endereço/address
Rua Argentina, 171 – São Cristóvão – 20921-380 Rio de Janeiro RJ Brasil
telefone/telephone
(00 55 21) 2585-2000
fax
(00 55 21) 2585-2080
(00 55 21) 2580-4911
e-mail
record@record.com.br
homepage
www.record.com.br

RELUME DUMARÁ
Relume Dumará Editora
endereço/address
Travessa Juraci, 37 – Penha – 21020-220 Rio de Janeiro RJ Brasil
telefone/telephone
(00 55 21) 2564-6869
fax (00 55 21) 2590-0135
e-mail
relume@relumedumara.com.br
homepage
www.relumedumara.com.br

REVAN
Editora Revan Ltda.
endereço/address
Avenida Paulo de Frontin, 163 – Rio Comprido
20260-010 Rio de Janeiro RJ Brasil
telefone/telephone
(00 55 21) 2502-7495
fax
(00 55 21) 2273-6873
homepage
www.revan.com.br

REVISTA DOS TRIBUNAIS
Editora Revista dos Tribunais Ltda.
endereço/address
Rua Tabatinguera, 140 – térreo – loja 1 – Sé
01020-000 São Paulo SP Brasil
telefone/telephone
(00 55 11) 3115-2433
fax
(00 55 11) 3106-3772
e-mail
rtmarket@rt.com.br
homepage
www.rt.com.br

ROCCO
Editora Rocco Ltda.
endereço/address
Rua Rodrigo Silva, 26 / 5° andar – Centro –
20011-040 Rio de Janeiro RJ Brasil
telefone/telephone
(00 55 21) 2507-2000
fax
(00 55 21) 2507-2244
e-mail
rocco@rocco.com.br
homepage
www.rocco.com.br

SARAIVA
Editora Saraiva
endereço/address
Avenida Marquês de São Vicente, 1697 –
Barra Funda 01139-904 São Paulo SP Brasil
telefones/telephones
(00 55 11) 3613-3000
(00 55 11) 3933-3366
fax
(00 55 11) 861-3308
(00 55 11) 861-3268
e-mail
diretoria.editora@editorasaraiva.com.br
homepage
www.editorasaraiva.com.br

SCIPIONE
Editora Scipione Ltda
endereço/address
Praça Carlos Gomes, 46 / 11° – Liberdade
01501-040 São Paulo SP Brasil
telefone/telephone
(00 55 11) 239-2255
fax
(00 55 11) 239-1700
e-mail
germkt@scipione.com.br
homepage
www.scipione.com.br

SCORTECCI
endereço/address
Rua Deputado Lacerda Franco, 177 – Pinheiros
05418-000 São Paulo SP Brasil
telefax
(00 55 11) 3032-1179
(00 55 11) 3032-6501
e-mail
jrspscortecci@scortecci.com.br
homepage
www.scortecci.com.br

SENADO FEDERAL
Subsecretaria de Edições Técnicas
endereço/address
Via N-2, Unidade de Apoio III – Praça dos Três Poderes – 70165-900 Brasília DF Brasil
telefones/telephones
(00 55 61) 311-3578
(00 55 61) 311-3576
(00 55 61) 311-3579
fax
(00 55 61) 311-4258
homepage
www.senado.gov.br/web/conselho/conselho.htm

7 LETRAS
Viveiros de Castro Editora
endereço/address
Rua Jardim Botânico, 674 – sala 417 – Jardim Botânico 22461-000 Rio de Janeiro RJ Brasil
telefones/telephones
(00 55 21) 2540-0037
(00 55 21) 2540-0130
e-mail
editora@7letras.com.br
homepage
www.7letras.com.br

SEXTANTE
Editora Sextante
endereço/address
Avenida Nilo Peçanha, 155 – salas 301 / 306 Centro 20020-100 Rio de Janeiro RJ Brasil
telefones/telephones
(00 55 21) 2524-6760
(00 55 21) 2240-6306
fax
(00 55 21) 2524-6755
homepage
www.editorasextante.com.br

SICILIANO
Edições Siciliano S. A.
endereço/address
Av. Raimundo Pereira de Magalhães, 3.305 Pirituba – 05145-200 São Paulo SP Brasil
telefones/telephones
(00 55 11) 3839-5500
(00 55 11) 3839-5504
fax
(00 55 11) 3649-4647
(00 55 11) 832-8616
e-mail
atendimento@siciliano.com.br
homepage
www.siciliano.com.br

SULINA
Editora Sulina
endereço/address
Rua Coronel Genuíno, 290 – Centro – 90010-350 Porto Alegre RS Brasil
telefax
(00 55 51) 228-1966
e-mail
sulina@sulina.com.br

SUMMUS
Grupo Editorial Summus
endereço/address
Rua Itapicuru, 613 / 12° andar – 05006-000 São Paulo SP Brasil
telefone/telephone
(00 55 11) 3872-3322
fax
(00 55 11) 3872-7476
e-mail
diretor@summus.com.br
homepage
www.summus.com.br

T. A. QUEIROZ
T. A. Queiroz Editora
endereço/address
Rua Joaquim Floriano, 733 – Itaim Bibi – 04534-904 São Paulo SP Brasil
telefax
(00 55 11) 3849-0200

TEMPO BRASILEIRO
Edições Tempo Brasileiro
endereço/address
Rua Gago Coutinho, 61 – Laranjeiras – 22221-070 Rio de Janeiro RJ Brasil
telefone/telephone
(00 55 21) 2205-5949

TOPBOOKS
Topbooks Editora e Distribuidora de Livros Ltda.
endereço/address
Rua Visconde de Inhaúma, 58 – sala 203 – Centro 20091-000 Rio de Janeiro RJ Brasil
telefax
(00 55 21) 2283-1039
(00 55 21) 2233-8718
e-mail
topbooks@topbooks.com.br
homepage
www.editoratopbooks.hpg.ig.com.br

34
Editora 34 Ltda.
endereço/address
Rua Hungria, 592 – Jardim Europa – 01455-000 São Paulo SP Brasil
telefax
(00 55 11) 3816-6777
e-mails
editora34@uol.com.br
34vendas@uol.com.br

UAPÊ
Editora Uapê
endereço/address
Avenida Olegário Maciel, 511 / 303 – Barra da Tijuca – 22621-200 Rio de Janeiro RJ Brasil
telefax
(00 55 21) 2493-9175
e-mail
uape@aol.com

VOZES
Editora Vozes
endereço/address
Rua Frei Luís, 100 – Centro – 25685-020 Petrópolis RJ Brasil
telefone/telephone
(00 55 24) 2237-5112
fax
(00 55 24) 2231-4676
homepage
www.vozes.com.br

Agentes Literários de Autores Brasileiros

| *Literary Agents of Brazilian Authors*

Alexandre Carlos Teixeira
SOLOMBRA BOOKS LITERARY AGENCY
endereço/address
Avenida Marechal Câmara, 350 – Grupo 402
Rio de Janeiro RJ 20020-080 Brasil *(Brazil)*
telefones/telephones
(00 55 21) 2524 4622
(00 55 21) 2524 4623
fax
(00 55 21) 2524 6594
(00 55 21) 2524 2622
secretária eletrônica/asnwering machine
(00 55 21) 2524 4622
e-mail
solombrabooks@solombrabooks.com
homepage
www.solombrabooks.com

Anne-Marie Vallat
A. M. V. AGENCIA LITERARIA
endereço/address
Maldonadas, 9
28005 Madri – Espanha *(Spain)*
telefone/telephone
(01) 365 2516 / 364 2925
telefax
(01) 364 0700
e-mail
amvallat@infonegocio.com

Carmen Balcells
AGENCIA LITERÁRIA S. A.
endereço/address
Diagonal 580
08021 Barcelona – Espanha *(Spain)*
telefones/telephones
(34 93) 200 8565
(34 93) 200 8933
(34 93) 393 4213
telefax
(34 93) 200 7041
e-mail
m.luque@ag-balcells.com

Henrique Gandelman
LITERARY AGENT
endereço/address
Avenida Ataulfo de Paiva, 255 – sala 805
Rio de Janeiro RJ 22440-030 Brasil *(Brazil)*
telefone/telephone
(00 55 21) 2239 2731
fax
(00 55 21) 2239 3062
e-mails
henrique@copygan.com.br
copygan@copygan.com.br
homepage
www.artedata.com/copygan

H. Katia Schumer
LITERARY AGENT
endereço/address
Avenida Sernambetiba, 1120 / 1010
Rio de Janeiro RJ 22620-171 Brasil *(Brazil)*
telefax
(00 55 21) 3389 6370
e-mail
hkschumer@wnetrj.com.br

Lucia Riff
BMSR LITERARY AGENCY
endereço/address
Rua Visconde de Pirajá, 414 / 1108
Rio de Janeiro RJ 22410-002 Brasil *(Brazil)*
telefone/telephone
(00 55 21) 2287 6299
telefax
(00 55 21) 2267 6393
e-mail
Lucia@bmsr.com.br

Marisa Gandelman
LITERARY AGENT
endereço/address
Avenida Ataulfo de Paiva, 255 – sala 805
Rio de Janeiro RJ 22440-030 Brasil *(Brazil)*
telefone/telephone
(00 55 21) 2239 2731
fax
(00 55 21) 2239 3062
e-mails
henrique@copygan.com.br
copygan@copygan.com.br
homepage
www.artedata.com/copygan

Marisa Moura
PÁGINA DA CULTURA
endereço/address
Avenida Paulista, 2073 – Horsa I – sala 1524
São Paulo SP 01311-940 Brasil *(Brazil)*
telefax
(55 11) 3266 4299
e-mail
pagianadacultura@pobox.com
homepage
www.paginadacultura.com.br

Ray-Güde Mertin
LITERARISCHE AGENTUR
endereço/address
Friedrichstrasse 1
61348 Bad Homburg – Alemanha *(Germany)*
telefone/telephone
(49) 6172 / 29842
telefax
(49) 6172 / 29771
e-mail
mertin@em.uni-frankfurt.de

Vania Maria de Souza Barra
SOLOMBRA BOOKS LITERARY AGENCY
endereço/address
Avenida Marechal Câmara, 350 – Grupo 402
Rio de Janeiro RJ 20020-080 Brasil *(Brazil)*
telefones/telephones
(00 55 21) 2524 4622
(00 55 21) 2524 4623
fax
(00 55 21) 2524 6594
(00 55 21) 2524 2622
secretária eletrônica/asnwering machine
(00 55 21) 2524 4622
e-mail
solombrabooks@solombrabooks.com
homepage
www.solombrabooks.com

Índice Onomástico | *Onomastic Index*

GUIA CONCISO DE AUTORES BRASILEIROS (Impresso pela Gráfica da Imprensa Oficial do Estado de São Paulo em outubro de 2002; *capa*: cartão supremo 250g/m^2; *miolo*: papel off-set 90g/m^2) / BRAZILIAN AUTHORS CONCISE GUIDE *(Printed by Imprensa Oficial do Estado de São Paulo Printing House in October, 2002; Cover in supreme-type cardboard 250 g/m^2;* Book printed *in offset paper 90 g/m^2)*